LES VERSETS
SATANIQUES

SALMAN RUSHDIE

LES
VERSETS
SATANIQUES

Traduit de l'anglais
par A. Nasier

CHRISTIAN BOURGOIS ÉDITEUR

Pour Marianne

Satan, ainsi réduit à l'état de vagabondage et d'errance chaotique, est sans abri sûr; bien qu'il ait, d'après sa nature angélique, une sorte d'empire dans le flux liquide ou l'air, une part de son châtiment est qu'il reste sans domicile ni lieu fixe, où il puisse poser le pied.

Daniel Defoe, *L'Histoire du diable.*

I

L'ange Gibreel

1

« Pour renaître, chantait Gibreel Farishta en tombant des cieux, il faut d'abord mourir. Ho, hi! Avant de se poser sur le sein de la terre, il faut d'abord voler. Tat-taa! Takadoum! Comment sourire à nouveau, si l'on ne veut pas pleurer d'abord? Comment remporter l'amour de celle qu'on aime, monsieur, sans un soupir? Si tu veux renaître, baba... » Juste avant l'aube d'un matin d'hiver, celle du jour de l'an ou environ, deux hommes réels, adultes et vivants tombaient d'une hauteur vertigineuse, de huit mille huit cent quarante huit mètres, vers la Manche, sans disposer de parachutes ni d'ailes, dans un ciel clair.

« Je te le dis, tu vas mourir, je te le dis, je te le dis » [1], et ainsi donc sous une lune d'albâtre, jusqu'à ce qu'un cri immense traverse la nuit, « Va au diable avec tes chansons! », les mots restèrent suspendus comme des cristaux dans la nuit glacée et blanche, « dans les films, tu n'as fait que mimer des chanteurs en play-back, aussi épargne-moi ce bruit d'enfer. »

Gibreel, le soliste à la voix fausse, faisait des cabrioles dans le clair de lune en chantant son impromptu, il nageait dans l'air, en brasse papillon, en brasse, il se roulait en boule, tendant bras et jambes dans la quasi-infinité de cette quasi-aube, en posture héraldique de l'aigle éployée, rampant, couchant, piquant légèrement contre la gravitation. Maintenant, il roulait heureux, vers la voix sardonique. « Ohé, Salad baba, c'est toi. Comment ça va-ho, camaradeu... » À quoi, l'autre, une ombre délicate, qui tombait la tête la première, en costume gris dont tous les boutons

1. « I tell you, you must die, I tell you... », Brecht, *Mahagony*. *(N.d.T.)*

13

étaient boutonnés, les bras collés au corps, considérant comme garantie la présence improbable d'un chapeau melon sur sa tête, grimaça comme celui qui n'aime pas qu'on lui fasse porter le chapeau. « Hé! Chamcha », hurla Gibreel, en lâchant le vent d'une seconde grimace à l'envers. « À nous deux Londres. Nous voici! Ces salauds en bas ne savent pas ce qui leur tombe sur la tête. Un météore, la foudre ou la vengeance de Dieu. Nous tombons des nues. *Dharraaamm!* Vlan! Quelle entrée, ouais. Je le jure : ploc! »

Tomber des nues : une énorme explosion, un big bang, suivi d'étoiles filantes. Un commencement universel, l'écho miniature de la naissance du temps... Le jumbo jet *Bostan*, vol AI-420, explosa sans prévenir, très haut au-dessus de la cité grande, magnifique, pourrissante, blanche comme la neige et illuminée de Mahagony, Babylone, Alphabille. Mais je dois signaler que Gibreel lui avait déjà donné son nom : Londres proprement dit, capitale de Vilayet, clignait, clignotait, hochait dans la nuit. Tandis qu'à des hauteurs himalayennes, un soleil bref et prématuré perçait dans l'air pur et poudreux de janvier, un spot s'éteignit sur les écrans radar, et l'air pur se remplit de corps, qui descendaient de l'Éverest de la catastrophe vers la pâleur laiteuse de la mer.

Qui suis-je?

Qui d'autre se trouve ici?

L'avion se cassa en deux, comme une cosse libérant ses pois, un œuf révélant son mystère. Deux acteurs, le fringant Gibreel, et Mr Saladin Chamcha, boutonné et aux lèvres pincées, tombaient comme des brins de tabac d'un vieux cigare cassé. Au-dessus, derrière, en dessous, dans le vide, il y avait des sièges à dossier inclinable, des casques stéréo, des chariots à boissons, des sacs pour vomir, des cartes de débarquement, des jeux vidéo détaxés, des casquettes tressées, des gobelets en carton, des couvertures, des masques à oxygène. Aussi – car il n'y avait pas seulement quelques émigrants à bord, oui, mais une grande quantité d'épouses questionnées par des fonctionnaires des douanes raisonnables et qui ne faisaient que leur boulot, sur la longueur et les signes particuliers des parties génitales de leur mari, et plus d'enfants qu'il n'en fallait dont la légitimité était raisonnablement mise en doute par le gouvernement britannique – mêlés aux restes de l'appareil, également fragmentés, également-

14

ment absurdes, flottaient les débris de l'âme, des souvenirs brisés, des mues d'êtres, des langues maternelles section-nées, des secrets violés, des plaisanteries intraduisibles, des avenirs anéantis, des amours perdues, le sens oublié de mots creux et ronflants, le pays, l'appartenance, la famille. Ren-dus un peu stupides par l'explosion, Gibreel et Saladin plon-geaient comme des paquets qu'aurait laissé tomber le bec ouvert d'une cigogne négligente et, parce que Chamcha tom-bait la tête la première, dans la position recommandée aux enfants pour entrer dans le canal de la naissance, il commença à ressentir une sourde irritation du refus que manifestait son compagnon de tomber de la façon correcte. Saladin fendait l'air avec le nez, tandis que Farishta embras-sait l'air, le serrait avec ses bras et ses jambes, un acteur tourmenté qui s'agitait sans aucune technique de contrôle. En dessous, couvert par les nuages, attendant leur entrée, le courant lent et congelé du Canal Anglais, la zone désignée de leur réincarnation aquatique.

« Oh, mes chaussures sont japonaises », chanta Gibreel, en traduisant l'ancienne chanson en anglais, en déférence semi-consciente au pays d'accueil qui montait vers eux. « Ce pantalon est anglais, s'il vous plaît. Sur ma tête, un chapeau rouge de Russie; et malgré ça mon cœur est indien. » Les nuages venaient vers eux en gros bouillons, et peut-être à cause de cette grande mystification de cumulus et de cumulo-nimbus, les puissants nuages annonciateurs d'orage qui se dressaient comme des marteaux dans l'aube, ou peut-être à cause de la chanson (l'un se donnant en spectacle, l'autre sifflant la représentation), ou de leur délire qui leur épargnait de prévoir l'imminent... mais quelle que soit la raison, les deux hommes, Gibreelsaladin et Farishtacham-cha, condamnés à cette chute angélicodiabolique sans fin mais finissante, ne se rendirent pas compte du moment auquel commença le processus de leur transmutation.

Mutation?

Oui m'sieur, mais pas au hasard. Là-haut, dans l'air, dans cet espace imperceptible et mou qui avait été rendu possible par ce siècle et qui, à son tour, avait rendu ce siècle possible, devenant un de ces lieux définis, le lieu du mouvement et de la guerre, le rétrécisseur de planète et le videur de pouvoir, la plus dangereuse et la plus transitoire des zones, illusoire, discontinue, métamorphique – parce que quand on lance quelque chose en l'air tout devient possible – tout là-haut, de toute façon, des changements se produisaient chez ces acteurs délirants qui auraient réchauffé le cœur du vieux M. Lamarck : sous la pression d'un environnement extrême, on acquiert des caractéristiques.

Quelles caractéristiques ? Doucement ; crois-tu que la Création se fait comme ça ? Alors, la révélation non plus... regarde-les tous les deux. Tu ne remarques rien d'anormal ? Deux hommes de couleur qui tombent, rien de neuf dans tout ça, tu vas dire ; ils sont montés trop haut, pour péter au-dessus d'eux-mêmes, ils ont volé trop près du soleil, c'est ça ?

Ce n'est pas ça. Écoute :

Mr Saladin Chamcha, effrayé par les bruits sortant de la bouche de Gibreel Farishta, répondit par des vers de son cru. Ce que Farishta entendit flotter dans le ciel improbable de la nuit était, aussi, une vieille chanson, paroles de Mr James Thomson, dix-sept cent, dix-sept cent quarante-huit. « ... aux ordres du Ciel... », Chamcha chantait au travers de lèvres que le froid rendait chauvinement rouge-blancbleu, « ... se dressan-ant sur l'azu-ur de la plaine marine ». Farishta, horrifié, chanta de plus en plus fort ses chaussures japonaises, ses chapeaux russes et ses cœurs inviolés du sous-continent, mais il fut incapable d'arrêter le récital fou de Saladin : « Et les an-anges gardiens enton-naient l'antienne divine. »

Regardons les choses en face : il leur était impossible de s'entendre l'un l'autre et encore moins de se parler et de s'affronter en chansons. Accélérant vers la planète, l'air hurlant autour d'eux, comment auraient-ils pu ? Mais regardons aussi cela en face : ils le faisaient.

Ils tombaient dans l'azur, et le froid de l'hiver, givrant leurs cils et menaçant de geler leur cœur, était sur le point de les tirer de leur rêve éveillé délirant, ils allaient se rendre compte du miracle de la chanson, la pluie de membres et de bébés dont ils faisaient partie, et du destin terrifiant qui fonçait vers eux, quand ils s'écrasèrent, furent trempés et immédiatement gelés par le bouillonnement des nuages au degré zéro.

Ils se trouvaient dans ce qui semblait être un long tunnel vertical. Chamcha, prude, raide, et toujours la tête en bas, voyait Gibreel Farishta dans sa saharienne violette, qui nageait vers lui dans ce conduit aux parois de nuages, et il aurait bien crié : « Va-t'en, éloigne-toi de moi », mais quelque chose l'en empêchait, le début d'une petite chose hurlante et palpitante au fond de ses tripes, aussi, au lieu de proférer des mots de rejet, il ouvrit les bras et Farishta y nagea jusqu'à ce qu'ils se tiennent enlacés tête-bêche, et la violence de leur collision les envoya valdinguer cul pardessus tête faisant leur numéro de roue jumelle jusqu'en bas du trou qui conduit au Pays des Merveilles ; tandis que des formations nuageuses se frayaient un chemin à travers la blancheur se métamorphosant sans cesse, des dieux devenant taureaux, des femmes araignées, des hommes loups. D'hybrides créatures de nuages se pressaient contre eux, des fleurs gigantesques avec des poitrines humaines pendaient sur des tiges charnues, des chats ailés, des centaures, et Chamcha, dans sa demi-inconscience, fut saisi par l'idée que lui aussi était d'essence nuageuse, capable lui aussi de métamorphose, hybride, comme s'il devenait la personne dont la tête nichait entre ses jambes et dont les jambes entouraient son long cou patricien.

Cependant, cet homme n'avait pas de temps à perdre avec de telles « fabulaprétentions » ; il était en fait tout à fait incapable de fabulaprétendre, car il venait de voir, émergeant du tourbillon de nuages, la silhouette d'une femme fabuleuse, d'un certain âge, portant un sari de brocart vert et or, un diamant dans le nez et de la laque défendant sa couronne de cheveux contre la pression du vent à ces altitudes, assise, bien en équilibre, sur un tapis volant. Gibreel la salua : « Rekha Merchant, tu n'arrives pas à trouver le chemin du paradis, ou quoi ? » Des mots bien insensibles pour s'adresser à une morte ! À sa décharge on peut invoquer sa condition plongeante et meurtrie... Chamcha, replié sur ses jambes, posa une question incompréhensible : « Que diable ?

– Tu ne la vois pas ? s'écria Gibreel. Tu ne vois pas son putain de tapis de Boukhara ? »

Non, non, Gibbo, murmura la voix de la femme à ses oreilles, ne t'attends pas à ce qu'il te donne raison. Je n'existe que pour tes yeux, peut-être deviens-tu fou, qu'en penses-tu, toi, namaqool, ma petite crotte de cochon, mon amour. Avec la mort vient la franchise, mon bien-aimé, alors je peux t'appeler par tes vrais noms.

17

La nuageuse Rekha murmurait des petits riens amers, mais Gibreel interpella encore Chamcha : « Chamcha ! Tu la vois ou pas ? »

Saladin Chamcha ne voyait rien, n'entendait rien, ne disait rien. Gibreel se tenait seul face à elle. « Tu n'aurais pas dû », l'admonesta-t-il. « Oh, non. C'est un péché. Un sacré truc. »

Oh, c'est bien à toi de dire ça, s'esclaffa-t-elle. C'est toi qui fais la morale maintenant, c'est la meilleure. C'est toi qui m'as quittée, lui rappela sa voix en semblant lui mordiller le lobe de l'oreille. C'est toi, ô lune de mes délices, qui te cachais derrière un nuage. Et moi, dans la nuit, aveuglée, égarée par l'amour.

Il prit peur. « Que veux-tu ? Non, ne dis rien, va-t'en. »

Quand tu étais malade, je ne pouvais pas te voir, à cause du scandale, tu le savais, que je ne venais pas par égard pour toi, mais après tu m'as punie, tu t'en es servi comme excuse pour me quitter, c'est le nuage derrière lequel tu t'es caché. Cela, et elle aussi, la femme de glace. Salaud. Maintenant que je suis morte, j'ai oublié le pardon. Je te maudis, mon Gibreel, que ta vie soit un enfer. Un enfer, car c'est là que tu m'as envoyée, sois damné, c'est de là que tu viens, démon, c'est là que tu vas, pauvre mec, dans ton plongeon à la con. La malédiction de Rekha ; et ensuite, des vers dans une langue qu'il ne comprenait pas, rude et sifflante, dans laquelle il crut saisir, mais peut-être pas, le nom répété *Al-Lat*.

Il s'agrippait à Chamcha ; ils jaillirent du fond des nuages.

La vitesse, la sensation de la vitesse, revint, sifflant sa note effrayante. Le plafond de nuages montait, le plancher de l'eau se rapprochait, leurs yeux s'ouvrirent. Un cri, le même cri qui avait palpité dans les tripes de Gibreel pendant qu'il nageait dans le ciel, sortit des lèvres de Chamcha ; un rayon de soleil pénétra sa bouche ouverte et le libéra. Mais ils avaient traversé les transformations des nuages, Chamcha et Farishta, et il y avait quelque chose de fluide, d'indistinct, autour d'eux, et quand le soleil toucha Chamcha il libéra plus que du bruit :

« Vole », hurla Chamcha à Gibreel. « Mets-toi à voler, tout de suite. » Et il ajouta, sans savoir d'où cela venait, un deuxième ordre : « Et chante. »

Comment la nouveauté vient-elle dans le monde? Comment naît-elle?

De quelles fusions, de quelles traductions, de quelles conjonctions est-elle faite?

Extrême et dangereuse comme elle est, comment survit-elle? Quels compromis, quels marchandages, quelles trahisons de sa nature secrète doit-elle opérer pour éloigner les démolisseurs, l'ange exterminateur, la guillotine?

La naissance est-elle toujours une chute?

Les angles ont-ils des ailes? Les hommes peuvent-ils voler?

**

Quand Mr Saladin Chamcha sortit des nuages au-dessus de la Manche, il sentit son cœur serré par une force si implacable qu'il comprit qu'il lui était impossible de mourir. Par la suite, quand ses pieds furent à nouveau fermement arrimés au sol, il commença à en douter, à attribuer les invraisemblances de son voyage à une confusion de ses perceptions due au choc, et à devoir sa survie, la sienne et celle de Gibreel, à une chance aveugle et muette. Mais, à ce moment-là, il n'avait aucun doute; ce qui s'était emparé de lui, c'était une volonté de vivre, intacte, irrésistible, pure, et la première chose que fit cette volonté fut de l'informer qu'elle n'avait rien à faire de sa personnalité minable, ce truc composé à moitié de mimétisme et de voix, qu'elle avait l'intention de passer outre, et il accepta, oui, vas-y, comme s'il n'avait été qu'un spectateur dans son propre esprit, dans son propre corps, car elle était née au centre même de son corps et s'était répandue vers l'extérieur, changeant son sang en fer, sa chair en acier, sauf qu'il avait aussi l'impression qu'un poing se refermait sur lui du dehors, le tenait d'une façon à la fois insupportablement ferme et intolérablement douce; jusqu'à ce qu'enfin cette volonté l'ait entièrement conquis et fasse fonctionner sa bouche, ses doigts, tout ce qu'elle choisissait, et quand elle fut sûre de sa conquête elle sortit de son corps et attrapa Gibreel Farishta par les couilles.

« Vole », ordonna-t-elle à Gibreel. « Chante. »

Chamcha s'accrocha à Gibreel tandis que l'autre

commençait, lentement au début, puis avec une force et une rapidité grandissantes, à agiter les bras. Il les agita de plus en plus violemment, et une chanson lui jaillit de la bouche qui, comme la chanson du spectre de Rekha Merchant, était dans une langue qu'il ne connaissait pas et sur un air qu'il n'avait jamais entendu. Gibreel ne renia jamais le miracle ; contrairement à Chamcha qui essaya de le réduire à rien par le raisonnement, jamais il ne cessa de dire que la chanson était céleste, que sans elle ils auraient agité les bras pour rien, et sans l'agitation de leurs bras ils se seraient à coup sûr heurtés aux vagues comme des rochers ou auraient simplement éclaté en morceaux en entrant en contact avec le tambour tendu de la mer. Mais au lieu de cela ils commencèrent à ralentir. Plus Gibreel agitait les bras et chantait avec emphase, chantait et agitait les bras, plus la décélération s'accentuait, jusqu'à ce que finalement ils se retrouvent tous deux en train de voltiger lentement vers la Manche comme deux morceaux de papier dans la brise.

Ils étaient les seuls survivants de la catastrophe, les seuls tombés du *Bostan* qui restaient en vie. On les retrouva rejetés sur une plage. Le plus bavard des deux, celui qui portait une chemise violette, jurait dans son délire qu'ils avaient marché sur l'eau, que les vagues les avaient gentiment portés jusqu'au rivage ; mais l'autre, avec un chapeau melon imbibé d'eau accroché sur la tête comme par miracle, le niait : « Mon Dieu, quelle chance, dit-il. Avez-vous déjà vu une chance pareille ? »

Je connais la vérité, c'est évident. J'ai tout vu. Quant à l'omniprésence et -potence, je n'affirme rien actuellement, mais j'espère que je peux au moins dire ça. Chamcha l'a voulu et Farishta a fait ce qui était voulu.

Qui était l'auteur du miracle ?

De quel genre – angélique, satanique – était la chanson de Farishta ?

Qui suis-je ?

Disons-le ainsi : qui chantait le mieux ?

Tels furent les premiers mots prononcés par Gibreel Farishta quand il s'éveilla sur une plage anglaise couverte de

20

neige, avec une étoile de mer improbable sur l'oreille : « Ressuscité, Chamcha, toi et moi. Bon anniversaire, monsieur, bon anniversaire. »

Sur ce, Saladin Chamcha toussa, crachota, ouvrit les yeux et, comme il convient à un nouveau-né, éclata bêtement en pleurs.

2

La réincarnation fut toujours le sujet préféré de Gibreel, qui resta pendant quinze ans la plus grande vedette du cinéma indien, même avant d'avoir vaincu « miraculeusement » le Bacille Fantôme dont tout le monde pensait qu'il allait mettre fin à ses contrats. Quelqu'un aurait peut-être pu prévoir, mais personne n'en fut capable, que lorsqu'il serait à nouveau sur pied, il pourrait pour ainsi dire réussir là où les microbes avaient échoué et quitter sa vieille existence pour toujours dans la semaine qui précédait son quarantième anniversaire, disparaissant comme par magie, pfuit, plus personne, dans l'air raréfié.

Les premiers à remarquer son absence furent les quatre membres de l'équipe chargée de sa chaise roulante aux studios. Bien avant sa maladie, il avait pris l'habitude d'être transporté d'un plateau à un autre dans les grands studios de D.W. Rama par ce groupe d'athlètes rapides et fiables, parce qu'un homme qui tourne onze films « si-multanément » doit garder son énergie. Guidés par un code complexe de traits, de cercles et de points, qui lui rappelait son enfance passée parmi les légendaires porteurs de repas de Bombay (dont nous reparlerons plus tard), les porteurs l'expédiaient d'un rôle à l'autre, le livraient aussi ponctuellement et impeccablement que son père lorsqu'il livrait les repas. Et après chaque prise Gibreel sautait dans la chaise et on le transportait à toute vitesse vers le plateau suivant, où on lui enfilait un nouveau costume, on le maquillait et on lui soufflait ses prochaines répliques. « Une carrière dans le cinéma parlant de Bombay, disait-il à sa loyale équipe, ressemble plus à une course de chaises roulantes avec un ou deux arrêts techniques en route. »

Après la maladie, le Microbe Fantôme, le Malaise Mystérieux, le Bacille, il avait repris son travail tout doucement, avec seulement sept films à la fois... et puis, toutduncoup, il n'était plus là. La chaise roulante resta vide parmi les plateaux réduits au silence; son absence en révélait le côté tapageur et faux. Les pousseurs de chaise, de un à quatre, présentèrent leurs excuses pour la star manquante quand les directeurs des studios arrivèrent en colère : Ji, il doit être malade, il a toujours été célèbre pour sa ponctualité, non, pourquoi le critiquer, Maharaj, il faut parfois pardonner aux grands artistes leurs caprices, na, et à cause de leurs protestations ils devinrent les premières victimes de la disparition inexpliquée de Farishta, on les vira, quatre trois deux un zéro feu, ekdumjaldi, éjectés par la porte des studios, laissant la chaise roulante abandonnée et couverte de poussière, au milieu des cocotiers peints sur une plage de sciure.

Où se trouvait Gibreel? Les producteurs, laissés sept fois en plan, paniquèrent de façon coûteuse. Regardez, au Club de golf Willingdon – qui n'a plus que neuf trous aujourd'hui, des gratte-ciel ayant jailli des neuf autres trous comme des mauvaises herbes géantes, ou, plutôt, comme des pierres tombales marquant le lieu où gisait le corps déchiré de la vieille ville – là, juste à cet endroit, des cadres de très haut niveau rataient le putt le plus simple; et, tenez, là-haut, des touffes de cheveux angoissés, arrachés de têtes directoriales, tombaient en voltigeant par les fenêtres des étages supérieurs. L'agitation des producteurs était facile à comprendre, parce qu'à cette époque de taux de fréquentation déclinants, de création par les chaînes de télévision de soap opéras historiques et de personnages de ménagères contemporaines engagées, il n'y avait plus qu'un nom qui, mis au-dessus du titre, pouvait encore assurer de toucher dans le mille, Hypersuccès, Supertabac, garanti cent pour cent, et le propriétaire du dit nom avait disparu en haut, en bas ou sur les côtés, mais certainement et indiscutablement éclipsé...

Dans toute la ville, après que les coups de téléphone, les motocyclistes, les flics, les hommes-grenouilles et les chalutiers qui draguaient le port pour rechercher son corps, eurent œuvré puissamment mais sans succès, on commença à prononcer des épitaphes en souvenir de l'étoile éteinte. Sur l'un des sept plateaux rendus impuissants des studios Rama, Miss Bouton Billimoria, la dernière bombe au piment – *c' n'est pas une tête de linotte, mam'selle, c'est de la dynamite qui sait ce qu'elle veut* – habillée comme une danseuse de temple dévêtue de voiles et installée sous des personnages en carton se contorsionnant et représentant des figures tantriques de la période Chandela en train de copuler – se rendant compte qu'elle allait rater sa grande scène, que son immense coup de pot gisait brisé en morceaux – fit des adieux amers devant un public de preneurs de son et d'électriciens fumant de façon cynique leurs beedis. Assistée d'une nounou muette et désespérée, maladroite, Bouton Billimoria essaya le mépris. « Putain, quel coup de chance, mon Dieu, s'écria-t-elle. Aujourd'hui, c'était la scène d'amour, chhi-chhi, je n'en pouvais plus à l'idée de devoir m'approcher de cette grosse bouche avec son haleine qui puait la merde de cafard pourrie. » Des bracelets à clochettes tintaient autour de ses chevilles tandis qu'elle trépignait. « Une sacrée veine pour lui que le cinéma ne sente pas, sinon il n'aurait jamais eu de boulot même comme lépreux. » À ce moment-là, le soliloque de Bouton se transforma en un tel torrent d'obscénités que, pour la première fois, les fumeurs de beedis se redressèrent et commencèrent à comparer avec animation le vocabulaire de Bouton à celui de l'infâme reine bandit Phoolan Devi dont les jurons pouvaient en moins que rien faire fondre les canons des fusils et transformer les crayons des journalistes en gommes.

Sortie de Bouton, en pleurs, censurée, une chute dans la salle de montage. De faux diamants tombèrent de son nombril, autant de miroirs où se reflétaient ses larmes... en ce qui concerne la mauvaise haleine de Farishta elle n'avait, cependant, pas tout à fait tort; si elle péchait, c'est qu'elle était bien en dessous de la réalité. Les effluves de Gibreel, ces nuages ocres de soufre lui avaient toujours donné – avec sa touffe de cheveux noir corbeau sur le front – un air plus sombre qu'auréolé malgré son prénom angélique. On disait que s'il avait disparu, on devrait pouvoir le retrouver facilement, il suffisait d'un nez un peu délicat... et surtout une semaine après sa disparition, une sortie plus tragique que celle de Bouton Billimoria, et qui fit beaucoup pour intensifier l'odeur diabolique qui commençait à s'attacher à ce nom pendant si longtemps parfumé. On pourrait dire qu'il avait crevé l'écran pour entrer dans le monde, et dans la vie, contrairement au cinéma, les gens savent si on pue.

Nous sommes des créatures de l'air, nos racines sont dans les rêves, et les nuages renaissent en vol. Au revoir.

Ce mot énigmatique découvert par la police dans l'appartement de Gibreel Farishta, au dernier étage du gratte-ciel Everest Vilas, sur la colline de Malabar, l'appartement le plus haut de l'immeuble le plus élevé, sur l'endroit le plus en altitude de la ville, un de ces appartements à double orientation d'où l'on pouvait voir à travers le collier crépusculaire de Marine Drive ou, de l'autre côté, vers Scandal Point et la mer, ce mot permit aux journaux de prolonger leur cacophonie à la une. FARISHTA PLONGE DANS LA CLANDESTINITÉ, déclara *Blitz* de façon un peu macabre, tandis qu'Abeille Affairée l'échotier du *Daily* préféra GIBREEL EN CAVALE. On publia de nombreuses photos de cette résidence légendaire dans laquelle des décorateurs français, munis de lettres de recommandation de Reza Pahlevi pour leur travail à Persépolis, avaient dépensé un million de dollars afin de recréer à cette altitude exaltée l'impression d'une tente de Bédouin. Une autre illusion détruite par son absence; GIBREEL LÈVE LE CAMP, hurlaient les titres des journaux, mais était-il parti en haut, en bas ou sur les côtés? Personne ne le savait. Dans cette métropole de langues et de chuchotements, même les oreilles les plus fines n'avaient rien entendu de fiable. Mais Mrs Rekha Merchant, qui lisait tous les journaux, écoutait toutes les émissions de radio, restait collée devant les programmes de la chaîne de télévision Doordarshan, tira quelque chose du message de Farishta, elle entendit une note qui avait échappé aux autres, et elle emmena ses deux filles et son fils unique se promener sur le toit de son immeuble. Il s'appelait Everest Vilas.

Il se trouvait que Gibreel était son voisin; elle habitait l'appartement juste en dessous du sien. Son voisin et son ami; dois-je en dire plus? Bien entendu les magazines à scandale et mal intentionnés de la ville remplissaient leurs colonnes d'allusions, d'insinuations et de coups bas, mais il n'est pas nécessaire de descendre à leur niveau. Pourquoi salir sa réputation maintenant?

Qui était-elle? Riche certainement, mais Everest Vilas n'était pas exactement un bidonville de Kurla, hein? Mariée, ou m'sieur, pendant treize ans, avec un gros bonnet des roulements à billes. Indépendante, ses magasins de tapis et d'antiquités prospéraient à Colaba. Elle appelait ses tapis *Klims* et *Kleens* et les objets d'art anciens *anti-queues*. Oui, et elle était belle, belle à la façon dure et brillante des habitants raffinés des gratte-ciel de la ville, ses os, sa peau, son allure témoignaient de son long divorce avec la terre pauvre, lourde et grouillante. Tout le monde était d'accord pour reconnaître qu'elle avait une forte personnalité, qu'elle buvait *comme un trou* dans du cristal Lalique et qu'elle accrochait son chapeau, *quelle honte*, sur un Chola Natraj et qu'elle savait ce qu'elle voulait et le moyen de l'obtenir, vite. Le mari était une sorte de souris avec de l'argent et un bon coup de poignet au squash. Rekha Merchant lut le mot d'adieu de Gibreel Farishta dans les journaux, écrivit une lettre, réunit ses enfants, appela l'ascenseur et monta vers le ciel (un étage) à la rencontre de son destin.

« Il y a des années, disait sa lettre, je me suis mariée par lâcheté. Maintenant, enfin, je fais quelque chose de courageux. » Elle laissa sur son lit le journal avec le message de Gibreel entouré de rouge et souligné – trois gros traits, l'un d'eux avait déchiré la page avec fureur. Naturellement, les journaux à ragots en firent leurs choux gras et ce ne fut que CHUTE DE LA CHÉRIE DÉLAISSÉE, et LA BELLE AU CŒUR BRISÉ FAIT LE DERNIER SAUT. Mais :

Peut-être qu'elle, aussi, avait attrapé le bacille de la résurrection, et Gibreel, ne comprenant pas le terrible pouvoir de la métaphore, avait recommandé le vol. *Pour renaître, il faut d'abord* et c'était une créature du ciel, elle buvait du champagne Lalique, elle habitait sur l'Everest et un de ses compagnons d'Olympe avait volé, lui aussi; et s'il l'avait pu, elle aussi pouvait avoir des ailes et des racines dans les rêves.

Elle échoua. Le lala employé comme gardien des Everest Vilas offrit au monde son témoignage brut. « Je marchais là, dans la résidence, quand j'ai entendu un bruit, *tharaap*. Je me suis retourné. C'était le corps de la fille aînée. Elle avait le crâne complètement écrasé. J'ai regardé en l'air et j'ai vu tomber le garçon, et après la fille cadette. Comment dire, ils me sont presque tombés dessus. J'ai porté la main à ma bouche et je me suis approché. La plus jeune fille gémissait doucement. Ensuite j'ai levé les yeux encore une fois et j'ai vu arriver la Bégum. L'air gonflait son sari comme un gros ballon et tous ses cheveux étaient défaits. J'ai détourné les yeux parce qu'elle tombait et je ne voulais pas lui manquer de respect en regardant sous ses vêtements. »

Rekha et ses enfants sont tombés de l'Everest; aucun survivant. La rumeur en accusa Gibreel. Laissons cela pour le moment.

Oh : n'oubliez pas : il l'a vue après sa mort. Il l'a vue plusieurs fois. Il se passa beaucoup de temps avant que les gens comprennent à quel point le grand homme était malade. Gibreel, la star, Gibreel, qui vainquit la Maladie Sans Nom. Gibreel, qui avait peur du sommeil.

Après son départ les images omniprésentes de son visage commencèrent à pourrir. Sur les panneaux d'affichage gigantesques, aux couleurs criardes, d'où il avait surveillé la populace, ses paupières paresseuses commencèrent à s'écailler, à s'effriter et à descendre, à descendre jusqu'à ce que ses iris soient deux lunes tranchées par des nuages ou par les doux couteaux de ses longs cils. Finalement les paupières tombèrent, donnant à ses yeux peints un aspect sauvage et globuleux. Devant les cinémas de Bombay, on voyait d'énormes effigies en carton de Gibreel qui se décomposaient et s'effondraient. Pendant mollement sur leurs échafaudages, elles perdaient leurs bras, se desséchaient, se cassaient au cou. Ses portraits sur les couvertures des magazines de cinéma prenaient la pâleur de la mort, un vide dans les yeux, un creux. Enfin ses images disparurent purement et simplement des pages imprimées et les couvertures glacées de *Celebrity*, de *Society* et de *Illustrated Weekly* redevinrent blanches chez les marchands de journaux et les directeurs renvoyèrent les imprimeurs en accusant la qualité de l'encre. Sur l'écran lui-même, au-dessus de ses adorateurs plongés dans le noir, sa physionomie censée être immortelle commença à se putréfier, à s'écailler et à blanchir; les appareils de projection se coinçaient sans aucune explication chaque fois que son image passait, ses films se bloquaient, et la chaleur de la lampe des appareils défectueux brûlait sa mémoire de celluloïd : une étoile devenue supernova, avec le feu destructeur qui sortait, comme il se doit, de ses lèvres.

C'était la mort de Dieu. Ou quelque chose qui lui ressemblait beaucoup; car ce visage démesuré, suspendu au-dessus de ses fidèles, dans la nuit artificielle et cinématographique, n'avait-il pas brillé comme celui de quelque Entité céleste dont l'être se trouvait à mi-chemin entre le mortel et le divin? Plus qu'à mi-chemin, aurait soutenu plus d'un, car Gibreel avait passé l'essentiel de son exceptionnelle carrière à incarner, avec une absolue conviction, les innombrables déités du sous-continent dans les films populaires qualifiés de « théologiques ». Il appartenait à la magie de son personnage d'avoir pu franchir la barrière des religions sans offenser qui que ce soit. La peau bleue comme Krishna il dansait, la flûte à la main, parmi les belles gopis et leurs vaches aux pis alourdis; les paumes tournées vers le ciel, serein, il méditait (comme Gautama) sur les souffrances de l'humanité sous un arbre branlant du studio. Dans les rares occasions où il descendait des cieux il ne s'aventurait jamais trop loin, jouant, par exemple, à la fois le grand Moghol et son célèbre ministre malicieux dans le film classique *Akbar et Birbal*. Pendant une quinzaine d'années, il avait représenté pour les centaines de millions de croyants de ce pays dans lequel, à ce jour, il y a seulement trois fois moins de dieux que d'hommes, le visage le plus acceptable, et le plus immédiatement reconnaissable, de l'Être Suprême. Pour nombre de ses fans, la frontière qui séparait l'acteur de ses rôles avait cessé d'exister depuis très longtemps.

Les fans, oui, et? Et Gibreel alors?

Ce visage. Dans la vie, grandeur nature, parmi d'autres mortels ordinaires, il se révélait étrangement non-star. Ses paupières basses lui donnaient l'air épuisé. Il avait, aussi, quelque chose de commun dans le nez, une bouche trop charnue pour exprimer la force, des oreilles aux lobes longs comme de jeunes fruits noueux de jaquier. Le plus commun des visages, le plus sensuel des visages. Dans lequel, récemment, on avait pu discerner les sillons creusés par sa récente maladie qui avait failli lui être fatale. Et pourtant, malgré sa banalité et sa déchéance, c'était un visage intimement lié à la sainteté, à la perfection, à la grâce : un truc de Dieu. On ne discute pas des goûts et des couleurs, c'est tout. De toute façon, vous serez d'accord que pour un tel acteur, pour tout acteur, peut-être, même pour Chamcha, mais surtout pour lui, avoir une obsession des *avatars*, comme Vichnou maintes fois métamorphosé, n'était pas tellement étonnant. La Résurrection : c'est un truc de Dieu, aussi.

Ou, bien, maisencore... pas toujours. Il y a des réincarnations laïques, aussi. Gibreel Farishta est né Ismaïl Najmuddin à Poona, la Poona britannique, un résidu de l'Empire, bien avant Pune de Rajneesh, etc. (Pune, Vadodara, Mumbai ; de nos jours même les villes peuvent prendre un nom de scène.) Ismaïl d'après l'enfant du sacrifice d'Abraham, et Najmuddin, *étoile de la foi* ; il a quand même beaucoup perdu quand il a pris le nom de l'ange.

Par la suite, quand l'avion *Bostan* fut détourné, et que les passagers, craignant pour leur avenir, se replongèrent dans leur passé, Gibreel confia à Saladin Chamcha qu'il avait choisi ce pseudonyme en hommage au souvenir de sa mère morte, « ma mummyji, Chamcha, ma seule et unique Mama, car qui d'autre a commencé toute cette affaire d'ange, elle m'appelait son ange personnel, *farishta*, parce que apparemment j'étais vachement doux, crois-le ou non, doux comme l'agneau qui vient de naître ».

Poona ne sut pas le retenir ; pendant son enfance on l'emmena dans la ville-garce, sa première migration ; son père y avait un emploi parmi les inspirateurs aux pieds ailés des futurs quatuors de pousseurs de chaise roulante, les porteurs de repas ou dabbawallas de Bombay. Et à treize ans Ismaïl le farishta marcha dans les pas de son père.

Gibreel, prisonnier à bord du AI-420, s'enfonça dans des dithyrambes bien excusables, fixant Chamcha d'un œil brillant, expliquant les mystères du système de code des livreurs, swastika noire cercle rouge trait jaune point, revoyant en esprit le parcours entier de la maison au bureau, ce système improbable grâce auquel deux mille dabbawallas livraient, chaque jour, plus de cent mille gamelles, et un mauvais jour, Spoono, on en égarait quinze, pour la plupart nous étions analphabètes, mais les signes étaient notre langue secrète.

Le *Bostan* tournait au-dessus de Londres, les pirates de l'air montaient la garde dans les couloirs, et les lumières des passagers avaient été éteintes, mais l'énergie de Gibreel illuminait l'obscurité. Sur l'écran crasseux où, au début du voyage, l'inévitable Walter Matthau avait trébuché de façon lugubre dans l'ubiquité aérienne de Goldie Hawn, des ombres bougeaient, projetées par la nostalgie des otages, et la plus nette était celle de cet adolescent maigrichon, Ismaïl Najmuddin, l'ange de sa maman avec un calot à la Gandhi, livrant des repas dans toute la ville. Le jeune dabbawalla sautillait habilement dans la foule des ombres, parce qu'il avait l'habitude, imagine, Chamcha, rends-toi compte, trente-quarante repas sur un long plateau de bois posé sur ta tête, et quand le train s'arrête tu as peut-être une minute pour monter ou descendre en force, et puis tu cours dans les rues, à toute vitesse, ouais, avec les camions les bus les scooters les vélos et le reste, une-deux, une-deux, déjeuner, déjeuner, les dabbas doivent passer, et pendant la mousson tu cours entre les rails quand le train tombe en panne, ou tu marches avec de l'eau jusqu'à la taille dans une rue inondée, et il y avait des bandes, Salad baba, je te jure, des bandes organisées de voleurs de dabbas, c'est une ville qui a faim, mon vieux, comment te dire, mais on s'en tirait, on était partout, on savait tout, quels voleurs pouvaient échapper à nos yeux et à nos oreilles, on n'a jamais appelé la police, on se défendait tout seuls.

La nuit tombée, le père et le fils retournaient épuisés dans leur cabane près de l'aéroport à Santacruz et quand la mère d'Ismaïl le voyait arriver, illuminé par les lumières vertes rouges jaunes des jets en partance, elle disait que le seul fait de poser les yeux sur lui exauçait tous ses rêves, première indication qu'il y avait quelque chose de particulier en Gibreel, parce que dès le début, apparemment, il avait la capacité d'accomplir les désirs les plus secrets des gens sans du tout savoir comment il s'y prenait. Najmuddin père ne semblait pas gêné que sa femme n'ait d'yeux que pour son fils, que les pieds du fils soient massés chaque soir alors que les siens restaient sans caresses. Un fils est une bénédiction et une bénédiction réclame la gratitude de celui qui est béni.

Naïma Najmuddin mourut. Un bus la renversa, c'est tout, Gibreel ne se trouvait pas à ses côtés pour la sauver. Le père et le fils ne parlèrent jamais de leur douleur. En silence, comme si c'était la coutume, ils enterrèrent leur tristesse sous un supplément de travail, chacun voulant dépasser l'autre sans le dire, lequel pourrait porter le plus de dabbas sur la tête, lequel pourrait décrocher le plus de contrats par mois, lequel pourrait courir le plus vite, comme si le plus grand travail signifiait le plus grand amour. Le soir, quand il voyait son père dont les veines noueuses roulaient dans son cou et sur ses tempes, Ismaïl Najmuddin comprenait à quel point le vieil homme lui en voulait, et à quel point il était important pour le père de vaincre le fils, encore et encore, et de regagner ainsi sa place usurpée dans l'affection de sa femme morte. Quand il eut pris conscience de cela, le jeune homme relâcha son effort, mais le zèle du père resta inchangé, et bientôt il reçut une promotion, il cessa d'être un simple porteur pour devenir un des muqaddams organisateurs. Quand Gibreel eut dix-neuf ans, Najmuddin père devint membre de la confrérie des porteurs de repas, l'Association des Porteurs de Repas de Bombay, et quand Gibreel eut vingt ans, son père mourut, terrassé par une crise cardiaque qui faillit le faire exploser. « Il s'est tué à la tâche », dit le secrétaire général de la confrérie, Babasaheb Mhatre lui-même. « Ce pauvre diable, il était à bout de souffle. » Mais l'orphelin savait. Il savait que son père avait finalement couru assez durement et assez longtemps pour détruire les frontières entre les deux mondes, qu'il avait sauté hors de sa peau jusque dans les bras de sa femme, à qui il avait prouvé, une fois pour toutes, la supériorité de son amour. Certains émigrants sont heureux de partir.

Babasaheb Mhatre était assis dans un bureau bleu derrière une porte verte au-dessus du labyrinthe d'un bazar, une silhouette impressionnante, gros comme un bouddha, une des grandes forces motrices de la métropole, possédant le don occulte de rester absolument immobile, ne quittant jamais son bureau, et cependant se trouvant partout où il était important de se trouver et rencontrant tous ceux qui comptaient à Bombay. Le lendemain du jour où le père du jeune Ismaïl traversa la frontière pour retrouver Naïma, le Babasahed appela le jeune homme. « Alors ? Déprimé ou quoi ? » La réponse, les yeux baissés : ji, merci, Babaji, ça va. « Ta gueule, dit Babasaheb. À partir d'aujourd'hui, tu vas vivre avec moi. » Mais mais, Babaji... « Y a pas de mais. J'ai déjà mis mon excellente femme au courant. J'ai dit. » Excusez-moi, s'il vous plaît Babaji mais comme quoi que ? « J'ai *dit*. »

On n'a jamais expliqué à Gibreel Farishta pourquoi le Babasaheb avait décidé de le prendre en pitié et de le sortir des rues sans avenir, mais après quelque temps il commença à avoir une idée. Mrs Mhatre était une femme maigre, comme un crayon à côté de la gomme Babasaheb, mais elle était si pleine d'amour maternel qu'elle aurait pu être grosse comme une pomme de terre. Quand le Baba rentrait à la maison elle lui mettait des bonbons dans la bouche de ses propres mains, et la nuit le nouveau venu pouvait entendre les protestations du secrétaire général de l'A.P.R.B.. Laisse-moi tranquille, femme, je peux me déshabiller tout seul. Au petit déjeuner elle gavait Mhatre en lui enfournant d'énormes cuillerées de malt, et elle lui brossait les cheveux avant qu'il parte au travail. C'était un couple sans enfant, et le jeune Najmuddin comprit que le Babasaheb voulait qu'il partage son fardeau. Cependant, de façon étrange, la Bégum ne traitait pas le jeune homme comme un enfant. « Tu sais, il est déjà grand », dit-elle à son mari quand le pauvre Mhatre la supplia : « Donne-lui cette foutue cuillerée de malt. » Oui, il est déjà grand, « nous devons en faire un homme, Babasaheb, nous ne devons pas le materner. » « Alors, nom de Dieu, explosa Babasaheb, pourquoi est-ce que tu me maternes, moi ? » Mrs Mhatre fondit en larmes. « Mais tu es tout pour moi, dit-elle en pleurant, tu es mon père, mon amant, mon bébé aussi. Tu es mon seigneur et mon nourrisson. Si je te déplais, alors je n'ai plus de vie. »

Babasaheb Mhatre, vaincu, avala la cuillerée de malt.

C'était un homme gentil qui se cachait derrière des insultes et du bruit. Alors, pour consoler le jeune orphelin, il lui parlait, dans son bureau bleu, de la philosophie de la réincarnation, le convainquant que le retour de ses parents était déjà programmé, à moins bien sûr qu'ils aient mené des vies tellement saintes qu'ils aient déjà atteint l'état de grâce ultime. Ainsi ce fut Mhatre qui déclencha chez Farishta toute cette affaire de réincarnation, et pas seulement la réincarnation. Le Babasaheb était aussi un médium amateur, il faisait tourner les tables et apparaître des esprits dans les verres. « Mais j'ai laissé tomber », dit-il à son protégé, avec force inflexions, gestes et grimaces mélodramatiques et de circonstance, « Après avoir eu la peur de ma putain de vie. »

Une fois (raconta Mhatre) un esprit des plus coopératifs apparut dans le verre, un esprit trop aimble, vois-tu, alors j'ai pensé lui poser de grandes questions, *Y a-t-il un Dieu*, et le verre qui courait comme une souris sur la table s'est arrêté au milieu, sans bouger, complètement pfuit, kaput. Bon, alors, d'accord, j'ai dit, si tu ne veux pas répondre à cette question, essayons celle-là, et j'ai demandé tout de go, *Y a-t-il un Diable*. Alors le verre – badaboum! – a commencé à s'agiter – écoute bien! d'abord, tout doux tout doux, puis, vite vite, comme de la gelée, jusqu'à ce qu'il saute! – aie-aie-aie! – au-dessus de la table, en l'air, et qu'il retombe sur le côté et – oh-oh! – qu'il s'écrase en mille morceaux. Crois-le ou non, dit Babasaheb Mhatre à son protégé, mais sur-le-champ, j'ai retenu la leçon : ne te mêle pas, Mhatre, de ce que tu ne comprends pas.

Cette histoire produisit un effet profond sur la conscience du jeune auditeur, parce que même avant la mort de sa mère il était convaincu de l'existence d'un monde surnaturel. Parfois quand il regardait autour de lui, surtout dans la chaleur de l'après-midi quand l'air devenait visqueux, le monde visible, ses traits, ses habitants et ses objets, semblaient se dresser dans l'atmosphère comme une grande quantité d'icebergs brûlants, et il pensait que chaque chose se continuait sous la surface de l'air épais : les gens, les autos, les chiens, les affiches de cinéma, les arbres, les neuf dixièmes de leur réalité dissimulés à ses yeux. Il clignait des paupières, et l'illusion disparaissait, mais le sentiment de cette illusion ne le quitta jamais. Il grandit en croyant en Dieu, aux anges, aux démons, aux génies, aux djinns, aussi naturellement que s'il s'était agi de chars à bœufs ou de réverbères, et il ressentait comme un défaut de sa vue de n'avoir jamais aperçu d'esprit. Il rêvait de découvrir un opticien magicien qui lui vendrait une paire de lunettes teintées en vert pour corriger sa regrettable myopie, et ensuite il pourrait voir à travers l'air dense et aveuglant le monde fabuleux qui était en dessous.

Il avait entendu sa mère Naïma Najmuddin lui raconter de nombreuses histoires du Prophète, et si quelques erreurs s'étaient glissées dans ses versions, il ne voulait pas les connaître. «Quel homme! se disait-il. Quel ange n'aurait pas souhaité lui parler?» Parfois, cependant, il se surprenait en train de former des pensées blasphématoires, par exemple quand sans le vouloir, il s'endormait dans son lit de camp chez les Mhatre, son imagination somnolente se mettait à comparer sa propre condition à celle du Prophète quand ce dernier, s'étant retrouvé orphelin et sans ressources, avait dirigé avec succès les affaires de la riche veuve Khadija, et avait fini par l'épouser. En glissant dans le sommeil il se voyait sur une estrade jonchée de roses, minaudant timidement sous le sari qu'il avait levé pudiquement devant son visage, pendant que son nouveau mari, Babasaheb Mhatre, tendait amoureusement la main vers lui pour lui ôter son voile et regardait ses traits dans un miroir placé sur ses genoux. Ce rêve de noces avec Babasaheb le réveilla, il brûlait de honte, et ensuite il commença à s'inquiéter de l'impureté qui créait en lui des visions aussi terribles.

Le plus souvent, malgré tout, sa religion était une chose secondaire, une part de lui qui ne réclamait pas plus d'attention que n'importe quelle autre. Quand Babasaheb Mhatre l'accueillit chez lui cela confirma au jeune homme qu'il n'était pas seul au monde, que quelque chose prenait soin de lui, aussi il ne fut pas vraiment surpris quand Babasaheb l'appela dans le bureau bleu le matin de son vingt et unième anniversaire et le vira sans même accepter d'entendre une explication.

« Tu es renvoyé, insista Mhatre rayonnant. Tu peux passer à la caisse. Tu es *miss* à la porte.

– Mais, mon oncle.

– Ta gueule. »

Puis le Babasaheb offrit à l'orphelin le plus beau cadeau de sa vie, en l'informant qu'on lui avait fixé un rendez-vous aux studios de cinéma du magnat légendaire Mr D.W. Rama; une audition. « C'est seulement pour les apparences, dit Babasaheb. Rama est un bon ami et nous avons discuté. Maintenant disparais de ma vue et ne joue pas les humbles, ça ne te va pas.

– Mais mon oncle.

– Un garçon comme toi est vachement trop beau pour transporter des repas sur sa tête pendant toute sa vie. Va-t'en maintenant, va, deviens un acteur de cinéma homosexuel. Je t'ai mis à la porte il y a cinq minutes.

– Mais, mon oncle.

– J'ai dit. Remercie ta bonne étoile. »

Il devint Gibreel Farishta, mais pendant quatre ans il ne devint pas une vedette, il fit son apprentissage dans une succession de rôles de comique vulgaire. Il restait calme, patient, comme s'il pouvait voir l'avenir, et son apparent manque d'ambition faisait de lui un étranger dans cette industrie de l'égoïsme. On le croyait stupide ou arrogant, ou les deux à la fois. Et pendant cette traversée du désert de quatre années il ne réussit pas à embrasser une seule femme sur la bouche.

À l'écran, il jouait le pauvre type, l'imbécile qui aime la beauté et ne se rend pas compte qu'elle ne sera jamais à lui même dans mille ans, l'oncle drôle, le parent pauvre, l'idiot de village, le serviteur, l'escroc incompétent, autant de rôles qui ne méritent jamais une scène d'amour. Des femmes lui donnaient des coups de pied, des gifles, elles se moquaient de lui, riaient de lui, mais jamais, sur la pellicule, elles ne le regardaient ou chantaient pour lui ou dansaient autour de lui avec un amour cinématographique dans les yeux. À la ville, il vivait seul dans deux pièces vides près des studios et essayait d'imaginer à quoi ressemblait une femme sans vêtements. Pour détourner son esprit du sujet de l'amour et du désir, il étudia, il devint un autodidacte omnivore, il dévora les mythes de métamorphose de la Grèce et de Rome, les avatars de Jupiter, le garçon qui se transforme en fleur, la femme-araignée, Circé, tout; et la théosophie d'Annie Besant, et la théorie des champs unifiés, et l'incident des Versets Sataniques au début de la carrière du Prophète, et la politique du harem de Mahomet après son retour triomphal à La Mecque; et le surréalisme des journaux dans lesquels des papillons pouvaient voler dans la bouche des jeunes filles, en demandant à être dévorés, et des enfants qui naissaient sans visage, et de jeunes garçons rêvés jusqu'au moindre détail dans les réincarnations précédentes, par exemple dans une forteresse d'or remplie de pierres précieuses. Il se bourra de Dieu sait quoi, mais il ne pouvait nier, dans le petit matin de ses nuits d'insomnie, qu'il était plein de quelque chose qui n'avait jamais été employé, qu'il ne savait pas comment s'y prendre pour commencer à s'en servir, c'est-à-dire, l'amour. Dans ses rêves, il était tour-

menté par des femmes d'une douceur et d'une beauté insup-
portables, aussi il préférait rester éveillé et s'obliger à réviser
des parties de ses connaissances générales afin de dissimuler
le sentiment tragique d'être doté d'une capacité plus-grande-
que-la-normale pour l'amour, sans personne sur terre à qui
l'offrir.

Son grand coup de pot se présenta avec l'arrivée des films
théologiques. Quand la formule des films basés sur les pura-
nas, avec en plus le mélange habituel de chants, de danses,
d'oncles drôles, etc., se montra très rentable, chaque dieu du
panthéon eut sa chance de devenir une star. Quand
D.W. Rama envisagea une production basée sur l'histoire de
Ganesh, aucun des noms en tête du box-office à l'époque ne
voulait passer un film entier caché dans une tête d'éléphant.
Gibreel saisit sa chance. Ce fut son premier succès, *Ganpati
Baba*, et brusquement il devint une superstar, mais seulement avec une trompe et des oreilles. Après six films dans
lesquels il jouait le dieu à tête d'éléphant on l'autorisa à
enlever le masque gris, épais et pendant, et il mit à la place
une longue queue poilue, afin de jouer Hanuman le roi singe
dans une séquence d'un film d'aventures qui devait plus à la
série de télévision bon marché en provenance de Hong
Kong qu'au Ramayana. Cette série se révéla si populaire que
les queues de singe devinrent de rigueur pour les jeunes gens
de la ville lors des fêtes fréquentées par les filles, élèves des
couvents, qu'on appelait « feux d'artifice » parce qu'elles
étaient toujours prêtes à partir.

Après Hanuman rien n'arrêta plus Gibreel, et son succès
phénoménal renforça sa croyance en un ange gardien. Mais
elle conduisit aussi à un développement plus regrettable.

(Je me rends compte que je dois, enfin, dévoiler le pot aux
roses de la pauvre Rekha.)

Avant même d'avoir remplacé la fausse tête postiche par
une fausse queue, les femmes le trouvèrent irrésistible. Les
séductions de sa célébrité étaient devenues si grandes que
plusieurs de ces jeunes dames lui demandaient s'il pouvait
garder le masque de Ganesh tandis qu'ils faisaient l'amour,
ce qu'il refusait par respect pour la dignité du dieu. À cause
de l'innocence de son éducation il était incapable à cette
époque de faire la différence entre quantité et qualité et en
conséquence il éprouvait le besoin de rattraper le temps

perdu. Il avait tant de partenaires qu'il n'était pas rare qu'il oublie leur nom avant même qu'elles aient quitté sa chambre. Il ne devint pas seulement un galant de la pire espèce, mais il apprit aussi l'art de la dissimulation, parce qu'un homme qui joue les dieux doit être au-dessus de tout reproche. Il dissimula si habilement sa vie de scandale et de débauche que son ancien patron, Babasaheb Mhatre, couché sur son lit de mort dix ans après avoir envoyé un jeune dabbawalla dans le monde de l'illusion, de l'argent gagné au noir et de la luxure, le supplia de se marier pour prouver qu'il était un homme. « Pour l'amour de Dieu, monsieur, supplia Babasaheb, quand je vous ai dit de devenir homo je n'ai jamais imaginé que vous alliez me prendre au sérieux, il y a des limites au respect des anciens, après tout. » Gibreel leva la main et jura qu'il n'était pas une chose aussi honteuse, et que lorsque la fille qu'il attendait se présenterait il se marierait bien volontiers. « Qu'est-ce que tu attends ? Une déesse tombée du ciel ? Greta Garbo, Gracekali, qui ? » s'écria le vieil homme en crachant du sang, mais Gibreel le quitta avec l'énigme d'un sourire qui lui permit de mourir sans avoir l'esprit entièrement en repos.

L'avalanche de relations sexuelles dans laquelle était pris Gibreel Farishta réussit à enterrer si profondément son talent le plus grand qu'il aurait bien pu être perdu à jamais, son talent, à savoir, celui d'aimer sincèrement, profondément et sans retenue, le don rare et délicat qu'il n'avait jamais été capable d'employer. Au moment de sa maladie il n'avait pas oublié l'angoisse que lui créait son besoin d'amour, elle s'était tordue et retournée en lui comme le couteau d'un sorcier. Aujourd'hui, à la fin de chaque nuit de gymnastique, il dormait aisément et longtemps, comme s'il n'avait jamais été tourmenté par des femmes de rêve, comme s'il n'avait jamais espéré perdre son cœur.

« Ton problème, lui dit Rekha Merchant quand elle se matérialisa en sortant des nuages, c'est que tout le monde te pardonnait toujours, Dieu seul sait pourquoi, tu t'en tirais toujours, tu ne t'es jamais fait prendre. Personne ne t'a jamais tenu pour responsable de tes actes. » Il n'avait rien à répondre. « Un don de Dieu, lui hurla-t-elle, Dieu seul sait d'où tu crois venir, un parvenu sorti du ruisseau, Dieu seul sait quelles maladies tu as apportées. »

Mais c'était ce que faisaient les femmes, il pensait à cette époque qu'elles étaient des vaisseaux dans lesquels il pouvait se couler, et quand il passait à la suivante, elles comprenaient que telle était sa nature, et elles pardonnaient. Effectivement, personne ne l'accusait de s'en aller, car pour ses mille et une inattentions, combien d'avortements, demanda Rekha par le trou d'un nuage, combien de cœurs brisés. Pendant toutes ces années, il fut le bénéficiaire de l'infinie générosité des femmes, mais il en fut aussi la victime, parce que leur faculté de pardonner permettait la plus profonde et la plus insidieuse corruption, à savoir l'idée qu'il ne faisait rien de mal.

Rekha : elle entra dans sa vie quand il acheta l'appartement construit sur le toit d'Everest Vilas et qu'elle lui offrit, en tant que voisine et femme d'affaires, de lui montrer ses tapis et ses antiquités. Son mari assistait à un congrès mondial de fabricants de roulements à billes à Göteborg, Suède, et en son absence elle invita Gibreel dans leur appartement aux treillis de pierre de Jaisalmer et aux rampes d'escalier en bois sculpté des palais de Keralan et avec une chhatri ou coupole moghole en pierre transformée en baignoire à remous; tandis qu'elle lui versait du champagne français elle s'appuyait sur les murs de marbre blanc et sentait les veines froides de la pierre contre son dos. Quand il but le champagne à petites gorgées elle le taquina, les dieux ne devraient sûrement pas goûter à l'alcool, et il lui répondit par une réplique qu'il avait lue un jour dans une interview de l'Aga Khan, Oh, vous savez, ce champagne n'est que pour la galerie, dès qu'il touche mes lèvres il se transforme en eau. Après cela il fallut peu de temps pour qu'elle touche ses lèvres et fonde dans ses bras. Quand ses enfants revinrent de l'école avec l'ayah elle était impeccablement vêtue et coiffée, assise avec lui dans le salon, lui révélant les secrets du commerce des tapis, lui avouant que les soies d'art n'étaient pas artistiques mais artificielles, lui disant de ne pas se laisser berner par sa brochure dans laquelle un tapis était décrit de façon séduisante comme étant fabriqué avec de la laine arrachée de la gorge d'agneaux, ce qui signifie, voyez-vous, une *laine de basse qualité*, la publicité, que faire, c'est comme ça.

Il ne l'aimait pas, ne lui était pas fidèle, oubliait ses anni-

38

versaires, ne la rappelait pas au téléphone, arrivait au moment le moins commode à cause de la présence pour le dîner d'invités venant de l'univers des roulements à billes, et comme tout le monde elle lui pardonnait. Mais son pardon ne signifiait pas qu'il en était quitte silencieusement et timidement comme avec les autres. Rekha se plaignait comme une folle, elle lui passait des savons, elle l'injuriait et le traitait de lafanga inutile et de haramzada et de salah et même, à la fin, elle l'accusa de l'exploit impossible de baiser la sœur qu'il n'avait pas. Elle ne lui épargnait rien, lui reprochant d'être un individu de surface, comme un écran de cinéma, puis elle allait plus loin et lui pardonnait de toute façon en le laissant déboutonner son corsage. Gibreel ne pouvait résister aux pardons théâtraux de Rekha Merchant, qui étaient d'autant plus émouvante à cause du point faible de sa situation, son infidélité au roi du roulement à billes, que Gibreel s'abstenait de mentionner, acceptant son châtiment verbal comme un homme. Aussi, alors que les pardons qu'il obtenait du restant de ses femmes le laissaient froid et qu'il les oubliait dès qu'ils étaient prononcés, il revenait toujours vers Rekha, et elle pouvait le houspiller puis le consoler comme elle seule savait le faire.

Puis il faillit mourir.

Il tournait un film à Kanya Kumari, debout à la pointe extrême de l'Asie, dans une scène de bataille située au cap Comorin, là où trois océans semblent vraiment se heurter avec violence. Trois séries de vagues roulaient de l'ouest est sud et entrèrent en collision dans de puissants applaudissements de mains d'eau juste au moment où Gibreel recevait un coup de poing au menton, synchronisation parfaite, et il s'évanouit aussitôt et tomba à la renverse dans l'écume triocéanique. Il ne ressortit pas.

Pour commencer, tout le monde accusa le cascadeur anglais, le géant Eustace Brown, qui avait donné le coup de poing. Il protesta avec véhémence. N'était-ce pas lui qui avait donné la réplique au ministre d'État, N.T. Rama Rao, dans ses nombreux films théologiques? N'avait-il pas perfectionné l'art de donner l'impression que le vieil homme était bon dans les combats sans lui faire de mal? S'était-il jamais plaint de ce que NTR ne retenait pas *ses* coups, si bien que lui, Eustace, terminait invariablement couvert de bleus, ayant été battu comme plâtre par un petit vieux dont il n'aurait fait qu'une bouchée à son petit déjeuner, sur *toast*, et avait-il, une seule fois, perdu son calme? Bien, alors? Comment pouvait-on penser qu'il avait voulu faire du mal à l'immortel Gibreel? – on le renvoya quand même et la police le mit au violon, juste au cas.

Mais ce n'était pas le coup de poing qui avait aplati Gibreel. Quand on eut transporté la star en urgence au Breach Candy Hospital de Bombay dans un jet de l'armée de l'air, mis à sa disposition pour l'occasion; quand des examens très complets n'eurent donné aucun résultat; et tandis qu'il restait allongé, inconscient, agonisant, avec une numération globulaire tombée du quinze habituel à un quatre virgule deux assassin, le porte-parole de l'hôpital affronta la presse nationale sur le large escalier blanc de Breach Candy. « C'est un phénomène mystérieux, déclara-t-il. Vous pouvez appeler cela un acte divin. »

Une hémorragie interne venait de se déclarer sans raison apparente et Gibreel Farishta se vidait simplement de sang à l'intérieur de sa peau. Dans la pire phase le sang commença à suinter par son rectum et son pénis, et il semblait qu'à tout moment il pouvait jaillir comme un torrent par son nez, ses oreilles et le coin de ses yeux. Pendant sept jours il saigna, et reçut des transfusions ainsi que tous les agents coagulants connus par la science médicale, y compris une forme concentrée de mort-aux-rats, et malgré une amélioration tout à fait secondaire de son état les médecins le considéraient comme perdu.

Toute l'Inde était au chevet de Gibreel. Son état de santé était la principale nouvelle de chaque bulletin d'informations des stations de radio, c'était le sujet des flashes horaires de la chaîne nationale de télévision, et la foule rassemblée à Warden Road devint si importante que la police dut la disperser à l'aide de matraques et de grenades lacrymogènes qu'elle utilisa quand bien même ce demi-million de gens en deuil pleuraient et gémissaient déjà. le Premier ministre remit ses rendez-vous, elle prit l'avion pour venir lui rendre visite. Son fils, le pilote de ligne, assis dans la chambre de Farishta, tenait la main de l'acteur. Une atmosphère de crainte s'abattit sur la nation, car si Dieu avait jeté un tel châtiment sur sa plus célèbre incarnation, que gardait-il en réserve pour le reste du pays? Si Gibreel mourait, le tour de l'Inde ne viendrait-il pas rapidement? Dans les mosquées et les temples de la nation, les fidèles entassés priaient, non seulement pour la vie de l'acteur moribond, mais pour l'avenir, pour eux-mêmes.

Qui ne rendit pas visite à Gibreel à l'hôpital? Qui n'écrivit jamais, ne téléphona pas, n'envoya pas de fleurs, ne fit porter aucun déjeuner de sa délicieuse cuisine maison? Tandis que quantités de maîtresses, toute honte bue, lui envoyaient des cartes de prompt rétablissement et des pasandas d'agneau, qui, l'aimant plus que toutes les autres, resta silencieuse, sans que son roulement à billes de mari la soupçonne? Rekha Merchant entoura son cœur d'acier, et continua sa vie quotidienne, jouant avec ses enfants, bavardant avec son mari, remplissant son rôle de maîtresse de maison quand on le lui demandait, et jamais, pas une seule fois, elle ne révéla le triste désastre de son âme.

Il guérit.

La guérison fut aussi mystérieuse que la maladie, et aussi rapide. On l'appela, elle aussi (l'hôpital, les journalistes, les amis), une intervention de l'Être Suprême. On accorda un congé national; on tira des feux d'artifice dans tout le pays. Mais quand Gibreel reprit des forces, il devint évident qu'il avait changé, et à un point stupéfiant, parce qu'il avait perdu la foi.

Le jour où il sortit de l'hôpital il traversa sous bonne escorte la foule immense qui s'était réunie pour fêter autant la délivrance de l'acteur que la sienne, il grimpa dans sa Mercedes et dit au chauffeur de semer toutes les voitures qui le suivaient, ce qui prit sept heures et cinquante et une minutes, et à la fin de la manœuvre il avait mis au point ce qu'il convenait de faire. Il sortit de la limousine au Taj Hôtel et sans regarder ni à droite ni à gauche il alla directement dans la grande salle à manger avec ses tables gémissant sous le poids des nourritures interdites, et il remplit son assiette de saucisses de porc du Wiltshire, de jambon d'York et de tranches de lard venant Dieu sait d'où; d'épaisses tranches de jambon de son incroyance et de pieds de cochon de sa laïcité; puis, debout au milieu du hall d'entrée, tandis que des photographes sortaient de nulle part, il commença à manger, le plus rapidement possible, en se bourrant de

41

cochon mort à une telle vitesse que des tranches de lard lui pendaient au coin de la bouche.

Pendant sa maladie il avait consacré chaque minute de conscience à invoquer Dieu, chaque seconde de chaque minute. Ya Allah ton serviteur gît et saigne, ne m'abandonne pas maintenant après avoir veillé sur moi pendant si longtemps. Ya Allah fais-moi un signe, une petite marque de ta grâce, que je puisse trouver en moi la force de guérir mes maux. Ô Dieu, bienfaisant et miséricordieux, sois avec moi dans ce temps de besoin, mon plus cruel besoin. Puis il se rendit compte qu'on était en train de le punir, et suffisamment longtemps pour qu'il puisse souffrir, mais après un certain temps il se mit en colère. Ça suffit, Dieu, demandèrent ses paroles non dites, pourquoi dois-je mourir alors que je n'ai pas tué, es-tu vengeance ou es-tu amour? Sa colère contre Dieu lui permit de tenir un jour de plus, mais ensuite elle s'effaça, et à sa place vint une absence terrible, une solitude, quand il comprit qu'il parlait dans *le vide*, qu'il n'y avait absolument personne, et c'est alors qu'il se sentit bête comme il ne l'avait jamais été de sa vie, et il commença à prier l'absence, Ya Allah, sois là, nom de Dieu, existe. Mais il ne sentait rien, rien rien, et un jour il découvrit qu'il n'avait plus besoin que quelque chose existe pour sentir. Ce jour de métamorphose sa maladie changea et il commença à guérir. Et, maintenant, pour se prouver à lui-même la non-existence de Dieu, il se tenait dans la salle à manger d'un des hôtels les plus connus de la ville, avec du cochon lui tombant de la bouche.

Il leva les yeux de son assiette et vit une femme qui l'observait. Elle avait des cheveux si clairs qu'ils étaient presque blancs, et sa peau avait le teint et la transparence de la glace des montagnes. Elle rit de lui et se détourna.

« Vous ne pigez plus? » cria-t-il en crachant des morceaux de saucisse par les coins de la bouche. « Je ne suis pas frappé par la foudre. C'est ça qui compte. »

Elle se retourna et vint se planter devant lui. « Vous êtes vivant, lui dit-elle. On vous a rendu la vie. *C'est ça* qui compte. »

Il dit à Rekha : quand elle se retourna et revint sur ses pas, je suis tombé amoureux d'elle. Alleluia Cone, escaladeur de montagnes, conquérant de l'Éverest, yahudan blonde, reine de glace. Le défi de cette femme, *change ta vie, ou te l'a-t-on rendue pour rien*, je n'ai pas pu résister.

« Toi et ta réincarnation à la noix, dit Rekha en le cajolant. Une tête aussi stupide. Tu sors de l'hôpital par la porte de la mort, et ça te monte à la tête, petit fou, tout de suite il te faut une aventure, et la voilà, hop là, la belle blonde. Tu crois que je ne te connais pas, Gibbo, et maintenant, tu veux que je te pardonne ou quoi ? »

Pas besoin, dit-il. Il quitta l'appartement de Rekha (dont la maîtresse pleurait, allongée par terre); et n'y revint jamais.

Trois jours après que Gibreel l'eut rencontrée, la bouche pleine de viande impure, Allie monta dans un avion et s'en alla. Trois jours hors du temps derrière un panneau ne-pas-déranger, mais à la fin ils furent d'accord pour reconnaître que le monde était réel, que ce qui était possible était possible et que ce qui était impossible était impossible, brève rencontre, bateaux qui se croisent, amour dans une salle de transit. Après son départ, Gibreel se reposa, essaya de rester sourd à son défi, décida de revenir à une vie normale. Le simple fait d'avoir perdu la foi ne voulait pas dire qu'il ne pouvait pas travailler, et malgré le scandale de ses photos en train de manger du jambon, le premier scandale attaché à son nom, il signa des contrats de cinéma et retourna au studio.

Puis, un matin, une chaise roulante resta vide et il n'était plus là. Un passager barbu, un certain Ismaïl Najmuddin prit le vol AI-420 pour Londres. Le 747 portait le nom d'un des jardins du Paradis, non pas Gulistan mais *Bostan*. « Pour renaître, dit Gibreel Farishta à Saladin Chamcha bien plus tard, il faut d'abord mourir. Moi-même, je ne suis mort qu'à moitié, mais cela m'est arrivé deux fois, à l'hôpital et en avion, alors ça s'additionne, ça compte. Et maintenant, Spoono mon ami, je suis debout devant toi, au centre de Londres, Vilayet, régénéré, un homme nouveau avec une vie nouvelle. Chamcha, est-ce que ce n'est pas un truc vachement bien ? »

Pourquoi est-il parti ?

À cause d'elle, du défi qu'elle lui avait lancé, de sa nouveauté, de la violence des deux ensembles, de l'aspect inexorable d'une chose impossible qui revendiquait son droit à l'existence.

Et, ou, peut-être : parce qu'après qu'il eut mangé du cochon le châtiment commença, un châtiment nocturne, une punition de cauchemar.

3

Une fois que le vol pour Londres eut décollé, grâce à son tour de magie qui consistait à croiser deux paires de doigts de chaque main et à se rouler les pouces, l'homme maigre dans la quarantaine assis à une place côté-fenêtre-non-fumeur et qui regardait sa ville natale s'éloigner de lui comme une mue de serpent laissa passer rapidement sur son visage une expression de soulagement. C'était un beau visage d'aristocrate amer, avec de longues lèvres épaisses aux coins tombants comme celles d'un turbot dégoûté, et de minces sourcils fortement arqués au-dessus d'yeux qui contemplaient le monde avec un certain dédain. Mr Saladin Chamcha s'était construit ce visage avec soin – il lui avait fallu plusieurs années pour le mettre au point – et depuis un nombre d'années encore plus grand il le considérait tout simplement comme *le sien* – en réalité, il avait même complètement oublié à quoi il ressemblait auparavant. En outre, il s'était fabriqué une voix assortie à son visage, une voix dans laquelle les voyelles languissantes, presque paresseuses, contrastaient de façon surprenante avec les consonnes hachées. La combinaison du visage et de la voix était puissante; mais, au cours de sa récente visite dans sa ville natale, la première depuis quinze ans (la période exacte, je dois faire remarquer, des succès cinématographiques de Gibreel Farishta), il s'était produit des transformations étranges et inquiétantes. Il se trouva malheureusement que sa voix (en premier) et, en conséquence, son visage, commencèrent à l'abandonner.

Cela démarra – Chamcha, laissant ses doigts et ses pouces se détendre et espérant, avec un peu de gêne, que ses compa-

45

gnons de voyage n'avaient pas remarqué cette dernière trace de superstition, ferma les yeux et se souvint avec un délicat frisson d'horreur – au cours d'un voyage en avion vers l'est quelques semaines auparavant. Il était tombé dans un sommeil profond, au-dessus des sables du désert du golfe Persique, et avait reçu en rêve la visite d'un inconnu bizarre, un homme avec une peau de verre, qui cognait sinistrement ses articulations contre la fine et cassante membrane qui recouvrait tout son corps et il suppliait Saladin de l'aider à le libérer de la prison de sa peau. Chamcha ramassa une pierre et se mit à cogner sur le verre. Immédiatement un treillis de sang suinta à travers la surface fêlée du corps de l'inconnu, et – quand Chamcha essaya de détacher les morceaux de verre brisés – l'autre commença à hurler, parce que des lambeaux de chair y restaient attachés. À ce moment-là une hôtesse de l'air se pencha sur Chamcha endormi et lui demanda, avec l'hospitalité impitoyable de sa tribu : *Quelque chose à boire, monsieur ? Une boisson ?*, et Saladin, émergeant de son rêve, découvrit que sa façon de s'exprimer s'était métamorphosée inexplicablement dans le parler de Bombay dont il avait mis tant de soin (et il y avait si longtemps !) à se défaire. « Achha, c'est quoi ? murmura-t-il. Boisson alcoolisée ou quoi ? » Et, quand l'hôtesse le rassura, ce que vous désirez, monsieur, toutes les boissons sont gratuites, entendit-il, à nouveau sa voix le trahit : « Alors, O.K., bibi, un whiskysoda ou rien. »

Quelle désagréable surprise ! Il se réveilla en sursaut et se redressa dans son siège, en ignorant l'alcool et les cacahuètes. Comment le passé était-il remonté à la surface, métamorphosé en voyelles et en vocabulaire ? Et ensuite ? Allait-il se mettre de l'huile de noix de coco dans les cheveux ? Allait-il se prendre le nez entre le pouce et l'index, et souffler bruyamment pour expulser un arc de morve argentée et épaisse ? Allait-il devenir un fanatique du catch professionnel ? Quelles autres humiliations diaboliques lui étaient destinées ? Il aurait dû savoir que c'était une erreur de revenir *chez soi*, après si longtemps, il ne pouvait s'agir que d'une régression ; un voyage contre nature ; un refus du temps ; une révolte contre l'histoire ; l'entreprise entière était destinée à devenir un désastre.

Je ne suis plus moi-même, pensa-t-il tandis qu'il sentait

une légère palpitation dans la région du cœur. De toute façon, qu'est-ce que ça signifie, ajouta-t-il avec amertume. Après tout, « les acteurs ne sont pas des gens », comme expliquait le grand cabotin Frederick dans *Les Enfants du Paradis*. Masques sur masques jusqu'à ce que, brusquement, on arrive au crâne nu et vidé de sang.

L'indication « attachez vos ceintures » s'alluma et la voix du commandant avertit les passagers d'une zone de légères turbulences, ils tombèrent dans un trou d'air. Le désert monta vers eux et le travailleur émigré embarqué à Qatar s'agrippa à son énorme transistor et se mit à vomir. Chamcha remarqua que l'homme n'avait pas attaché sa ceinture, et, se reprenant, il retrouva sa plus pure intonation anglaise : « Écoutez, pourquoi ne... » dit-il en faisant le geste, mais l'homme malade, entre deux vomissements dans le sac de papier que Saladin lui avait tendu juste à temps, secoua la tête, haussa les épaules et répondit : « Pourquoi, Sahib ? Si Allah veut que je meure, je mourrai. S'il ne veut pas, je ne mourrai pas. À quoi bon une ceinture ? »

Maudite Inde, proféra silencieusement Saladin Chamcha, en s'enfonçant dans son siège. Va au diable, j'ai échappé à tes griffes il y a longtemps, tu ne replanteras pas tes crocs en moi, tu ne me reprendras pas.

*

Il était une fois – *il était et il n'était pas*, comme disent les anciens contes, *c'est arrivé et ce n'est jamais arrivé* – alors, peut-être ou peut-être pas, un garçon de dix ans de Scandal Point à Bombay trouva un portefeuille dans la rue près de chez lui. Il rentrait de l'école, il venait de descendre de l'autobus dans lequel il avait dû rester assis écrasé entre deux garçons en sueur et collants, assourdi par leur tapage, et parce que déjà à cette époque il s'agissait de quelqu'un qui détestait le chahut, les bousculades et la transpiration des inconnus il avait un peu mal au cœur à cause du long trajet cahotant. Cependant, quand il vit le portefeuille de cuir noir à ses pieds, la nausée disparut, et il se pencha tout content pour l'attraper – il l'ouvrit – et découvrit, à sa grande joie, qu'il était plein d'argent – et pas de simples roupies, mais du véritable argent, négociable au marché noir et dans les bureaux de change – des livres! Des livres sterling, de Londres proprement dit dans le pays légendaire de Vilayet de l'autre côté des mers sombres, tout là-bas. Aveuglé par l'épaisse liasse de devises étrangères, le garçon leva les yeux pour s'assurer qu'on ne l'avait pas vu, et pendant un instant il lui sembla qu'un arc-en-ciel était descendu jusqu'à lui, un arc-en-ciel semblable au souffle d'un ange, semblable à une prière exaucée, s'achevant à l'endroit même où il se trouvait. Ses doigts tremblaient en s'introduisant dans le portefeuille, vers le trésor fabuleux.

« Donne ça. » Plus tard dans sa vie il eut l'impression que son père l'avait espionné tout au long de son enfance, et même si Changez Chamchawala était un homme fort, un géant même, pour ne rien dire de sa fortune et de son rang social, il avait toujours une démarche légère et une tendance à surprendre son fils et à gâcher tout ce qu'il faisait, venant la nuit et arrachant le drap du jeune Salahuddin pour découvrir le pénis honteux, serré dans une main rouge. Et il pouvait sentir l'argent à cent un miles de distance, malgré la puanteur des produits chimiques et des engrais dont il était imprégné du fait qu'il était le plus grand fabricant de liquides et de pulvérisations agricoles et de bouse artificielle. Changez Chamchawala, philanthrope, coureur de jupons, légende vivante, phare du mouvement nationaliste, jaillit par la porte d'entrée pour arracher un portefeuille plein à craquer des mains frustrées de son fils. « Ts, ts, le gronda-t-il en empochant les livres sterling, il ne faut pas ramasser des choses dans la rue. C'est sale par terre, et, de toute façon, l'argent est encore plus sale. »

Sur une étagère du bureau aux boiseries de teck de Changez Chamchawala, à côté de la traduction en dix volumes des *Mille et Une Nuits* par Richard Burton, que la pourriture et les vers rongeaient lentement à cause du préjugé bien établi contre les livres qui conduisait Changez Chamchawala à posséder des milliers de ces objets maléfiques dans le seul but de les humilier en les laissant pourrir sans les lire, il y avait une lampe magique, un avatar de cuivre-et-laiton brillant de celle qui contenait le génie d'Aladin : une lampe qui suppliait qu'on la frotte. Mais Changez ne la frottait jamais et ne permettait à personne, pas même à son fils, de le faire. « Un jour, disait-il au garçon, elle sera à toi. Alors tu la frot-

48

teras autant que tu le voudras et tu verras ce qui ne t'arrivera pas. Mais, pour l'instant, elle est à moi. » La promesse de la lampe magique donnait à Master Salahuddin l'espoir qu'un jour ses ennuis prendraient fin et que ses désirs les plus intimes seraient satisfaits, et qu'il n'avait qu'à attendre ; puis il y eut l'incident du portefeuille, quand la magie de l'arc-en-ciel avait marché pour lui, pas pour son père mais pour lui, et Changez Chamchawala lui avait volé la marmite de pièces d'or. Ensuite, le fils fut convaincu que son père étoufferait tous ses espoirs s'il ne s'échappait pas, et à partir de ce moment il n'eut plus qu'une envie, partir, s'enfuir, mettre des océans entre le grand homme et lui.

À treize ans, Salahuddin Chamchawala comprit que son destin se trouvait dans Vilayet la fraîche, pleine des promesses craquantes des livres sterling suggérées par le portefeuille magique, et il fut de plus en plus agacé par ce Bombay de poussière, de vulgarité, de policiers en short, de travestis, de fans de cinéma, de dormeurs des rues et de putains chantantes de Grant Road dont on disait qu'elles avaient débuté comme fidèles du culte de Yellamma à Karnataka mais abouti ici comme danseuses dans les temples plus prosaïques de la chair. Il en avait marre des usines textiles et des trains locaux et du désordre et de la prolifération, et il désirait cette Vilayet de rêve, d'équilibre et de modération qui avait fini par l'obséder nuit et jour. Ses comptines préférées étaient celles qui portaient la nostalgie des villes étrangères : kitchy-con kitchy-ki kitchy-con stanty-eye kitchy-ople, kitchy-cople, kitchy-Con-stanti-nople. Et son jeu préféré était la version de un-deux-trois-soleil dans laquelle, quand c'était à lui de compter, il tournait le dos à ses camarades qui s'avançaient à pas de loup, et il baragouinait, tel un mantra, telle une incantation, les sept lettres de la ville de rêve *ellehoenne dèèreheuesse*. Au fond de son cœur, il s'avançait à pas de loup vers Londres, lettre par lettre, de la même façon que ses camarades s'avançaient vers lui. *Ellehoenne dèèreheuesse Londres.*

La mutation de Salahuddin Chamchawala en Saladin Chamcha commença, on le verra, dans l'ancien Bombay, bien avant qu'il soit assez près de Trafalgar Square pour entendre le rugissement des lions. Quand l'équipe anglaise de cricket jouait contre celle de l'Inde au stade de Brabourne, il priait que les Anglais remportent la victoire, que les créateurs du jeu puissent vaincre les parvenus locaux, que l'ordre des choses soit maintenu. (Mais on faisait toujours match nul, à cause de la mollesse et de la somnolence du terrain du stade de Brabourne; la question essentielle, créateur contre imitateur, colonisateur contre colonisé, restait par force sans réponse.)

À treize ans il était assez âgé pour jouer sur les rochers de Scandal Point sans que son ayah, Kasturba, ait besoin de le surveiller. Et un jour (ce fut ainsi, ce ne fut pas ainsi), il sortit tranquillement de chez lui, de cette vaste maison qui s'effritait, recouverte d'une croûte de sel, dans le style parsi, toute de colonnes, de volets et de petits balcons, il traversa le jardin qui était la fierté et la joie de son père et qui, le soir, dans une certaine lumière pouvait donner l'impression d'être infini (curieux aussi, une énigme non résolue, parce que personne, ni son père, ni le jardinier, ne pouvait lui dire le nom de la plupart des plantes et des arbres), et il passa le portail, une grandiose folie, une reproduction de l'arc de triomphe romain de Septime Sévère, et il franchit la démence sauvage de la rue, et il enjamba le mur de la digue, et il arriva enfin sur l'immense étendue de rochers noirs et brillants avec leurs flaques d'eau pleines de crevettes. Des jeunes filles chrétiennes en robe d'été ricanaient, des hommes avec des parapluies repliés se tenaient debout en silence et fixaient le bleu de l'horizon. Dans le trou d'un rocher noir, Salahuddin vit un homme vêtu d'un dhoti penché sur une flaque. Leurs yeux se rencontrèrent, et l'homme lui fit signe de s'approcher avec un doigt qu'il posa ensuite sur ses lèvres. *Chut*, et le mystère des flaques d'eau attira le jeune garçon vers l'inconnu. C'était un être tout en os. La monture de ses lunettes semblait faite d'ivoire. Son doigt se recourbait encore, et encore, comme un hameçon avec un appât, viens. Quand Salahuddin descendit l'autre l'attrapa, lui mit la main sur la bouche et l'obligea à avancer sa jeune main entre ses vieilles jambes décharnées, pour qu'il y sente son os de chair. Le dothi ouvert aux vents. Salahuddin n'avait jamais su se battre; il fit ce qu'on l'obligeait à faire, et ensuite l'autre se détourna simplement et le laissa partir.

Par la suite Salahuddin ne retourna jamais sur les rochers de Scandal Point ; il ne raconta jamais à personne ce qui lui était arrivé, sachant que cela déclencherait une crise de neurasthénie chez sa mère et se doutant que son père dirait que c'était de sa faute. Il lui semblait que tout ce qui était dégoûtant, tout ce qu'il avait en horreur dans sa ville natale, s'était rassemblé dans l'étreinte osseuse de l'inconnu, et maintenant qu'il avait échappé à ce squelette maléfique il devait aussi échapper à Bombay, ou mourir. Il commença à se concentrer avec obstination sur cette idée, à fixer en permanence sa volonté sur cet objectif, en mangeant en chiant en dormant, se convainquant qu'il réussirait à provoquer le miracle même sans l'aide de la lampe paternelle. Il rêvait de s'envoler par la fenêtre de sa chambre pour découvrir qu'il y avait, en dessous de lui, – non pas Bombay – mais Londres proprement dit, Bigben Nelsoncolumn Lordstavern Bloodytower Queen. Mais tandis qu'il flottait au-dessus de l'immense métropole il sentait qu'il perdait de l'altitude, et il avait beau se débattre donner des coups de pieds nagerdans-l'air il continuait à descendre lentement en spirale vers la terre, puis de plus en plus vite, jusqu'à ce qu'il plonge la tête la première en hurlant vers la ville, Saintpauls, Puddinglane, Threadneedlestreet, droit sur Londres comme une bombe.

Quand l'impossible arriva, et quand son père, sans qu'il s'y attende, lui offrit une éducation anglaise, *pour se débarrasser de moi*, pensa-t-il, *sinon pourquoi, c'est évident, mais à cheval donné on ne regarde pas la dent ainsidesuite*, sa mère Nasreen Chamchawala refusa de pleurer, et, à la place, lui prodigua ses conseils. « Ne deviens pas sale comme ces Anglais, lui conseilla-t-elle. Ils ne s'essuient le derrière qu'avec du papier. Et ils se baignent tous dans la même eau sale. » Salahuddin vit dans ces basses calomnies la preuve qu'elle faisait tout son possible pour l'empêcher de partir, et malgré l'amour qu'ils ressentaient l'un pour l'autre, il répondit : « Ce que tu dis est impensable, Ammi. L'Angleterre est une grande civilisation, qu'est-ce que tu racontes, ce sont des bêtises. »

Elle eut un petit sourire irrité et ne discuta pas. Et, plus tard, elle resta les yeux secs sous l'arc de triomphe du portail et refusa d'aller à l'aéroport de Santacruz pour le voir partir. Son fils unique. Elle entassa des colliers de fleurs autour de son cou jusqu'à ce que les parfums écœurants de l'amour maternel lui fassent tourner la tête.

Nasreen Chamchawala était la plus minuscule, la plus fragile des femmes, elle avait des os comme des tinkas, comme de minuscules échardes de bois. Pour compenser son insignifiance physique elle prit l'habitude dès son plus jeune âge de s'habiller dans un style extravagant, excessif. Elle portait des saris aux dessins éclatants, criards même : une soie jaune citron décorée d'énormes carreaux de brocart, des spirales op-art noires-et-blanches qui donnaient le vertige, de gigantesques empreintes de lèvres rouges sur un fond d'un blanc éclatant. Les gens lui pardonnaient ses goûts tapageurs parce qu'elle portait ces vêtements aveuglants avec une grande innocence; parce que la voix qui émanait de cette cacophonie textile était frêle, hésitante et correcte. Et à cause de ses soirées.

Chaque vendredi de sa vie de femme mariée, Nasreen remplissait les salons de la résidence Chamchawala, ces pièces d'habitude obscures comme d'immenses caveaux funéraires vides, de lumières radieuses et d'amis raides. Quand Salahuddin était petit garçon il voulait à tout prix jouer au portier, et il accueillait les invités laqués et recouverts de bijoux avec un grand sérieux, les autorisant à lui caresser la tête et à l'appeler *mimi* et *mapuche*. Le vendredi la maison était pleine de bruit ; il y avait des musiciens, des chanteurs, des danseurs, les derniers tubes de Radio Ceylan, des spectacles de marionnettes hurleuses dans lesquels des rajahs de terre cuite et peinte chevauchaient des étalons-marionnettes, décapitaient des marionnettes-ennemies avec des imprécations et des épées de bois. Pendant le reste de la semaine, Nasreen traversait la maison à pas de loup, femme-pigeon qui marchait dans l'obscurité sur la pointe des pieds, comme si elle avait peur de troubler le silence des ombres; et son fils, marchant dans ses pas, acquit lui aussi une démarche légère pour ne pas réveiller les lutins ou les génies tapis dans le noir.

Mais : la prudence de Nasreen Chamchawala ne réussit pas à lui sauver la vie. L'horreur la prit et l'assassina quand elle se croyait le plus en sécurité, vêtue d'un sari couvert de

52

photos et de titres de journaux à scandale, dans la lumière des chandeliers, entourée de ses amis.

*

Mais à ce moment-là cinq ans et demi avaient passé depuis que le jeune Salahuddin, couvert de fleurs et de conseils, avait embarqué dans un DC 8 pour partir vers l'Occident. Devant lui, l'Angleterre ; à côté de lui, son père, Changez Chamchawala ; en dessous de lui, la maison et la beauté. Comme Nasreen, le futur Saladin n'avait jamais pu pleurer facilement.

Dans ce premier avion il lut des histoires de science-fiction sur les migrations interplanétaires : *Fondation* d'Asimov, *Les Chroniques martiennes* de Ray Bradbury. Il imagina que le DC 8 était le vaisseau mère, transportant l'Être Choisi, l'Élu de Dieu et des hommes, traversant des distances impensables, voyageant pendant des générations, se reproduisant selon des méthodes eugéniques, pour que leur semence puisse un jour prendre racine dans le meilleur des mondes sous un soleil jaune. Il corrigea ce qu'il venait de dire : pas le vaisseau mère, mais le vaisseau père, parce qu'après tout il était là, le grand homme, Abbu, papa. Le jeune Salahuddin de-treize-ans, abandonnant ses doutes et ses griefs récents, retrouva l'adoration enfantine pour son père, parce qu'il l'avait, il l'avait, il l'avait adoré, parce qu'avant d'avoir commencé à penser par lui-même c'était un grand homme, et que discuter avec lui c'était trahir son amour, mais qu'importe, *Je l'accuse d'être devenu mon Être Suprême, ce qui s'était passé par la suite ressemblait à la perte de la foi...* oui, le vaisseau père, un avion n'était pas une matrice volante mais un phallus de métal, et les passagers des spermatozoïdes prêts à être déversés.

Cinq heures et demie de décalage horaire ; mets ta montre la tête en bas à Bombay et tu verras l'heure de Londres. *Mon père,* penserait Chamcha bien des années plus tard, dans son amertume. *Je l'accuse d'avoir inversé le Temps.*

Jusqu'où sont-ils allés en avion ? Cinq mille cinq cents miles à vol d'oiseau. Ou : de l'indianité à l'anglicité, une distance incommensurable. Ou : pas loin du tout, parce qu'ils quittèrent une grande ville pour retomber dans une autre.

La distance entre les grandes villes est toujours petite; un villageois, qui parcourt cent miles pour aller à la ville, traverse un espace plus vide, plus sombre et plus terrifiant.

Ce que fit Changez Chamchawala quand l'avion décolla : en prenant soin que son fils ne le voie pas, il croisa deux paires de doigts de chaque main, et se tourna les pouces.

Et quand ils furent installés dans un hôtel à quelques mètres de l'ancien site de l'arbre de Tyburn, Changez dit à son fils : « Prends. Ceci t'appartient. » Et il lui tendit, à bout de bras, un portefeuille noir au sujet duquel il ne pouvait y avoir aucune erreur. « Tu es un homme maintenant. Prends-le. »

La restitution du portefeuille confisqué, avec tout son argent, n'était qu'un des petits pièges de Changez Chamchawala. Salahuddin s'y était laissé prendre toute sa vie. À chaque fois que son père voulait le punir, il lui offrait un cadeau, une barre de chocolat d'importation ou une portion de fromage kraft, et il l'arrachait au moment où son fils s'avançait pour le prendre. « Espèce d'âne, disait Changez avec mépris. Ma carotte te conduit toujours vers mon bâton. »

À Londres Salahuddin prit le portefeuille offert, acceptant ce cadeau de virilité; puis son père dit : « Maintenant que tu es un homme, c'est à toi de veiller sur ton vieux père pendant que nous sommes à Londres. Tu régleras toutes les notes. »

Janvier, 1961. Une année qu'on peut mettre la tête en bas et, contrairement à la montre, elle indiquera la même chose. C'était l'hiver; mais si Salahuddin Chamchawala se mit à trembler dans sa chambre d'hôtel, c'était parce qu'il mourait de peur; sa marmite de pièces d'or s'était, brusquement, transformée en malédiction de sorcier.

Ces deux semaines à Londres avant d'entrer en pension se transformèrent en cauchemar de caisses et de calculs, parce que Changez ne plaisantait pas et ne mit pas une seule fois la main à la poche. Salahuddin dut s'acheter ses vêtements, un mackintosh croisé en serge bleu et sept chemises à rayures bleues-et-blanches de chez Van Hensen avec des cols semidurs détachables que Changez l'obligeait à porter tous les jours, afin de s'habituer aux boutons de col, et Salahuddin avait l'impression qu'on lui enfonçait un couteau non aiguisé juste en dessous de sa pomme d'Adam nouvellement poussée; et il fallait qu'il s'assure qu'il aurait assez d'argent pour la chambre d'hôtel, et le reste, et il était trop inquiet pour demander à son père s'ils pouvaient aller au cinéma, même pas une seule fois, même pas pour voir *L'Enfer de saint Trinians,* ou dîner à l'extérieur, même pas une seule fois au restaurant chinois, et des années plus tard de ses quinze premiers jours passés dans sa Ellehoenne Déère- heuesse bien-aimée il ne se souviendrait que de livres ster- ling pence, comme le disciple du roi-philosophe Chanakya qui demanda au grand homme ce qu'il entendait quand il disait qu'on pouvait vivre dans le monde sans y vivre, et à qui il fut répondu de transporter un broc d'eau rempli à ras bord à travers une foule en liesse sans en renverser une seule goutte, sous peine de mort, et quand il revint il se révéla incapable de décrire les festivités, s'étant comporté comme un aveugle, ne voyant que le pot sur sa tête.

Pendant cette période, Changez Chamchawala devint de plus en plus impassible, semblant ne pas savoir s'il mangeait ou buvait ou faisait quelque chose, il était heureux de rester assis dans la chambre d'hôtel à regarder la télévision, sur- tout quand il y avait un dessin animé qui se passait à l'âge de pierre, parce que, disait-il à son fils, l'héroïne lui rappelait Nasreen. Salahuddin essayait de montrer qu'il était un homme en jeûnant avec son père, en tentant de le dépasser, mais il n'y arrivait jamais, et quand les crampes d'estomac devenaient trop fortes il sortait de l'hôtel pour aller dans la gargote d'à côté où l'on pouvait acheter des poulets rôtis à emporter qui dégoulinaient de graisse dans la vitrine, en tournant lentement sur leurs broches. Quand il rapportait le poulet à l'hôtel il était gêné, il ne voulait pas que le person- nel le voie, alors il le fourrait sous son vêtement croisé en serge et il montait dans l'ascenseur en puant le poulet rôti, le mackintosh gonflé, les joues rouges. Sous le regard des douairières et des wallas d'ascenseur, il sentait naître en lui cette rage implacable qui continuerait de brûler, sans relâche, pendant plus d'un quart de siècle; qui ferait s'éva- porer l'adoration paternelle de son enfance et ferait de lui un homme sans foi, qui s'efforcerait, dorénavant, de se passer de tout dieu; qui renforcerait, peut-être, sa détermination à devenir l'être que son père ne-pourrait-jamais-devenir, c'est-à-dire un Anglais commilfaut. Oui, un Anglais, même si sa mère avait eu raison en tout, même s'il n'y avait que du papier dans les toilettes et de l'eau tiède, sale, boueuse et savonneuse pour se laver après avoir fait du sport, même si cela signifiait toute une vie sous les arbres dénudés de l'hiver dont les doigts s'agrippaient désespérément aux heures rares et pâles de la lumière humide et filtrée. Les nuits d'hiver, lui qui n'avait jamais dormi que sous un seul drap, restait allongé sous des montagnes de laine et se sentait comme le personnage d'un mythe ancien, condamné par les dieux à avoir la poitrine écrasée par un rocher; mais qu'importe, il serait anglais, même si ses camarades de classe se moquaient de sa voix et l'excluaient de leurs secrets, parce que ces exclusions ne faisaient que renforcer sa détermination, et à ce moment-là il commença à agir, à trouver des masques que ces garçons reconnaîtraient, des masques de visage pâle, des masques de clown, jusqu'à ce qu'il leur fasse croire qu'il était *O.K., qu'il était quelqu'un-comme-nous.* Il les trompa comme un être humain astucieux peut persuader des gorilles de l'accepter dans leur tribu, de le cajoler et de le caresser et de lui fourrer des bananes dans la bouche.

(Quand il eut payé la dernière note, et que le portefeuille trouvé au pied d'un arc-en-ciel fut vide, son père lui dit : « Tu vois. Tu as payé. J'ai fait de toi un homme. » Mais quel homme? Les pères ne le savent jamais. Jamais avant; jamais avant qu'il soit trop tard.)

Un jour, peu de temps après qu'il eut commencé l'école, il descendit au petit déjeuner et trouva un hareng fumé dans son assiette. Il resta assis là, sans savoir par quel bout le prendre. Puis il mordit dedans, et eut la bouche pleine d'arêtes. Et après les avoir retirées, une autre bouchée, d'autres arêtes. Ses camarades le regardaient souffrir en silence; personne ne lui dit, attends, laisse-moi te montrer, ça se mange comme ça. Il lui fallut quatre-vingt-dix minutes pour manger le hareng et on ne l'autorisa pas à se lever de table avant d'avoir fini. À ce moment-là il tremblait, et il aurait pleuré s'il en avait été capable. Puis il pensa qu'il avait reçu une bonne leçon. L'Angleterre était un hareng fumé d'un goût particulier et plein d'arêtes, et personne ne lui dirait jamais comment s'y prendre pour la manger. Il découvrit qu'il était quelqu'un de profondément méchant. « Je vais leur montrer, se promit-il. Vous allez voir si je n'en suis pas capable. » Le hareng mangé fut sa première victoire, son premier pas dans la conquête de l'Angleterre.

Guillaume le Conquérant, dit-on, commença par manger une pleine bouchée de sable anglais.

***

Cinq ans plus tard il rentra chez lui après avoir quitté l'école, pour attendre la rentrée universitaire anglaise, et sa transformation en Vilayeti était déjà bien avancée. « Écoute comme il se plaint bien, disait Nasreen à son père pour le taquiner. Il critique tout-tout, les ventilateurs sont mal fixés au toit et ils vont tomber et nous trancher la tête pendant notre sommeil, dit-il, et la nourriture fait grossir, pourquoi est-ce qu'on fait tout frire, veut-il savoir, les balcons du dernier étage sont dangereux et la peinture s'écaille, pourquoi ne sommes-nous pas fiers du décor dans lequel nous vivons, n'est-ce pas, et le jardin est une forêt vierge, nous sortons de la jungle, pense-t-il, et regarde la vulgarité de nos films, ils ne l'amusent plus, et il y a tellement de maladies qu'on ne peut même pas boire l'eau du robinet, mon Dieu, il a vraiment reçu une éducation, Changez, notre petit Sallu, de–retour–d'Angleterre, et qui parle si bien et tout. »

Le soir ils marchaient sur la pelouse, ils regardaient le soleil descendre dans la mer, ils erraient dans l'ombre de ces grands arbres aux branches étendues, dont quelques-unes ressemblaient à des serpents et d'autres portaient la barbe, que Salahuddin (qui maintenant se faisait appeler Saladin selon la mode de l'école anglaise, mais qui resterait encore Chamchawala pendant un certain temps, jusqu'à ce qu'un agent théâtral raccourcisse son nom pour des raisons commerciales) commençait à savoir nommer, jaquier, banian, jacaranda, langues de feu, platanes. De petites plantes chhoi-mooi ne-me-touchez-pas poussaient au pied de son arbre de vie, le noyer que Changez avait planté de ses propres mains le jour de la venue au monde de son fils. Père et fils devant l'arbre de naissance se sentaient tous deux maladroits, incapables de réagir correctement aux gentilles

57

taquineries de Nasreen. Une idée mélancolique avait envahi Saladin : le jardin était un plus bel endroit avant qu'il n'en connaisse les noms, quelque chose avait été perdu qu'il ne pourrait plus jamais retrouver. Et Changez Chamchawala se rendait compte qu'il ne pouvait plus regarder son fils droit dans les yeux, parce que l'amertume qu'il y voyait lui glaçait presque le cœur. Quand il parla, se détournant brutalement du noyer de dix-huit-ans dans lequel, plusieurs fois pendant leur longue séparation, il avait pensé qu'habitait l'âme de son fils unique, les mots jaillirent pleins d'incorrections et lui donnèrent l'air du personnage raide et froid qu'il avait espéré ne jamais devenir, et auquel il redoutait de ne pas pouvoir échapper.

« Dis à ton fils, hurla Changez à Nasreen, que s'il est allé à l'étranger apprendre le mépris des siens, alors les siens ne pourront éprouver que du mépris pour lui. Pour qui se prend-il ? Un petit maître, un gros ponte ? Est-ce mon destin : perdre un fils pour retrouver un phénomène de foire ?

– Qui que je sois, mon cher père, dit Saladin au vieil homme, je te dois tout. »

Ce fut leur dernier bavardage familial. Pendant tout l'été la situation resta tendue, malgré les tentatives de médiation de Nasreen, *il faut que tu demandes pardon à ton père, mon chéri, le pauvre homme souffre comme un beau diable mais sa fierté lui interdit de te prendre dans ses bras*. Même l'ayah Kasturba et son mari, le vieux porteur Vallabh, essayèrent d'intervenir mais ni le père ni le fils ne voulurent céder. « Même étoffe, c'est ça le problème, dit Kasturba à Nasreen. Papa et fiston, même étoffe, même chose. »

Quand éclata la guerre avec le Pakistan, en septembre de cette année-là, Nasreen décida, dans une sorte de défi, qu'elle n'annulerait pas ses soirées du vendredi, « pour montrer que les Hindous-Musulmans peuvent aussi bien s'aimer que se haïr », fit-elle remarquer. Changez vit une lueur dans ses yeux et n'essaya pas de discuter, mais il donna l'ordre aux domestiques de couvrir les fenêtres avec des rideaux de couvre-feu. Ce soir-là, pour la dernière fois, Saladin Chamchawala reprit son ancien rôle de portier, vêtu d'un smoking anglais, et quand les invités arrivèrent – les mêmes vieux invités, toujours les mêmes mais que la poussière du temps avait rendu gris – ils lui accordèrent les

mêmes vieilles caresses et les mêmes vieux baisers, les bénédictions nostalgiques de sa jeunesse. « Comme il a grandi,
disaient-ils. Quel amour, que dire. » Ils essayaient tous de
dissimuler leur peur de la guerre, *danger de raids aériens*,
disait la radio, et quand ils ébouriffaient les cheveux de Saladin leurs mains tremblaient un peu trop, ou elles étaient
trop brutales.

Tard dans la soirée les sirènes chantèrent et les invités
coururent se mettre à l'abri, ils se cachèrent sous les lits,
dans les placards, n'importe où. Nasreen Chamchawala se
retrouva seule à la table chargée de nourriture, et essaya de
rassurer la compagnie en restant là dans son sari où étaient
imprimées les dernières nouvelles, mâchonnant un morceau
de poisson comme si de rien n'était. Et ainsi, quand elle
commença à s'étrangler sur l'arête de sa mort il n'y avait
personne pour l'aider, ils étaient tous accroupis dans les
coins, les yeux fermés; même Saladin, le conquérant des
harengs, Saladin à la moue dédaigneuse de–retour–d'Angleterre, avait perdu son assurance. Nasreen Chamchawala
tomba, se contracta, s'étouffa, mourut, et quand la sirène de
fin d'alerte sonna les invités émergèrent timidement pour
découvrir leur hôtesse morte au milieu de la salle à manger,
emportée par l'ange exterminateur, Khali-pili Khalaas,
comme on dit à Bombay, disparue sans raison, partie pour
de bon.

Moins d'un an après la mort de Nasreen Chamchawala
pour n'avoir pas su triompher des arêtes de poisson à la
manière de son fils éduqué à l'étranger, Changez se remaria
sans prévenir personne. Dans son université anglaise, Saladin reçut une lettre de son père lui donnant l'ordre, dans la
phraséologie irritante, pompeuse et vieillotte qu'il employait
toujours dans sa correspondance, d'être heureux. « Réjouis-
toi, disait la lettre, car ce qui est perdu est ressuscité. »
L'explication de cette phrase sibylline se trouvait plus bas
dans l'aérogramme, et quand Saladin apprit que sa nouvelle
belle-mère s'appelait également Nasreen, quelque chose se
passa dans sa tête, et il écrivit à son père une lettre pleine de
cruauté et de colère, dont la violence était du genre de celle

59

qui n'existe qu'entre les pères et les fils, et qui diffère de celle qui existe entre les filles et les mères, dans la mesure où se cache derrière elle la possibilité d'une vraie bagarre à coups de poing. Changez lui répondit par retour du courrier; une lettre brève, quatre lignes d'injures archaïques, goujat malotru butor coquin fripon bâtard gredin. «Veuille considérer désormais tout lien familial comme irréparablement rompu, concluait la lettre. Tu es responsable des conséquences. »

Après un an de silence, Saladin reçut une seconde communication, une lettre de pardon qui était sous tous ses aspects plus difficile à accepter que le premier coup de foudre excommunicateur. «Quand tu deviendras père, Ô mon fils, lui confiait Changez Chamchawala, tu connaîtras ces instants – ah! Si doux! – où, par amour, nous faisons danser le joli bambin sur notre genou; puis, sans avertissement ni provocation, le petit être béni – puis-je m'ouvrir avec franchise? – nous *mouille*. Pendant un instant peut-être nous avons le cœur qui se soulève, une vague de colère monte dans notre sang – mais elle meurt aussitôt, aussi vite qu'elle est venue. Car ne comprenons-nous pas, en tant qu'adultes, que le pauvre petit n'est pas à blâmer? Il ne sait pas ce qu'il fait. »

Profondément offensé d'être comparé à un bébé qui fait pipi, Saladin garda un silence qu'il espérait digne. Au moment de son diplôme il avait obtenu un passeport britannique, parce qu'il était arrivé dans le pays juste avant le renforcement de la législation, dans un petit mot il put donc informer Changez qu'il avait l'intention de s'installer à Londres et de chercher du travail comme acteur. La réponse de Changez Chamchawala arriva en express. «Tu ferais aussi bien de devenir une espèce de gigolo. J'ai la conviction qu'un démon t'habite et t'a changé l'esprit. Toi qui as tant reçu : ne crois-tu pas devoir quelque chose à quelqu'un? A ton pays? Au souvenir de ta pauvre mère? A ton propre esprit? Vas-tu passer ta vie à t'agiter et à te pavaner sous des projecteurs, à embrasser des femmes blondes sous le regard d'inconnus qui ont payé pour regarder ta honte. Tu n'es plus mon fils, mais un *vampire*, un *hoosh*, un démon sorti de l'enfer. Un acteur! Réponds à cette question : que vais-je dire à mes amis? »

Et sous la signature, un post-scriptum pathétique et coléreux. « Maintenant que tu as ton mauvais génie, ne crois pas que tu vas hériter de ma lampe magique. »

Par la suite, Changez Chamchawala écrivit à son fils à intervalles irréguliers, et dans chaque lettre il revenait sur le thème des démons et de la possession : « Un homme qui n'est pas fidèle à lui-même devient un mensonge à deux jambes, et de telles créatures sont le meilleur ouvrage de Chaytan », écrivait-il, et aussi, dans la veine sentimentale : « Ton âme j'ai gardée, mon fils, ici dans ce noyer. Le démon n'a pris que ton corps. Quand tu te libéreras de lui, reviens et reprends ton esprit immortel. Il fleurit dans le jardin. »

L'écriture de ces lettres s'altéra au cours des années, et d'une confiance pleine de fioritures, qui l'avait rendue immédiatement reconnaissable, elle devint plus étroite, plus sobre, plus pure. Finalement, les lettres s'arrêtèrent, mais Saladin apprit par d'autres sources que la préoccupation de son père envers le surnaturel avait continué de s'approfondir, jusqu'à ce qu'il se transforme en ermite, peut-être pour échapper à ce monde dans lequel des démons pouvaient vous voler le corps de votre propre fils, un monde dangereux pour l'homme d'une vraie foi religieuse.

La métamorphose de son père troubla Saladin, même à une telle distance. Ses parents avaient été des musulmans à la manière nonchalante des habitants de Bombay ; Changez Chamchawala avait paru davantage un dieu à son fils nouveau-né qu'Allah lui-même. Que ce père, que cette déité profane (bien que maintenant discréditée), soit tombé à genoux dans son grand âge et ait commencé à s'incliner vers La Mecque était difficile à accepter pour son fils athée.

« J'en accuse cette sorcière », se disait-il, tombant pour des raisons rhétoriques dans le même langage d'envoûtements et de lutins que son père avait commencé à employer. « Cette Nasreen numéro deux. Est-ce moi qui suis envoûté, est-ce moi qui suis possédé ? Ce n'est pas mon écriture qui a changé. »

Les lettres cessèrent d'arriver. Les années passèrent ; puis Saladin Chamcha, acteur, self-made man, revint à Bombay avec la Compagnie Prospero, pour interpréter le rôle du docteur indien dans *La Milliardaire,* de George Bernard Shaw. Sur scène, il adapta sa voix aux exigences du rôle, mais les expressions longuement contenues, les voyelles et les consonnes écartées, commencèrent à s'échapper de sa bouche et du théâtre. Sa voix le trahissait; et il découvrit que les autres parties de son corps étaient capables d'autres trahisons, elles aussi.

*
* *

Selon une certaine façon de voir les choses, l'homme qui a pour but de se créer s'approprie le rôle du Créateur; c'est un anormal, un blasphémateur, l'abomination des abominations. D'un autre point de vue, on peut imaginer en lui du pathos, de l'héroïsme dans sa lutte, dans sa volonté de prendre des risques : tous les mutants ne survivent pas. Ou bien, considérons-le sous un angle socio-politique : la plupart des migrants apprennent, et peuvent devenir des masques. Nos descriptions fausses, pour contrecarrer les mensonges inventés à notre sujet, cachent pour des raisons de sécurité nos moi secrets.

Un homme qui s'invente lui-même a besoin de quelqu'un qui croie en lui, pour lui prouver qu'il a réussi. Pour à nouveau jouer à Dieu, pourrait-on dire. Ou l'on pourrait réduire ses prétentions, et penser à Tinkerbell, la fée de Peter Pan; les fées n'existent pas si les enfants ne frappent pas dans leurs mains. Ou l'on pourrait dire tout simplement : c'est exactement comme d'être un homme.

Pas seulement le besoin qu'on croie en vous, mais celui de croire en quelqu'un d'autre. T'a pigé : c'est ça l'amour.

Saladin Chamcha rencontra Pamela Lovelace cinq jours et demi avant la fin des années soixante, quand les femmes portaient encore des foulards dans les cheveux. Elle se tenait debout au milieu d'une pièce pleine d'actrices trotskistes et le fixait de ses yeux si brillants, si brillants. Il la monopolisa toute la soirée et elle ne cessa pas de sourire et elle s'en alla avec un autre homme. Il rentra chez lui pour rêver à ses yeux et à son sourire, à sa minceur, à sa peau. Il la poursuivit pendant deux ans. L'Angleterre cède ses trésors avec regret. Sa propre persévérance l'étonna, et il comprit que

Pamela était devenue la gardienne de son destin, que si elle ne cédait pas, toute sa tentative de métamorphose échouerait. « Laisse-moi faire », la suppliait-il, en luttant poliment avec elle sur son tapis blanc, pour se retrouver à minuit à l'arrêt du bus coupablement couvert de morceaux de laine. « Crois-moi. Je suis celui qu'il te faut. »

Une nuit, *sans qu'il s'y attende*, elle le laissa faire, elle dit qu'elle croyait. Il l'épousa avant qu'elle ne change d'avis, mais ne sut jamais lire dans ses pensées. Quand elle était malheureuse, elle s'enfermait dans sa chambre jusqu'à ce qu'elle aille mieux. « Ça ne te regarde pas, lui disait-elle. Je ne veux pas qu'on me voie dans cet état. » Il l'appelait son coquillage. « Ouvre-moi », disait-il en tambourinant sur toutes les portes fermées de leur vie commune, d'abord de leur sous-sol, puis de leur appartement, enfin de leur résidence. « Je t'aime, laisse-moi entrer. » Il avait tellement besoin d'elle, pour se rassurer sur sa propre existence, qu'il ne comprit jamais le désespoir de son sourire éclatant et permanent, la terreur de cet éclat avec lequel elle faisait face au monde, ou les raisons pour lesquelles elle se cachait quand elle ne pouvait plus briller. Seulement quand il fut trop tard, elle lui raconta que ses parents s'étaient suicidés ensemble au moment où ses règles avaient commencé, submergés par des dettes de jeu, la laissant avec ce beuglement aristocratique de la voix qui la faisait passer pour une privilégiée, une femme qu'on envie, alors qu'en fait elle était abandonnée, perdue, que ses parents n'avaient même pas pu attendre qu'elle ait grandi, c'était de cette façon qu'on l'aimait, aussi bien sûr elle n'avait aucune confiance en elle, et chaque instant qu'elle passait dans ce monde la remplissait de panique, alors elle souriait et souriait et peut-être une fois par semaine elle fermait la porte et tremblait comme une coquille, une cosse de cacahuète vide, un singe sans noix.

Ils ne réussirent jamais à avoir d'enfant; elle s'en accusait. Au bout de dix ans Saladin découvrit que cela avait quelque chose à voir avec ses propres chromosomes, deux gènes trop longs ou trop courts, il ne s'en souvenait plus. Son héritage génétique; apparemment il avait de la chance d'exister, de la chance de ne pas être une sorte de monstre. Est-ce que cela venait de sa mère ou de son père? Les médecins ne pouvaient se prononcer; il en accusa, on devine facilement qui, après tout, ça ne se fait pas de penser du mal des morts.

Dernièrement ils ne s'entendaient plus.

Il se dit ça après, mais pas pendant.

Ensuite, il se dit, nous étions en crise, peut-être à cause de l'absence de bébé, ou peut-être parce que nous nous sommes éloignés l'un de l'autre, peut-être ceci, peut-être cela.

Pendant tout ce temps, il essayait d'ignorer toute la tension, toutes les difficultés, toutes les disputes qui n'avaient jamais éclaté, il fermait les yeux et attendait que son sourire revienne. Il voulait croire à ce sourire, à cette brillante contrefaçon de la joie.

Il essaya de leur inventer un avenir heureux, de le réaliser en le fabriquant et en y croyant. En route pour l'Inde il pensait à quel point il avait de la chance de l'avoir, j'ai de la chance oui je l'ai ne discute pas je suis le type le plus heureux de la terre. Et : comme c'était merveilleux de voir se dérouler devant soi une avenue d'années ombragées, l'espoir de vieillir en présence de sa gentillesse.

Il avait fait de si grands efforts et avait tellement failli se convaincre de la vérité de ces pauvres fictions que quand il coucha avec Zeeny Vakil dans les quarante-huit heures qui suivirent son arrivée à Bombay, la première chose qu'il fit, avant même de faire l'amour, ce fut de s'évanouir, de tomber dans les pommes, parce que les messages qui parvenaient à son cerveau montraient un désaccord profond, comme si son œil droit avait vu le monde bouger à gauche alors que l'œil gauche le voyait glisser à droite.

Zeeny était la première Indienne avec qui il avait fait l'amour. Elle fit irruption dans sa loge après la générale de *La Milliardaire*, avec ses bras de chanteuse d'opéra et sa voix rapeuse, comme si cela ne faisait pas des années. *Des années.* « Ah, quelle déception, je te jure, je suis restée jusqu'au bout rien que pour t'entendre chanter « Ô mon Dieu » comme Peter Sellers tu vois, je me suis dit, attendons pour voir s'il a appris à chanter, tu te souviens quand tu imitais Elvis avec ta raquette de squash, chéri, trop drôle, complètement fêlé. Mais qu'est-ce que c'est que ça? On ne chante pas au théâtre. Tant pis. Écoute, est-ce que tu peux fausser compagnie à tous ces visages pâles et sortir avec les métèques? Tu as peut-être oublié comment c'est. »

Il se souvenait d'elle comme d'une adolescente maigrichonne avec une coiffure qui penchait d'un côté et un sourire qui penchait de l'autre. Une fille intrépide et pas sage.
Une fois, pour la beauté du geste, elle alla dans un adda mal
famé, un bouge, sur Falkland Road, et elle s'assit pour
fumer une cigarette et boire un Coca jusqu'à ce que les
maquereaux qui dirigeaient le bar menacent de lui taillader
le visage, parce qu'on n'acceptait pas les indépendantes. Elle
les dévisagea, finit sa cigarette, s'en alla. Courageuse. Peut-
être folle. Maintenant elle avait une trentaine d'années, elle
était médecin et dirigeait une consultation au Breach Candy
Hospital, elle soignait les sans-abri de la ville, elle était partie à Bhopal dès que la nouvelle du nuage invisible américain qui rongeait les yeux et les poumons des gens avait été
connue. Elle était critique d'art, et son livre, sur les
bornes du mythe de l'authenticité, cette camisole de force
folklorique qu'elle avait essayé de remplacer par l'éthique
d'un éclectisme validé par l'histoire, la culture nationale
n'était-elle pas fondée sur le principe de l'emprunt de
n'importe lequel des vêtements qui semblait convenir,
aryen, moghol, britannique, prends-le-bon-laisse-le-con? –
son livre avait créé tout un ramdam, surtout à cause de son
titre. Elle l'avait intitulé *Un bon Indien*. « Sous-entendu, est
un Indien mort, dit-elle à Chamcha quand elle lui en offrit
un exemplaire. Pourquoi devrait-il y avoir une façon bonne
et correcte d'être un métèque? C'est ça le fondamentalisme
hindou. A vrai dire, nous sommes tous de mauvais Indiens.
Et quelques-uns sont pires que les autres. »

Elle était dans tout l'éclat de sa beauté, les cheveux longs
non attachés, et à cette époque elle n'était plus maigrichonne. Cinq heures après son irruption dans la loge de
Saladin ils se mettaient au lit, et il s'évanouissait. Quand il
revint à lui elle lui expliqua : « J'ai glissé un calmant dans
ton verre. » Il ne réussit jamais à savoir si elle avait dit ou
non la vérité.

Saladin devint l'objet de la croisade de Zeenat Vakil. « On
va te récupérer, lui expliqua-t-elle. Monsieur, on va te ramener à nous. » Parfois il avait l'impression qu'elle voulait y
parvenir en le mangeant tout cru. Elle faisait l'amour
comme une cannibale et il était son morceau de porc.
« Connaissais-tu, lui demanda-t-il, la relation bien établie

entre le régime végétarien et l'envie de manger de l'homme?» Zeeny, déjeunant sur les cuisses nues de Saladin, secoua la tête. «Dans certains cas extrêmes, poursuivit-il, la trop grande consommation de légumes libère dans l'organisme des substances biochimiques qui peuvent exciter des fantasmes de cannibalisme.» Elle leva les yeux et lui fit son sourire penché. Zeeny, la belle vampire. «Allez, dit-elle. Nous sommes une nation de végétariens, et tout le monde sait que notre culture est paisible et mystique.»

Lui, de son côté, était à manier avec précaution. La première fois qu'il toucha ses seins des larmes brûlantes et inattendues qui avaient la couleur et la consistance du lait de buffle jaillirent des yeux de Zeeny. Elle avait vu mourir sa mère comme un poulet qu'on découpe pour le dîner, d'abord le sein gauche, puis le droit, et le cancer s'était quand même étendu. Sa peur de répéter la mort de sa mère mettait sa poitrine hors jeu. La terreur secrète de la courageuse Zeeny. Elle n'avait jamais eu d'enfant mais pleurait des larmes de lait.

Après leur première nuit d'amour – elle l'attaqua, ayant oublié ses larmes. «Tu sais ce que tu es, je vais te le dire. Un déserteur, plus anglais que, tu t'enveloppes dans ton accent angliche comme dans un drapeau, et ne crois pas qu'il soit parfait, il se relâche, baba, comme une fausse moustache.»

«Il se passe quelque chose de bizarre, voulut-il dire, ma voix», mais il ne sut comment l'exprimer, et il tint sa langue.

«Les gens comme toi, dit-elle en reniflant et en lui embrassant l'épaule, vous revenez après longtemps et vous vous prenez pour dieusaitquoi. Eh bien, mon petit chéri, nous, nous avons une mauvaise opinion de vous.» Son sourire était plus éclatant que celui de Pamela. «Je crois, lui dit-il, tu n'as pas perdu ton sourire à la Binaca.»

Binaca. D'où est-ce que ça venait, cette publicité de pâte dentifrice oubliée depuis longtemps? Et le son des voyelles sur lesquelles on ne pouvait plus compter. Méfie-toi, Chamcha, fais attention à ton ombre. Ce type obscur qui te surprend par-derrière.

Le deuxième soir elle arriva au théâtre accompagnée de deux amis, un jeune cinéaste marxiste du nom de George Miranda, une sorte d'énorme baleine qui traînait les pieds avec les manches de son kurta retroussées, un gilet ouvert portant de vieilles taches, et une moustache étonnamment militaire aux pointes cirées ; et Bhupen Gandhi, poète et journaliste, grisonnant prématurément mais dont le visage restait innocent comme celui d'un bébé jusqu'à ce qu'il libère son ricanement malicieux. « Allez, Salad baba, déclara Zeeny. On va faire la tournée des grands ducs. » Elle se retourna vers ses compagnons. « Ces *Asiatiques* qui viennent de l'étranger, déclara-t-elle, ils n'ont aucune honte. Saladin, on dirait une putain de laitue !

– Il y a quelques jours, on a vu une journaliste de la télévision, dit George Miranda. Les cheveux roses. Elle a dit qu'elle s'appelait Kerleeda. Je n'ai pas compris.

– Écoute, George est trop naïf, le coupa Zeeny. Il ne sait pas que vous êtes devenus des phénomènes de foire. Cette mademoiselle Singh, scandaleux. Je lui ai dit, ton nom, c'est Khalida, chérie, ça rime avec Dalida, la chanteuse, c'est de la cuisine publicitaire. Mais elle n'arrivait pas à le prononcer. Son propre nom. Kerleeda, Kerleeda. Conduisez-moi à votre cher leader. Vous n'avez aucune culture. Vous n'êtes plus que des métèques. C'est pas vrai ce que je dis ? » ajouta-t-elle, brusquement joyeuse et ouvrant de grands yeux, effrayée d'être allée trop loin. « Arrête de le tourmenter Zeenat », dit Bhupen Gandhi de sa voix calme. Et George, maladroitement, balbutia : « Y a pas de mal, vieux. On rigole Anatole. »

Chamcha décida de tendre l'autre joue et de répondre. « Zeeny, dit-il, la terre est pleine d'Indiens, tu le sais bien, on s'infiltre partout, on est rétameurs en Australie et nos têtes finissent dans le frigidaire d'Amin Dada. Christophe Colomb avait peut-être raison ; le monde est rempli d'Indes, Orientales, Occidentales, Nordiques. Merde, tu devrais être fière de nous, de notre goût du risque, de la façon dont nous repoussons les frontières. Il y a une seule chose, nous ne sommes pas des Indiens comme toi. Tu devrais t'y faire. Comment s'appelle le livre que tu as écrit déjà ?

– Écoutez, dit Zeeny en passant son bras sous le sien. Écoutez mon Salad. Voilà qu'il veut être Indien après avoir passé sa vie à essayer de blanchir. Tout n'est pas perdu, voyez-vous. Il y a encore quelque chose de vivant là-dedans. » Et Chamcha sentit qu'il rougissait, il sentit son trouble monter, l'Inde ; tout se mélangeait.

« Nom de Dieu, ajouta-t-elle, en le poignardant d'un baiser. *Chamcha*. Tu déconnes. Tu te fais appeler Monsieur Lèche-Bottes et tu ne veux pas qu'on rie. »

*
*

Dans l'Hindoustan délabrée de Zeeny, une voiture conçue pour une culture avec domestiques, avec un siège arrière mieux rembourré que le siège avant, il sentit la nuit se refermer sur lui comme une foule. L'Inde, qui le mesurait du haut de son immensité oubliée, de sa pure présence, de l'ancien désordre détesté. Une hijra amazone, vêtue comme une Wonder Woman Indienne, avec même le trident d'argent, arrêta la circulation d'un bras impérial et déambula devant eux. Chamcha fixa les yeux féroces d'ilelle. Gibreel Farishta, la vedette de cinéma qui avait mystérieusement disparu, pourrissait sur les panneaux publicitaires. Gravats, papiers gras, bruit. Des affiches pour des cigarettes fumaient sur leur passage : CIGARETTES CISEAUX – SATISFACTION DE L'HOMME D'ACTION. Et, de façon plus improbable : CIGARETTES PANAMA – UN ÉLÉMENT DU DÉCOR INDIEN.

« Où allons-nous ? » La nuit avait les reflets verts des tubes au néon. Zeeny gara la voiture. « Tu es perdu ? l'accusa-t-elle. Qu'est-ce que tu connais de Bombay ? Ta ville, mais qui ne l'a jamais été. Pour toi, c'est un rêve d'enfance. Grandir à Scandal Point c'est comme vivre sur la lune. Pas de clodos, non m'sieu, rien que des chambres de bonnes. Des membres de Shiv Sena sont-ils venus pour y créer des troubles ? Où sont les voisins qui crevaient de faim pendant la grève du textile ? Est-ce que Datta Samant a organisé une manifestation devant vos maisons ? Quel âge avais-tu quand tu as rencontré un syndicaliste ? Quel âge avais-tu quand tu es monté pour la première fois dans un train et pas dans une voiture avec chauffeur ? Je t'en prie, ce n'était pas Bombay, mon chéri. C'était le Pays des Merveilles, le Péristan, le pays de Gulliver, Oz.

– Et toi ? lui rappela Saladin. Où étais-tu à l'époque ?

– Au même endroit, dit-elle violemment. Avec les pauvres cons de Lilliputiens. »

Les rues mal famées. On repeignait un temple jain et des

sacs plastiques protégeaient les saints des éclaboussures. Un vendeur de journaux avait étalé sur le trottoir des quotidiens pleins d'horreurs : une catastrophe ferroviaire. Bhupen Gandhi se mit à parler à voix basse. Après l'accident, dit-il, les survivants avaient nagé jusqu'à la berge (le train était tombé d'un pont) où les attendaient des villageois, qui les avaient enfoncés sous l'eau pour les noyer et piller leurs cadavres.

« Ta gueule, lui cria Zeeny. Pourquoi lui racontes-tu de pareilles choses ? Il nous prend déjà pour des sauvages, pour une espèce inférieure. »

Dans une boutique, on vendait du bois de santal à brûler dans le temple de Krishna tout proche ; on y vendait aussi des yeux de Krishna en émail rose-et-blanc qui voyaient tout. « Il y a bien trop de choses à voir, dit Bhupen. Ça c'est la vérité. »

*

Dans un dhaba plein à craquer que George avait commencé à fréquenter quand il prenait des contacts, pour des raisons cinématographiques, avec les dadas ou les patrons qui contrôlaient le marché de la chair dans la ville, on buvait du rhum sur des tables d'aluminium et George et Bhupen, un peu éméchés, se mirent à se disputer. Zeeny buvait un Coca et elle dénigra ses amis auprès de Chamcha. « Ils ont un problème de boisson tous les deux, fauchés comme les blés, ils battent leurs femmes, boivent comme des trous, bousillent leur vie. Pas étonnant que j'aie le béguin, mon petit chéri, quand les produits locaux sont de si mauvaise qualité on aime ce qui vient de l'étranger. »

George avait accompagné Zeeny à Bhopal et il commençait à faire du tapage à propos de la catastrophe, en lui donnant une couleur idéologique. « Qu'est-ce que c'est l'Amrike pour nous ? demanda-t-il. Ce n'est pas un endroit réel. C'est le pouvoir dans sa forme la plus pure, désincarnée, invisible. On ne peut pas la voir, mais elle nous baise totalement, pas moyen d'y échapper. » Il compara la société Union Carbide au cheval de Troie. « Nous les avons invités à entrer, ces salauds. » C'était comme l'histoire des quarante voleurs, dit-il. Ils se sont cachés dans les jarres et ils ont attendu la

69

nuit. « Malheureusement, nous n'avions pas d'Ali Baba, s'écria-t-il. Qui avions-nous? Mr Rajiv G. »

À ce moment-là Bhupen Gandhi se leva brusquement en chancelant, et commença, comme un possédé, sous l'emprise d'un esprit, à *témoigner*. « Pour moi, dit-il, ça ne peut pas être une question d'intervention étrangère. Nous nous pardonnons toujours en accusant les étrangers, l'Amérique, le Pakistan, n'importe quel pays. Excuse-moi, George, mais tout remonte à l'Assam, c'est de là qu'il faut partir. » Le massacre des innocents. Les photos de cadavres d'enfants, mis en rang comme des soldats qui défilent. Ils avaient été matraqués à mort, lapidés, le cou tranché au couteau. Ces rangées impeccables de la mort, se souvint Chamcha. Comme si seule l'horreur pouvait pousser l'Inde à remettre de l'ordre.

Bhupen parla pendant vingt-neuf minutes sans hésitation et sans pause. « Nous sommes tous coupables de l'Assam, dit-il. Chacun d'entre nous. Tant que nous n'affronterons pas cette vérité, que nous n'accepterons pas que la mort des enfants est notre propre faute, nous ne pourrons nous dire un peuple civilisé. » Il buvait du rhum aussi vite qu'il parlait, et sa voix devenait plus forte, et son corps se mit à pencher dangereusement mais bien que la pièce fût silencieuse, personne ne s'avança vers lui, personne n'essaya de l'arrêter de parler, personne ne le traita d'ivrogne. Au beau milieu d'une phrase *chaque jour des aveuglements, des coups de feu, des corruptions, on se prend pour,* il se laissa retomber lourdement et regarda dans son verre.

Puis un jeune homme se leva à l'autre bout de la salle et lui répliqua. Il fallait comprendre l'Assam sur un plan politique, s'écria-t-il, il y avait des raisons économiques, et un autre type se mit debout pour lui répondre, les questions d'argent n'expliquent pas pourquoi un adulte matraque une petite fille à mort, puis un autre type dit, si tu penses ça, tu n'as jamais eu faim, salah, c'est du romantisme à la con de penser que les questions économiques ne transforment pas les hommes en bêtes. Chamcha serrait son verre de plus en plus fort au fur et à mesure que le bruit augmentait, et l'air semblait s'épaissir, l'éclat lumineux des dents en or le frappait au visage, des épaules se frottaient aux siennes, des coudes le heurtaient, l'air se transformait en une soupe

70

épaisse, et dans sa poitrine des palpitations irrégulières avaient commencé. George lui saisit le poignet et l'entraîna dans la rue. « Toi, O.K., vieux ? Tu étais vert. » Saladin le remercia d'un signe de tête, respira profondément l'air de la nuit, se calma. « Le rhum et la fatigue, dit-il. J'ai la fâcheuse habitude d'avoir le trac après le spectacle. Souvent j'en tremble. J'aurais dû le savoir. » Zeeny le fixait, et ses yeux exprimaient plus que de la sympathie. Un regard étincelant, triomphant, dur. *Quelque chose t'a touché*, semblait-elle jubiler. *C'est pas trop tôt.*

Après avoir été guéri de la typhoïde, se dit Chamcha, tu es resté immunisé pendant une dizaine d'années. Mais rien ne dure éternellement ; finalement les anticorps disparaissent du sang. Il devait accepter le fait que son sang ne contenait plus les agent immunisants qui lui auraient permis de supporter la réalité indienne. Le rhum, les palpitations de son cœur, une maladie de l'esprit. Au lit.

Elle ne voulut pas l'amener chez elle. Toujours et seulement l'hôtel, avec les jeunes Arabes aux médailles d'or se pavanant dans les couloirs de minuit en tenant des bouteilles de whisky de contrebande. Il s'allongea sur le lit avec ses chaussures, sa cravate et son col défait, le bras droit sur les yeux ; elle, dans le peignoir blanc de l'hôtel, se pencha sur lui et l'embrassa sur le menton. « Je vais t'expliquer ce qui t'est arrivé ce soir, dit-il. On peut dire qu'on a cassé ta coquille. »

Il se redressa, fâché. « Et voilà ce qu'il y a dedans, lui hurla-t-il. Un Indien traduit en anglais. Ces jours-ci quand j'essaie de parler hindoustani, les gens prennent un air poli. Me voici. » Englué dans la gélatine de sa langue d'adoption, il avait commencé à entendre, dans le Babel de l'Inde, un avertissement menaçant : ne reviens jamais. Quand on a traversé le miroir, on ne revient qu'à ses risques et périls. Le miroir peut te couper en morceaux.

« Ce soir, j'étais si fière de Bhupen, dit Zeeny, en se mettant au lit. Dans combien de pays peut-on entrer dans un bar et entamer un débat comme celui-là ? La passion, le sérieux, le respect. Garde ta civilisation, Lèche-Botji ; j'aime vraiment beaucoup la mienne.

– Laisse tomber, la supplia-t-il. J'aime pas que les gens viennent me voir sans prévenir, j'ai oublié les règles des sept-tuiles et du Kabaddi, je ne connais plus mes prières, je ne sais pas ce qui doit se passer lors d'une cérémonie nikah, et dans cette ville où j'ai grandi je me perds si je suis seul. Ce n'est pas chez moi. Ça me donne le vertige parce que j'ai l'impression d'être chez moi et ce n'est pas vrai. Ça me fait palpiter le cœur et tourner la tête.

– Tu es un imbécile, lui cria-t-elle. Quel imbécile. Reviens. Pauvre con! Bien sûr que tu peux. » C'était un tourbillon, une sirène, qui essayait de l'attirer vers son ancien moi. Mais il s'agissait d'un moi mort, une ombre, un esprit, et il ne voulait pas devenir un fantôme. Il avait un billet pour Londres dans son portefeuille, et il allait s'en servir.

« Tu ne t'es jamais mariée », demanda-t-il alors qu'ils restaient allongés, sans dormir, au petit matin. Zeeny renifla. « Tu es vraiment parti depuis trop longtemps. Tu m'as bien vue? J'ai la peau foncée. » Elle s'arc-bouta et repoussa le drap pour lui montrer son corps généreux. Quand la reine bandit Phoolan Devi sortit du ravin pour se rendre et être photographiée, les journaux détruisirent d'un seul coup le mythe qu'ils avaient créé, de sa *beauté légendaire*. Elle devint *banale, un être commun, sans attrait*, alors qu'elle avait été *à croquer*. Une peau noire au nord de l'Inde. « Je ne marche pas, dit Saladin. Tu ne crois pas que je vais gober ça. »

Elle rit. « Très bien, tu n'es pas encore complètement idiot. Qui a besoin de se marier? J'ai un travail à faire. »

Et après une pause, elle lui retourna sa question. *Bon, alors. Et toi?*

Pas seulement marié, mais riche. « Alors raconte. Comment vous vivez, toi et ta dame. » Dans un hôtel particulier de cinq étages à Notting Hill. Depuis peu il ne se sentait plus en sécurité, parce que la dernière bande de cambrioleurs n'avait pas seulement emporté le magnétoscope et la chaîne habituels mais aussi le chien-loup de garde. Il s'était dit qu'il n'était plus possible de vivre dans un pays où les criminels enlevaient les animaux. Pamela lui expliqua qu'il s'agissait d'une vieille coutume locale. Au Bon Vieux Temps, lui dit-elle (pour Pamela, l'histoire était divisée en Époque Ancienne, Âge des Ténèbres, Bon Vieux Temps, Empire Britannique, Temps Modernes et Présent), l'enlèvement des animaux domestiques était une affaire qui rapportait. Les pauvres volaient les chiens des riches, ils leur apprenaient à oublier leur nom, et ils les revendaient à leurs propriétaires désespérés et éplorés dans des boutiques de Portobello Road. L'histoire locale de Pamela était toujours bourrée de détails et fréquemment douteuse. « Mais, mon Dieu, dit Zeeny Vakil, il faut que tu vendes tout de suite et que tu déménages. Je les connais, ces Anglais, tous les mêmes, racaille et nababs. On ne peut rien faire contre leurs sales traditions. »

Mon épouse, Pamela Lovelace, fragile comme une porcelaine, gracieuse comme une gazelle, se souvint-il. *Je prends racine dans les femmes que j'aime.* Les banalités de l'infidélité. Il les mit de côté et il parla de son travail.

Quand Zeeny Vakil découvrit comment Saladin Chamcha gagnait son argent, elle poussa une série de hurlements si bien qu'un des Arabes médaillés frappa à la porte pour s'assurer que tout allait bien. Il vit une belle femme assise sur le lit avec quelque chose qui ressemblait à du lait de buffle qui coulait sur son visage et tombait de la pointe de son menton, et, s'excusant de son intrusion auprès de Chamcha, il se retira rapidement, *désolé, mon vieux, eh, tu as vraiment de la chance.*

« Pauvre patate, dit Zeeny en reprenant son souffle entre deux crises de rire. Ces salauds d'Angliches. Ils t'ont bousillé. »

Alors maintenant, on trouve mon travail drôle. « J'ai un don pour les accents, dit-il en le prenant de haut. Pourquoi ne m'en servirais-je pas ?

– *Pourquoi ne m'en servirais-je pas ?* » dit-elle en l'imitant et en lançant les jambes en l'air. « Monsieur l'acteur, votre moustache vient de glisser à nouveau. »

Oh mon Dieu.

Qu'est-ce qui m'arrive.

Que diable.

Au secours.

Parce qu'en effet il avait vraiment le don, vraiment, il était l'Homme des Mille Voix et une Voix. Si l'on voulait savoir comment parlerait une bouteille de ketchup dans une publicité télévisée, si l'on n'était pas sûr de la voix idéale d'un paquet de chips à l'ail, il était l'homme de la situation. Il faisait parler les moquettes dans les publicités des grandes surfaces, il imitait les vedettes, le cassoulet en boîte, les petits pois surgelés. À la radio il pouvait convaincre ses auditeurs qu'il était russe, chinois, sicilien, le président des États-Unis. Une fois, dans une pièce radiophonique pour trente-sept voix, il interpréta chaque rôle sous un grand nombre de pseudonymes et personne ne se douta de rien. Avec son homologue féminin, Mimi Mamoulian, il régnait sur les ondes de Grande-Bretagne. Ils se partageaient une si grande part du marché du doublage que, comme disait Mimi, « Les gens feraient mieux de ne pas évoquer la commission d'enquête sur les monopoles autour de nous, même pour plaisanter ». L'étendue de son registre à elle était étonnante ; elle pouvait faire n'importe quel âge, n'importe où dans le monde, n'importe quel point de la tessiture vocale, d'une Juliette angélique jusqu'à une démoniaque Mae West. « On devrait se marier, un jour, quand tu seras libre, lui proposa Mimi. Toi et moi, on pourrait être l'ONU.

– Tu es juive, remarqua-t-il. Pendant mon enfance on m'a inculqué des idées sur les juifs.

– Et alors, je suis juive, répondit-elle en haussant les épaules. Et c'est toi le circoncis. Personne n'est parfait. »

Mimi était minuscule avec de petites boucles noires très serrées et ressemblait au Bibendum Michelin. À Bombay, Zeenat Vakil s'étira, bâilla et chassa les autres femmes de sa pensée. « C'est trop, dit-elle en riant de lui. Ils te paient pour les imiter, à condition qu'ils ne soient pas obligés de te regarder. Ta voix devient célèbre mais ils cachent ton visage. Tu sais pourquoi ? Des verrues sur le nez, tu louches, quoi ? Est-ce qu'il te vient une idée dans la tête, chéri ? Ta putain de tête de laitue, je te jure. »

C'était vrai, pensa-t-il. Saladin et Mimi étaient des sortes de légendes, mais des légendes estropiées, des trous noirs. Le champ de gravitation de leurs capacités attirait du travail vers eux, mais ils restaient invisibles, abandonnant leur corps pour se vêtir de voix. À la radio, Mimi pouvait devenir la Vénus de Botticelli, elle pouvait être Olympia, Marilyn, n'importe quelle femme qu'il lui plaisait d'être. Elle se fichait complètement de son apparence; elle était devenue une voix, elle valait une fortune, et trois jeunes femmes étaient éperdument amoureuses d'elle. Et elle achetait de la terre. « Un comportement névrotique, avouait-elle sans honte. Un besoin excessif d'enracinement à cause des turbulences de l'histoire des juifs arméniens. Un certain désespoir à cause de l'âge et de quelques petits polypes décelés dans la gorge. La propriété de la terre a un effet calmant, je la recommande. » Elle possédait un presbytère dans le Norfolk, une ferme en Normandie, un clocher en Toscane, une plage en Bohême. « Des lieux hantés, expliquait-elle. Cliquetis, hurlements, sang sur les tapis, femmes en chemise de nuit, et tout le toutim. Personne ne rend une terre sans se battre. »

Personne sauf moi, pensait Chamcha, saisi d'une brusque mélancolie tandis qu'il restait allongé à côté de Zeenat Vakil. Je suis peut-être déjà un fantôme. Mais au moins un fantôme avec un billet d'avion, du succès, de l'argent, une femme. Une ombre, mais vivant dans le monde tangible, matériel. Avec des *biens*. Oui, monsieur.

Zeeny lui caressa les petites boucles autour des oreilles. « Parfois, quand tu ne dis rien, murmura-t-elle, quand tu ne prends pas une voix drôle ou de grands airs, et quand tu oublies que les gens t'observent, tu as l'air d'une case vide. Tu vois? Une table rase, personne n'est là. Parfois, ça me rend folle, j'ai envie de te gifler. Pour te forcer à revenir dans la vie, mais ça me rend triste aussi. Quel idiot tu fais, la grande vedette dont le visage n'a pas la couleur qu'il faut pour leur télé couleur, qui est obligée d'aller chez les métèques avec une compagnie de quat'sous pour jouer le métèque de service, simplement pour avoir un rôle. Ils te maltraitent et tu restes quand même, tu les adores, putain de mentalité d'esclave, je te jure. Chamcha », elle lui prit les épaules et le secoua, à califourchon sur lui avec ses seins interdits à quelques centimètres de son visage, « Salad baba, où tout ce que tu veux, nom de Dieu, *reviens chez toi* ».

Son grand coup de chance, celui qui lui ferait gagner tellement d'argent que ça ne voudrait plus rien dire, avait démarré tout petit : la télévision pour enfants, quelque chose qui s'appelait *Les Extraterrestres*, avec des personnages inspirés des *Monstres*, eux-mêmes inspirés de *La Guerre des étoiles* en passant par *Sesame Street*. C'était une comédie basée sur un groupe d'extraterrestres allant du mignon au psychotique, de l'animal au légume, sans oublier le minéral, parce qu'une des vedettes était un rocher spatial qui pouvait extraire de lui-même des matières premières et se régénérer à temps pour l'émission de la semaine suivante ; ce rocher s'appelait Pygmalien [1], et grâce au sens de l'humour extrêmement limité des producteurs de l'émission, il y avait aussi une créature vulgaire, et rotante, une sorte de cactus vomissant qui venait d'une planète désertique située à l'extrémité du temps : elle s'appelait Mathilda, l'Australienne, et il y avait les trois sirènes de l'espace, chantantes, grotesques et pneumatiques, connues sous le nom d'Alien Korns, peut-être parce qu'on pouvait se coucher parmi elles, et il y avait une équipe de danseurs aux sauts déhanchés de Vénus, et des bombeurs de métro et un groupe de soul-brothers qui s'appelaient les Alien Nation, et sous un lit du vaisseau spatial qui était le principal décor de l'émission, habitait Bugsy, le scarabée géant originaire de la galaxie du Crabe et qui s'était enfui de chez son père, et dans un aquarium il y avait Cerveau, l'ormeau géant super-intelligent qui aimait la cuisine chinoise, et puis il y avait Ridley, le plus terrifiant de la distribution, qui ressemblait à un tableau de Francis Bacon représentant une bouche pleine de dents qui s'agiteraient au bout d'une cosse aveugle, et qui était obsédé par l'actrice Sigourney Weaver. Les stars de l'émission, ses Kermit et ses miss Piggy, étaient Maxim et Mamma Alien, le duo qui portait des vêtements collants et provocants, des coiffures stupéfiantes, qui ne rêvait qu'à une chose – à quoi d'autre rêver ? – devenir des vedettes de télévision. Ils étaient joués par Saladin Chamcha et Mimi Mamoulian, et, entre les prises, ils changeaient de voix comme ils changeaient de vêtements, sans parler des perruques, qui pouvaient aller du violet au vermillon et se dresser en diagonale à un mètre au-dessus de leurs têtes ou disparaître totalement ; sans parler de leurs visages et de leurs membres, parce qu'ils étaient capables d'en changer, de remplacer jambes, bras, nez, oreilles, yeux, et chaque transformation faisait monter du fond de leur gorge légendaire et protéenne un accent différent. Ce qui assurait le succès de l'émission, c'était qu'on

1. Alien : extraterrestre en anglais. *(N.d.T.)*

utilisait les dernières techniques de fabrication d'images par ordinateur. Tous les décors étaient synthétiques : vaisseau spatial, paysages d'autres planètes, jeux télévisés intergalactiques; et les acteurs, eux aussi, étaient traités par les machines, et chaque jour ils devaient passer quatre heures ensevelis sous des maquillages de prothèse dernier cri qui – quand les ordinateurs vidéo s'étaient mis au travail – les faisaient ressembler eux aussi à des images synthétiques. Maxim Alien, play-boy de l'espace, et Mamma, championne de catch galactique invaincue et reine universelle de la pasta, firent un succès du jour au lendemain. Meilleure heure d'écoute; l'Amérique, l'Eurovision, le monde.

En prenant de l'importance *Les Extraterrestres* s'attirèrent des critiques politiques. Les conservateurs attaquèrent l'émission en lui reprochant d'être trop effrayante, trop explicite sur le plan sexuel (Ridley était carrément en érection quand il pensait trop fort à Miss Weaver), trop *bizarre*. Les commentateurs de gauche commencèrent à attaquer sa façon de stéréotyper les extraterrestres, de renforcer leur aspect de monstres, de manquer d'images positives. Chamcha subit des pressions pur l'obliger à quitter l'émission; il refusa; il devint une cible. « Je vais avoir des problèmes à mon retour, dit-il à Zeeny. Cette fichue émission n'est pas une allégorie. C'est un divertissement. Son but, c'est de plaire.

– De plaire à qui? voulut-elle savoir. Même maintenant, ils ne te laissent à l'antenne qu'après t'avoir recouvert le visage de caoutchouc et t'avoir mis une perruque rouge. La belle affaire ! »

« Le truc, dit-elle le lendemain matin quand ils se réveillèrent, Salad chéri, c'est que tu es vraiment beau, pas de prob. Une peau comme du lait, retour d'Angleterre. Maintenant que Gibreel a déguerpi, tu es le premier sur les rangs. Je suis sérieuse. Ils ont besoin d'un nouveau visage. Reste ici et tu pourras être le prochain, plus grand que Bachchan, plus grand que Farishta. Ton visage n'est pas aussi drôle que le leur. »

Quand il était jeune, lui dit-il, chaque phase de sa vie, chaque moi qu'il avait essayé, lui semblait rassurant parce que temporaire. Ses imperfections n'avaient pas d'importance, parce qu'il pouvait facilement remplacer un instant par un autre, un Saladin par un autre. Maintenant, tout changement devenait douloureux; les artères du possible avaient commencé à durcir. « Ce n'est pas facile à t'expliquer, mais aujourd'hui je ne suis pas seulement marié à une femme, mais à la vie. *À nouveau le glissement dans l'accent indien.* En réalité, je suis venu à Bombay pour une seule raison, et ce n'est pas la pièce de théâtre. Il a maintenant plus de soixante-dix ans et je n'aurai pas beaucoup d'autres occasions. Il n'est pas venu au spectacle; Mahomet doit aller à la montagne. »

Mon père, Changez Chamchawala, propriétaire d'une lampe magique . « Changez Chamchawala, tu plaisantes, ne crois pas que tu peux me laisser tomber », elle tapa dans ses mains. « Je veux vérifier ses cheveux et ses ongles de pieds. » Son père, le célèbre ermite. Bombay avait une culture de remakes. Son architecture imitait les gratte-ciel, son cinéma réinventait éternellement *Les Sept Mercenaires* et *Love Story*, obligeant tous ses héros à sauver au moins un village des bandits et toutes ses héroïnes à mourir de leucémie au moins une fois dans leur carrière, et si possible au début. Ses millionnaires, aussi, avaient pris l'habitude d'importer leur vie. L'invisibilité de Changez était le rêve indien d'un pauvre milliardaire de Las Vegas; mais, après tout, un rêve n'était pas une photo, et Zeeny voulait voir de ses propres yeux. Saladin l'avertit : « Quand il est de mauvaise humeur, il fait des grimaces aux gens. Personne ne veut le croire avant que ça arrive, mais c'est vrai. De ces grimaces! Des gargouilles. Il est aussi bégueule et il te traitera de grue et de toute façon je vais sans doute me disputer avec lui, c'est écrit dans les cartes. »

La raison pour laquelle Saladin Chamcha était venu en Inde : le pardon. C'était ce qu'il avait à faire dans sa vieille ville natale. Mais il ne pouvait dire s'il venait le donner ou le recevoir.

Aspects bizarres des circonstances présentes de la vie de Mr Changez Chamchawala : avec sa nouvelle épouse, Nasreen numéro deux, il passait cinq jours par semaine dans un ensemble entouré de hauts murs, surnommé le Fort Rouge,

dans le quartier de Pali Hill aimé des vedettes de cinéma ;
mais chaque week-end, il revenait sans sa femme dans la
vieille maison de Scandal Point, pour vivre ses jours de
repos dans le monde perdu du passé, en compagnie de la
première, et morte, Nasreen. En outre : on disait que sa
seconde épouse refusait de mettre les pieds dans l'ancienne
demeure. « Ou elle n'en a pas le droit », supposa Zeeny à
l'arrière de la Mercedes aux vitres teintées que Changez
avait envoyée pour son fils. Tandis que Saladin complétait
ses renseignements, Zeenat Vakil siffla d'admiration. « Din-
gu*eu*. »

L'entreprise d'engrais de Chamchawala, l'empire de bouse
de Changez, faisait l'objet d'une enquête pour fraude fiscale
et infraction sur les taxes à l'importation, par une commission gouvernementale, mais cela n'intéressait pas Zeeny.
« Maintenant, dit-elle, je vais savoir qui tu es réellement. »

Scandal Point se déroulait devant eux. Saladin sentait le
passé se précipiter en lui comme une marée qui le submergeait, remplissant ses poumons du goût salé d'autrefois.
Je ne suis pas moi-même aujourd'hui, pensa-t-il. Le cœur
palpite. La vie abîme les vivants. Aucun de nous n'est lui-
même. Aucun de nous n'est *comme ça*.

Aujourd'hui, un portail d'acier, actionné par un système
télécommandé, fermait hermétiquement l'arc de triomphe
qui s'effritait. Il s'ouvrit avec un lent ronflement pour laisser
entrer Saladin dans ce lieu du temps perdu. Quand il vit le
noyer dans lequel son père avait prétendu que son âme
était captive, ses mains se mirent à trembler. Il se cacha derrière la neutralité des faits. « Au Cachemire, dit-il à Zeeny,
votre arbre de vie est une sorte d'investissement financier.
Quand l'enfant atteint sa majorité, le noyer est compa
rable à une police d'assurance arrivée à échéance ; c'est un
arbre qui a de la valeur, on peut le vendre, pour payer les
noces, ou un départ dans la vie. L'adulte abat son enfance
pour aider son moi devenu grand. L'absence de senti-
mentalité est effrayante, tu ne trouves pas ? »

La voiture s'était arrêtée sous le porche. Zeeny resta silencieuse tandis qu'ils gravissaient tous deux les six marches
qui menaient à la porte d'entrée, où ils furent accueillis par
un vieux serviteur posé, en livrée blanche à boutons de
cuivre, dont Chamcha identifia brusquement la tignasse de

79

neige, en la traduisant en noir, comme étant celle de ce même Vallabh qui avait présidé aux destinées de la maison en tant que majordome au Bon Vieux Temps. « Mon Dieu, Vallabhbhai », réussit-il à dire, et il serra le vieil homme dans ses bras. Le domestique eut un sourire gêné. « Je suis devenu si vieux, baba, je pensais que tu ne me reconnaîtrais pas. » Il les conduisit dans les couloirs alourdis de cristal de la demeure et Saladin se rendit compte que l'absence de changement était excessif, et tout à fait délibéré. Il était vrai, lui expliqua Vallabh, qu'à la mort de la Bégum Changez Sahib avait juré que la maison deviendrait son mémorial. En conséquence, rien n'avait changé depuis le jour de sa mort, les tableaux, les meubles, les porte-savon, les taureaux de combat en verre filé rouge et les ballerines en porcelaine de Dresde, tout était resté dans la même position, les mêmes magazines sur les mêmes tables, les mêmes morceaux de papier froissé dans les corbeilles à papier, comme si la maison était morte, elle aussi, et embaumée. « Momifiée », dit Zeeny, en prononçant l'indicible, comme d'habitude. « Mon Dieu, mais elle est hantée, non ? » Ce fut à ce moment précis, alors que Vallabh le serviteur ouvrait la double porte qui conduisait au salon bleu, que Saladin Chamcha vit le fantôme de sa mère.

Il poussa un cri et Zeeny se retourna. « Là-bas, dit-il en montrant l'autre bout du couloir obscur, aucun doute, ce sacré sari imprimé, les gros titres, celui qu'elle portait le jour qu'elle, qu'elle », mais Vallabh se mit à agiter les bras comme un oiseau sans force et qui ne peut pas voler, tu vois, baba, ce n'est que Kasturba, tu ne l'as pas oubliée, mon épouse, mon épouse unique. *Mon ayah Kasturba avec qui j'ai joué dans les rochers. Jusqu'à ce que je grandisse et que je sorte sans elle, et dans un trou un homme portant des lunettes à monture d'ivoire.* « S'il te plaît, baba, ne sois pas fâché, quand la Begum est morte Changez Sahib a fait cadeau à ma femme de quelques vêtements, tu n'as pas d'objections ? Ta mère était une femme si généreuse, de son vivant elle donnait toujours à pleines mains. » Chamcha, retrouvant son équilibre, se sentit bête. « Nom de Dieu, Vallabh, murmura-t-il. Nom de Dieu. Évidemment je n'ai pas d'objections. » Une ancienne raideur réapparut chez Vallabh ; le droit du vieux serviteur à s'exprimer librement permit à celui-ci de lui adresser des reproches, « Excuse-moi, baba, mais il ne faut pas blasphémer. »

« Regarde comme il sue, dit Zeeny en aparté. Il est raide de peur. » Kasturba entra dans la pièce, et malgré des retrouvailles très chaleureuses l'atmosphère était bizarre. Vallabh sortit pour aller chercher une bière et un Coca, et quand Kasturba se retira elle aussi, Zeeny dit aussitôt : « Il y a quelque chose de louche. On dirait que la baraque lui appartient. La façon dont elle se tient. Et le vieux avait peur. Je te parie qu'ils sont en train de combiner quelque chose. » Chamcha essaya de se montrer raisonnable. « Ils habitent ici seuls la plupart du temps, ils dorment sûrement dans la chambre principale et mangent dans la vaisselle des grands jours, ils doivent avoir l'impression d'être chez eux. » Mais il pensait à quel point, dans ce vieux sari, son ayah Kasturba avait fini par ressembler à sa mère.

« Tu es resté absent si longtemps, dit la voix de son père derrière lui, que tu ne fais plus la différence entre une ayah vivante et ta mère défunte. »

Saladin se retourna pour faire face à la présence mélancolique d'un père ratatiné comme une vieille pomme, mais qui s'obstinait cependant à porter les luxueux costumes italiens des années d'opulence charnue. Aujourd'hui qu'il avait perdu les biceps de Popeye et le ventre de Bluto, il donnait l'impression d'errer à l'intérieur de ses vêtements comme un homme à la recherche de quelque chose qu'il n'a pas encore réussi à identifier. Il se tenait dans l'embrasure de la porte et regardait son fils, le nez et les lèvres retroussés par la sorcellerie desséchante des années, dans une pâle imitation de son visage d'ogre d'autrefois. Chamcha venait à peine de comprendre que son père n'était plus capable de faire peur à qui que ce soit, que son pouvoir maléfique s'était brisé et qu'il n'était plus qu'une vieille baderne sur le chemin du tombeau ; cependant que Zeeny remarquait avec un peu de déception que Changez Chamchawala avait les cheveux courts comme un conservateur, et comme il portait des chaussures à lacets très bien cirées que l'histoire des ongles d'orteil de vingt-cinq centimètres semblait peu probable ; quand l'ayah Kasturba revint, fumant une cigarette, et qu'elle passa nonchalamment devant eux trois, père fils maîtresse, et se dirigea vers un canapé Chesterfield, recouvert de velours bleu avec des boutons dans le dossier, sur lequel elle disposa son corps aussi sensuellement que n'importe quelle starlette, bien que ce fût une femme d'un certain âge.

Dès que Kasturba eut terminé sa déconcertante entrée, Changez passa devant son fils en sautillant et se planta à côté de son ayah d'antan. Zeeny Vakil, les yeux brillants des étincelles du scandale, chuchota à Chamcha : « Ferme ta bouche, chéri. C'est pas beau. » Et de la porte, le serviteur Vallabh, poussant un chariot à boissons, regarda d'un air impassible son employeur de toujours poser le bras sur les épaules de sa femme consentante.

Quand le géniteur, le créateur se révèle aussi satanique, souvent l'enfant se montre prude. Chamcha s'entendit demander : « Et ma belle-mère, père chéri ? Comment se porte-t-elle ? »

Le vieil homme s'adressa à Zeeny : « J'espère qu'il n'est pas aussi sainte-nitouche avec vous. Sinon vous ne devez pas vous amuser beaucoup. » Puis à son fils, sur un ton plus dur : « Tu t'intéresses à ma femme maintenant ? Mais elle ne s'intéresse pas à toi. Elle ne veut plus te rencontrer désormais. Pourquoi devrait-elle te pardonner ? Tu n'es pas un fils pour elle. Et peut-être ne l'es-tu plus pour moi. »

Je ne suis pas venu me disputer avec lui. Regarde, ce vieux bouc. Il ne faut pas que je me dispute. Mais ça, ça c'est intolérable. « Dans la maison de ma mère », s'écria Chamcha d'une voix mélodramatique, perdant son combat contre lui-même. « L'État considère que tes affaires sont corrompues, et voici la corruption de ton âme. Regarde ce que tu leur as fait à eux. Vallabh et Kasturba. Avec ton argent. Cela t'a coûté combien ? Pour empoisonner leur vie. Tu es vraiment malade. » Il se tenait devant son père, ivre de la colère du juste.

Vallabh le serviteur intervint sans qu'on s'y attende. « Baba, avec tout mon respect, excuse-moi, mais qu'est-ce que tu en sais ? Tu es parti, tu nous as quittés et maintenant tu viens nous juger. » Saladin sentit le sol se dérober sous lui ; il regardait en enfer. « C'est vrai qu'il nous paie, poursuivit Vallabh. Pour notre travail, ainsi que pour ce que tu vois. Pour ça. » Changez Chamchawala resserra son étreinte autour des épaules soumises de l'ayah.

« Combien ? cria Chamcha. Vallabh, les deux hommes, vous vous êtes mis d'accord sur quelle somme ? Combien pour prostituer ta femme ?

– Quel imbécile, dit Kasturba d'un ton méprisant. Éduqué-en-Angleterre et tout-ça, mais toujours une tête de linotte. Tu causes, tu causes, *dans la maison de ta mère*, etcetera, mais tu ne l'aimais peut-être pas tant que ça. Pourtant nous tous, on l'aimait. Nous trois. Et ainsi nous gardons vivant son esprit.

– On pourrait dire que c'est un pooja, dit la voix calme de Vallabh. Un acte d'adoration.

– Et toi, prononça Changez Chamchawala, aussi doucement que son serviteur, tu viens ici dans son temple. Avec ton incroyance. Vous avez du culot, monsieur. »

Et pour finir, la trahison de Zeenat Vakil. « Laisse tomber, Salad, dit-elle en allant s'asseoir sur le bras du canapé à côté du vieillard. Pourquoi jouer les rabat-joie ? Tu n'es pas un ange, mon chéri, et ils n'ont pas l'air de trop mal s'en tirer. »

La bouche de Saladin s'ouvrit et se ferma. Changez caressa le genou de Zeeny. « Il est venu jouer les accusateurs, ma chère. Il est venu se venger de sa jeunesse, mais on a retourné la situation et il ne sait plus quoi faire. Il faut lui laisser une chance, et vous devez jouer les arbitres. Je n'accepterai pas d'être condamné par lui, mais de vous j'accepterai le pire. »

Salaud. Vieux salaud. Il a voulu me déséquilibrer, et me voilà par terre. Je ne parlerai pas, pourquoi devrais-je le faire, pas comme ça, l'humiliation. Saladin Chamcha dit : « Il y a eu un portefeuille bourré de livres, et il y a eu un poulet rôti. »

De quoi le fils accusait-il le père ? De tout : espionnage de l'intimité de l'enfant, vol de la marmite d'arc-en-ciel, exil. De l'avoir transformé en ce qu'il ne serait peut-être pas devenu. D'avoir fait de lui un homme. De que-vais-je-dire-à-mes-amis. De séparations irrémédiables et de pardons offensants. D'avoir succombé à l'adoration d'Allah avec une nouvelle femme ainsi qu'à une adoration blasphématoire de l'épouse défunte. Par-dessus tout, de lampisme-magique, d'être un sésame-ouvre-toïste. Il avait tout obtenu facilement, charme, femmes, richesse, pouvoir, situation. Frotte, pfuit, génie, vœu, tout de suite maître, et voilà. C'était un père qui avait promis, et gardé, une lampe magique.

*

Changez, Zeeny, Vallabh, Kasturba restèrent immobiles et silencieux jusqu'à ce que Saladin Chamcha s'arrête, embarrassé et rougissant. « Tant de violence de l'esprit après si longtemps, dit Changez après un silence. Quelle tristesse. Un quart de siècle et le fils reproche encore les peccadilles du passé. Ô mon fils. Tu dois arrêter de me porter sur l'épaule comme un perroquet. Que suis-je ? Fini. Je ne suis pas ton Sindbad. Regarde les choses en face, monsieur : je ne suis plus la réponse. »

Par une fenêtre, Saladin Chamcha aperçut un noyer de quarante ans. « Abats-le, dit-il à son père. Abats-le, vends-le, envoie-moi l'argent. »

Chamchawala se leva, et tendit la main droite. Zeeny se leva elle aussi, la prit comme une danseuse acceptant un bouquet ; immédiatement, Vallabh et Kasturba furent rabaissés au rang de serviteurs, comme si une grosse horloge avait silencieusement sonné l'heure des citrouilles. « Votre livre, dit-il à Zeeny. J'ai quelque chose que vous aimerez voir. »

Tous deux quittèrent la pièce ; Saladin impuissant, après un instant d'hésitation, leur emboîta le pas d'un air agacé. « Rabat-joie, cria gaiement Zeeny par-dessus son épaule. Allons secoue-toi, grandis. »

La collection d'art de Chamchawala, abritée à Scandal Point, comprenait de nombreux tissus de la légende *Hamza-nama* et faisait partie de cet ensemble du XVIᵉ siècle représentant des scènes de la vie d'un héros qui était peut-être ou peut-être pas le célèbre Hamza, l'oncle du Mahomet dont Hind, la femme de La Mecque, avait mangé le foie alors qu'il gisait mort sur le champ de bataille de Ohod. « J'aime beaucoup ces peintures, dit Changez Chamchawala à Zeeny, parce que le héros a le droit d'échouer. Regarde comme on doit souvent le tirer de ses ennuis. » Les peintures fournissaient également une preuve éloquente de la thèse de Zeeny Vakil concernant la nature éclectique et hybride de la tradition artistique indienne. Les Moghols avaient fait venir des artistes de toute l'Inde pour travailler sur ces peintures; l'identité individuelle était submergée afin de créer un Sur-artiste aux têtes et aux pinceaux multiples qui *était*, littéralement, la peinture indienne. Une main dessinait les sols de mosaïque, une autre les personnages, une troisième peignait les cieux nuageux à la manière chinoise. Au dos des tissus, il y avait les histoires qui accompagnaient les scènes. On montrait les peintures comme un film : tenues en l'air pendant que quelqu'un lisait l'histoire du héros. Dans le *Hamza-nama*, on pouvait voir la fusion des miniatures persanes avec le style du Kannada et du Kerala, on pouvait voir se former la synthèse, caractéristique de la fin des Moghols, des philosophies hindoue et musulmane.

Un géant était tombé dans une fosse et des hommes le frappaient au front avec une lance. Un homme tranché verticalement, du sommet de la tête jusqu'à l'entre-jambes, tenait encore son épée en tombant. Partout, coulait et bouillonnait du sang. Saladin Chamcha se reprit : « La sauvagerie, dit-il très fort, avec sa voix anglaise. L'amour purement barbare de la douleur. »

Changez Chamchawala ignora son fils, il n'avait d'yeux que pour Zeeny; qui le regardait en retour droit dans les yeux. « Nous avons un gouvernement de philistins, mademoiselle, vous ne trouvez pas? Je lui ai offert gratuitement toute cette collection, savez-vous? À condition qu'elle soit bien exposée, qu'on lui construise un lieu. L'état des tissus n'est pas parfait, voyez-vous... ils ne feront rien. Pas d'intérêt. Dans le même temps, chaque mois, j'ai des offres d'Amrike. Des prix! Vous ne le croiriez pas. Je ne vends pas. Ma chère, tous les jours les USA emportent notre héritage. Des peintures de Ravi Varma, des bronzes de Chandela, des treillis de Jaisalmer. Nous nous vendons nous-mêmes, n'est-ce pas? Ils laissent tomber leur portefeuille par terre et nous nous mettons à genoux à leurs pieds. Nos bœufs de Nandi aboutissent sur quelque belvédère du Texas. Mais vous savez tout cela. Vous savez que l'Inde est un pays libre aujourd'hui. » Il s'arrêta, mais Zeeny attendait; il y avait une suite. Elle arriva : « Un jour moi aussi je prendrai les dollars. Pas pour l'argent. Pour le plaisir d'être une putain. De devenir rien. Moins que rien. » Et maintenant, enfin, la vraie tempête, les mots derrière les mots *moins que rien.* « Quand je mourrai, dit Changez Chamchawala à Zeeny, que serai-je? Une paire de chaussures vides. C'est mon destin, ce qu'il a fait de moi. Cet acteur. Ce prétendant. Il s'est transformé en imitateur d'hommes non-existants. Il n'y a personne pour prendre ma succession, à qui donner ce que j'ai fait. Voilà sa vengeance : il me vole ma postérité. » Il sourit, lui caressa la main, la rendit à son fils. Il s'adressa à Saladin : « Je le lui ai dit. Tu as encore ton poulet à emporter. Je lui ai fait part de mes plaintes. À elle de juger. C'était notre accord. »

Zeenat Vakil s'avança vers le vieil homme dans son costume trop grand, mit les mains sur ses joues, et l'embrassa sur les lèvres.

Après la trahison de Zeenat dans la maison des perversions de son père, Saladin Chamcha refusa de la revoir ou de répondre aux messages qu'elle laissait à la réception de l'hôtel. Les représentations de *La Milliardaire* s'achevèrent; la tournée était finie. L'heure de rentrer. Après la soirée d'adieu, Chamcha alla se coucher. Dans l'ascenseur un jeune couple, à l'évidence en voyage de noces, écoutait de la musique avec des écouteurs. Le jeune homme murmura à sa femme : « Dis-moi, est-ce que tu me prends encore pour un inconnu, de temps en temps? » La fille sourit tendrement, secoua la tête, *peux pas entendre,* enleva les écouteurs. Il répéta avec sérieux : « Un inconnu, à toi, est-ce que ça t'arrive encore? » Elle, avec un sourire assuré, posa pendant un instant la joue sur la haute épaule maigrichonne du jeune homme. « Oui, de temps en temps », dit-elle, et elle remit ses écouteurs. Il fit de même, apparemment satisfait par sa réponse. Leurs corps reprirent le rythme du play-back. Chamcha sortit de l'ascenseur. Zeeny était assise par terre, adossée à la porte.

Dans la chambre, elle se versa un grand whisky-soda. « Tu te conduis comme un bébé, dit-elle. Tu devrais avoir honte. »

L'après-midi il avait reçu un paquet de son père. A l'intérieur il y avait un petit morceau de bois et un grand nombre de billets de banque, pas des roupies, des livres : les cendres, pour ainsi dire, du noyer. Il était rempli de sentiments confus et parce que Zeenat se trouvait là il la prit pour cible. « Tu crois que je t'aime ? demanda-t-il avec une méchanceté délibérée. Tu crois que je vais rester avec toi ? Je suis un homme marié.

– Je ne voulais pas que tu restes pour moi, dit-elle. Je ne sais pas trop pourquoi, mais je le voulais pour toi. »

Quelques jours plus tôt, il avait vu une adaptation théâtrale d'une nouvelle de Sartre sur la honte. Dans l'original, un mari soupçonne sa femme d'infidélité et lui tend un piège. Il fait semblant de partir en voyage d'affaires mais revient quelques heures plus tard pour l'espionner. Il se met à genoux devant leur porte pour regarder par le trou de la serrure. Alors il sent une présence derrière lui, il se retourne sans se relever, et c'est elle qui le regarde avec répugnance et dégoût. Cette scène, lui à genoux, elle qui le regarde d'en haut, est l'archétype sartrien. Mais dans la version indienne le mari à genoux ne sentait pas de présence derrière lui ; il était surpris par sa femme ; il se relevait pour lui faire face d'égal à égal ; il criait et il hurlait ; jusqu'à ce qu'elle éclate en sanglots ; il la prenait dans ses bras, et ils se réconciliaient.

« Tu crois que je devrais avoir honte, dit amèrement Chamcha à Zeenat. Toi qui n'as aucune honte. À vrai dire, je soupçonne qu'il s'agit d'une caractéristique nationale. Je commence à me demander si les Indiens possèdent le raffinement moral nécessaire à un vrai sens de la tragédie, et par conséquent s'ils peuvent vraiment saisir l'idée de la honte. »

Zeenat Vakil termina son whisky. « D'accord, inutile d'en dire plus. » Elle leva les mains. « Je me rends. Je m'en vais. Mr Saladin Chamcha. Je pensais que tu étais encore vivant, tout juste, que tu respirais encore, mais je me trompais. En fait, pendant tout ce temps tu étais mort. »

Encore une chose avant de passer la porte, les yeux pleins de larmes de lait. « Ne laisse pas les gens s'approcher trop de toi, Mr Saladin. Laisse-les briser tes défenses et ces salauds te poignarderont le cœur. »

Après cela, il n'avait plus aucune raison de rester à Bombay. L'avion décolla et vira au-dessus de la ville. Quelque part en bas, son père habillait une servante comme sa femme défunte. Le nouveau plan de circulation avait totalement bloqué le centre de la ville. Les hommes politiques essayaient de construire leurs carrières en faisant des padyatras, des pèlerinages à pied à travers le pays. Il y avait des graffitis qui disaient : *Conseils aux politiciens. Seul chemin à prendre : le padyatra pour l'enfer.* Ou parfois : *pour l'Assam.*

Des acteurs se mêlaient de politique : MGR, N.T. Rama Rao, Bachcham. Durga Khote accusait un syndicat d'acteurs de servir de paravent aux « rouges ». Saladin Chamcha, sur le vol 420, ferma les yeux; et il sentit, avec un soulagement profond, que des choses bougeaient et se plaçaient dans sa gorge, lui annonçant que sa voix avait commencé de son propre gré à redevenir anglaise et fiable.

La première chose troublante qui apparut à Mr Chamcha sur ce vol fut quand il reconnut, parmi ses compagnons de voyage, la femme de ses rêves.

4

La femme de rêve était plus petite et moins gracieuse que la vraie, mais dès que Chamcha la vit remonter et descendre calmement l'allée de *Bostan* il se rappela le cauchemar. Après le départ de Zeenat Vakil il avait sombré dans un sommeil troublé et il avait eu un rêve prémonitoire : la vision d'une terroriste avec une voix douce à en être inaudible et un accent canadien dont la profondeur et la mélodie faisaient penser au bruit d'un océan lointain. La femme de rêve était tellement chargée d'explosifs qu'elle semblait moins être la porteuse de bombes que la bombe elle-même; la femme, qui arpentait l'allée, tenait un bébé dormant sans bruit, un bébé si adroitement emmailloté et serré de si près sur son sein que Chamcha ne pouvait même pas voir une mèche de ses cheveux nouveau-nés. Sous l'influence du souvenir de son rêve, il eut l'idée que le bébé était en fait un paquet de bâtons de dynamite, ou un système de mise à feu à retardement, et il s'apprêtait à hurler quand il reprit ses esprits et s'adressa de sévères remontrances. Il s'agissait précisément du genre de surperstition stupide qu'il laissait derrière lui. C'était un homme impeccable, dans un costume boutonné, se dirigeant vers Londres et une vie ordonnée et satisfaite. Il appartenait au monde réel.

Il voyageait seul, fuyant la compagnie des autres membres de la troupe Prospero dispersés dans le compartiment de classe touriste, vêtus de tee-shirts décorés de Donalds, essayant de se dévisser le cou à la manière des danseuses natyam, l'air ridicule dans des saris de Benarsi, buvant trop de champagne bon marché de la ligne aérienne et importunant les hôtesses pleines de mépris qui, en vraies Indiennes, savaient que les acteurs étaient des gens de rien; et se conduisant, en bref, avec l'inconvenance habituelle aux théâtreux. La femme qui tenait le bébé dans ses bras dévisageait les acteurs au visage pâle, elle les transformait en traînées de fumée, en mirages, en fantômes. Pour un homme comme Saladin Chamcha, l'avilissement du caractère anglais par les Anglais était une chose trop pénible à contempler. Il se tourna vers son journal dans lequel une manifestation « rail roko » à Bombay avait été dispersée par des charges de policiers armés de matraques. Ils avaient cassé le bras du journaliste et écrasé son appareil photo. La police avait publié un « communiqué » : *Ni le journaliste ni aucune autre personne n'avait été agressé intentionnellement.* Chamcha glissa dans un sommeil de ligne aérienne. La ville des histoires perdues, des arbres abattus et des agressions non intentionnelles disparut de ses pensées. Quand il rouvrit les yeux, un peu plus tard, il eut la seconde surprise de ce macabre voyage. Un homme qui se dirigeait vers les toilettes passait à côté de lui. Il portait une barbe et des lunettes teintées bon marché, mais Chamcha le reconnut malgré tout : ici, voyageant incognito en classe économique sur le vol AI-420, se tenait la superstar disparue, la légende vivante, Gibreel Farishta en personne.

« Bien dormi ? » Il se rendit compte que la question s'adressait à lui et il se détourna de l'apparition du grand acteur de cinéma pour contempler le spectacle aussi étonnant assis à côté de lui, un Américain improbable avec une casquette de base-ball, des lunettes cerclées de métal et une saharienne vert néon sur laquelle se tordaient les formes dorées et enlacées de deux dragons chinois. Chamcha avait chassé cette entité de son champ de vision pour tenter de s'enfermer dans un cocon d'intimité, mais aucune intimité n'était plus possible.

« Eugene Dumsday, à votre service », l'homme dragon tendit une énorme main rouge. « À votre service et à celui de la garde chrétienne. »

Chamcha, encore engourdi de sommeil, secoua la tête. « Vous êtes militaire ?

– Ah, ah ! Oui monsieur, vous pouvez le dire. Un humble fantassin, monsieur, dans la Garde au nom du Dieu Tout-Puissant. » Oh, *nom de Dieu*, pourquoi ne le disiez-vous

90

pas. « Je suis un homme de science, monsieur, et ma mission, ma mission et laissez-moi ajouter mon privilège, a consisté à visiter votre grande nation pour combattre la plus pernicieuse diablerie qui ait jamais attaqué le cerveau des gens par les couilles.

– Je ne vous suis pas. »

Dumsday baissa la voix. « Je parle de cette foutaise, monsieur. Le darwinisme. L'hérésie évolutionniste de M. Charles Darwin. » Le ton de sa voix laissait clairement entendre que le nom de ce pauvre Darwin, oublié de Dieu, était aussi dégoûtant que celui de n'importe quel démon à queue fourchue, Belzébuth, Asmodée ou Lucifer lui-même. « J'ai mis vos compatriotes en garde, confia Dumsday, contre M. Darwin et ses œuvres. À l'aide de ma présentation personnelle de cinquante-sept diapositives. Dernièrement, monsieur, j'ai parlé au banquet pour le gala de la Compréhension Mondiale, organisé par le Rotary Club de Cochin, dans l'État de Kerala. J'ai parlé de mon pays, de sa jeunesse. Pour moi, elle est perdue, monsieur. La jeunesse d'Amérique : je la vois livrée au désespoir, se tournant vers la drogue et même, parce que je n'ai pas peur des mots, monsieur, vers les relations sexuelles avant le mariage. Et voici ce que je leur ai dit et que je vous répète maintenant. Si je croyais que mon arrière-arrière-grand-père était un chimpanzé, et bien, je serais joliment déprimé moi-même. »

Gibreel Farishta était assis de l'autre côté de l'allée et regardait par la fenêtre. La projection d'un film commençait, et les lumières baissaient. La femme à l'enfant, toujours debout, descendait et remontait l'allée, peut-être pour que le bébé reste tranquille. « Comment ça c'est passé ? » demanda Chamcha, sentant qu'il devait participer un peu à la conversation.

Son voisin eut une hésitation. « Il a dû y avoir un hic dans la sono, finit-il par dire. Enfin, c'est ce que je crois. Parce que sinon je ne vois pas pourquoi ces braves gens se seraient mis à parler s'ils n'avaient pas pensé que j'avais fini. »

Chamcha se sentait un peu décontenancé. Il avait cru que dans un pays de croyants fervents, la notion que la science était l'ennemie de Dieu serait d'un attrait facile; mais l'ennui des membres du Rotary de Cochin lui prouvait qu'il se trompait. Dans les lumières tremblotantes du film,

Dumsday continua, avec sa voix de bœuf innocent, à raconter des histoires contre lui-même sans montrer le moins du monde qu'il se rendait compte de ce qu'il disait. À la fin d'une croisière autour du magnifique port naturel de Cochin, où Vasco de Gama était venu rechercher des épices et avait mis en branle toute l'histoire ambiguë d'orientales-et-occidentales, il avait été accosté par un gosse plein de pssst et de hey-mister-okays. « He, là, oui! Tu veux hachisch, sahib? He, misteramerica. Yes onclesam, tu veux opium, meilleure qualité, bon prix? Okay. Tu veux *cocaïne.* »

Saladin ne put s'empêcher d'éclater de rire nerveusement. Il voyait dans l'incident la vengeance de Darwin : si Dumsday considérait Darwin, pauvre, victorien, empesé, comme responsable de la culture de la drogue aux États-Unis, il était savoureux de penser que lui-même était vu, partout sur la terre, comme représentant l'éthique même qu'il combattait avec tant de ferveur. Dumsday le fixa avec un air de reproche peiné. Quel destin cruel d'être un Américain à l'étranger et de ne pas soupçonner pourquoi on est tant détesté.

Quand le ricanement involontaire eut quitté les lèvres de Saladin, Dumsday s'enfonça dans un sommeil maussade et offensé, laissant Chamcha à ses pensées. Devait-on considérer le film qu'on passait à bord comme une mutation due au hasard, particulièrement ignoble, comme une forme que la sélection naturelle ferait finalement disparaître ou représentait-il l'avenir du cinéma? Un avenir rempli de films burlesques et loufoques, avec comme sempiternelles vedettes Shelley Long et Chevy Chase était trop hideux à imaginer; une vision d'Enfer... Chamcha s'assoupissait quand les lumières se rallumèrent; le film s'arrêta; et l'illusion du cinéma fut remplacée par celle des actualités télévisées quand quatre personnages hurlant et armés descendirent l'allée en courant.

*
**

Les passagers restèrent pris en otages dans l'avion détourné pendant cent onze jours, isolés au bout d'une piste étincelante autour de laquelle s'écrasaient les immenses

92

vagues de sable du désert, parce que quand les pirates de l'air, trois hommes et une femme, eurent obligé le pilote à se poser, personne ne put décider ce qu'il convenait de faire d'eux. Ils n'avaient pas atterri sur un aéroport international mais sur une piste démesurée capable de recevoir des avions de la taille des Jumbos construite afin de satisfaire la marotte d'un cheik local pour son oasis préférée, à laquelle conduisait une autoroute à six voies très populaire parmi les jeunes gens et jeunes filles célibataires, qui se promenaient lentement sur ce vide immense dans de lentes automobiles et en se dévisageant d'une vitre à l'autre... quand le vol 420 se fut posé, cependant, l'autoroute se remplit de voitures blindées, de transports de troupes et de limousines sur lesquelles flottait un drapeau. Et tandis que les diplomates se chamaillaient sur le destin de l'avion, le prendre d'assaut ou non, tandis qu'ils essayaient de décider s'il fallait céder ou rester ferme au mépris de la vie des autres, un lourd silence s'abattit autour de l'avion et bientôt les mirages commencèrent.

Au début, il se passait toujours quelque chose, le quatuor de pirates de l'air était électrisé, nerveux, avec la gâchette rapide. Ce sont les pires moments, pensait Chamcha, tandis que les enfants hurlaient et que la peur se répandait comme une tache, on va passer l'arme à gauche. Puis les pirates prirent le contrôle de la situation, trois hommes et une femme, aucun ne portait de masque, tous beaux, des acteurs eux aussi, des étoiles maintenant, filantes ou tombantes, et eux aussi avaient des noms de théâtre. Dara Singh Buta Singh Man Singh. La femme s'appelait Tavleen. La femme de rêve était anonyme, comme si l'imagination du sommeil de Chamcha ne pouvait s'encombrer de noms d'emprunt; mais, comme elle, Tavleen parlait avec un accent canadien, avec des sonorités douces et des O arrondis révélateurs. Quand l'avion eut atterri à l'oasis d'Al-Zamzam, les passagers, qui observaient leurs ravisseurs avec l'attention d'une mangouste pétrifiée devant un cobra, se rendirent compte qu'il y avait quelque chose de vaniteux dans l'attitude des trois hommes, un amour enfantin pour le risque et pour la mort qui les poussait à apparaître fréquemment à la porte de l'avion et à s'exhiber devant les tireurs d'élite qui devaient se cacher derrière les palmiers de l'oasis. La femme

restait au-dessus d'une telle stupidité et avait l'air de se retenir de gronder ses trois collègues. Elle semblait insensible à
sa propre beauté, ce qui faisait d'elle la plus dangereuse des
quatre. Saladin Chamcha se dit que les trois jeunes hommes
étaient trop délicats, trop narcissiques pour désirer du sang
sur les mains. Ils auraient du mal à tuer; ils étaient là pour
passer à la télé. Mais Tavleen travaillait. Il ne la quittait pas
des yeux. Les hommes ne *savent* pas, pensa-t-il. Ils veulent
se conduire comme ils ont vu des pirates de l'air le faire au
cinéma et à la télévision; ils sont une réalité qui singe une
image crue d'eux-mêmes, ce sont des vers qui se mordent la
queue. Mais elle, la femme, elle *sait* ... tandis que Sara, Buta,
Man Singh se pavanaient et paradaient, elle devint silencieuse, repliée sur elle-même, et terrorisa les passagers.

Que voulaient-ils? Rien de nouveau. Un pays indépendant, la liberté religieuse, la libération des prisonniers politiques, la justice, une rançon, un sauf-conduit pour un pays
de leur choix. Beaucoup de passagers sympathisèrent avec
eux, même s'ils étaient sous la constante menace d'une exécution. Si on vit au vingtième siècle, on n'a pas de mal à se
projeter dans de plus désespérés que soi, qui tentent de le
façonner selon leur volonté.

Après l'atterrissage, les pirates de l'air ne gardèrent que
cinquante passagers, ayant décidé qu'il s'agissait du nombre
maximum qu'ils pouvaient surveiller sans mal. Ils libérèrent
les femmes, les enfants et les Sikhs. Il se trouva que Saladin
Chamcha fut le seul membre de la troupe Prospéro à ne pas
retrouver la liberté; il succomba à la logique perverse de la
situation, et au lieu de regretter de rester dans l'avion il fut
heureux de voir partir ses collègues mal élevés; bon débar-
ras, se dit-il.

Le scientifique créationniste, Eugène Dumsday, ne pouvait pas supporter l'idée que les pirates de l'air n'allaient pas
le relâcher. Il se leva, se balançant comme un gratte-ciel
dans la tempête, et se mit à proférer des incohérences hysté-
riques. Un filet de salive lui dégoulinait du coin de la
bouche; il le léchait fébrilement. *Maintenant écoutez bien,
les mecs, nom de Dieu, trop c'est TROP, quoi, qu'est-ce qui
vous fait penser que vous pouvez* et ainsi de suite, en proie à
son cauchemar éveillé il radota ainsi jusqu'à ce qu'un des
quatre pirates, la femme bien entendu, s'avance et lui

94

balance un coup de crosse qui brisa sa mâchoire battante. Et pire : parce que Dumsday léchait ses lèvres bavantes quand on lui ferma la mâchoire, le bout de sa langue sectionné atterrit sur les genoux de Chamcha; suivi immédiatement par son ancien propriétaire. Eugène Dumsday tomba sans langue et sans connaissance dans les bras de l'acteur.

Eugène Dumsday recouvra la liberté en perdant la langue; le persuadeur réussit à persuader ses ravisseurs en abandonnant son instrument de persuasion. Ils n'avaient pas envie de s'occuper d'un blessé, risque de gangrène, etc., et il se joignit à l'exode hors de l'avion. Dans ces premières heures de folie, l'esprit de Saladin se concentra sur des questions de détail, est-ce que ce sont des fusils automatiques ou des pistolets-mitrailleurs, comment ont-ils réussi à faire passer tous ces objets de métal à bord, dans quel endroit du corps peut-on recevoir une balle et survivre, comme ils doivent avoir peur, tous les quatre, tellement obnubilés par leur propre mort... après le départ de Dumsday, il s'attendait à rester seul, mais un homme vint s'asseoir à la place du créationniste, disant ça ne vous dérange pas, dans de telles circonstances on a besoin de compagnie. C'était la vedette de cinéma, Gibreel.

*
* *

Après la nervosité des premiers jours au sol, au cours desquels les trois jeunes pirates de l'air enturbannés étaient allés dangereusement au bord de la démence, hurlant dans la nuit du désert *bande de salauds, venez nous chercher*, ou bien, *oh, mon Dieu, ils vont envoyer des putains de commandos, ces enculeurs d'Américains, ces enculés d'Anglais* – moments pendant lesquels les otages fermaient les yeux et priaient, parce qu'ils avaient très peur quand les pirates montraient des signes de faiblesse – tout s'installa dans ce qui devint la banalité quotidienne. Deux fois par jour, une voiture solitaire apportait nourriture et boisson au *Bostan* et les laissait sur la piste. Les otages devaient aller chercher les cartons tandis que les pirates les surveillaient à l'abri dans l'avion. En dehors de cette visite quotidienne ils n'avaient aucun contact avec le monde extérieur. La radio s'était tue. Tout se passait comme si on avait oublié l'événement, comme s'il faisait tellement honte qu'on l'avait effacé des annales de l'histoire. « Ces salauds nous laissent pourrir », hurlait Man Singh et les otages se joignaient à lui avec force. « Hijras! Chootias! Cons! »

Ils étaient enveloppés par la chaleur et le silence et des spectres se mirent à trembler au coin de leurs yeux. Un matin, le plus nerveux des otages, un jeune homme avec une barbiche et des cheveux bouclés coupés court, s'éveilla en hurlant de peur parce qu'il avait vu un squelette chevauchant un chameau dans les dunes. D'autres otages voyaient des boules de couleur dans le ciel, ou entendaient le battement d'ailes gigantesques. Les trois pirates de l'air hommes furent pris d'une mélancolie profonde et fataliste. Un jour, Tavleen les convoqua à une réunion au bout de l'avion; les otages entendirent des voix coléreuses. « Elle leur explique qu'ils doivent lancer un ultimatum, dit Gibreel Farishta à Chamcha. L'un de nous va mourir, ou quelque chose comme ça. » Mais quand les hommes revinrent, Tavleen n'était plus avec eux, et le découragement qu'on pouvait lire dans leurs yeux se teintait, maintenant, de honte. « Ils ont perdu leur cran, chuchota Gibreel. Peuvent pas. Que reste-t-il à notre Tavleen bibi? Zéro. Fin de l'histoire. »

Ce qu'elle fit :

Afin de prouver à ses prisonniers, ainsi qu'à ses compagnons, que l'idée d'échouer, ou de se rendre, ne diminuerait jamais sa résolution, elle revint de sa retraite momentanée dans le bar de la première classe et se tint devant eux comme une hôtesse faisant la démonstration des systèmes de sécurité. Mais au lieu d'enfiler un gilet de sauvetage et de tenir le tube pour le gonfler, etc., elle enleva rapidement l'ample djellaba noire qui était son seul vêtement et se tint devant eux, complètement nue, afin qu'ils puissent voir l'arsenal de son corps, les grenades comme des seins supplémentaires nichés entre ses seins, le plastic collé à ses cuisses, exactement comme dans le rêve de Chamcha. Puis elle remit sa robe et parla avec sa voix d'océan lointain. « Quand une grande idée naît dans le monde, une grande cause, on se pose des questions cruciales à son sujet, murmura-t-elle. L'Histoire nous demande : quel genre de cause sommes-nous? Sommes-nous purs, absolus, forts, ou des opportunistes qui font des compromis, des accommodements et qui cèdent? » Son corps avait fourni la réponse.

Les jours continuèrent à passer. La situation d'enfermement surchauffé de sa captivité, à la fois intime et lointaine, donnait à Saladin Chamcha l'envie de discuter avec la femme, il souhaitait lui dire que l'inflexibilité pouvait être aussi de l'obsession, de la tyrannie, et que ce pouvait être également fragile, alors que ce qui est flexible peut aussi être humain et assez fort pour durer. Mais, bien sûr, il ne dit rien, il sombra dans la torpeur des jours. Dans la poche du siège en face de lui, Gibreel Farishta découvrit un dépliant rédigé par Dumsday. À ce moment-là, Chamcha avait remarqué la détermination avec laquelle la vedette de l'écran résistait aux assauts du sommeil, aussi n'y avait-il rien d'étonnant à le voir apprendre et réciter le texte du créationniste, alors que ses paupières lourdes s'abaissaient de plus en plus jusqu'à ce qu'il s'oblige à les relever. Le créationniste prétendait que les scientifiques eux-mêmes ne faisaient que réinventer Dieu, que lorsqu'ils auraient prouvé l'existence d'une force unique et unifiée, dont l'électromagnétisme, la gravitation et les forces fortes et faibles de la nouvelle physique n'étaient que de simples aspects visibles, des avatars, pourrait-on dire, ou des anges, alors qu'aurions-nous sinon la chose la plus ancienne de toutes, une entité suprême contrôlant toute la création... « Vous voyez, ce que dit notre ami, c'est que si vous avez à choisir entre certains champs de force désincarnés et le vrai Dieu vivant, pour lequel vous déciderez-vous? Intéressant, non? Vous ne pouvez pas adresser de prière à un courant électrique. Pas la peine de demander à une onde d'ouvrir le Paradis. » Il ferma les yeux et les rouvrit brusquement. « Quelles foutaises, dit-il avec colère. Ça me rend malade. »

Passé les premiers jours Chamcha ne prêta plus attention à la mauvaise haleine de Gibreel, parce que personne dans cet univers de sueur et d'appréhension ne sentait meilleur. Mais on ne pouvait ignorer son visage, au fur et à mesure que les grandes taches violettes dues à son absence de sommeil s'étalaient comme des flaques tout autour de ses yeux. Puis sa résistance lâcha et il s'effondra sur l'épaule de Saladin pour y dormir quatre jours de suite.

Quand il reprit ses esprits il découvrit que Chamcha, avec l'aide de l'otage timide à la barbichette, un certain Jalandri, l'avait transporté sur une rangée de sièges vides au centre de l'avion. Il alla aux toilettes où il urina pendant onze minutes et revint avec une véritable terreur dans les yeux. Il s'assit à nouveau à côté de Chamcha, mais ne dit mot. Deux nuits plus tard, Chamcha l'entendit lutter, encore, contre le sommeil. Ou, comme il apparut : contre les rêves.

Chamcha l'entendit murmurer : « Le dixième sommet du monde est le Xixabangma Feng, huit mille treize mètres. L'annapurna est le neuvième, huit mille soixante-dix-huit mètres. » Ou il commençait par l'autre bout : « Sommet numéro un, Chomolungma, huit mille huit cent quarante-huit mètres. Numéro deux, K2, huit mille six cent onze mètres. Kanchenjunga, huit mille cinq cent quatre-vingt-dix-huit mètres, Makalu, Dhaulagiri, Manaslu. Nanga Parbat, huit mille cent vingt-six mètres.

– Vous comptez des sommets de huit mille mètres pour vous endormir? lui demanda Chamcha. C'est plus grand que les moutons, mais il y en a moins. »

Gibreel Farishta lui lança un regard furieux; puis il courba la tête; prit une décision. « Pas pour dormir, cher ami. Pour rester éveillé. »

C'est alors que Saladin Chamcha découvrit pourquoi Gibreel Farishta avait commencé à avoir peur de s'endormir. Tout le monde a besoin de s'ouvrir à quelqu'un et Gibreel n'avait parlé à personne de ce qui lui était arrivé depuis qu'il avait mangé le porc impur. Les rêves avaient commencé la nuit même. Dans ces visions il était toujours présent, pas en tant que lui-même mais comme son homonyme, et je ne veux pas dire que j'interprète un rôle, Spoono, je suis lui, il est moi, je suis le putain d'archange, Gibreel lui-même, grandeur nature.

Spoono. Comme Zeenat Vakil, le nom abrégé de Saladin fit rire Gibreel. « Bhai, ho, tordant. C'est à se tordre. Si vous êtes une *chamcha* [1] anglaise maintenant, soit. Mr Sally Cuiller. Ce sera notre petite plaisanterie. » Gibreel Farishta avait le don de ne pas se rendre compte quand il mettait les gens en colère. *Cuiller, cuiller, tout juste Auguste* : Saladin détestait tous ces noms. Mais ne pouvait rien faire. Sauf détester.

Peut-être à cause des surnoms, peut-être pas, Saladin trouva les révélations de Gibreel pathétiques, décevantes,

1. Chamcha, spoon : cuiller *(N.d.T.)*.

qu'y avait-il de si étrange à rêver de lui comme s'il était l'ange, à rêver de n'importe quoi, est-ce que ça signifiait autre chose qu'une banale sorte d'égocentrisme? Mais Gibreel suait de peur. « Le problème, Chamcha, le suppliat-il, c'est qu'à chaque fois que je m'endors, le rêve reprend à l'endroit où il s'était arrêté. Le même rêve, au même endroit. Comme si quelqu'un avait arrêté le magnétoscope au moment où je sortais de la pièce. Ou, ou. Ou comme si c'était lui qui était éveillé et que ce que nous vivions soit un putain de cauchemar. Son putain de cauchemar : nous. Ici. Tout ça. » Chamcha le regardait avec de grands yeux. « C'est fou, hein, dit-il. Qui sait si les anges dorment, sans parler de rêver. J'ai l'air d'un fou. Oui ou non?

– Oui, vous avez l'air d'un fou.

– Alors, nom de Dieu, gémit-il, que se passe-t-il dans ma tête? »

Plus il restait sans dormir plus il était bavard, il se mit à amuser les otages, les pirates de l'air, ainsi que l'équipage décrépit du vol 420, les hôtesses autrefois méprisantes et les pilotes autrefois reluisants qui avaient l'air maintenant rongés aux mites dans un coin de l'avion et qui semblaient même avoir perdu tout enthousiasme pour les interminables parties de rami – avec ses théories de plus en plus excentriques sur la réincarnation, comparant leur séjour sur la piste de l'oasis d'Al-Zamzam à une seconde période de gestation, racontant à chacun qu'ils étaient morts à ce monde et en train d'être régénérés, renouvelés. Cette idée semblait le réconforter, même si elle donnait envie aux otages de le pendre, et il bondit sur un siège pour expliquer que le jour de leur libération serait le jour de leur renaissance, un discours optimiste qui calma son auditoire. « Incroyable mais vrai! s'écria-t-il. Ce jour-là sera le jour zéro, et parce que nous aurons le même jour de naissance nous aurons le même âge pendant le reste de notre vie. Comment appelle-t-on cinquante gosses nés en même temps de la même mère? Dieu seul le sait. Des cinquantuplets. Merde! »

Pour Gibreel possédé, la réincarnation abritait plusieurs idées réunies autour d'un a-babélisme : le phénix-qui-renaîtde-ses-cendres, la résurrection du Christ, la transmigration, à l'instant de la mort, de l'âme du Dalaï Lama, dans le corps d'un nouveau-né... autant de sujets qui se mêlaient aux avatars de Vichnou, aux métamorphoses de Jupiter, qui avait imité Vichnou en prenant la forme d'un bœuf; et ainsi de suite, y compris bien sûr le progrès des êtres humains à travers les cycles successifs de la vie, un moment en cafards, un autre en rois, vers la béatitude de l'état de non-retour. *Pour renaître, il faut d'abord mourir.* Chamcha ne prenait pas la peine de faire remarquer à Gibreel que, dans la plupart des exemples qu'il donnait au cours de ses soliloques, la métamorphose n'exigeait pas la mort; on rentrait dans la nouvelle chair par d'autres portes. Gibreel en plein vol, agitant ses bras comme des ailes impériales, ne souffrait aucune interruption. « L'ancien doit mourir, tu as pigé, sinon le nouveau ne peut pas devenir quoi que ce soit. »

Parfois ces tirades s'achevaient en larmes. Farishta dans son épuisement-au-delà-de-l'épuisement perdait tout contrôle de lui-même et posait sa tête secouée de sanglots sur l'épaule de Chamcha, tandis que Saladin – une captivité prolongée vient à bout de certaines retenues parmi les otages – lui caressait le visage et l'embrassait sur le sommet de la tête. *Allez, allez, allez.* À d'autres moments l'irritation de Chamcha prenait le dessus. La septième fois que Farishta cita la bonne vieille formule de Gramsci, Saladin, frustré, hurla, c'est peut-être ce qui t'arrive, grande gueule, ton vieux moi meurt et l'ange de rêve essaie de renaître dans ta chair.

« Tu veux savoir le plus beau? » Au bout de cent un jours, Gibreel offrit à Chamcha d'autres confidences. « Tu veux savoir pourquoi je suis ici? » et il lui dit quand même : « À cause d'une femme. Oui, m'sieur. Pour le putain d'amour de ma putain de vie. Avec qui j'ai passé en tout trois virgule cinq jours. C'est pas la preuve que je suis vraiment fêlé? CQFD, Chamcha mon vieux pote. »

Et : « Comment t'expliquer? Trois jours et demi, combien de temps faut-il pour reconnaître la meilleure chose qui me soit arrivée, la chose la plus profonde, la chose-qui-doit-être? Je te jure : quand je l'ai embrassée, il y avait des putains d'étincelles, crois-le ou pas, elle a dit que c'était l'électricité statique de la moquette mais j'avais déjà embrassé une nana dans une chambre d'hôtel et pourtant c'était une première, la seule et unique fois que cela se passait. Putain de décharges électriques, vieux, j'ai dû sauter en arrière sous la douleur. »

Il manquait de mots pour la décrire, sa femme en glace de montagne, pour décrire ce moment où sa vie avait éclaté en morceaux à ses pieds et où cette femme était devenue sa raison d'être. « Tu ne peux pas te rendre compte, renonça-t-il à expliquer. Tu n'as peut-être jamais rencontré une personne pour qui tu traverserais le monde, pour qui tu quitterais tout, tu t'en irais et tu prendrais l'avion. Elle a escaladé l'Éverest, vieux. Huit mille huit cent quarante huit mètres. Droit au sommet. Je peux au moins prendre l'avion pour une femme comme ça! »

Plus Gibreel Farishta essayait d'expliquer son obsession de la grimpeuse de montagne Alleluia Cone, plus Saladin essayait de retrouver le souvenir de Pamela, mais elle ne revenait pas. Au début il reçut la visite de Zeeny, son ombre, et ensuite il n'y eut plus personne du tout. La passion de Gibreel commença à rendre Chamcha fou de rage et de frustration, mais Farishta ne s'en apercevait pas, il lui donnait des claques dans le dos, *courage, Chamcha, ça ne va plus tarder.*

Le cent dixième jour, Tavleen s'avança vers le petit otage à barbiche, Jalandri, et lui fit signe de se lever. Notre patience est à bout, annonça-t-elle, nous avons envoyé des ultimatums répétés qui sont restés sans réponse, l'heure du premier sacrifice est arrivée. Elle employa le mot : sacrifice. Elle regarda Jalandri droit dans les yeux et prononça sa condamnation à mort. « Toi d'abord. Apostat traître salaud. » Elle donna l'ordre à l'équipage de se préparer à décoller, elle n'allait pas risquer une prise d'assaut après l'exécution, et du bout de son fusil elle poussa vers la porte un Jalandri criant et demandant grâce. « Rien n'échappe à la fille, dit Gibreel à Chamcha. C'est un sird-tondu. » Jalandri avait été choisi en premier parce qu'il avait abandonné le

101

turban et coupé ses cheveux, ce qui faisait de lui un traître à sa foi, un sirdarji rasé. Un *sird-tondu*. Une condamnation en neuf lettres; sans appel.

Jalandri était tombé à genoux, des taches s'étalaient sur le fond de son pantalon, elle le traîna jusqu'à la porte par les cheveux. Personne ne bougeait. Dara Buta Man Singh se détournèrent pour ne pas voir la scène. Il était agenouillé, le dos vers la porte ouverte; elle l'obligea à se retourner, lui tira une balle dans la tête, et il bascula sur la piste. Tavleen referma la porte.

Man Singh, le plus jeune et le plus anxieux du groupe, lui cria : « Où est-ce qu'on va aller maintenant? Ils enverront des commandos n'importe où. Nous sommes faits comme des rats.

– Le martyre est un privilège, dit-elle doucement. Nous serons comme des étoiles; comme le soleil. »

Le sable céda la place à la neige. L'Europe en hiver, sous son blanc manteau, sa blancheur fantomatique éclairant la nuit. Les Alpes, la France, la côte anglaise, les falaises blanches se dressant vers les blanches prairies. Mr Saladin Chamcha enfonça sur sa tête un chapeau melon prématuré. Le monde avait redécouvert le vol AI-420, le Boeing 747 *Bostan*. Les radars le suivaient; les messages radio crépitaient. *Demandez-vous l'autorisation d'atterrir?* Mais on ne demandait aucune autorisation. *Bostan* tournait au-dessus du rivage anglais comme un gigantesque oiseau de mer. Une mouette. Un albatros. Les jauges de carburant chutèrent : vers le zéro.

Quand la bagarre éclata, elle prit tous les passagers par surprise, parce que cette fois les trois pirates de l'air hommes ne discutèrent pas avec Tavleen, il n'y eut aucun conciliabule tendu à propos du *carburant,* à propos de *merde, qu'est-ce que tu fous,* il n'y eut qu'un temps d'arrêt muet, ils ne voulaient même plus se parler, comme s'ils avaient abandonné tout espoir, puis Man Singh qui n'en pouvait plus se jeta sur elle. Les otages observaient ce combat à mort sans se sentir concernés, parce qu'il régnait dans l'avion un curieux détachement, une sorte de laisser-faire nonchalant, on pourrait dire un fatalisme. Ils roulèrent par terre et le couteau de Tavleen s'enfonça dans le ventre de Man Singh. Ce fut tout, la brièveté de la scène renforça son apparente insignifiance. Au moment où elle se releva, ce fut comme si tout le monde s'éveillait, comme si tout le monde comprenait qu'elle ne plaisantait pas, qu'elle irait vraiment jusqu'au bout, elle tenait dans la main le fil qui reliait les détonateurs de toutes les grenades placées sous sa robe, tous ces seins fatals, Buta et Dara se précipitèrent sur elle mais elle tira quand même sur le fil, et les murs s'effondrèrent comme à Jéricho.

Non, pas la mort : la naissance.

II

Mahound

1

Quand il se soumet à l'inévitable, quand il glisse les paupières lourdes vers les visions de son angélication, Gibreel passe devant sa mère affectueuse qui lui donne un autre nom, Chaytan, l'appelle-t-elle, exactement comme Chaytan, pareil au même, parce qu'il a fait des bêtises avec les repas qu'il devait porter en ville pour le déjeuner des employés de bureau, petit diable espiègle, elle tranche l'air de la main, voyou qui a mis les gamelles de viande musulmane dans les parties réservées aux hindous non végatariens, les clients sont hors d'eux. Petit démon, lui reproche-t-elle, puis elle le prend dans ses bras, mon petit farishta, les garçons seront toujours des garçons, et il continue à tomber dans le sommeil, et plus il tombe plus il grandit et la chute commence à ressembler au vol, la voix de sa mère flotte jusqu'à lui, de très loin, baba, comme tu as grandi, *démon*streux, oua, oua, applaudissements. Il est gigantesque, sans ailes, les pieds sur l'horizon et les bras autour du soleil. Dans ses premiers rêves, il voit des commencements, Chaytan jeté bas du ciel, agrippant une branche de la Chose la plus haute, l'arbre de la fin ultime qui se tient sous le Trône, Chaytan qui disparaît, plonge, flac. Mais il continuait à vivre, n'était pas ne pouvait pas être mort, il chantait de l'enfer profond ses versets doux et séducteurs. Ô les douces chansons qu'il connaissait. Avec ses filles comme chœur démoniaque, oui, toutes les trois, Lat Mana Uzza, des filles sans mère ricanant avec leur Abba, gloussant de Gibreel derrière leurs mains, tu vas voir quel tour on va vous jouer, à toi et à l'homme d'affaires, là-haut sur la colline. Mais avant de parler de l'homme d'affaires, il y a d'autres histoires à raconter, voici l'archange Gibreel, montrant la source de Zamzam à Hagar l'Égyptienne pour que, abandonnée dans le désert avec son enfant par le prophète Ibrahim, elle puisse en boire les eaux fraîches et survivre. Et plus tard, quand Jurhum eut bouché la source de Zamzam avec de la boue et des gazelles d'or, afin qu'on la perde pendant un certain temps, le voici à nouveau, la montrant du doigt à celui-là, Muttalib des tentes écarlates, le père de l'enfant aux cheveux d'argent qui, a son tour, engendra l'homme d'affaires. L'homme d'affaires : le voici.

Parfois quand il dort, Gibreel prend conscience, sans le rêve, de lui-même en train de dormir, de lui-même rêvant la propre conscience de son rêve, puis il est pris d'angoisse, ô Dieu, s'écrie-t-il, Dieu de bonté, tu m'as Allahbonne, je suis cuit, moi. J'ai un petit vélo dans la tête, je suis fou, brinde-zingue et complètement dingue. Comme lui, l'homme d'affaires, quand il a vu l'archange pour la première fois : il a cru qu'il était fêlé, il voulait se jeter d'un rocher, d'un très haut rocher, d'un rocher sur lequel poussait un arbre rabou-gri, un rocher aussi haut que le toit du monde.

Il arrive : il se fraie un chemin jusqu'à la grotte au sommet au mont Cone. Bon anniversaire : aujourd'hui, il a qua-rante-quatre ans. Mais bien que la ville derrière et en des-sous de lui soit en ébullition pour une fête, il monte, seul. Sans le costume d'anniversaire, bien repassé et plié au pied de son lit. Un homme aux goûts ascétiques. (Quel étrange homme d'affaires est-ce là?)

Question : Quel est le contraire de la foi?

Pas l'incrédulité. Trop catégorique, certain, fermé. En soi une sorte de foi.

Le doute.

La condition humaine, mais quelle est la condition des anges? À mi-chemin entre Allahbonne et homo sapiens, ont-ils jamais douté? Oui : défiant la volonté de Dieu un jour ils se sont cachés sous le Trône, osant poser des questions inter-dites : des antiquestions. Est-ce juste. Ne pourrait-on pas en discuter. La liberté, la vieille antiquête. Évidemment, il les a calmés en employant ses dons de dirigeant à la dieu. Il les a flattés : vous serez les instruments de ma volonté sur terre, à propos de salutdamnation de l'homme, tous les habituels etcetera. Et hop presto, fin de la revendication, on remet les auréoles, et au boulot. Les anges sont faciles à apaiser; fais-en des instruments et ils joueront ta musique à la harpe. Les êtres humains sont plus coriaces, ils peuvent douter de tout, même de la preuve qu'ils ont sous les yeux. Ou derrière les yeux. Pendant qu'ils s'endorment, qu'est-ce qui se passe derrière les quinquets fermés... les anges, quand il s'agit de volonté, ils n'en ont pas beaucoup. La volonté c'est ne pas être d'accord; ne pas se soumettre; s'opposer.

Je sais; parole de diable. Chaytan interrompt Gibreel. Moi?

*_**

L'homme d'affaires : il a l'air comme il faut, haut front, bec d'aigle, épaules larges, hanches étroites. Taille moyenne, sombre, habillé de deux morceaux de tissu uni, de quatre aunes chacun, un drapé autour du corps, l'autre jeté sur l'épaule. De grands yeux; de longs cils comme ceux d'une fille. Ses pas peuvent sembler trop grands pour ses jambes, mais il a le pied léger. Les orphelins apprennent à être des cibles mobiles, à avoir un pas rapide, des réactions vives, à tenir leur langue. Il monte parmi les buissons d'épines et les balsamiers, il escalade les rochers, ça c'est un homme, pas un de ces usuriers mous. Et oui, il faut le dire encore : tous les pachas des affaires ne s'en vont pas dans la nature, là-haut sur le mont Cone, parfois pendant un mois d'affilée, simplement pour être seul.

Son nom : un nom de rêve, changé par la vision. Prononcé correctement, cela veut dire celui-à-qui-on-devrait-rendre grâce, mais il n'y répondra pas ici; et, bien qu'il en ait tout à fait conscience, il ne répondra pas non plus au surnom qu'on lui donne à Jahilia, en bas – *celui-qui-monte-et-descend-le-vieux-Coney* [1]. Ici, il n'est ni Mahomet ni Malhonnête; il a adopté, à la place, le talisman du diable pendu autour du cou. Pour transformer les insultes en forces, les whigs, les tories, les Noirs choisirent tous de plein gré de porter les noms qu'on leur donnait en dérision; de la même façon, notre escaladeur de montagne, le solitaire motivé par le prophit, va devenir celui qui fait peur aux enfants moyenâgeux, le synonyme du diable : Mahound.

1. Jeu de mots à connotation sexuelle *(N.d.T.)*

C'est lui. Mahound l'homme d'affaires, escaladant sa montagne brûlante dans le Hedjaz. Le mirage d'une ville brille en dessous de lui, au soleil.

***
***

La ville de Jahilia est entièrement construite en sable, ses structures sont formées du désert sur lequel elle se dresse. On peut s'émerveiller devant ce spectacle : emmuré, fermé de quatre portes, l'ensemble est un miracle construit par ses citoyens, qui ont appris à transformer les dunes de sable blanc de cet endroit maudit – la matière même de l'inconstance –, la quintessence de l'instable, du mouvant, de la trahison, de l'absence de forme – et, par alchimie, en ont fait le matériau de leur permanence nouvellement inventée. Seules trois ou quatre générations les séparent de leur passé de nomades, quand ils étaient aussi déracinés que les dunes, ou plutôt enracinés dans le fait de savoir que le voyage était leur maison.

– Alors que l'itinérant peut se passer entièrement du voyage; ce n'est qu'un mal nécessaire; l'important c'est d'arriver.

Tout récemment, en hommes d'affaires avisés, les habitants de Jahilia se sont installés au croisement des routes des grandes caravanes, et ils ont attelé les dunes à leur volonté. Maintenant le sable est au service des puissants marchands des villes. Transformé en pavés, il recouvre les rues tortueuses de Jahilia; la nuit, des flammes d'or jaillissent des braseros de sable poli. Il y a des vitres aux fenêtres, des fenêtres comme de longues fissures dans les murs de sable infiniment hauts des palais des marchands; dans les ruelles de Jahilia, des ânes tirent des charrettes aux roues de silicium. Moi, dans ma méchanceté, j'imagine parfois l'arrivée d'une grande vague, un grand mur d'eau bouillonnante qui traverse le désert, une catastrophe liquide pleine de bateaux qui se brisent et de bras qui se noient, un raz de marée qui réduirait ces vains châteaux de sable à néant, aux grains dont ils viennent. Mais il n'y a pas de vagues ici. L'eau est l'ennemi à Jahilia. Portée dans des pots de terre, il ne faut jamais la renverser (le code pénal est féroce pour les délinquants), parce que là où tombent des gouttes d'eau, la ville s'effrite de façon alarmante. Des trous se forment dans les routes, les maisons penchent et tremblent. Les porteurs d'eau de Jahilia sont des nécessités que l'on déteste, des parias qu'on ne peut ignorer et qui, par conséquent, ne sont jamais pardonnés. Il ne pleut jamais à Jahilia; il n'y a pas de fontaines dans les jardins de silicium. Quelques palmiers se dressent dans des cours fermées, leurs racines vont très loin sous la terre à la recherche de l'humidité. L'eau de la ville vient de ruisseaux souterrains et de sources, dont l'une est la célèbre Zamzam, au cœur de la ville de sable concentrique, près de la Maison de la Pierre Noire. Ici, à Zamzam, un beheshti, un porteur d'eau méprisé, tire le liquide dangereux et vital. Il a un nom : Khalid.

C'est une ville d'hommes d'affaires, Jahilia. Le nom de la tribu est *Requin*.

Dans cette ville, l'homme d'affaires-transformé-en-pro-phète, Mahound, est en train de fonder une des plus grandes religions du monde; et, ce jour-là, il est confronté à la plus importante crise de sa vie. Une voix murmure à son oreille : *Quel genre d'idée es-tu? Démon-ou-strueux?*

Nous connaissons cette voix. Nous l'avons déjà entendue.

Tandis que Mahound escalade le mont Cone, Jahilia fête un autre anniversaire. Dans les temps anciens le patriarche Ibrahim vint dans la vallée avec Hagar et Ismaïl, leur fils. Ici, dans le désert sans eau, il abandonna Hagar. Elle lui demanda, cela peut-il être la volonté de Dieu? Il répondit, oui. Et il s'en alla, le salaud. Dès le début les hommes se sont servis de Dieu pour justifier l'injustifiable. Les voies de Dieu sont insondables, disent les hommes. Pas étonnant, alors, que les femmes se soient adressées à moi. – Mais reve-nons à nos moutons; Hagar n'était pas une sorcière. Elle lui faisait confiance : *alors sûrement Il ne m'abandonnera pas*. Après le départ d'Ibrahim, elle nourrit son enfant au sein jusqu'à ce que son lait tarisse. Et elle gravit deux collines, d'abord Safa puis Marouah, courant de l'une à l'autre dans son désespoir, essayant d'apercevoir une tente, un chameau, un être humain. Elle ne vit rien. C'est alors qu'il vint vers elle, Gibreel, et lui montra la source de Zamzam. Ainsi

111

Hagar survécut; mais pourquoi les pèlerins s'y rassemblent-ils aujourd'hui? Pour fêter sa survie? Non, non. Ils fêtent l'honneur rendu à la vallée par la visite de, je vous le donne en mille, Ibrahim. Au nom de cet époux fidèle, ils se rassemblent, prient et, surtout, dépensent.

Jahilia aujourd'hui est toute parfumée. Les parfums de l'Arabie, de l'*Arabia Odorifera*, embaument l'air : balsamine, casse, cannelle, encens et myrrhe. Les pèlerins boivent du vin de palme et errent dans la grande foire de la fête d'Ibrahim. Et, au milieu d'eux, marche un homme que son air renfrogné distingue de la foule en liesse : un grand homme vêtu d'amples robes blanches, il a presque une tête de plus que Mahound. Sa barbe courte épouse la forme de son visage oblique et osseux; sa démarche à la cadence et l'élégance mortelles du pouvoir. Comment s'appelle-t-il? – La vision livre finalement son nom; lui aussi est transformé par le rêve. Le voici, Karim Abu Simbel, un grand de Jahilia, mari de la belle et féroce Hind. Chef du conseil de la cité, riche au-delà de ce qu'on peut imaginer, propriétaire des temples lucratifs situés aux portes de la ville, riche en chameaux, propriétaire de caravanes, sa femme a la plus grande beauté du pays : qu'est-ce qui pourrait ébranler les certitudes d'un tel homme? Et cependant, pour Abu Simbel, aussi, la crise approche. Un homme le ronge, et vous pouvez deviner lequel, Mahound Mahound Mahound.

Oh, la splendeur des champs de foire de Jahilia! Ici dans de vastes tentes parfumées il y a d'imposants étals d'épices, de feuilles de séné, de bois odoriférants; ici on peut trouver les vendeurs de parfums, qui se disputent le nez des pèlerins, ainsi que leur bourse. Abu Simbel se fraie un chemin dans la foule. Des marchands, des juifs, des monophysites, des Nabatéens achètent et vendent des morceaux d'or et d'argent, ils les pèsent et mordent les pièces d'une dent de connaisseur. Il y a du lin d'Égypte et de la soie de Chine; de Bassora, des armes et du grain. On joue, on boit, on danse. On vend des esclaves, des Nubiens, des Anatoliens, des Éthiopiens. Les quatre factions de la tribu du Requin contrôlent des zones séparées de la foire, les parfums et les épices dans les Tentes Écarlates, les tissus et les cuirs dans les Tentes Noires. Le groupe aux Cheveux d'Argent s'occupe des métaux précieux et des armes. Les amusements – les

112

dés, les danseuses du ventre, le vin de palme, le hachisch et l'afeem – sont la prérogative du quatrième quartier de la tribu, les Propriétaires des Chameaux Tachetés, qui dirigent également le commerce des esclaves. Abu Simbel regarde dans une tente de danse. Des pèlerins sont assis serrant des bourses dans leur main gauche; de temps en temps une pièce passe de la bourse dans la paume de la main droite. Les danseuses se tortillent et suent, et leurs yeux ne quittent jamais l'extrémité des doigts des pèlerins; quand le mouvement des pièces cesse, la danse cesse aussi. Le grand homme fait la grimace et laisse retomber le rabat de la tente.

Jahilia a été construite en une série de cercles concentriques, les bâtiments s'étendent à partir de la Maison de la Pierre Noire, approximativement par ordre de richesse et de rang social. Le palais d'Abu Simbel est dans le premier cercle, le cercle secret; il descend une des promenades, des radiales ventées, passe devant les nombreux voyants de la ville qui, en échange de l'argent des pèlerins, pépient, roucoulent, sifflent, possédés par différents djinns d'oiseaux, de fauves, de serpents. Une sorcière, qui ne lève pas les yeux, s'accroupit sur son chemin : « Tu veux capturer le cœur d'une fille, chéri? Tu veux écraser un ennemi sous ton pouce? Essaie-moi; essaie mes petits nœuds! » Et elle se lève et fait pendiller une corde pleine de nœuds, où sont piégées des vies humaines – mais, voyant maintenant à qui elle parle, elle laisse retomber son bras déçu et disparaît furtivement, en marmonnant, dans le sable.

Partout, du bruit et des coudes. Des poètes perchés sur des caisses déclament tandis que des pèlerins jettent des pièces à leurs pieds. Des bardes disent des vers en rajaz dont la métrique à quatre temps s'accorde, d'après la légende, au pas du chameau; d'autres parlent le qasidah, des poèmes sur des maîtresses indociles, l'aventure du désert, la chasse à l'onagre. Dans un jour ou deux commencera le concours annuel de poésie, après quoi les sept meilleurs vers seront cloués aux murs de la Maison de la Pierre Noire. Les poètes se mettent en forme pour le grand jour; Abu Simbel rit en entendant des ménestrels chanter des satires impitoyables, des odes au vitriol commandées par un chef contre un autre, par une tribu contre sa voisine. Et fait un signe de reconnaissance quand un des poètes lui emboîte le pas, un jeune homme très maigre et aux doigts fébriles. Ce jeune satiriste a déjà la langue la plus crainte de tout Jahilia, mais il se conduit presque avec déférence envers Abu Simbel. « Pourquoi cet air soucieux, Maître? Si tu ne perdais pas tes cheveux je te dirais de les laisser libres. » Abu Simbel fait un sourire de biais. « Une telle réputation, dit-il amusé. Une telle renommée avant même d'avoir perdu tes dents de lait. Fais attention sinon on va être obligé de te les arracher. » Il le taquine, il parle légèrement, mais même cette légèreté contient une menace, à cause de l'étendue de son pouvoir. Le garçon ne se laisse pas démonter. Marchant du même pas qu'Abu Simbel, il réplique : « Pour chaque dent que vous m'arracherez il en poussera une plus forte, qui mordra plus profondément, qui fera jaillir un sang plus chaud. » Le Maître acquiesce vaguement. « Tu aimes le goût du sang », dit-il. Le garçon hausse les épaules. « Un travail de poète, répond-il. Nommer l'innommable, dénoncer les fraudes, prendre parti, provoquer des discussions, façonner le monde et l'empêcher de s'endormir. » Et si des rivières de sang coulent des blessures infligées par ses vers, elles le nourriront. C'est le poète satirique, Baal.

Une litière fermée de rideaux passe près d'eux; quelque belle dame de la ville venue voir la foire, portée sur les épaules de huit esclaves d'Anatolie. Abu Simbel prend le jeune Baal par le coude, sous le prétexte de l'écarter du chemin; il murmure, « j'espérais te trouver; un mot, si tu veux bien. » Baal s'émerveille de l'habileté du Maître. À la recherche d'un homme, il peut faire croire à sa proie qu'elle a chassé le chasseur. L'étreinte d'Abu Simbel se resserre; il dirige son compagnon, en le tenant toujours par le coude, vers le saint des saints au centre de la ville.

« J'ai un travail pour toi, dit le Maître. Une affaire littéraire. Je connais mes limites; le don de la malice rimée, l'art de la calomnie rythmée, sont au-delà de mes capacités. Tu comprends. »

Mais Baal, le fier, l'arrogant, se raidit, se réfugie dans sa dignité. « Il n'est pas juste que l'artiste devienne le serviteur de l'État. » La voix de Simbel baisse, prend un rythme plus soyeux. « Ah, oui. Alors que te mettre au service des assassins est une chose tout à fait honorable. » Un culte des morts fait rage à Jahilia. Quand un homme meurt, des pleureuses professionnelles se frappent, se déchirent la poitrine, s'arrachent les cheveux. On laisse mourir sur la tombe un chameau aux jarrets coupés. Et si l'homme a été assassiné, son parent le plus proche prononce des vœux d'ascétisme et poursuit le meurtrier jusqu'à ce que le sang ait été lavé par le sang ; la coutume veut qu'on compose un poème d'éloge, mais peu de vengeurs ont le don de la poésie. De nombreux poètes gagnent leur vie en écrivant des chants d'assassinat, et tous s'accordent pour reconnaître que le meilleur des poètes qui font l'éloge du sang est le tout jeune polémiste, Baal. Que sa fierté professionnelle empêche de se sentir blessé par les petites flèches du Maître. « C'est une affaire culturelle », répond-il. Abu Simbel s'enfonce de plus en plus dans ses manières soyeuses. « Peut-être bien, chuchote-t-il devant les portes de la Maison de la Pierre Noire, mais, Baal, reconnais-le : n'ai-je pas un droit sur toi ? Ne sommes-nous pas, tous deux, en quelque sorte au service de la même maîtresse ? »

Le sang quitte les joues de Baal ; sa confiance se brise, le quitte comme une coquille. Le Maître, apparemment insensible à ce changement, pousse le poète satirique dans la Maison.

On dit à Jahilia que cette vallée est le nombril du monde ; qu'à sa création, la planète tournait autour de ce point. Adam vint ici et vit un miracle : quatre colonnes d'émeraude soutenant un gigantesque rubis rayonnant, et sous ce dais une énorme pierre blanche, rayonnant elle aussi de sa propre lumière, comme une vision de son âme. Il construisit de solides murailles autour de sa vision afin de l'atteler pour toujours à la terre. Ce fut la première Maison. Elle fut reconstruite plusieurs fois – une fois par Ibrahim, après que Hagar et Ismaïl, aidés par l'ange, eurent survécu – et peu à peu au cours des siècles les attouchements répétés de la pierre blanche par les pèlerins l'ont rendue noire. Puis vint le temps des idoles ; à l'époque de Mahound, trois cent soixante dieux de pierre se pressaient autour de la pierre de Dieu.

Qu'aurait pensé le vieil Adam ? Ses propres fils sont ici aujourd'hui : le colosse de Hubal, envoyé de Hit par les Amalékites, se dresse au-dessus du puits de la trésorerie, Hubal le berger, le croissant de lune dans le cours ; aussi,

115

Kain, hostile, dangereux. C'est le croissant de lune dans le décours, le forgeron et le musicien; lui aussi a ses fidèles.

Hubal et Kain regardent s'avancer nonchalamment le Maître et le poète. Et le proto-Dionysos nabatéen, Celui-de-Shara; l'étoile du matin, Astarté et le saturnien Nakruh. Voici le dieu du Soleil, Manaf! Regardez, ici s'agite le géant Nasr, le dieu à forme d'aigle! Voici Quzah, qui tient l'arc-en-ciel... n'est-ce pas un trop-plein de dieux, un déluge de pierres, pour nourrir l'appétit glouton des pèlerins, pour étancher leur soif profane. Pour séduire les voyageurs, les déités viennent – comme les pèlerins – de loin et de l'infini. Les idoles, elles aussi, sont des délégués à une espèce de foire internationale.

Ici il y a un dieu qui s'appelle Allah (ce qui signifie simplement, le dieu). Demandez aux habitants de Jahilia et ils reconnaîtront que ce type a une sorte d'autorité générale, mais il n'est pas très populaire : c'est un généraliste à une époque de statues spécialistes.

Abu Simbel et Baal qui transpire depuis peu sont arrivés devant les châsses, placées côte à côte, des trois déesses les plus aimées à Jahilia. Ils s'inclinent devant elles : Uzza au visage radieux, déesse de la Beauté et de l'Amour; la sombre et obscure Manat, le visage détourné pour de mystérieuses raisons, laissant couler du sable entre ses doigts – elle est responsable du destin – elle est le Destin; et enfin la plus grande des trois, la déesse mère, que les Grecs appelaient Lato. Ici, on l'appelle Ilat ou, plus fréquemment, Al-Lat. *La déesse*. Même son nom fait d'elle l'opposée et l'égale d'Allah. Lat l'omnipotente. Baal, le visage soudain soulagé, se jette sur le sol et se prosterne devant elle. Abu Simbel reste debout.

La famille du Maître, Abu Simbel – ou, pour être plus précis, de sa femme Hind – contrôle le célèbre temple de Lat à la porte sud de la ville. (Ils tirent aussi des revenus du temple de Manat à la porte est, et du temple d'Uzza, au nord.) Ces concessions sont la base de la richesse du Maître, alors Baal comprend qu'il soit naturellement le serviteur de Lat. Et la dévotion du poète satirique pour cette déesse est bien connue à Jahilia. C'est donc ça qu'il voulait dire! Tremblant de soulagement, Baal reste prosterné, en remerciant sa Dame patronne. Qui l'observe avec bienveillance;

116

mais on ne peut pas se fier à l'expression d'une déesse. Baal a fait une grossière erreur.

Sans prévenir, le Maître donne un coup de pied dans les reins du poète. Attaqué au moment même où il se croyait en sécurité, Baal couine, roule sur le sol, et Abu Simbel le poursuit et continue à lui donner des coups de pied. On entend une côte craquer. « Avorton, dit le Maître en gardant une voix douce et de bonne humeur. Maquereau à la voix haut perchée et aux petits testicules. Croyais-tu que le Maître du temple de Lat allait te manifester de l'amitié uniquement à cause de ta passion d'adolescent pour elle? » Et encore des coups de pied, réguliers, méthodiques. Baal pleure aux pieds d'Abu Simbel. La Maison de la Pierre Noire est loin d'être vide, mais qui oserait s'interposer entre le Maître et son courroux? Brusquement, le bourreau de Baal s'accroupit, saisit le poète par les cheveux, lui relève la tête, lui murmure à l'oreille : « Baal, je ne parlais pas de cette maîtresse-là », et Baal laisse échapper la plaine hideuse de celui qui s'apitoie sur lui-même, parce qu'il sait que sa vie est sur le point de s'achever, alors qu'il a encore tant de choses à faire, le pauvre type. Les lèvres du Maître lui caressent l'oreille. « Crottin de chameau effrayé, souffle Abu Simbel, je sais que tu baises ma femme. » Il remarque, avec intérêt, que Baal est en érection, un dérisoire monument à sa peur.

Abu Simbel, le Maître cocufié, se relève, ordonne, « Debout », et Baal, ahuri, sort derrière lui.

Les tombeaux d'Ismaïl et de sa mère Hagar l'Égyptienne sont près de la façade nord-ouest de la Maison de la Pierre Noire, dans un enclos entouré de murs bas. Abu Simbel s'approche, s'arrête à quelques pas. Dans l'enclos, il y a un petit groupe d'hommes. Khalid le porteur d'eau est là, ainsi qu'une sorte de clochard qui vient de Perse et qui porte le nom extravagant de Salman, et pour compléter ce trio de racaille, il y a l'esclave Bilal, celui qu'a affranchi Mahound, un énorme monstre noir, celui-là, avec une voix assortie à sa taille. Les trois paresseux sont assis sur le mur. « Ces canailles, dit Abu Simbel. Ce sont tes cibles. Écris sur eux; et sur leur chef, aussi. » Baal, malgré sa terreur, ne peut cacher son incrédulité. « Maître, ces *crétins* – ces foutus *clowns*? Vous n'avez pas à vous en occuper. Qu'allez-vous imaginer? Que le Dieu de Mahound peut mettre vos temples en faillite? Trois cent soixante contre un seul, et celui qui est tout seul gagnerait? C'est impossible. » Il ricane, au bord de l'hystérie. Abu Simbel reste calme : « Garde tes insultes pour tes vers. » Baal ne peut pas s'arrêter de rire. « Une révolution de porteurs d'eau, d'immigrés et d'esclaves... hou la-la, Maître. J'ai vraiment peur. » Abu Simbel dévisage le poète pouffant de rire. « Oui, répondit-il, c'est vrai, tu devrais avoir peur. Mets-toi à écrire, s'il te plaît, et j'attends que ces vers soient ton chef-d'œuvre. » Baal se recroqueville, gémit. « Mais c'est gaspiller mon, mon petit talent... » Il se rend compte qu'il en a trop dit.

« Fais ce qu'on t'ordonne » sont les derniers mots qu'Abu Simbel lui adresse. « Tu n'as pas le choix. »

Le Maître se délasse dans sa chambre tandis que ses concubines satisfont ses besoins. De l'huile de noix de coco pour ses cheveux clairsemés, du vin pour son palais, des langues pour son plaisir. *Le garçon avait raison. Pourquoi avoir peur de Mahound?* Il commence, oisivement, à compter ses concubines, abandonne à quinze d'un geste de la main; *Le garçon. Évidemment, Hind va continuer à le voir; que peut-il faire contre sa volonté?* C'est une faiblesse de sa part à lui, il le sait, il voit trop, il tolère trop. Il a bien ses appétits, pourquoi n'aurait-elle pas les siens? Tant qu'elle reste discrète; tant qu'il est au courant. Il faut qu'il sache; savoir est sa drogue, son vice. Il ne supporte pas ce qu'il ne connaît pas et pour cette seule raison, à défaut d'une autre, Mahound est son ennemi, Mahound avec sa bande de loqueteux, le garçon avait raison d'en rire. Lui, le Maître, rit moins facilement. Comme son adversaire c'est un homme prudent, il marche sur la pointe des pieds. Il se souvient du grand, l'esclave, Bilal : comment son maître lui a demandé, devant le temple de Lat, de dire combien il y avait de dieux. « Un seul », a-t-il répondu de sa forte voix musicale. Un blasphème, passible de mort. On l'a allongé sur le champ de foire avec une grosse pierre sur la poitrine. *Combien as-tu dit?* Un a-t-il répété, un seul. On a ajouté une seconde pierre. *Un seul un seul un seul.* Mahound a donné beaucoup d'argent à son propriétaire et l'a affranchi.

Non, se dit Abu Simbel, Baal a tort, ces hommes méritent qu'on s'intéresse à eux. Pourquoi ai-je peur de Mahound? Pour cette raison : un seul un seul un seul, sa terrifiante unicité. Alors que moi je suis toujours divisé, toujours deux ou trois ou quinze. Je peux même comprendre son point de vue; il est aussi riche et a aussi bien réussi que n'importe lequel d'entre nous, n'importe lequel des conseillers, mais comme il n'a pas les relations familiales nécessaires, nous ne lui avons pas offert de place dans notre groupe. Exclu par son statut d'orphelin de l'élite des marchands, il se sent lésé, il n'a pas eu son dû. Il a toujours été ambitieux. Ambitieux, mais aussi solitaire. On ne s'élève pas en gravissant une colline tout seul. Sauf, bien sûr, si là-haut on rencontre un ange... oui, c'est ça. Je vois ce qu'il a en tête. Pourtant il ne me comprendrait pas. *Quel genre d'idée est-ce que je suis?* Je plie. Je bascule. Je calcule, révise ma position, manipule, survis. C'est pour cela que je n'accuserai pas Hind d'adultère. Nous formons un bon couple, la glace et le feu. Les armes de sa famille, le lion rouge légendaire, le monstre aux dents innombrables. Laissons-la jouer avec son poète satirique; entre nous les relations sexuelles n'ont jamais été essentielles. J'en finirai avec lui quand elle en aura fini avec. Voilà un énorme mensonge, pense le Maître de Jahilia en s'endormant : la plume est plus forte que l'épée.

Les fortunes de Jahilia ont été bâties sur la suprématie du sable sur l'eau. Dans les temps anciens on avait cru plus sûr de transporter les marchandises dans les déserts que sur les mers, où des moussons pouvaient éclater n'importe quand. À cette époque d'avant la météorologie on ne pouvait prévoir de pareilles choses. Pour cette raison les caravansérails prospéraient. Les produits du monde entier allaient de Zafar à Saba, et de là à Jahilia et à l'oasis de Yathrib et à Midian où habitait Moïse; de là à Aqaba et en Égypte. D'autres pistes partaient de Jahilia : vers l'est et le nord-est, vers la Mésopotamie et le grand empire de Perse. À Petra et à Palmyre, où Salomon aima la reine de Saba. C'était le temps des veaux gras. Mais maintenant les navires qui croisent autour de la péninsule s'enhardissent, leurs équipages

119

deviennent plus experts, leurs instruments de navigation plus précis. Les caravanes de chameaux cèdent à la concurrence des bateaux. L'ancienne rivalité entre les navires du désert et les navires de la mer crée un déséquilibre dans la balance du pouvoir. Les dirigeants de Jahilia s'inquiètent, mais ils n'y peuvent pas grand-chose. Parfois Abu Simbel a l'impression que seul le pèlerinage sauve la ville de la ruine. Le conseil cherche partout dans le monde des statues de dieux étrangers, pour attirer de nouveaux pèlerins dans la ville de sable; mais, là aussi, ils ont des concurrents. Là-bas, à Saba, on a construit un grand temple, un lieu saint pour rivaliser avec la Maison de la Pierre Noire. De nombreux pèlerins ont été attirés par le sud, et leur nombre diminue sur les champs de foire de Jahilia.

Sur la recommandation d'Abu Simbel, les dirigeants de Jahilia ont ajouté aux pratiques religieuses des épices tentantes et profanes. La ville est devenue célèbre pour sa licence, un antre du jeu, un bordel, un lieu de chansons obscènes et de musique bruyante et délirante. Une fois les membres de la tribu du Requin allèrent trop loin dans leur convoitise des pèlerins. Les gardiens de la Maison commencèrent à exiger des pourboires des voyageurs épuisés; quatre d'entre eux, dépités de n'avoir reçu que quelques sous, précipitèrent deux voyageurs dans le grand escalier à pic où ils se tuèrent. Cette pratique se retourna contre eux, décourageant les pèlerins de revenir... Aujourd'hui, on enlève souvent des femmes qui sont en pèlerinage pour une rançon, ou on les vend pour qu'elles deviennent des concubines. Des bandes de jeunes Requins patrouillent la ville, ne respectant que leur propre loi. On dit qu'Abu Simbel rencontre les chefs de bandes en secret et les organise. Voici le monde dans lequel Mahound apporte son message : un seul un seul un seul. Parmi une telle multiplicité, ces mots résonnent dangereusement.

Le Maître se redresse et tout de suite les concubines s'approchent pour reprendre leurs massages et leurs caresses. Il les renvoie d'un geste, tape dans ses mains. L'eunuque entre. « Envoie un messager chez le kahin Mahound », lui ordonne Abu Simbel. *Nous allons lui proposer une petite épreuve. Un marché honnête : trois contre un.*

L'esclave porteur d'eau : les trois disciples de Mahound se lavent dans le puits de Zamzam. Dans la ville de sable, leur obsession de l'eau les rend bizarres. Des ablutions, toujours des ablutions, les jambes jusqu'aux genoux, les bras jusqu'aux coudes, la tête jusqu'au cou. Torse sec, membres mouillés et tête humide, ils ont l'air de quoi! Flic, flac, ils se lavent et prient. A genoux, enfonçant les bras, les jambes et les têtes dans le sable omniprésent et recommençant le cycle de l'eau et de la prière. Ce sont des cibles faciles pour la plume de Baal. Leur amour de l'eau est une sorte de trahison; le peuple de Jahilia accepte la toute-puissance du sable. Il se glisse entre leurs doigts et leurs orteils, colle leurs cils et leurs cheveux, bouche leurs pores. Ils s'ouvrent au désert : viens, sable, lave-nous dans ton aridité. Telle est la façon de faire des habitants de Jahilia, des citoyens les plus haut placés aux plus humbles des humbles. C'est un peuple de silicium, et les amoureux de l'eau sont venus parmi eux.

Baal tourne autour d'eux à bonne distance – Bilal n'est pas un homme qu'on peut traiter à la légère – et il se moque d'eux. « Si les idées de Mahound valaient quelque chose, ne seraient-elles populaires que parmi la racaille comme vous? » Salman retient Bilal : « Nous devons nous sentir honorés que Baal le puissant ait choisi de s'attaquer à nous », il sourit, et Bilal se détend, se calme. Khalid le porteur d'eau est nerveux, et quand il voit la lourde silhouette de l'oncle de Mahound, Hamza, qui approche il court vers lui, anxieux. À soixante ans, Hamza est toujours le combattant et le chasseur des lions le plus renommé de la ville. En fait la vérité est moins glorieuse : Hamza a été vaincu plusieurs fois en combat, sauvé par des amis ou par la chance, délivré des mâchoires des lions. Il a l'argent pour que de telles choses ne se sachent pas. Et l'âge, et la survie, confèrent une validité à sa martiale légende. Bilal et Salman, oubliant Baal, suivent Khalid. Tous les trois sont nerveux, jeunes.

Il n'est toujours pas rentré, remarque Hamza. Et Khalid, inquiet : Mais ça fait des heures, qu'est-ce que ce salaud est en train de lui faire, la torture, les poucettes, le fouet? À nou-

121

veau, Salman est le plus calme : Ce n'est pas le style de Simbel, dit-il, il est plus sournois, crois-moi. Et Bilal beugle loyalement : Sournois ou pas, j'ai foi en lui, dans le Prophète. Il ne craquera pas. Hamza ne lui adresse qu'un gentil reproche : Oh, Bilal, combien de fois doit-il te le répéter? Garde ta foi pour Dieu. Le Messager n'est qu'un homme. La tension jaillit de Khalid : il affronte le vieux Hamza, demande, Êtes-vous en train de dire que le Messager est faible? Vous êtes peut-être son oncle... Hamza donne un coup au porteur d'eau sur le côté de la tête. Ne lui fais pas voir ta peur, dit-il, même quand tu es à moitié mort de trouille.

Les quatre sont en train de se laver une fois de plus quand arrive Mahound; ils se pressent autour de lui, quiquepourquoi. Hamza se tient en retrait. « Neveu, c'est foutrement mauvais, crie-t-il de son ton de soldat. Quand tu descends de la montagne, il y a toujours une lumière autour de toi. Aujourd'hui, il y a quelque chose de sombre. »

Mahound s'assoit sur le bord du puits et sourit. « On m'a fait une offre. » *Abu Simbel?* crie Khalid. *Impensable. Refuse.* Le fidèle Bilal l'admoneste : Ne fais pas la leçon au Messager. Bien sûr qu'il a refusé. Salman le Persan demande : Quel genre d'offre? Mahound sourit à nouveau. « Il y en a au moins un parmi vous qui veut savoir. »

« C'est une petite chose, reprend-il. Un grain de sable. Abu Simbel demande à Allah de lui accorder une petite faveur. » Hamza se rend compte de son épuisement. Comme s'il avait lutté avec un démon. Le porteur d'eau crie : « Rien! Rien du tout! » Hamza le fait taire.

« Si notre grand Dieu pouvait avoir à cœur de concéder – il a utilisé ce mot, *concéder* – que trois idoles, seulement trois parmi les trois cent soixante de la maison sont dignes d'être adorées... »

« Il n'est de dieu que Dieu! » hurle Bilal. Et ses compagnons se joignent à lui : « Ya Allah! » Mahound a l'air en colère. « Est-ce que les fidèles entendront le Messager? » Ils se taisent, traînant leurs pieds dans la poussière.

« Il demande l'approbation d'Allah pour Lat, Uzza et Manat. En échange, il nous garantit que nous serons tolérés, et même reconnus officiellement; comme preuve, je serai élu au conseil de Jahilia. Telle est l'offre. »

122

Salman le Perse dit : « C'est un piège. Si tu escalades le mont Cone et redescends avec un tel Message, il va te demander, comment t'y es-tu pris pour obtenir de Gibreel la bonne révélation ? Il va pouvoir te traiter de charlatan, de truqueur. » Mahound secoue la tête. « Tu sais, Salman, j'ai appris à *écouter*. Ma façon *d'écouter* n'est pas ordinaire ; c'est aussi une façon de demander. Souvent, quand Gibreel arrive, c'est comme s'il savait ce qui est dans mon cœur. La plupart du temps, j'ai l'impression que Gibreel vient du fond de mon cœur : du plus profond de moi, de mon âme.

– Ou alors, c'est un autre genre de piège, insiste Salman. Depuis combien de temps récitons-nous le credo que tu nous as apporté ? Il n'y a de dieu que Dieu. Que sommes-nous si nous l'abandonnons maintenant ? Cela nous affaiblit, nous ridiculise. Nous cessons d'être dangereux. Désormais plus personne ne nous prendra au sérieux. »

Mahound rit, sincèrement amusé. « Peut-être n'es-tu pas ici depuis assez longtemps, dit-il gentiment. N'as-tu pas remarqué ? Le peuple ne nous prend pas au sérieux. Il n'y a jamais plus de cinquante personnes quand je parle, et la moitié sont des touristes. N'as-tu pas lu les satires que Baal affiche partout dans la ville ? » Il récite :

Écoute Messager,
prête une oreille attentive. Ta monophilie,
ton un seul un seul un seul, n'est pas pour Jahilia.
Retour à l'envoyeur.

« Ils se moquent de nous partout, et tu dis que nous sommes dangereux », s'écrie-t-il.

Maintenant Hamza a l'air inquiet. « Tu ne t'es jamais occupé de ce qu'ils pensaient, auparavant. Pourquoi maintenant ? Pourquoi après avoir parlé à Simbel ? »

Mahound hoche la tête. « Parfois, je me dis que je devrais faciliter les choses de façon que le peuple puisse croire. »

Un silence gêné s'installe parmi les disciples ; ils se regardent, changent de position. Mahound s'écrie à nouveau : « Vous savez tous ce qui se passe. Notre échec à gagner des convertis. Le peuple ne veut pas abandonner ses dieux. Il ne le fera pas, non. » Il se lève, s'éloigne à grands pas, se lave de l'autre côté du puits de Zamzam, s'agenouille pour prier.

123

« Le peuple est plongé dans les ténèbres, dit Bilal, malheureux. Mais il verra, il entendra. Dieu est un. » La douleur s'abat sur les quatre disciples; même Hamza est découragé. Mahound a été secoué, et ses disciples tremblent.

Il se lève, s'incline, soupire, vient les rejoindre. « Écoutez-moi, vous tous, dit-il en posant un bras autour des épaules de Bilal, l'autre autour de celles de son oncle. Écoutez : c'est une offre intéressante. »

Khalid délaissé l'interrompt amèrement : « C'est une offre *tentante.* » Les autres ont l'air horrifié. Hamza parle très doucement au porteur d'eau. « N'était-ce pas toi, Khalid, qui désirais te battre avec moi parce que, quand j'ai dit que le Messager était un homme, tu as pensé à tort que je voulais, ainsi, dire qu'il était faible. Alors? Est-ce à mon tour de te défier? »

Mahound les supplie de se calmer. « Si nous nous disputons, il n'y a plus d'espoir. » Il essaie d'élever la discussion sur un plan théologique. « On ne propose pas qu'Allah accepte les trois déesses comme ses égales. Même pas Lat. Seulement qu'on leur donne une sorte de statut inférieur, intermédiaire.

— Comme les démons, crie Bilal.

— Non, fait remarquer Salman le Perse. Comme les archanges. Le Maître est un homme malin.

— Des anges et des démons, dit Mahound. Chaytan et Gibreel. Déjà, nous acceptons tous leur existence, à mi-chemin entre Dieu et l'homme. Abu Simbel nous demande d'en admettre seulement trois de plus. Rien que trois, et, dit-il, toutes les âmes de Jahilia seront à nous.

— Et on débarrassera la Maison des statues? » demande Salman. Mahound répond que cela n'a pas été spécifié. Salman secoue la tête. « On fait ça pour te détruire. » Et Bilal ajoute : « Dieu ne peut pas être quatre. » Et Khalid presque en larmes : « Messager, que dis-tu? Lat, Manat, Uzza – ce sont des *femmes.* De grâce! Allons-nous avoir des déesses maintenant? Ces vieilles grues, ces vieilles cigognes, ces vieilles sorcières? »

La douleur la tension la fatigue, creusent profondément le visage du Prophète. Que Hamza, comme un soldat sur un champ de bataille réconfortant un ami blessé, prend entre ses mains. « On ne peut pas débrouiller cette affaire pour toi, neveu, dit-il. Monte sur la montagne. Va demander à Gibreel. »

Gibreel : le rêveur, dont le point de vue est parfois celui de la caméra et à d'autres moments celui du spectateur. Quand il est une caméra il est toujours en mouvement, il déteste les plans fixes, alors il monte sur une grue et regarde les silhouettes raccourcies des acteurs, ou il plonge pour se retrouver invisiblement au milieu d'eux, tournant lentement sur le talon pour exécuter un panoramique de trois cent soixante degrés, ou il utilise un chariot de travelling pour suivre latéralement Baal et Abu Simbel qui marchent, ou tenant la caméra à l'épaule à l'aide d'un support il découvre les secrets de la chambre du Maître. Mais la plupart du temps il reste là-haut, sur le Mont Cone comme un spectateur payant installé au premier balcon, et Jahilia est son grand écran. Il observe et critique l'action comme n'importe quel cinéphile, s'amuse des combats des infidélités des crises morales, mais ça manque de femmes pour faire un tabac, vieux, et où est la fichue musique ? Ils auraient dû étoffer cette scène du champ de foire, peut-être un rôle pour Bouton Billimoria dans une des tentes, secouant ses célèbres doudounes.

Et alors, sans prévenir, Hamza dit à Mahound : « Va demander à Gibreel », et lui, le rêveur, il sent son cœur battre d'inquiétude, qui, moi ? *C'est moi* qui suis censé connaître les réponses ici ? Je suis assis là en train de regarder ce film et tout d'un coup cet acteur me montre du doigt, je vous demande un peu, est-ce qu'on demande aux pauvres spectateurs d'un film « théologique » de résoudre l'intrigue ? — Mais au fur et à mesure que le rêve se déplace, il change toujours de forme, lui, Gibreel, cesse d'être un simple spectateur pour devenir l'acteur principal, la vedette. Avec son vieux défaut à jouer trop de rôles : oui, oui, il ne joue pas seulement celui de l'archange mais aussi le sien, celui de l'homme d'affaires, le Messager, Mahound, qui escaladela montagne quand il vient. Il faut un montage très brillant pour tenir ce rôle double, on ne peut jamais voir les deux ensemble dans le même plan, chacun doit parler dans le

125

vide, à l'incarnation imaginaire de l'autre, et il faut faire confiance à la technique pour créer l'image absente avec des ciseaux et du scotch ou, d'une façon plus exotique, à l'aide d'un tapis de travelling. À ne pas confondre ha ha avec un tapis magique.

Il a compris : qu'il a peur de l'autre, l'homme d'affaires, c'est fou non? L'archange tremblant devant le mortel. C'est vrai mais : c'est le genre de peur qu'on éprouve quand on se trouve pour la toute première fois sur un plateau de cinéma et alors, prêt à faire son entrée, il y a une des légendes vivantes du cinéma; on se dit, je vais me ridiculiser, je vais avoir un trou, je vais clamser, on a une envie folle d'être *à la hauteur*. On sera pris dans le courant de son génie, on sera bon grâce à lui, un as, mais si on n'est pas à la hauteur on le saura et lui aussi... La peur de Gibreel, la peur du moi créé par le rêve, l'oblige à lutter contre l'arrivée de Mahound, à essayer de le repousser, mais le voilà, pas de prob, et l'archange retient son souffle.

Ces rêves dans lesquels on est poussé sur une scène où l'on n'a rien à faire, alors qu'on ne connaît rien à l'intrigue, qu'on n'a même pas appris une ligne du texte, mais il y a une salle bondée qui regarde, qui regarde : c'est ce qu'on ressent. Ou la véritable histoire de l'actrice blanche jouant une femme noire dans un Shakespeare. Elle entra en scène et s'aperçut qu'elle avait gardé ses lunettes, aïe, mais comme elle avait oublié de se noircir les mains elle ne pouvait pas les enlever, aïe aïe aïe : c'est aussi comme ça. *Mahound vient chercher près de moi la révélation, il me demande de choisir entre le monothéisme et l'hénothéisme, et je ne suis qu'un idiot d'acteur qui a un cauchemar bhaenchud, qu'est-ce que j'en sais moi, qu'est-ce que je peux te dire, au secours. Au secours.*

Pour atteindre le mont Cone à partir de Jahilia on doit traverser des ravins obscurs où le sable n'est pas blanc, ce n'est pas le sable pur, filtré il y a très longtemps dans le corps des concombres de mer, mais un sable noir et sombre qui absorbe la lumière du soleil. Le mont Cone est tapi au-dessus de vous comme un fauve imaginaire. On escalade la crête. Laissant derrière soi les derniers arbres aux fleurs blanches et aux feuilles épaisses et laiteuses, on grimpe parmi les rochers, de plus en plus gros au fur et à mesure qu'on monte, jusqu'au sommet où ils se mettent à ressembler à de hautes murailles qui cachent le soleil. Les lézards sont bleus comme des ombres. Puis on arrive au pic, Jahilia se trouve derrière, le désert sans relief devant. On descend du côté du désert, et cinq cents pieds plus bas, on arrive à la grotte, qui est assez haute pour qu'on puisse s'y tenir debout, et dont le sol est recouvert d'un miraculeux sable albinos. En montant on entend les colombes du désert chanter son nom, et on est accueilli, aussi, par les rochers, dans sa propre langue, ils crient *Mahound, Mahound*. Quand on arrive à la grotte on est fatigué, on s'allonge, on s'endort.

**

Mais quand il s'est reposé il entre dans un sommeil différent, une sorte de non-sommeil, ce qu'il appelle sa *façon d'écouter*, et il sent une douleur sourde dans le ventre, comme quelque chose qui essaie de naître, et maintenant Gibreel, qui planait-au-dessus-et-regardait-en-bas, ne sait plus où il en est, *qui suis-je*, à ce moment-là il commence à sentir que l'archange est en fait *à l'intérieur du Prophète*, je suis cette lourdeur dans le ventre, je suis l'ange expulsé par le nombril du dormeur, j'émerge, Gibreel Farishta, tandis que mon autre moi, Mahound, se trouve *dans sa façon d'écouter*, envoûté, je suis lié à lui, de nombril à nombril, par un brillant cordon de lumière, il est impossible de dire lequel de nous rêve l'autre. Nous suivons le courant dans deux directions, le long du cordon ombilical.

Aujourd'hui, en plus de l'intensité de Mahound qui le submerge, Gibreel ressent son désespoir : ses doutes. Il ressent aussi qu'il est dans un grand besoin, mais Gibreel ne connaît toujours pas son texte... il écoute cette-façon-d'écouter-qui-est-aussi-une-façon-de-demander. Mahound *demande* : On leur a montré des miracles mais ils n'y ont pas cru. Ils t'ont vu venir à moi, devant toute la ville, et m'ouvrir la poitrine, ils t'ont vu me laver le cœur dans les eaux de Zamzam et le replacer à l'intérieur de mon corps. Beaucoup d'entre eux l'ont vu, mais ils continuent à adorer des pierres. Et quand tu es venu la nuit et que tu m'as emporté à Jérusalem et que j'ai plané au-dessus de la ville sainte, ne suis-je pas revenu et ne l'ai-je pas décrite exactement comme elle est, jusque dans le moindre détail? Pour qu'on ne puisse pas douter du miracle, et pourtant ils sont allés vers Lat. N'ai-je pas déjà fait de mon mieux pour leur faciliter les choses? Quand tu m'as emporté jusqu'au Trône lui-même, et qu'Allah a mis sur les fidèles l'immense fardeau des quarante prières quotidiennes. Sur le voyage de retour j'ai rencontré Moïse qui a dit, le fardeau est trop lourd, retourne demander moins. Je suis retourné quatre fois, quatre fois Moïse a dit, c'est encore trop, retourne encore. Mais la quatrième fois Allah avait réduit le devoir à cinq prières quotidiennes et j'ai refusé d'y retourner. J'avais honte de mendier encore. Dans sa bonté il nous demande cinq prières au lieu de quarante, et pourtant ils aiment Manat, ils veulent Uzza. Que puis-je faire? Quelles paroles leur dire?

Gibreel reste silencieux, vide de réponses, nom de nom, bhai, ne me demande rien. La détresse de Mahound est terrible. Il *demande* : est-il possible qu'elles *soient* des anges? Lat, Manat, Uzza... puis-je les appeler angéliques? Gibreel, as-tu des sœurs? Sont-elles les filles de Dieu? Ô ma vanité, se reproche-t-il, je suis un homme arrogant, est-ce de la faiblesse, n'est-ce qu'un rêve de pouvoir? Dois-je me trahir pour obtenir un siège au conseil? Est-ce sensé et sage ou est-ce vide et complaisant? Je ne sais même pas si le Maître est sincère? Sait-il? Peut-être même pas lui. Je suis faible et il est fort, l'offre lui donne plusieurs façons de me détruire. Mais moi, aussi, j'ai beaucoup à y gagner. Les âmes de la ville, du monde, valent bien trois anges? Allah est-il si inflexible qu'il n'en prendra pas trois de plus sous son aile pour sauver l'espèce humaine? – je ne sais rien. – Dieu doit-il être fier ou humble, majestueux ou simple, accommodant ou non? *Quel genre d'idée est-il? Quel genre d'idée suis-je?*

À mi-chemin du sommeil ou du réveil, Gibreel Farishta éprouve souvent du ressentiment envers la non-apparition, dans les visions qui le persécutent, de Celui qui est censé avoir les réponses, *Il* ne se montre jamais, celui qui ne venait pas quand j'agonisais, quand j'avais besoin de lui. Celui dont on parle, Allah Ishvar Dieu. Absent comme toujours tandis que nous nous tordons et souffrons en son nom.

L'Être Suprême ne se montre jamais; ce qui revient sans cesse c'est cette scène, le Prophète envoûté, l'expulsion, le cordon de lumière, et Gibreel dans son double rôle à la fois en-haut-observant-en-bas. Et tous deux à moitié morts de peur par cette transcendance. Gibreel se sent paralysé par la présence du Prophète, par sa grandeur, il se dit je suis incapable de prononcer une parole j'aurais l'air d'un sacré imbécile. Le conseil de Hamza : ne montre jamais ta peur : les archanges ont autant besoin de ce conseil que les porteurs d'eau. Un archange doit avoir l'air calme, que penserait le Prophète si l'Exalté de Dieu commençait à bafouiller de trac?

Cela arrive : la révélation. Comme ça : Mahound, encore dans son non-sommeil, se raidit, les veines de son cou se gonflent, ses mains agrippent le centre de son corps. Non, non, ça ne ressemble pas à une crise d'épilepsie, on ne peut pas s'en débarrasser aussi facilement; une crise d'épilepsie a-t-elle jamais changé le jour en nuit, fait s'amasser les nuages, s'épaissir l'air pendant qu'un ange, hébété de peur, se tient dans le ciel au-dessus de celui qui souffre, comme un cerf-volant au bout d'un fil d'or? La lourdeur encore la lourdeur et maintenant le miracle commence dans son mon notre ventre, il s'arc-boute de tout son être contre quelque chose, forçant quelque chose, et Gibreel commence à sentir cette puissance cette force, la voici *dans mes propres mâchoires* les ouvrant, les refermant; et le pouvoir naît dans Mahound, atteint *mes cordes vocales* et la voix arrive.

Pas ma voix je n'ai jamais connu de tels mots, je ne suis pas un beau parleur je ne l'ai jamais été ne le serai jamais mais ce n'est pas ma voix c'est une Voix.

Mahound ouvre grand les yeux, il a une espèce de vision, il regarde, oh, c'est vrai, se souvient Gibreel, moi. Il me voit. Mes lèvres remuent, sont mues par. Quoi, qui? Sais pas, peux pas dire. Néanmoins, les voici, sortant de ma bouche, montant de ma gorge, passant mes dents : les Mots.

Ce n'est pas drôle d'être le facteur de Dieu.

Maismaismais : Dieu n'est pas dans ce film.
Dieu seul sait de qui j'ai été le facteur.

À Jahilia ils attendent Mahound près du puits. Khalid le
porteur d'eau, comme toujours le plus impatient, court
jusqu'aux portes de la ville pour surveiller. Hamza, habitué
comme tous les soldats à rester seul, est accroupi dans la
poussière et joue à un jeu avec des cailloux. Il n'y a aucune
urgence : parfois il reste absent pendant des jours, des
semaines même. Et aujourd'hui la ville est désertée; tout le
monde est allé dans les grandes tentes du champ de foire
pour écouter le concours de poésie. Le silence n'est troublé
que par le bruit des cailloux de Hamza, et par les roucoule-
ments d'un couple de colombes de rocher, venues du mont
Cone. Puis ils entendent les pas qui courent.

Khalid arrive, à bout de souffle, l'air malheureux. Le Messager est de retour, mais il ne vient pas à Zamzam. Maintenant ils sont tous debout, perplexes à cause de ce manque-
ment aux habitudes. Ceux qui attendaient avec des feuilles
de palmier et des stèles demandent à Hamza : Alors, il n'y
aura pas de Message? Mais Khalid, qui essaie toujours de
reprendre son souffle, secoue la tête. « Je pense qu'il y en
aura un. Il est comme quand la Parole a été transmise. Mais
il ne m'a rien dit et s'est dirigé vers le champ de foire. »

Hamza prend le commandement, en prévoyant des discussions, et montre le chemin. Les disciples – une vingtaine
environ est rassemblée – le suivent vers les ripailles de la
ville, avec des expressions de pieux dégoût. Seul Hamza se
réjouit d'arriver sur le champ de foire.

Ils trouvent Mahound devant les tentes des Propriétaires
de Chameaux Tachetés, il est debout les yeux fermés,
s'armant de courage pour la tâche qui l'attend. Ils lui posent
des questions angoissées; il ne répond pas. Après quelques
instants, il entre dans la tente de la poésie.

Dans la tente, le public réagit par la dérision à l'arrivée du
Prophète impopulaire et de ses disciples à la triste mine.

130

Mais quand Mahound s'avance, les yeux fermement clos, les huées et les sifflets s'arrêtent et un silence tombe. Mahound n'ouvre pas les yeux même un seul instant, mais ses pas sont assurés, et il atteint la scène sans avoir trébuché ni heurté quoi que ce soit. Il monte les quelques marches et entre dans la lumière; ses yeux sont toujours fermés. L'assemblée de poètes lyriques, d'auteurs d'éloges de l'assassinat, de versificateurs narratifs et de satiristes – Baal est ici, bien sûr – regarde avec amusemnt, mais aussi avec un peu de gêne, Mahound qui marche comme un somnambule. Dans la foule ses disciples jouent des coudes pour se faire de la place. Les scribes se bousculent pour être près de lui, pour noter ce qu'il pourra dire.

Le Maître Abu Simbel s'appuie à des coussins sur un tapis de soie installé à côté de la scène. Près de lui, resplendissante dans un pectoral d'or égyptien, il a sa femme Hint, le célèbre profil grec avec les cheveux noirs aussi longs que son corps. Abu Simbel se lève et s'adresse à Mahound, « Bienvenue ». Il est toute urbanité. « Bienvenue, Mahound, le voyant, le kahin. » C'est une déclaration publique de respect, et elle impressionne la foule assemblée. On ne repousse plus les disciples du Prophète, mais on les laisse passer. Stupéfaits, à demi rassurés, ils s'avancent au premier rang. Mahound parle sans ouvrir les yeux.

« Nous sommes dans une réunion de poètes, dit-il d'une voix claire, et je ne prétends pas en faire partie. Mais je suis le Messager, et j'apporte les versets de Celui qui est plus grand que n'importe lequel d'entre vous. »

Le public s'impatiente. La religion est réservée au temple; les habitants de Jahilia et les pèlerins sont ici pour s'amuser. Faites-le taire! Jetez-le dehors! – Mais Abu Simbel parle à nouveau. « Si ton Dieu t'a vraiment parlé, dit-il, alors le monde entier doit l'entendre. » Et tout d'un coup un silence total s'installe dans la grande tente.

« *L'Étoile* », récite Mahound et les scribes se mettent à écrire.

« Au nom d'Allah, celui qui fait miséricorde, le Miséricordieux!

« Par les Pléiades quand elles s'éteignent : Votre compagnon n'est pas dans l'erreur; il ne se trompe pas de direction.

« Il ne parle pas non plus au nom de ses propres désirs.

C'est une révélation qui lui a été révélée : un tout-puissant lui a transmis un enseignement.

« Il se tenait sur le haut horizon : le seigneur de la force. Puis il s'est approché à moins de deux fois la portée d'un arc, et il a révélé à son serviteur ce qui est révélé.

« Le cœur du serviteur ne mentait pas quand il voyait ce qu'il a vu. Alors, allez-vous oser mettre en doute ce qui a été vu ?

« Je l'ai vu aussi tout au fond au pied de l'arbre auprès duquel se trouve le Jardin du Repos. Quand cet arbre était recouvert de son feuillage, je n'ai pas détourné les yeux, mon regard ne s'est pas mis à errer ; et j'ai vu quelques-uns des signes du Seigneur. »

À ce moment, sans la moindre trace d'hésitation ou de doute, il récite deux autres versets.

« Avez-vous pensé à Lat et Uzza, et Manat, la troisième, l'autre ? » – Après le premier verset, Hind se lève ; le Maître de Jahilia se tient déjà debout, très droit. Et Mahound, les yeux muets, récite : « Ce sont des oiseaux qu'on place à un rang élevé, et leur intercession est effectivement désirée. »

Tandis que la clameur – appels, acclamations, hurlements de scandale, cris de dévotion à la déesse Al-Lat – s'enfle et éclate sous la tente, les fidèles déjà étonnés assistent au spectacle doublement sensationnel du Maître Abu Simbel qui place ses pouces sur les lobes de ses oreilles, écartant les doigts tendus de ses deux mains, et qui prononce d'une voix forte la formule : « Allahu Akbar. » Après quoi il tombe à genoux, et pose un front déterminé sur le sol. Sa femme, Hint, le suit immédiatement.

Pendant tous ces événements le porteur d'eau Khalid s'est tenu près de l'entrée de la tente. Maintenant il regarde avec horreur tous ceux qui sont réunis ici, la foule dans la tente comme le trop-plein d'hommes et de femmes restés à l'extérieur, s'agenouiller, rangée après rangée, le mouvement se propageant en ondes à partir de Hind et du Maître comme s'ils étaient deux cailloux jetés dans un lac ; jusqu'à ce que toute la foule, dans la tente comme au-dehors, s'agenouille fesses-en-l'air devant le Prophète aux-yeux-clos qui vient de reconnaître les déesses de la ville. Le Messager lui-même reste debout, peu enclin à se joindre aux dévotions de l'assemblée. Éclatant en sanglots, le porteur d'eau s'enfuit dans le cœur vide de la cité des sables. Tandis qu'il court, ses larmes brûlantes creusent des trous dans la terre, comme si elles contenaient un acide corrosif.

Mahound reste immobile. On ne peut voir la moindre trace d'humidité sur les cils de ses yeux fermés.

*

Au cours de cette nuit du triomphe désolant de l'homme d'affaires dans la tente des incroyants, ont lieu un certain nombre de meurtres pour lesquels la première dame de Jahilia attendra des années sa terrible vengeance.

Hamza l'oncle du Prophète rentre seul chez lui, la tête baissée et grise dans le crépuscule de cette triste victoire, quand il entend un rugissement qui lui fait lever la tête, et il voit un gigantesque lion écarlate prêt à bondir sur lui depuis les hauts remparts de la ville. Il connaît ce fauve, cette fable. *Le chatoiement de sa peau écarlate se mêle au miroitement lumineux des sables du désert. Par ses narines il souffle l'horreur des lieux désolés de la terre. Il crache une pestilence et, quand des armées s'aventurent dans le désert, il les dévore entièrement.* Dans la dernière lumière bleue du soir il hurle au fauve, en se préparant, puisqu'il est sans armes, à affronter sa mort. « Saute, salaud, manticore. Au cours de ma vie, j'ai étranglé des fauves les mains nues. Quand j'étais plus jeune. Quand j'étais jeune. »

Il entend un rire derrière lui, et un rire lointain lui répond, qui semble venir des remparts. Il regarde autour de lui; le manticore a disparu. Il est entouré par un groupe d'habitants de Jahilia, en habits de fête, qui reviennent de la foire et qui ricanent. « Maintenant que ces mystiques ont accepté notre Lat, ils voient de nouveaux dieux à chaque coin de rue, non? » Hamza, comprenant que la nuit va être pleine de terreur, rentre chez lui et demande son épée de bataille. « Ce que je déteste le plus au monde, grommelle-t-il au valet parcheminé qui l'a servi pendant quarante-quatre ans dans la paix comme dans la guerre, c'est d'admettre que mes ennemis ont raison. Il vaut bien mieux tuer ces salauds. C'est la solution la plus propre. » L'épée est restée dans son fourreau de cuir depuis le jour où son neveu l'a converti, mais ce soir, confie-t-il à son valet, « Le lion est lâché. La paix devra attendre ».

133

C'est la dernière nuit de la fête d'Ibrahim. Jahılia n'est que masques et folie. Les gros corps huilés des lutteurs ont fini leurs contorsions et on a cloué les sept poèmes sur les murs de la Maison de la Pierre Noire. Maintenant des putains qui chantent remplacent les poètes, et des putains qui dansent, le corps également huilé, sont à l'ouvrage; les luttes de la nuit succèdent à celles du jour. Les courtisanes portant des masques d'or à bec d'oiseau dansent et chantent, et l'or se reflète dans les yeux brillants de leurs clients. De l'or, de l'or partout, dans les paumes des Jahilians cupides et dans celles de leurs invités lubriques, dans les braseros de sable enflammés, sur les murs rougeoyants de la cité nocturne. Hamza marche douloureusement dans les rues d'or, il passe près de pèlerins qui gisent inconscients tandis que des tranche-gousset gagnent leur vie. Par les portes aux reflets d'or il entend les voix que le vin rend épaisses de ceux qui font bombance, et les chansons, les rires et le bruit des pièces d'or le blessent comme de mortelles insultes. Mais il ne trouve pas ce qu'il cherche, pas ici, alors il s'éloigne des festivités aux lumières d'or et rôde dans l'ombre, sur les traces de l'apparition du lion.

Après des heures de recherche, il découvre ce qu'il savait qui l'attendait, dans le coin sombre du mur extérieur de la ville, la chose de sa vision, le manticore rouge à la triple rangée de dents. Le manticore a les yeux bleus et un visage humain et sa voix est mi-trompette mi-flûte. Il est rapide comme le vent, ses griffes sont en tire-bouchon et sa queue lance des traits empoisonnés. Il adore se nourrir de chair humaine... une bagarre s'engage. Des couteaux sifflent dans le silence, parfois le métal heurte le métal. Hamza reconnaît les hommes attaqués : Khalid, Salman, Bilal. Hamza transformé lui-même en lion tire son épée, déchire le silence par des rugissements, se lance à l'attaque aussi vite que ses jambes de sexagénaire le lui permettent. On ne peut reconnaître derrière leurs masques les agresseurs de ses amis.

Ce fut une nuit de masques. En marchant dans la débauche des rues de Jahilia, le cœur plein de bile, Hamza a vu des hommes et des femmes déguisés en aigles, en chacals, en chevaux, en griffons, en salamandres, en sangliers d'Afrique, en rocks; un être amphibie à deux têtes et des taureaux connus sous le nom de sphinx d'Assyrie ont surgi de l'obscurité des ruelles. Des djinns, des houris, des démons peuplent la ville en cette nuit de fantasmagorie et de luxure. Mais ce n'est que maintenant, dans ce lieu sombre, qu'il voit les masques rouges qu'il cherchait. Les masques de l'homme-lion : il se précipite vers son destin.

Sous l'emprise d'un sentiment de malheur autodestructeur, les trois disciples s'étaient mis à boire, et à cause de leur manque d'habitude de l'alcool bientôt ils ne furent pas seulement saouls mais ivres morts. Ils se tenaient sur une petite place où ils insultaient les passants, et au bout de quelque temps le porteur d'eau Khalid brandissait son outre, en se vantant. Il pouvait détruire la ville, il portait l'arme ultime. L'eau : elle nettoierait Jahilia la sale, elle la laverait, et on pourrait prendre un nouveau départ avec le sable blanc purifié. C'est alors que les hommes-lions se lancèrent à leur poursuite, et après une longue chasse les disciples se retrouvèrent coincés, dessaoulés par la peur, et ils regardaient fixement les masques rouges de la mort quand Hamza arriva, juste à temps.

... Gibreel plane au-dessus de la ville et observe le combat. Dès que Hamza entre en scène tout se termine rapidement. Deux agresseurs masqués s'enfuient, deux gisent morts. Bilal, Khalid et Salman sont blessés, mais pas gravement. Les nouvelles qui se cachent derrière les masques-lions de la mort sont bien plus graves. « Les frères de Hind, dit Hamza. Tout se termine pour nous maintenant. »

Les tueurs de manticores, les terroristes de l'eau, les disciples de Mahound s'asseyent dans l'ombre du mur de la ville et pleurent.

Quant à lui, l'Homme d'Affaires Messager Prophète : il ouvre les yeux maintenant. Il marche dans la cour intérieure de sa maison, la maison de sa femme, et ne veut plus la voir. Elle a presque soixante-dix ans et elle lui apparaît plus comme une mère qu'une. Elle, la femme riche, qui l'a

135

engagé il y a longtemps pour surveiller ses caravanes. Ses capacités à diriger furent les premières choses qu'elle aima en lui. Et après quelque temps, ils devinrent amoureux. Ce n'est pas facile pour une femme d'être intelligente et de réussir dans une ville où les dieux sont des femmes mais où les femmes sont à peine des marchandises. Les hommes avaient peur d'elle, ou ils croyaient qu'elle était si forte qu'elle n'avait pas besoin de leur estime. Il n'avait pas eu peur, et lui avait donné ce sentiment de fidélité dont elle avait besoin. Tandis que lui, l'orphelin, trouvait en elle toutes les femmes : mère sœur amante sibylle amie. Quand il pensa être devenu fou elle fut la première à croire en ses visions. « C'est l'archange, lui disait-elle, ce n'est pas une brume qui te sort de la tête. C'est Gibreel et tu es le Messager de Dieu. »

Maintenant il ne veut pas la voir. Elle l'observe à travers le treillis de pierre d'une fenêtre. Il ne peut s'empêcher de marcher, de tourner dans la cour au hasard d'une succession de dessins géométriques inconscients, ses pieds tracent des ellipses, des trapèzes, des rhomboïdes, des ovales, des cercles. Elle se souvient quand il revenait de sur les pistes des caravanes, plein d'histoires entendues au bord des oasis. Un prophète, Isa, né d'une femme nommée Maryam, né d'aucun homme sous un palmier du désert. Des histoires qui lui faisaient briller les yeux, avant de se perdre au loin. Elle se souvient de sa nervosité : la passion avec laquelle il soutenait, toute la nuit si nécessaire, que les anciens temps du nomadisme avaient été meilleurs que cette cité d'or où le peuple exposait les bébés filles dans le désert. Dans les anciennes tribus, on prenait soin des orphelins les plus pauvres. Dieu est dans le désert, disait-il, pas ici dans l'erreur d'un lieu sédentaire. Et elle lui répondait, Personne ne dit le contraire, mon amour, mais il est tard, et demain il faut faire les comptes.

Elle a l'ouïe fine; elle a déjà entendu ce qu'il disait à propos de Lat, d'Uzza et de Manat. Et alors? Autrefois il voulait déjà protéger les bébés filles de Jahilia; pourquoi ne prendrait-il pas aussi sous son aile les filles d'Allah? Mais après s'être posé cette question elle hoche la tête et s'appuie lourdement sur le mur frais à côté du treillis de pierre de la fenêtre. Tandis qu'en dessous, son mari décrit en marchant des pentagones, des parallélogrammes, des étoiles à six branches, puis des figures abstraites qui ressemblent de plus en plus à des labyrinthes et pour lesquelles il n'y a pas de nom, comme s'il était incapable de trouver une ligne simple.

Cependant, quand elle regarde à nouveau dans la cour, quelques instants plus tard, il est parti.

Le Prophète s'éveille dans des draps de soie, avec un mal de tête terrible, dans une chambre qu'il n'a jamais vue. De l'autre côté de la fenêtre le soleil a presque atteint la brutalité du zénith, et, se détachant dans la blancheur, il y a une haute silhouette dans une grande cape noire avec capuche, qui chante doucement d'une voix forte et grave. La chanson est une de celles que les femmes de Jahilia reprennent en chœur pour accompagner le départ de leurs hommes à la guerre.

> *Avancez et nous vous aimerons,*
> *vous aimerons, vous aimerons,*
> *avancez et nous vous embrasserons*
> *et nous étendrons de doux tapis.*
>
> *Fuyez et nous vous abandonnerons,*
> *vous quitterons, vous abandonnerons,*
> *Battez en retraite et plus ne vous aimerons,*
> *Plus ne vous accueillerons dans notre lit.*

Il reconnaît la voix de Hind, se redresse, et se retrouve nu dans les draps couleur crème. Il lui demande : « Ai-je été attaqué ? » Hind se retourne, en lui faisant le sourire de Hind. « Attaqué ? » dit-elle en l'imitant, et elle tape dans ses mains pour demander le petit déjeuner. Des serviteurs entrent, apportent, servent, emportent, détalent. On passe à Mahound une robe de soie noire et or ; Hind évite ses yeux de façon exagérée. « Ma tête, demande-t-il à nouveau. M'a-t-on frappé ? » Elle se tient devant la fenêtre, le front baissé très bas, et joue à la servante sage. « Oh, Messager, Messager, dit-elle d'un ton moqueur. Quel manque de galanterie. N'as-tu pas pu venir dans ma chambre consciemment,

137

de ton plein gré? Non, bien sûr que non, je te répugne, évidemment. » Il n'entrera pas dans son jeu. « Suis-je prisonnier? » demande-t-il, et à nouveau elle rit de lui. « Ne sois pas idiot. » Puis elle hausse les épaules et se radoucit : « Cette nuit, je marchais dans les rues, masquée, pour voir les festivités et sur quoi est-ce que je trébuche? Sur ton corps inanimé. Comme un ivrogne dans le ruisseau, Mahound. J'ai envoyé mes serviteurs chercher une litière pour qu'ils te ramènent à la maison. Dis-moi merci.

– Merci.

– Je ne pense pas qu'on t'a reconnu, dit-elle. Sinon tu serais peut-être mort. Tu sais comment était la ville la nuit dernière. Les gens dépassent la mesure. Mes propres frères ne sont pas encore rentrés. »

Tout lui revient maintenant, sa marche éperdue et angoissée dans la ville corrompue, fixant les âmes qu'il avait soi-disant sauvées, regardant les effigies de simurgh, les masques de démon, les monstres sans nom et les hippogriffes. La fatigue de cette longue journée pendant laquelle il est descendu du mont Cone, a marché jusqu'à la ville, a déclenché la suite d'événements dans la tente de la poésie – et ensuite, la colère des disciples, leurs doutes – tout cela l'a submergé. « Je me suis évanoui », se souvient-il.

Elle vient s'asseoir sur le lit à côté de lui, tend un doigt, trouve l'échancrure de sa robe, lui caresse la poitrine. « Évanoui, murmure-t-elle. C'est de la faiblesse, Mahound. Deviens-tu faible? »

Elle pose le doigt avec lequel elle l'a caressé sur ses lèvres avant qu'il puisse répondre. « Ne dis rien, Mahound. Je suis la femme du Maître, et ni l'un ni l'autre ne sommes ton ami. Cependant, mon mari est un homme faible. À Jahilia on pense qu'il est malin, mais je le connais bien. Il sait que j'ai des amants et il ne fait rien, parce que ma famille a la charge des temples. Celui de Lat, celui d'Uzza, celui de Manat. Les – dois-je les appeler des *mosquées*? – de nos nouveaux anges. » Elle lui offre de petits cubes de melon sur une assiette, essaie de les lui faire manger avec les doigts. Il ne la laisse pas mettre les morceaux de fruit dans sa bouche, les prend lui-même avec la main, mange. Elle reprend. « Mon premier amant était ce jeune garçon, Baal. » Elle voit la fureur sur son visage. « Oui, dit-elle satisfaite. J'ai entendu

138

dire qu'il te tapait sur les nerfs. Mais ce n'est pas important. Ni lui ni Abu Simbel n'est ton égal. Moi si.

– Il faut que je parte », dit-il. « Tu partiras bien assez tôt », répond-elle et elle retourne à la fenêtre. Aux limites de la ville on replie les tentes, les longues caravanes de chameaux se préparent à partir, les convois de chariots traversent déjà le désert; le carnaval est fini. Elle se retourne vers lui.

« Je suis ton égale, répète-t-elle, et aussi ton opposée. Je ne veux pas que tu deviennes faible. Tu n'aurais pas dû faire ce que tu as fait.

– Mais tu vas en profiter, réplique Mahound amèrement. Les revenus de tes temples ne sont plus menacés.

– Tu n'as rien compris, dit-elle doucement, en se rapprochant de lui et en mettant son visage tout près du sien. Si tu es pour Allah, je suis pour Al-Lat. Et elle ne croit pas en ton Dieu si lui la reconnaît. Son opposition envers lui est implacable, irrévocable, elle engloutit tout. La guerre entre nous ne peut connaître de trêve. Et quelle trêve! Ton seigneur est dédaigneux et condescendant. Al-Lat n'a pas la moindre envie d'être sa fille. Elle est son égale, comme je suis la tienne. Demande à Baal : il la connaît. Comme il me connaît.

– Ainsi le Maître va trahir sa parole, dit Mahound.

– Qui sait? se moque Hind. Il ne le sait même pas. Il doit faire ses calculs. Faible, je t'ai dit. Mais tu sais que je dis la vérité. Entre Allah et les Trois il ne peut y avoir de paix. Je n'en veux pas. Je veux la guerre. À mort; c'est le genre d'idée que je suis. Quel genre d'idée es-tu?

– Tu es le sable et je suis l'eau, dit Mahound. L'eau balaie le sable.

– Et le désert absorbe l'eau, lui répond Hind. Regarde autour de toi. »

Peu de temps après son départ, les hommes blessés arrivent au palais du Maître, ils ont pris leur courage à deux mains pour venir informer Hind que le vieil Hamza a tué ses frères. Mais maintenant on ne peut trouver le Messager nulle part; il se dirige à nouveau lentement vers le mont Cone.

***

Quand il est fatigué, Gibreel veut tuer sa mère pour lui avoir donné un tel putain de surnom, *ange,* quel mot, il demande *quoi? qui?* qu'on lui épargne la ville-rêve des châteaux de sable qui s'effritent et des lions à la triple rangée de dents, plus de lavage de cœur de prophètes ni d'instructions à réciter ni de promesses de paradis, que les révélations s'arrêtent, finito, khattam-shud. Ce qu'il désire : l'obscurité, un sommeil sans rêves. Les putains de rêves, cause de tous les ennuis de l'espèce humaine, le cinéma aussi, si j'étais Dieu j'enlèverais toute imagination aux gens et peut-être que les pauvres types comme moi pourraient se payer une bonne nuit de repos. En luttant contre le sommeil, il oblige ses yeux à rester ouverts, sans cligner, jusqu'à ce que le violet s'efface des rétines et le laisse aveugle, mais il n'est qu'humain, à la fin il tombe dans le terrier du lapin et à nouveau le voilà, au Pays des Merveilles, là-haut sur la montagne, et l'homme d'affaires s'éveille, et à nouveau sa volonté, son besoin se mettent à l'œuvre, pas sur mes mâchoires ni sur ma voix cette fois, mais sur mon corps tout entier; il me réduit à sa propre taille et m'attire vers lui, son champ gravitationnel est incroyable, aussi puissant qu'une putain de mégastar... puis Gibreel et le Prophète luttent, nus tous les deux, ils roulent encore et encore, dans la grotte au fin sable blanc qui s'élève autour d'eux comme un voile; *Comme s'il m'apprenait, me cherchait, comme si j'étais celui qui subit l'épreuve.*

Dans une grotte, à cinq cents pieds du sommet du mont Cone, Mahound lutte avec l'ange, le jetant d'un côté et de l'autre, et laissez-moi vous dire qu'il va *n'importe où,* sa langue dans mon oreille son poing dans mes couilles, personne n'a jamais eu une telle rage en lui, il doit savoir il doit SAVOIR et je n'ai rien à lui dire, physiquement il est deux fois plus en forme que moi et quatre fois plus au courant, au moins, il est possible que tous les deux en ayons appris en écoutant mais il est évident qu'il écoute mieux que moi; ainsi nous roulons frappons griffons il a de profondes entailles mais bien sûr ma peau est douce comme celle d'un bébé, on ne peut accrocher un ange à un buisson d'épines,

140

on ne peut le cogner sur un rocher. Et ils ont un public, des djinns et des esprits et toutes sortes de revenants, assis sur les rochers, observent le combat, et dans le ciel il y a trois créatures ailées qui ressemblent à des hérons ou à des cygnes ou simplement à des femmes selon les tours que joue la lumière... Mahound en termine. Il fait semblant de perdre.

Quand ils eurent lutté pendant des heures ou même des semaines Mahound se retrouva coincé sous l'ange, c'est ce qu'il voulait, c'était sa volonté de me remplir de me donner la force de le maintenir au sol, parce que les archanges ne peuvent perdre de tels combats, ce ne serait pas juste, seuls les démons sont vaincus dans de telles circonstances, aussi à l'instant où je prends le dessus il se met à pleurer de joie et il fait son vieux truc, il oblige ma bouche à s'ouvrir et à nouveau il fait couler à flots la voix, la Voix, hors de moi, il la fait couler sur lui, comme s'il vomissait.

À la fin de son combat avec l'Archange Gibreel, le Prophète Mahound sombre dans son habituel sommeil, épuisé, qui suit les révélations, mais à cette occasion il revit plus vivement que d'ordinaire. Quand il reprend ses esprits dans cette haute solitude on ne voit personne, aucune créature ailée accroupie sur les rochers, et il saute sur ses pieds, plein de l'urgence de ses nouvelles. « C'était le Diable », dit-il à haute voix dans l'air vide, et il rend vraies ses paroles en leur donnant voix. « La dernière fois, c'était Chaytan. » Voici ce qu'il a *entendu* dans sa *façon d'écouter,* qu'il a été trompé, que le Diable est venu vers lui sous le déguisement de l'archange, et les versets qu'il a retenus, ceux qu'il a récités dans la tente de la poésie, n'étaient pas les vrais mais leur opposé diabolique, pas divins, mais sataniques. Il revient en ville aussi vite qu'il le peut, pour supprimer les versets immondes qui puent le soufre, le sulfure, pour les arracher des annales pour toujours, et ils ne survivront que dans une ou deux compilations de traditions anciennes et des commentateurs orthodoxes essaieront d'en réécrire l'histoire, mais Gibreel, planant-observant depuis son plus haut angle de caméra, connaît un petit détail, juste une chose minuscule qui est un léger problème ici, à savoir que *c'était moi les*

deux fois, baba, moi en premier et moi en second aussi. De ma bouche, à la fois l'affirmation et le reniement, les versets et leurs controverses, univers et envers, tout, et nous savons tous comment ma bouche a été utilisée.

« D'abord ce fut le Diable, murmure Mahound en se précipitant vers Jahilia. Mais cette fois, l'ange, aucune question. Il m'a cloué au sol au cours du combat. »

Les disciples l'arrêtent dans les ravins au pied du mont Cone pour l'avertir de la fureur de Hind, qui porte des vêtements blancs de deuil et a défait ses cheveux noirs, les laissant voler autour d'elle comme un orage, ou une piste dans la poussière, ils effacent la trace de ses pas et elle ressemble à une incarnation de l'esprit de la vengeance lui-même. Tous ont fui la ville, et Hamza, lui aussi, se cache; mais l'important c'est que Abu Simbel n'a pas encore accédé aux prières de sa femme pour que le sang lave le sang. Il calcule toujours dans l'affaire de Mahound et des déesses... Mahound, contre l'avis de ses disciples, retourne à Jahilia, va droit à la Maison de la Pierre Noire. Les disciples le suivent malgré leur peur. Une foule s'assemble dans l'espoir d'un autre scandale, d'un autre écartèlement ou de quelque amusement. Mahound ne les déçoit pas.

Il s'arrête devant les statues des Trois et annonce l'annulation des versets que Chaytan a chuchotés à son oreille. Les versets sont bannis de la vraie récitation, *al-qur'am.* D'autres versets sont proclamés à leur place.

« Aura-t-Il des filles et vous des fils? récite Mahound. Ce serait une belle division!

« Vous n'avez rêvé que de noms, vous et vos pères. Allah ne les a investies d'aucune autorité. »

Il quitte la Maison abasourdie avant que quiconque n'ait pensé à ramasser la première pierre et à la jeter.

Après le reniement des Versets Sataniques, le Prophète Mahound rentre chez lui pour découvrir qu'une sorte de punition l'y attend. Une sorte de vengeance – de qui? La lumière ou l'ombre? Un brave type un sale type? – dirigée, comme cela est souvent le cas, contre l'innocent. La femme du Prophète, soixante-dix ans, assise au pied de la fenêtre au treillis de pierre, est adossée au mur, très droite, morte.

Mahound en proie à son désespoir reste seul et dit à peine un mot pendant des semaines. Le Maître de Jahilia met en place un système de persécution qui avance trop lentement selon Hind. Le nom de la nouvelle religion est *Soumission*; alors Abu Simbel décrète que ses adeptes doivent se soumettre à la relégation dans le quartier le plus misérable et qui compte le plus de taudis; à un couvre-feu; à l'interdiction de travailler. Et il y a de nombreuses agressions, on crache sur des femmes dans les boutiques, les jeunes Turcs contrôlés secrètement par le Maître malmènent les fidèles la nuit, on jette des torches enflammées par les fenêtres, et elles atterrissent au milieu des dormeurs inconscients. Et, par un des paradoxes habituels de l'histoire, le nombre de fidèles augmente, comme une moisson qui croît miraculeusement au fur et à mesure que les conditions du sol et du climat se détériorent.

Une offre arrive, elle vient des citoyens de l'oasis de Yathrib au nord : Yathrib propose un asile à-ceux-qui-se-soumettent, s'ils veulent quitter Jahilia. Hamza pense qu'ils doivent y aller. « Crois-moi, mon neveu, tu n'achèveras jamais ton Message ici. Hind ne sera pas satisfaite tant qu'elle ne t'aura pas arraché la langue, sans parler de mes couilles, excuse-moi. » Mahound, seul et empli des échos dans la maison de son deuil, donne son consentement, et les fidèles le quittent pour se préparer au départ. Khalid le porteur d'eau reste et le Prophète aux yeux cernés attend qu'il parle. Il dit maladroitement : « Messager, j'ai douté de toi. Mais tu étais plus sage qu'on le pensait. D'abord nous avons dit, Mahound ne fera jamais de compromis, et tu as fait des compromis. Puis nous avons dit, Mahound nous a trahis, mais tu nous as apporté une vérité plus profonde. Tu nous as apporté le Diable lui-même, pour que nous puissions être témoins des œuvres du Malin, et de sa défaite par les forces du Juste. Tu as enrichi notre foi. Je regrette ce que j'ai pensé. »

Mahound s'éloigne du soleil qui tombe par la fenêtre. « Oui. » Amertume, cynisme. « J'ai fait une chose merveilleuse. Une vérité plus profonde. Vous apporter le Diable. Oui, c'est bien de moi. »

Du sommet du mont Cone, Gibreel observe les fidèles qui s'enfuient de Jahilia, abandonnant la cité de l'aridité pour le séjour des palmiers frais et de l'eau, de l'eau, de l'eau. Par petits groupes, presque les mains vides, ils traversent l'empire du soleil, en ce premier jour de la première année de ce nouveau commencement du Temps, qui vient lui-même de renaître, tandis que l'ancien meurt derrière eux et que le nouveau les attend. Et un jour Mahound s'éclipse lui aussi. Quand on découvre son évasion, Baal compose une ode d'adieu :

> *De quel genre d'idée*
> *Semble aujourd'hui la « Soumission »?*
> *Une idée apeurée.*
> *Une idée qui se sauve.*

Mahound a atteint l'oasis; Gibreel a moins de chance. Maintenant, il se retrouve souvent seul au sommet du mont Cone, lavé par les froides pluies d'étoiles, et elles s'abattent sur lui, tombant du ciel nocturne, les trois créatures ailées, Lat, Uzza, Manat, battant des ailes autour de sa tête, attaquant ses yeux avec leurs serres, le becquetant, le fouettant de leurs cheveux, de leurs plumes. Il lève les mains pour se protéger, mais leur vengeance est sans fin, elle reprend chaque fois qu'il se repose, chaque fois qu'il baisse sa garde. Il lutte contre elles, mais elles sont plus rapides, plus adroites, ailées.

Il n'a aucun diable à renier. En rêvant, il n'arrive pas à les chasser.

III

Ellehoenne déèreheuesse

1

Je sais ce qu'est un fantôme, affirma silencieusement la vieille femme. Elle s'appelait Rosa Diamond; elle avait quatre-vingt-huit ans; et elle grimaça en plissant les yeux pour regarder par la fenêtre recouverte de sel de sa chambre, et contempler la mer de la pleine lune. Et je sais aussi ce que ce n'est pas, ajouta-t-elle en secouant la tête, ni une sacrification ni un drap qui s'agite, pouah tout *ça* ce sont des foutaises. Qu'est-ce qu'un fantôme? Une affaire à suivre, voilà ce que c'est. – Sur ce la vieille dame, un mètre quatre-vingts, très droite, les cheveux coupés courts comme un homme, laissa tomber les coins de sa bouche en une moue satisfaite de masque de tragédie –, serra autour de ses épaules maigres un châle de laine bleue – et ferma un instant ses yeux sans sommeil, priant pour le retour du passé. Allez, les bateaux des Normands, supplia-t-elle : viens, Guillaume le Conquérant.

Il y a neuf cents ans tout cela était sous l'eau, ce rivage cadastré, cette plage privée, les galets qui montent en pente raide vers la petite rangée de villas à la peinture écaillée avec leurs hangars à bateaux encombrés de chaises longues, de cadres vides, de malles pleines de lettres attachées avec des rubans, de lingerie de soie et de dentelle protégées par des boules de naphtaline, de lectures larmoyantes d'anciennes jeunes filles, de jeux de volant, d'albums de timbres, et de tous les souvenirs du temps perdu enfouis dans des coffres au trésor. La côte avait changé, avait gagné un ou deux kilomètres sur la mer, laissant le premier château normand loin de l'eau, léché maintenant par les marécages qui donnaient aux pauvres diables vivant sur leurs commentdire *domaines* la fièvre des marais. Elle, la vieille dame, voyait dans le château les restes d'un poisson trahi par une ancienne marée basse, un monstre marin pétrifié par le temps. Neuf cents ans! Il y a neuf siècles, la flotte normande avait traversé la maison de cette Anglaise. Et par les nuits claires de pleine lune, elle attendait que son fantôme lumineux revienne.

Le meilleur endroit pour le voir arriver, se disait-elle pour se rassurer, je suis aux premières loges. Le radotage était devenu la consolation de sa grande vieillesse; les phrases éculées, *une affaire à suivre, aux premières loges*, lui donnaient l'impression d'être solide, immuable, éternelle, et pas la créature de failles et d'absences qu'elle se savait être aujourd'hui. Au coucher de la lune, dans l'obscurité qui précède l'aube, c'est l'heure des fantômes. Les voiles gonflées, l'éclair des avirons, et le Conquérant lui-même à la proue du vaisseau de tête, filant vers la plage entre les brise-lames de bois recouverts de bernacles et quelques rames dressées. – Oh, j'en ai vu des choses de mon temps, j'ai toujours eu le don de voir les fantômes. – Le Conquérant, avec son casque en pointe et au nez de métal, passe la porte, glisse entre les guéridons et les canapés à têtières, comme un écho résonnant faiblement dans cette maison de souvenirs et de désirs; puis silencieuse; *comme un tombeau.*

– Autrefois, quand j'étais petite fille à Colline-la-Bataille, aimait-elle raconter, toujours avec les mêmes mots polis par le temps – autrefois, enfant solitaire, je me suis retrouvée brusquement, sans que cela me paraisse bizarre, au beau milieu d'une guerre. Des arcs, des masses d'armes, des piques. De jeunes Saxons aux cheveux de lin, fauchés dans la fleur de l'âge. Harold-aux-yeux-de-flèche et Guillaume la bouche pleine de sable. Oui, toujours le même don pour voir les fantômes. – Pour la vieille dame, l'histoire du jour où Rosa enfant avait vu la bataille d'Hastings était devenue un des tournants de sa vie, même si elle l'avait raconté si souvent que plus personne, même pas la conteuse, n'aurait pu jurer en toute certitude qu'elle était vraie. *Je me languis d'eux parfois,* pensait habituellement Rosa. *Les beaux jours : les beaux jours enfuis.* Elle ferma, de nouveau, ses yeux pleins de souvenirs. Quand elle les rouvrit, elle vit, au bord de l'eau, impossible à nier, quelque chose qui bougeait.

Ce qu'elle dit à haute voix, dans son excitation : « Je ne

148

peux pas y croire! » – « C'est pas vrai! » « Il ne vient jamais *par ici*! » – Le cœur battant, Rosa se leva et alla chercher d'un pas hésitant son manteau, sa cape, sa canne. Et, sur le rivage d'hiver, Gibreel Farishta s'éveilla, la bouche pleine de, non, pas de sable.

De neige.

*

Preut!

Gibreel cracha; il sauta sur ses pieds, comme propulsé par la neige fondue qu'il venait d'expectorer; il souhaita à Chamcha – comme on l'a dit plus haut – plusieurs fois un bon anniversaire; et se mit à faire tomber la neige de ses manches violettes et trempées. « Nom de Dieu, cria-t-il en sautant d'un pied sur l'autre, pas étonnant que ces gens aient de foutus cœurs de glace. »

Cependant, le pur plaisir d'être entouré d'une telle quantité de neige finit par avoir raison de son cynisme initial – car c'était un homme des tropiques – et il se mit à gambader, mélancolique et trempé, à faire des boules de neige et à les lancer à son compagnon allongé face contre terre, il imagina un bonhomme de neige, et chanta une nouvelle version folle et brutale de « Vive le Vent ». La première touche de lumière éclairait le ciel, et sur cette plage familiale dansait Lucifer, l'étoile du matin.

On doit signaler que son haleine avait cessé de sentir pour une cause ou pour une autre...

« Allez, mon petit chéri », cria l'invincible Gibreel, dans le comportement duquel le lecteur pourra voir, non sans raison, les effets délirants et perturbants de sa chute récente. « Lève-toi et brille! Prenons cet endroit d'assaut. » Tournant le dos à la mer, écartant les mauvais souvenirs afin de faire de la place pour les choses nouvelles, passionné comme toujours par la nouveauté, il aurait planté un drapeau (s'il en avait eu un) pour réclamer au nom de quisaitqui ce blanc pays, cette terre qu'on venait de découvrir. « Chamcha, supplia-t-il, remue-toi, baba, es-tu mort? » Cette phrase amena celui qui l'avait prononcée à retrouver (ou au moins à se diriger vers) ses esprits. Il se pencha sur le corps prostré sans oser le toucher. « Pas maintenant, vieux, dit-il d'un ton pressant. Pas maintenant alors que nous revenons de si loin. »

Saladin : il n'était pas mort, mais il pleurait. Les larmes dues au choc gelaient sur son visage. Et tout son corps était recouvert d'une mince pellicule de glace, lisse comme du verre, tel un mauvais rêve devenu réalité. Dans les miasmes de cette demi-inconscience due à l'abaissement de la température de son corps il était possédé par la peur cauchemardesque de faire craquer cette peau, de voir son sang jaillir par les fissures de la glace, sa chair s'en aller par morceaux. Beaucoup de questions se posaient à lui, avons-nous vraiment, je veux dire, en agitant les mains, puis les eaux, on ne va pas me dire que *réellement*, comme dans le film, quand Charlton Heston tend son bâton, pour nous permettre, sur le fond de la mer, ce n'est pas possible, sinon comment, ou est-ce que d'une façon ou d'une autre, sous l'eau, escortés par les sirènes, la mer passant à travers nous comme si nous étions des poissons ou des fantômes, est-ce la vérité oui ou non, j'ai besoin de, il faut que... mais quand il ouvrit les yeux ces questions prirent l'imprécision des rêves, et il fut incapable de les saisir plus longtemps, elles agitaient la queue devant lui et disparaissaient comme la dérive d'un sous-marin. Il leva les yeux vers le ciel, et remarqua qu'il n'avait absolument pas la bonne couleur, un orange sanguin tacheté de vert, et la neige était d'un bleu d'encre. Il cligna des yeux mais les couleurs refusèrent de changer, ce qui fit naître en lui l'idée qu'il était tombé du ciel dans l'erreur, un autre lieu, non l'Angleterre ou peut-être une non-Angleterre, une zone contrefaite, un quartier pourri, un état second. Pendant un instant, il se demanda : L'Enfer peut-être? Non, non, se rassura-t-il sur le point de s'évanouir, impossible, pas encore, tu n'es pas encore mort; seulement en train de mourir.

Bon alors : une salle de transit.

Il se mit à frissonner; la vibration devint si intense qu'il se dit qu'il allait peut-être exploser, comme un, comme un, avion.

Puis tout cessa d'exister. Il était dans le vide, et pour survivre il lui fallait tout reconstruire à partir de zéro, inventer le sol sous ses pieds avant de faire un pas, mais il n'avait aucune raison de se poser ce genre de question parce que là, devant lui, était l'inévitable : la grande et osseuse silhouette de la Mort, avec un chapeau de paille à larges bords, dans

150

une cape agitée par le vent. La Mort, s'appuyant sur une canne à pommeau d'argent, portant des bottes vert olive de pêcheur.

« Qu'est-ce que vous faites ici? voulut savoir la Mort. C'est une propriété privée. Il y a une pancarte. » Dit une voix de femme tremblotant quelque peu et vibrant de joie.

Quelques instants plus tard, la Mort se pencha sur lui – *pour m'embrasser*, se dit-il en silence, paniqué. *Pour aspirer mon dernier soupir*. Il se débattit avec de petits mouvements inutiles.

« Il est bien vivant, fit remarquer la Mort à, qui était-ce, Gibreel. Mais, mon Dieu. Quelle haleine : ça schlingue. Quand s'est-il lavé les dents pour la dernière fois? »

*
**

L'haleine d'un des hommes s'était rafraîchie, tandis que celle de l'autre, sous l'effet d'un mystère symétrique et opposé, devenait fétide. À quoi s'attendaient-ils? À tomber du ciel comme ça : s'imaginaient-ils qu'il n'y aurait pas d'effets secondaires? Il aurait dû leur paraître évident que des Puissances supérieures s'intéressaient à eux, et de telles Puissances, (je parle, naturellement, de moi) ont une attitude malicieuse presque capricieuse envers les mouches qui tombent. Et en plus, soyons clair : les grandes chutes transforment les gens. Vous croyez qu'*ils* étaient tombés de haut? En matière de chutes, je ne laisse ma place à personne, ni mortel ni im-. Des nuées aux cendres, par le conduit de la cheminée pourrait-on dire, de la lumière du paradis aux feux de l'enfer... comme je le disais, sous l'effet d'un long plongeon, on peut s'attendre à des mutations, qui ne sont pas toutes dues au hasard. La sélection non naturelle. C'est peu payé pour survivre, pour renaître, pour devenir *nouveau*, et à leur âge en plus.

Quoi? Vous voulez que j'énumère les changements?

Bonne haleine/mauvaise haleine.

Et autour de la tête de Gibreel Farishta, tournant le dos au lever du soleil, Rosa Diamond avait l'impression d'apercevoir une *lueur* faible mais nettement dorée.

En ces petites bosses, sur les tempes de Chamcha, sous son chapeau melon gorgé d'eau mais toujours-en-place?

Et, et, et.

⁎⁎

Quand Rosa Diamond posa les yeux sur la bizarre silhouette de satyre de Gibreel Farishta, sautillante et dionysiaque dans la neige, elle ne pensa pas à *disons-le* des anges. En regardant par sa fenêtre, à travers une vitre recouverte de sel et des yeux rendus vitreux par l'âge, elle avait senti son cœur sursauter deux fois, si douloureusement qu'elle avait eu peur qu'il s'arrête; parce que dans cette forme indistincte elle avait cru apercevoir l'incarnation du désir enfoui au plus profond de son âme. Elle oublia les envahisseurs normands comme s'ils n'avaient jamais existé, et dévala la pente recouverte de cailloux pleins de traîtrise, trop rapidement pour ses membres pas-tout-à-fait nonagénaires, et put faire semblant de gronder cet impossible étranger qui osait traverser sa propriété privée.

D'habitude, elle défendait implacablement son morceau de côte bien-aimé, et quand des estivants franchissaient la ligne de marée elle se précipitait sur eux *comme un loup dans la bergerie,* c'était son expression, pour leur expliquer et leur demander : – C'est mon jardin ici, vous voyez. – Et s'ils étaient insolents – vatefairevoirlavieillelaplageestàtoutlemonde – elle allait chercher chez elle un long tuyau d'arrosage vert qu'elle dirigeait impitoyablement sur les couvertures écossaises et les crosses de cricket en plastique et les bouteilles d'ambre solaire, elle faisait s'effondrer les châteaux de sable des enfants et trempait les sandwiches au pâté de foie, avec le plus doux des sourires : *Ça ne vous dérange pas que j'arrose ma pelouse?...* Oh, c'était un cas, bien connue dans le village, on n'arrivait pas à l'enfermer dans un asile de vieillards, elle avait envoyé paître toute sa famille quand ils avaient osé le lui suggérer, ne vous montrez plus jamais à ma porte, leur avait-elle dit, et elle les avait retirés de son testament sans rien demander à personne. Maintenant, elle était seule, sans jamais une visite d'une semaine bienheureuse à l'autre, même pas Dora Shufflebotham qui pendant toutes ces années avait fait son

152

ménage, Dora s'est éteinte en septembre dernier, que son âme repose en paix, c'est quand même étonnant à son âge qu'elle puisse se débrouiller seule, cette vieille rombière, toutes ces marches, elle est peut-être un peu difficile mais rendons-lui justice, à sa place beaucoup deviendraient fous.

Pour Gibreel elle ne sortit ni son tuyau d'arrosage ni sa *langue acérée*. Rosa le gronda pour la forme, elle se pinça le nez en examinant le Saladin (qui n'avait pas encore enlevé son chapeau melon), tombé et nouvellement sulfureux, puis avec une timidité excessive qu'elle accueillit avec un étonnement nostalgique, elle balbutia une invitation, vvous fffieriez mmieux de rretirer vvotre ami du ffroid, et elle remonta la plage pour faire chauffer de l'eau, remerciant l'air piquant de l'hiver de lui avoir rougi les joues et de lui avoir permis comme on dit de *sauver la face*.

Le jeune Chamcha avait possédé un visage d'une rare innocence, un visage qui semblait n'avoir jamais rencontré ni la déception ni le mal, avec une peau aussi fine et aussi douce que celle de la paume d'une princesse. Cela lui avait bien servi dans ses rapports avec les femmes, et, en effet, c'était la principale raison pour laquelle sa future épouse Pamela Lovelace était tombée amoureuse de lui. « Rond comme un chérubin, s'émerveillait-elle en prenant son menton dans ses mains. Comme une balle de caoutchouc. »

Il en fut blessé. « J'ai aussi des os, protestait-il. Une vraie *ossature*.

– Quelque part à l'intérieur, concédait-elle. Tout le monde en a une. »

Ensuite l'idée le hanta pendant un certain temps qu'il ressemblait à une méduse sans signes particuliers, et c'est en grande partie pour se débarrasser de cette impression qu'il cultiva une allure raide et hautaine qui était devenue sa seconde nature. Par conséquent, quand Saladin Chamcha se réveilla, il jugea très grave, à la suite d'un long sommeil tourmenté par une série de rêves intolérables, d'où ressortaient les images de Zeeny Vakil, transformée en sirène, chantant pour lui au sommet d'un iceberg sur un ton d'une douceur exquise, se lamentant sur son incapacité à le

153

rejoindre sur le sec, l'appelant, l'appelant, appelant; – mais quand il s'approcha d'elle elle l'emprisonna au cœur de la montagne de glace, et son chant devint un chant de triomphe et de vengeance... donc, il jugea très grave, comme je le disais, en se regardant dans un miroir encadré de laque japonaise bleue et or, d'y retrouver ce vieux visage de chérubin en train de le contempler à nouveau; alors qu'il observait sur ses tempes deux bosses de couleur inquiétante, ce qui indiquait qu'il avait dû recevoir, à un certain moment de ses récentes aventures, deux coups puissants.

Tout en regardant dans le miroir son visage modifié, Chamcha essayait de se souvenir de lui-même. Je suis un homme véritable, dit-il au miroir, avec une histoire véritable et un avenir déjà tracé. Je suis un homme pour qui certaines choses comptent : la rigueur, l'autodiscipline, la raison, la recherche de ce qui est noble sans l'aide de cette vieille béquille, Dieu. L'idéal de beauté, la possibilité de l'exaltation, l'esprit. Je suis : un homme marié. Mais malgré sa litanie, des pensées perverses ne cessaient de s'imposer à lui. Par exemple : que le monde n'existait pas au-delà de cette plage et, maintenant, de cette maison. Que s'il ne faisait pas attention, s'il précipitait les choses, il allait basculer par-dessus le bord et tomber dans les nuages. Il fallait *construire* les choses. Ou encore : que s'il téléphonait tout de suite chez lui, comme il aurait dû le faire, s'il informait sa femme bien-aimée qu'il n'était pas mort, pas parti en petits morceaux dans le ciel, mais bien là, sur le plancher des vaches, s'il faisait cette chose particulièrement sensée, la personne qui répondrait au téléphone ne reconnaîtrait pas son nom. Ou troisièmement : que le bruit des pas qui résonnait à ses oreilles, des pas lointains mais qui se rapprochaient, n'était pas un bourdonnement passager provoqué par sa chute, mais le grondement d'un destin qui s'avançait, qui se rapprochait, lettre par lettre, Ellehoenne Déèreheuesse, Londres. *Me voici, chez Mère-grand. Ses grands yeux, ses grandes mains, ses grandes dents.*

Il y avait un téléphone sur la table de chevet. Allez, se dit-il. Prends-le, compose le numéro, et tu retrouveras l'équilibre. Une telle indécision : ça ne te ressemble pas, ce n'est pas digne de toi. Pense à sa peine; appelle-la.

Il faisait nuit. Il ne savait pas l'heure. Il n'y avait pas de

154

pendule dans la chambre et au cours de tous ces événements il avait perdu sa montre. Le faut-il ou non? – Il composa les neuf chiffres. Une voix d'homme répondit au bout de quatre sonneries.

«Merde qu'est-ce que c'est?» Endormi, impossible à identifier, familier.

«Excusez-moi, dit Saladin Chamcha. Excusez-moi, je vous en prie. C'est une erreur.»

Tout en regardant fixement le téléphone, il se souvint d'une pièce de théâtre qu'il avait vue à Bombay, l'adaptation d'une nouvelle anglaise, de, de, impossible de mettre le doigt dessus, Tennyson? Non, non. Somerset Maugham? – Ça ne fait rien. – Dans le texte original et maintenant anonyme, un homme, qu'on croyait mort depuis longtemps, revient après une absence de plusieurs années, comme un fantôme vivant, dans les lieux qu'il hantait autrefois. Il revient chez lui, subrepticement, la nuit, et regarde par la fenêtre ouverte. Il découvre que sa femme, qui s'est crue veuve, s'est remariée. Il voit un jouet d'enfant sur l'appui de la fenêtre. Il reste un certain temps dans l'obscurité, luttant contre ses sentiments; puis il prend le jouet; et s'en va pour toujours sans signaler sa présence. Dans la version indienne, l'histoire étant très différente. La femme s'était remariée avec le meilleur ami de son mari. Le mari se présentait à la porte et entrait, sans se douter de rien. Voyant sa femme et son vieil ami assis côte à côte, il ne comprenait pas qu'ils s'étaient mariés. Il remerciait son ami d'avoir consolé sa femme; mais maintenant il était rentré, et tout allait bien. Le couple marié ne savait comment lui dire la vérité; à la fin, un serviteur vendait la mèche. Le mari, dont la longue absence était due apparemment à de l'amnésie, réagissait à la nouvelle du mariage en disant que, lui aussi, avait sûrement dû se remarier pendant sa longue absence; pourtant, malheureusement, maintenant qu'il avait retrouvé la mémoire de sa vie précédente, il avait oublié tout ce qui s'était passé pendant les années de sa disparition. Il allait demander à la police de rechercher sa nouvelle femme, même s'il ne se souvenait plus d'elle, ni de ses yeux, ni de sa simple existence.

Rideau.

Saladin Chamcha, seul dans une chambre inconnue, vêtu

155

d'un pyjama à rayures rouges et blanches qu'il ne connaissait pas, s'allongea sur le ventre dans son lit étroit et pleura. « Salauds d'Indiens », cria-t-il d'une voix étouffée par les couvertures, frappant du poing dans les oreillers bordés de dentelles, venant de chez Harrods à Buenos Aires, si violemment que le tissu vieux de cinquante ans se déchira. « *Merde alors*. La vulgarité de tout ça, cette *foutue foutue* insensibilité. *Merde alors*. Ce salaud, ces salauds, ce manque de tact, *salopard.* »

C'est à ce moment que la police arriva pour l'arrêter.

La nuit qui suivait leur sauvetage, Rosa Diamond se tenait une fois encore devant la fenêtre nocturne de ses insomnies de vieille femme, et contemplait la mer de neuf cents ans. Celui qui sentait mauvais dormait depuis qu'ils l'avaient mis au lit, avec des bouillottes tout autour de lui, c'est ce qui pouvait lui arriver de mieux, qu'il reprenne ses forces. Elle les avait installés au premier, Chamcha dans la chambre d'amis et Gibreel dans le bureau de son défunt mari, et tandis qu'elle regardait l'immense plaine lumineuse de la mer elle pouvait l'entendre bouger là-haut, parmi les gravures ornithologiques et les appeaux de feu Henry Diamond, les bolas et les fouets et les photos aériennes de l'estancia Los Alamos, bien lointaine dans l'espace et le temps, comme était rassurant le pas d'un homme dans cette pièce. Farishta marchait de long en large, afin d'échapper au sommeil, pour des raisons bien à lui. Et sous ses pas, levant les yeux vers le plafond, Rosa l'appela à voix basse d'un nom tu depuis si longtemps. Martin, dit-elle. Son nom de famille était le même que celui du serpent le plus dangereux de son pays, la vipère. La vibora *de la Cruz*.

Brusquement elle vit les ombres qui bougeaient sur la plage, comme si le nom interdit avait évoqué les morts. Encore, se dit-elle, et elle alla chercher ses jumelles de théâtre. Quand elle revint les ombres grouillaient sur la plage, et cette fois elle eut peur, parce que si la flotte normande, quand elle venait, le faisait fièrement et ouvertement et sans se cacher, ces ombres-là rampaient, émettaient des imprécations sourdes et inquiétantes, des jappements et des aboiements étouffés, elles semblaient sans tête, accroupies, les jambes et les bras ballants comme de gigantesques crabes sans carapace. Elles détalaient de côté, et leurs lourdes bottes écrasaient les galets. Des quantités. Elle les vit atteindre son hangar à bateaux sur lequel l'image effacée d'un pirate borgne souriait en brandissant un sabre d'abordage, et c'en fut trop, *pas de ça chez moi*, décida-t-elle, et elle se précipita en bas chercher des vêtements chauds, elle prit son arme préférée : un long tuyau d'arrosage vert enroulé. De sa porte elle cria d'une voix claire : « Je vous ai vus. Sortez, sortez de vos cachettes. »

Ils allumèrent sept soleils qui l'aveuglèrent, et elle fut prise de panique, illuminée par les sept projecteurs bleublanc autour desquels, comme des vers luisants ou des satellites, grouillaient une constellation de petites lumières : lanternes torches cigarettes. La tête lui tourna, et pendant un instant elle perdit la capacité de distinguer entre *autrefois* et *maintenant*, dans sa confusion, elle se mit à dire. Éteins cette lumière, tu sais bien qu'il y a le couvre-feu, si tu continues les Boches vont nous tomber dessus. « Je délire », remarqua-t-elle avec dégoût, et elle enfonça la pointe de sa canne dans le paillasson. Sur ce, comme par magie, des policiers apparurent dans le cercle éblouissant de la lumière.

Quelqu'un avait signalé une personne louche sur la plage, vous vous souvenez quand ils venaient dans des bateaux de pêche, les clandestins, et maintenant grâce à ce seul coup de fil anonyme cinquante-sept policiers en uniforme ratissaient la plage, leurs torches électriques balayant follement la nuit, des policiers venant d'aussi loin que Hastings Eastbourne Bexill-upon-Sea, même une délégation de Brighton parce que personne ne voulait rater ça, le frisson de la chasse. Cinquante-sept ramasseurs d'épaves accompagnés de treize chiens, qui reniflaient l'air de la mer en levant leurs pattes nerveuses. Là-haut dans la maison loin de la petite troupe d'hommes et de chiens, Rosa Diamond observait les cinq policiers qui gardaient les sorties, porte d'entrée, fenêtres du rez-de-chaussée, porte de service, au cas où les supposés malfaiteurs tenteraient une évasion; et les trois hommes en civil, avec manteaux civils, chapeaux civils et visages assortis; et devant eux, n'osant pas la regarder en face, le jeune inspecteur Lime dansait d'un pied sur l'autre et se frottait le

157

nez avec des yeux plus injectés de sang et un air plus âgé que ses quarante ans. Elle lui tapota la poitrine avec le bout de sa canne *qu'est-ce que ça signifie, Frank, à une heure pareille*, mais il n'allait pas la laisser le dominer, pas ce soir, entouré par les policiers du service d'immigration qui observaient chacun de ses gestes, alors il se redressa et rentra le menton.

« Désolé, Mrs D. – certaines allégations – des renseignements fournis – raison de croire – mérite une enquête – dans l'obligation de fouiller – mandat délivré. »

« Ne soit pas stupide, Frank chéri », dit Rosa, mais à ce moment-là les trois hommes au visage civil se dressèrent et se raidirent, la patte légèrement levée comme un pointer marquant l'arrêt; le premier émit un sifflement extraordinaire de plaisir, tandis qu'un doux gémissement s'échappait des lèvres du second, et que le troisième roulait les yeux avec une curieuse satisfaction. Tous trois indiquaient l'entrée éclairée au-delà de Rosa Diamond, où Mr Saladin Chamcha retenait le pantalon de son pyjama de la main gauche parce qu'il avait arraché un bouton en se jetant sur son lit. Il se frottait un œil avec la main droite.

« Banco », dit le siffleur, tandis que le gémisseur se croisait les mains sous le menton pour montrer que toutes ses prières avaient été exaucées, et le rouleur d'yeux bouscula Rosa Diamond, sans cérémonie, sauf qu'il marmonna, « Excusez-*moi*, madame. »

Puis ce fut le déluge, et Rosa fut repoussée dans un coin de son salon par une mer de casques, et elle ne put plus distinguer Saladin Chamcha ni comprendre ce qu'il disait. Elle ne l'entendit jamais expliquer l'explosion du *Bostan* – y a erreur, cria-t-il, je ne suis pas un de vos clandestins en bateau de pêche, un Kenyato-Ougandais, moi. Les policiers commencèrent à ricaner, je vois, monsieur, de trente mille pieds, et vous avez nagé jusqu'à la côte. Vous avez le droit de garder le silence, gloussèrent-ils, mais tout de suite ils s'esclaffèrent, pas d'erreur, on en a un vrai. Mais Rosa ne put pas entendre les protestations de Saladin Chamcha, à cause des rires des policiers, il faut me croire, je suis citoyen britannique, disait-il, avec un permis de séjour, et quand il avoua être incapable de présenter un passeport ou n'importe quelle autre pièce d'identité ils se mirent à pleurer de rire, les larmes coulaient sur les visages vides des hommes en

158

civil du service d'immigration. Bien sûr, inutile de préciser, pouffèrent-ils, ils sont tombés de votre veste pendant la chute, ou les sirènes vous ont fait les poches quand vous étiez sous l'eau? Dans cette hilarité générale d'hommes et de chiens, Rosa ne pouvait voir ce que les bras en uniforme faisaient au bras de Chamcha, ce que les poings faisaient à son estomac, ou les bottes à ses mollets; elle ne pouvait pas non plus être sûre que c'était bien sa voix qui criait ou les chiens qui hurlaient. Mais, finalement, elle entendit son ultime cri de désespoir : « Aucun de vous ne regarde la télévision? Vous ne voyez pas? C'est moi Maxim. Maxim Alien.

– Ah oui, dit l'officier aux yeux exorbités. Et moi, je suis Kermit la Grenouille. »

Ce que Saladin Chamcha ne dit jamais, même quand il devint évident que quelque chose n'allait vraiment pas : « Voici un numéro de téléphone à Londres », il négligea d'en informer les policiers venus l'arrêter. « A l'autre bout du fil vous trouverez, pour confirmer ce que je dis, mon épouse, belle, blanche et anglaise. » Non, monsieur. *Et merde.*

Rosa Diamond reprit des forces. « Un instant, Frank Lime, déclama-t-elle. Écoutez-moi », mais les trois hommes en civil avaient repris leur curieux manège de sifflement-gémissement roulement d'yeux, et dans le brusque silence qui s'abattit sur la pièce – le rouleur d'yeux tendit un doigt tremblant vers Chamcha et dit, « Madame, si vous cherchez une preuve, vous n'en trouverez pas de meilleure que *celle-ci.* »

Saladin Chamcha, suivant la direction indiquée par le doigt des yeux exorbités, porta les mains à son front, et il sut qu'il venait de s'éveiller dans le plus terrible des cauchemars, un cauchemar qui ne faisait que commencer, parce que là, à ses tempes, s'allongeant à chaque instant, et assez pointues pour faire jaillir le sang, il y avait deux cornes, nouvelles, caprines, indiscutables.

**

Avant que l'armée de policiers eût emmené Saladin Chamcha vers sa nouvelle vie, il y eut encore un événement inattendu. Gibreel Farishta, voyant les lumières et entendant les éclats de rire des officiers de police, descendit vêtu

159

d'une veste d'intérieur bordeaux et d'un pantalon de cheval, choisis dans la garde-robe d'Henry Diamond. Dégageant un discret parfum de naphtaline, il s'arrêta sur le palier du premier pour observer ce qui se passait sans faire de commentaires. Il resta là sans qu'on le remarque jusqu'à ce que Chamcha, menottes aux poignets, pieds nus, en route pour le panier à salade, retenant toujours son pyjama, l'aperçoive et lui crie, « Gibreel, pour l'amour de Dieu, dis ce qu'il en est. »

Siffleur-gémisseur-rouleur se retournèrent comme un seul homme vers Gibreel. « A qui ai-je l'honneur ? s'enquit l'inspecteur Lime. Un autre spécialiste de la chute libre ? »

Mais les mots moururent sur ses lèvres, parce qu'à ce moment-là on éteignit les projecteurs, suite à l'ordre donné quand on avait passé les menottes à Chamcha et qu'on l'avait appréhendé, et dans l'obscurité qui suivit l'extinction des sept soleils il devint clair pour tout le monde que la lumière pâle et dorée qui émanait de la direction de l'homme en veste d'intérieur, se répandait en fait doucement à partir d'un point situé immédiatement derrière sa tête. L'inspecteur Lime ne mentionna plus jamais cette lumière, et si on lui avait posé la question il aurait nié avoir vu une telle chose à la fin du vingtième siècle, et puis quoi encore.

Mais de toute façon, quand Gibreel demanda : « Que veulent ces gens ? », chaque homme présent fut saisi par le désir de répondre littéralement en termes détaillés, pour révéler leurs secrets, comme s'il était, comme si, mais non, c'est ridicule, ils nièrent pendant des semaines jusqu'à ce qu'ils se soient persuadés qu'ils n'avaient agi que pour des raisons purement logiques, c'était le vieil ami de Mrs Diamond, tous deux avaient découvert un voyou, Chamcha, à moitié noyé sur la plage et ils l'avaient recueilli pour des raisons humanitaires, inutile de déranger plus longtemps Rosa et Mr Farishta, on ne pouvait trouver plus gentleman que lui, dans sa veste d'intérieur et son, son, eh bien, l'excentricité n'a jamais été un crime de toute façon.

« Gibreel, dit Saladin Chamcha. Au secours ! »

Mais le regard de Gibreel s'était arrêté sur Rosa Diamond. Il la fixait sans pouvoir détourner les yeux. Puis il fit un signe de tête, et remonta l'escalier. Personne ne cherchacà à l'arrêter.

Quand Salad arriva au panier à salade, il vit le traître, Gibreel Farishta, qui le regardait du petit balcon de la chambre de Rosa, et aucune lumière ne brillait autour de la tête de ce salaud.

Kan ma kan / Fi qadim azzaman... Ce fut ainsi, ce ne fut pas ainsi, dans le temps d'autrefois, vivaient dans la terre d'argent d'Argentine un certain Don Enrique Diamond, qui connaissait bien les oiseaux et très peu les femmes, et sa femme, Rosa, qui ne connaissait rien aux hommes mais beaucoup en amour. Un jour que la señora se promenait à cheval, assise en amazone et portant un chapeau orné d'une plume, elle arriva au grand portail de pierre de l'estancia Diamond, installée bizarrement au milieu de la pampa vide, quand une autruche fonça sur elle, pour sauver sa vie, en utilisant toutes les ruses dont une autruche est capable; car l'autruche est un oiseau malin, difficile à attraper. Derrière l'autruche il y avait un nuage de poussière plein du bruit des chasseurs, et quand l'autruche se trouva à deux mètres d'elle le nuage lança des bolas qui s'enroulèrent autour de ses pattes et la firent tomber aux pieds de la jument grise de Rosa. L'homme qui sauta de cheval pour tuer l'oiseau ne quitta pas des yeux le visage de Rosa. Il tira un poignard à manche d'argent d'un fourreau attaché à sa ceinture et le plongea jusqu'à la garde dans la gorge de l'oiseau, sans regarder l'autruche agonisante, les yeux fixés sur ceux de Rosa Diamond tandis qu'il s'agnouillait sur la grande terre jaune. Il s'appelait Martin de la Cruz.

Après qu'on eut emmené Chamcha, Gibreel Farishta s'étonna souvent de son propre comportement. Dans ce moment de rêve pris au piège par les yeux de la vieille Anglaise, il avait eu l'impression qu'il ne contrôlait plus sa propre volonté, que les besoins de quelqu'un d'autre prenaient les choses en main. À cause de la nature confuse des événements récents, et aussi de sa détermination à rester éveillé le plus longtemps possible, ce n'est que quelques jours plus tard qu'il établit un lien entre ce qui se passait et le monde derrière ses paupières, et alors seulement il comprit qu'il devait partir, parce que l'univers de ses cauchemars commençait à se répandre dans sa vie éveillée, et s'il ne faisait pas attention il ne pourrait jamais recommencer, renaître avec elle, à travers elle, Alléluia, qui avait vu la voûte céleste.

Il fut bouleversé de constater qu'il n'avait pas du tout essayé de contacter Allie; ni d'aider Chamcha quand il en avait besoin. Qu'il n'avait absolument pas non plus été troublé par l'apparition sur la tête de Saladin d'une jolie paire de cornes neuves, ce qui aurait dû lui poser quelques questions. Il était dans une sorte de transe, et quand il demanda à la vieille dame ce qu'elle pensait de tout ça, elle sourit bizarrement et lui dit qu'il n'y avait rien de nouveau sous le soleil, qu'elle en avait vu des choses, des apparitions d'hommes en casques à cornes, que dans un pays ancien comme l'Angleterre il n'y avait pas de place pour de nouvelles histoires, que chaque brin d'herbe avait déjà été foulé cent mille fois. Dans la journée, pendant de longues périodes, elle disait des choses décousues et confuses, mais à d'autres moments elle tenait à lui préparer des repas énormes et lourds, des poulets en croûte, un gratin de rhubarbe à la crème anglaise, des ragoûts et toutes sortes de soupes épaisses. Et elle avait continuellement un air d'inexplicable contentement, comme si sa présence la satisfaisait de façon profonde et inattendue. Il faisait les courses au village avec elle; les gens les dévisageaient; elle les ignorait en agitant sa canne d'un geste impérial. Les jours passaient; Gibreel ne partait pas.

« Sacrée vieille Anglaise, se disait-il. Une espèce en voie d'extinction. Qu'est-ce que je fous ici? » Mais des chaînes invisibles le retenaient. Tandis qu'elle, à chaque occasion, chantait une vieille chanson espagnole dont il ne comprenait pas un traître mot. Y avait-il de la sorcellerie là-dedans? Quelque ancienne fée Morgane envoûtant un jeune Merlin dans sa grotte de cristal? Gibreel se dirigeait vers la porte; Rosa protestait; il s'arrêtait net. « Après tout, pourquoi pas? » Il haussait les épaules. « Cette vieille femme a besoin de compagnie. Grandeur perdue, je vous jure! Regardez où elle en est. De toute façon, j'ai besoin de repos. De reprendre des forces. Quelques jours seulement. »

Le soir ils s'asseyaient dans le salon bourré d'objets en argent, dont sur le mur un poignard au manche d'argent, sous le buste en plâtre de Henry Diamond qui trônait au sommet d'un meuble d'angle, et quand l'horloge sonnait six heures il versait deux verres de sherry et elle se mettait à parler, mais pas avant d'avoir dit, comme un métronome, *L'horloge a toujours quatre minutes de retard, elle est bien élevée, elle n'aime pas être à l'heure.* Puis elle commençait sans s'occuper de ilétaitunefois, ou de savoir si c'était vrai ou faux, il voyait l'énergie féroce qu'elle mettait dans son récit, les restes désespérés de la volonté dont elle imprégnait son histoire, *la seule époque dorée dont je me souvienne,* lui disait-elle, et il se rendait compte que le sac de chiffons de ses souvenirs confus était en fait son cœur même, son auto-portrait, sa façon de se regarder dans un miroir quand personne ne se trouvait là, et que la terre d'argent de son passé restait son séjour préféré, non cette maison délabrée dans laquelle elle heurtait continuellement les objets – elle renversait les guéridons, se cognait aux poignées de porte – éclatait en sanglots et criait : *Tout rétrécit.*

Quand elle embarqua pour l'Argentine en 1935, comme jeune mariée de l'Anglo-Argentin Don Enrique de Los Alamos, il lui montra l'océan et lui dit, la pampa c'est ça. On ne peut pas se rendre compte de sa taille en la regardant. Il faut la traverser, son aspect invariable, jour après jour. Dans certaines régions le vent a la force d'un poing, mais il est totalement silencieux, il pourrait te renverser mais tu n'entendrais rien. C'est parce qu'il n'y a pas d'arbres : pas un ombu, pas un peuplier, nada. Et à propos il faut se méfier des feuilles d'ombu. Poison mortel. Le vent ne te tuera pas mais le jus des feuilles le peut. Elle frappa des mains comme une enfant : Vraiment, Henry, des vents silencieux, des feuilles empoisonnées. On dirait un conte de fées. Henry, les cheveux clairs, le corps mou, les yeux écarquillés, lourd, avait l'air effrayé. *Oh, non,* dit-il. *Ce n'est pas si grave que ça.*

Elle arriva dans cette immensité, sous la voûte infinie du ciel bleu, parce que Henry l'avait demandée en mariage et qu'elle avait donné la seule réponse possible pour une célibataire de quarante ans. Mais en arrivant elle se posa une question bien plus importante : de quoi était-elle capable dans cet espace ? À quoi pouvait lui servir son courage, comment pouvait-elle *s'épanouir* ? Être bonne ou mauvaise, se dit-elle : mais être *nouvelle*. Notre voisin le docteur Jorge Babington, raconta-t-elle à Gibreel, ne m'a jamais aimée, tu sais, il me racontait des histoires d'Anglais en Amérique du Sud, de sacrés gaillards, disait-il avec mépris, des espions et des brigands et des voleurs. *Êtes-vous si excentriques dans votre froide Angleterre ?* lui demandait-il, et il répondait à sa propre question, *je ne le crois pas, señora. Coincés dans cette île comme dans un cercueil, vous êtes obligés de trouver des horizons plus larges pour exprimer vos êtres intimes.*

Le secret de Rosa Diamond était une disposition si grande pour l'amour qu'il devient bientôt évident que son pauvre et prosaïque Henry ne pourrait jamais la satisfaire, car s'il y avait quelque romantisme dans ce tas de gélatine il le réservait aux oiseaux. Des buses des marais, des kamichis, des bécassines. Dans une petite barque, sur un marécage du coin, il passait les jours les plus heureux de sa vie parmi les joncs avec ses jumelles. Une fois dans le train de Buenos Aires il fit honte à Rosa en lui imitant le cri de ses oiseaux préférés dans le wagon-restaurant, arrondissant les mains autour de sa bouche : le dormeur, l'ibis vanduria, le troupiale. Pourquoi ne peux-tu m'aimer ainsi, voulait-elle lui demander. Mais elle ne le fit jamais, parce que pour Henry elle représentait les gens comme il faut, et la passion était une excentricité réservée aux autres races. Elle devint le généralissime du domaine, et essaya d'étouffer ses désirs mauvais. La nuit elle marchait dans la pampa et s'allongeait sur le dos pour regarder les étoiles, et parfois, sous l'influence de ce flux brillant de beauté, elle se mettait à trembler de tout son corps, à frissonner d'un plaisir profond, et à fredonner une chanson inconnue, et ce fut cette musique des étoiles qui la rapprocha le plus de la joie.

Gibreel Farishta : il avait l'impression que ces histoires s'enroulaient autour de lui comme une toile d'araignée, le retenant dans ce monde perdu où *il y avait cinquante personnes à déjeuner chaque jour, c'étaient des hommes nos gauchos, pas serviles pour deux sous, féroces et fiers, très. De vrais carnivores ; on les voit sur les photos.* Pendant les longues nuits de leur insomnie elle lui racontait la brume de chaleur qui envahissait la pampa d'où n'émergeaient que quelques arbres comme des îles et un cavalier galopant à la surface de l'océan ressemblait à un être mythologique. *On aurait dit le fantôme de la mer.* Elle lui racontait des histoires de feux de camp, par exemple celle du gaucho athée qui, après la mort de sa mère, demanda à son esprit de revenir, toutes les nuits pendant sept nuits de suite, et qui finit par désapprouver l'idée de Paradis. La huitième nuit il déclara que manifestement elle ne l'avait pas entendu, sinon elle serait venue consoler son fils bien-aimé; la mort était donc forcément la fin. Elle le prenait dans les rêts de la description de l'arrivée des péronistes, avec leurs costumes blancs et leurs cheveux gominés, chassés par les péones, elle lui racontait la construction du chemin de fer par les Anglos pour desservir leurs estancias, ainsi que des barrages, et l'histoire, par exemple, de son amie Claudette, « un vrai bourreau des cœurs, mon cher, qui épousa un ingénieur du nom de Granger, et déçut la moitié de Hurlingham. Ils partirent immédiatement pour un barrage qu'il construisait, et la première chose qu'ils apprirent ce fut que les rebelles venaient de le faire sauter. Granger s'en alla avec ses hommes pour défendre le barrage, laissant Claudette seule avec sa bonne, et vous ne devinerez jamais, quelques heures plus tard, la bonne arriva en courant, señora, es oune hombré à la porte, es grandé comme ouna maisson. Et quoi encore? Un capitaine des rebelles. – "Et votre mari, madame? – Il vous attend au barrage, comme il se doit. – Puisqu'il n'a pas jugé bon de vous protéger, c'est la révolution qui le fera. " Et il laissa des gardes devant la maison, mon cher, c'était quelque chose. Mais les deux hommes, le mari et le capitaine, trouvèrent la mort au cours de la bataille et Claudette insista pour qu'on ne fasse qu'un seul enterrement, elle regarda les deux cercueils descendre en terre côte à côte, elle porta le deuil des deux. Ensuite on sut qu'elle était dangereuse, *trop fatale*, hein? Quoi? Bien *trop fatale*. » Dans l'histoire merveilleuse de la belle Claudette, Gibreel entendait la musique des désirs de Rosa. À de tels moments il la surprenait le regardant du coin de l'œil, et il sentait une sorte de tiraillement dans la région du nombril, comme si quelque chose essayait de sortir. Puis elle détournait les yeux, et la sensation disparaissait. Ce n'était peut-être qu'un effet secondaire du traumatisme.

Un soir il lui demanda si elle avait vu les cornes sur la tête de Chamcha, mais elle fit la sourde oreille et, au lieu de répondre, elle lui raconta comment elle s'asseyait sur un pliant près du galpon, l'enclos des taureaux, à Los Alamos, et les plus belles bêtes venaient poser leur tête cornée sur ses genoux. Un après-midi une fille du nom d'Aurora del Sol, la fiancée de Martin de la Cruz, lui lança une pique : Je pensais qu'ils ne posaient leur tête que sur les genoux des vierges, dit-elle en aparté à ses amies ricanantes, et Rosa se retourna et répondit doucement. Eh bien, ma chère, peut-être aime-riez-vous essayer ? À partir de cet instant, Aurora del Sol, la meilleure danseuse et la plus désirable de l'estancia, devint l'ennemie mortelle de la trop grande et trop osseuse femme d'au-delà des mers.

« Tu lui ressembles tout à fait », dit Rosa Diamond alors qu'ils se tenaient une nuit devant la fenêtre, côte à côte, et qu'ils regardaient la mer. « Son double. Martin de la Cruz. » En entendant le nom du gaucho, Gibreel sentit une douleur si violente autour de son nombril, un tiraillement doulou-reux, comme si on lui avait enfoncé un crochet dans le ventre, qu'il laissa échapper un cri. Rosa Diamond sembla ne rien remarquer. « Regarde, s'écria-t-elle avec joie, là-bas. »

Courant sur la plage nocturne en direction de la tour Mar-tello et du camping – si près de l'eau que la vague effaçait l'empreinte de ses pas –, faisant des écarts et des feintes pour sauver sa vie, arrivait une autruche adulte, grandeur nature. Elle continua à courir sur la plage, et Gibreel émerveillé la suivit des yeux jusqu'à ce qu'elle disparaisse dans l'obs-curité.

L'événement suivant eut lieu au village. Ils étaient allés chercher un gâteau et une bouteille de champagne, parce que Rosa s'était rappelée qu'elle avait quatre-vingt-neuf ans aujourd'hui. Elle avait chassé sa famille de sa vie, aussi ne reçut-elle ni carte ni coup de téléphone. Gibreel insista pour qu'ils fêtent cet anniversaire, et il lui montra le secret caché dans sa chemise, une ceinture bourrée de livres sterling achetées au marché noir avant de quitter Bombay. « J'ai aussi des cartes de crédit, dit-il. Je ne suis pas un indigent. Allons-y. C'est moi qui paie. » Les récits enchantés de Rosa l'envoûtaient tellement qu'il se souvenait à peine qu'une vie l'attendait, une femme qui serait surprise par le simple fait de le savoir encore en vie, ou quelque chose comme ça. Marchant humblement derrière Mrs Diamond, il portait ses cabas.

Il traînassait à un coin de rue pendant que Rosa papotait avec le boulanger quand il sentit, une nouvelle fois, le crochet qui lui tirait le ventre, et il tomba contre un réverbère en haletant. Il entendit un bruit de sabots, et un archaïque attelage de poneys arriva, plein de jeunes gens qui semblaient à première vue en habits de fête : les hommes en pantalons noirs serrés, avec une rangée de boutons d'argent sur le côté, leurs chemises blanches ouvertes jusqu'à la ceinture ; les femmes en larges jupes à volants et plusieurs épaisseurs de jupons de couleurs vives, écarlates, émeraudes, or. Ils chantaient dans une langue étrangère et leur gaieté rendait la rue triste et laide, mais Gibreel se rendit compte qu'il se passait quelque chose de bizarre, parce que dans la rue personne d'autre ne prêtait attention à l'attelage. Puis Rosa sortit de chez le boulanger avec la boîte à gâteaux se balançant au bout du ruban qu'elle tenait par l'index de la main gauche, et elle s'écria : « Oh, les voilà, ils arrivent pour la danse. Nous dansions toujours, tu sais, ils aiment ça, ils ont ça dans le sang. » Puis, après une pause : « C'est au cours de cette danse qu'il tua le vautour. »

C'est au cours de cette danse qu'il tua un certain Juan Julia, surnommé le Vautour à cause de son apparence cadavérique ; ce dernier ayant trop bu insulta l'honneur d'Aurora del Sol, et ne laissa pas à Martin d'autre choix que de se battre, *he, Martin, il paraît que tu aimes la baiser, moi ça ne m'a pas plu.* « Éloignons-nous de la piste de danse », dit Martin, et dans le noir, se détachant dans les arbres autour de la piste, les deux hommes entourèrent un poncho autour de leur avant-bras, sortirent leur poignard, se mirent à tourner, se battirent. Juan fut tué. Martin de la Cruz prit le chapeau du mort et le jeta aux pieds d'Aurora del Sol. Elle le ramassa et le regarda s'éloigner.

168

A quatre-vingt-neuf ans, Rosa Diamond vêtue d'un long fourreau argenté, tenant un fume-cigarette dans sa main gantée et la tête entourée d'un turban d'argent, buvait un cocktail et racontait des histoires du bon vieux temps. « Je veux danser, déclara-t-elle brusquement. C'est mon anniversaire et je n'ai pas encore dansé une seule fois. »

*
* *

Les excès de cette nuit pendant laquelle Rosa et Gibreel dansèrent jusqu'à l'aube eurent raison de la vieille dame, elle s'effondra dans son lit le lendemain avec un peu de fièvre qui entraîna des apparitions de plus en plus délirantes : Gibreel vit Martin de la Cruz et Aurora del Sol danser le flamenco sur le toit de tuiles de la maison Diamond, et sur le hangar à bateaux les péronistes en costume blanc qui parlaient de l'avenir à une réunion de péones. « Sous Péron ces terres seront expropriées et distribuées au peuple. Le Chemin de fer britannique deviendra propriété d'État. Chassons ces brigands, ces profiteurs... » Le buste en plâtre de Henry Diamond se tenait en l'air et observait la scène, alors un agitateur en costume blanc le montra du doigt en criant. C'est lui, votre oppresseur; voilà l'ennemi. Le ventre de Gibreel lui faisait tellement mal qu'il eut peur de mourir, mais au moment précis où son esprit rationnel envisageait la possibilité d'un ulcère ou d'une crise d'appendicite, le reste de son cerveau lui murmura la vérité, la force de la volonté de Rosa le retenait prisonnier et le manipulait, de la même façon que le besoin irrésistible du Prophète, Mahound, avait obligé l'ange Gibreel à parler.

« Elle est en train de mourir, comprit-il. Elle n'en a plus pour longtemps. » S'agitant dans son lit sous l'emprise de la fièvre, Rosa Diamond parlait du poison de l'ombu et de la haine de son voisin, le docteur Babington, qui avait demandé à Henry, votre femme est-elle assez calme pour la vie pastorale, et qui lui avait offert (pour sa guérison du typhus) un exemplaire des récits de voyages d'Amerigo Vespucci. « C'était un fantaisiste notoire, bien sûr, dit Babington en souriant, mais l'imagination peut être plus forte que la vérité; après tout, il a donné son nom à un continent. » Plus elle s'affaiblissait plus elle consacrait les forces qui lui restaient à son rêve d'Argentine, et Gibreel avait l'impression d'avoir le nombril en feu. Il restait affalé dans un fauteuil à côté de son lit et les apparitions se multipliaient d'heure en heure. La musique des instruments à vent remplissait l'air, et, la plus merveilleuse, fut l'apparition d'une petite île blanche près de la côte, flottant sur les vagues comme un radeau; aussi blanche que la neige, avec des plages de sable blanc montant vers des bouquets d'arbres albinos, blancs, d'un blanc de craie, d'un blanc de papier, jusqu'à la pointe extrême de leurs feuilles.

Après l'arrivée de l'île blanche, Gibreel sombra dans une profonde léthargie. Vautré dans un fauteuil dans la chambre de la mourante, les paupières tombantes, il sentait son corps s'alourdir jusqu'à ce que tout mouvement devienne impossible. Puis il se retrouva dans une autre chambre, vêtu d'un pantalon noir et serré, avec des boutons d'argent sur le côté et une lourde boucle d'argent à la ceinture. *Vous m'avez demandé, Don Enrique*, disait-il à l'homme lourd et mou, avec un visage comme celui d'un buste en plâtre, mais il savait qui l'avait demandé, et il ne quitta jamais des yeux le visage de Rosa, même quand il vit le rouge monter sous son col blanc.

Henry Diamond avait refusé que les autorités s'occupent de l'affaire de Martin de la Cruz, *ces gens sont sous ma responsabilité*, dit-il à Rosa, *c'est une question d'honneur*. Au contraire il voulut montrer qu'il faisait toujours confiance à l'assassin, de la Cruz, par exemple en le nommant capitaine de l'équipe de polo de l'estancia. Mais après la mort du Vautour, Don Enrique ne fut plus jamais le même. Il se fatiguait de plus en plus facilement, et ne s'intéressait plus à rien même pas aux oiseaux. Les choses commencèrent à ne plus tourner rond à Los Alamos, d'abord imperceptiblement, puis franchement. Les hommes en costume blanc revinrent et personne ne les chassa. Quand Rosa Diamond attrapa le typhus, beaucoup à l'estancia y virent une allégorie du déclin du vieux domaine.

Qu'est-ce que je fais ici, se disait Gibreel inquiet, debout devant Don Enrique dans le bureau du propriétaire, tandis que Rosa Diamond rougissait derrière son mari, *je suis à la place de quelqu'un*. Grande confiance en toi, disait Henry, pas en anglais mais Gibreel comprenait quand même. – Ma

170

femme doit faire un voyage en voiture pour sa convalescence et tu vas l'accompagner... Mes responsabilités à Los Alamos m'empêchent de partir. *Il faut que je dise quelque chose, mais quoi*, et quand il ouvrit la bouche les mots étrangers sortirent, c'est un honneur, Don Enrique, claquement de talons, demi-tour, sortie.

Dans sa faiblesse de quatre-vingt-neuf ans Rosa Diamond se mit à rêver sa plus belle histoire, celle qu'elle avait gardée pendant plus d'un demi-siècle, et Gibreel suivait son Hispano-Suiza à cheval, allant d'estancia en estancia, à travers une forêt d'arayanas, au pied de la Cordillère, s'arrêtant dans des demeures grotesques construites dans le style des châteaux écossais ou des palais indiens, visitant le domaine de Mr Cadwallader Evans, qui avait sept femmes bien contentes de n'être de service qu'une nuit par semaine, et le territoire du célèbre MacSween qui s'était amouraché des idées en provenance d'Allemagne, et qui faisait flotter au-dessus de son estancia un drapeau rouge au centre duquel on pouvait voir dans un cercle blanc une croix noire crochue. C'est dans l'estancia MacSween qu'ils découvrirent le lac et que, pour la première fois, Rosa vit l'île blanche de son destin, elle insista pour aller y faire un pique-nique, sans la bonne ni le chauffeur, elle n'emmena que Martin de la Cruz pour tenir les rames et étaler une nappe rouge sur le sable blanc et lui servir les mets et le vin.

Blanc comme la neige, rouge comme le sang, noir comme l'ébène. Tandis qu'elle s'étendait en robe noire et corsage blanc, sur la nappe rouge elle-même étendue sur le blanc, tandis que Martin (également vêtu de noir et de blanc) versait du vin rouge dans le verre que tenait sa main gantée de blanc – alors, à son grand étonnement, *merde*, tandis qu'il lui prenait la main et l'embrassait – il se passa quelque chose, tout se brouilla, en une minute ils se retrouvèrent étendus sur la nappe rouge, ils roulèrent, et les fromages, la charcuterie, les salades et les pâtés furent écrasés sous le poids de leur désir, et quand ils revinrent à l'Hispano-Suiza ils ne purent dissimuler ce qui s'était passé au chauffeur et à la bonne, à cause des taches de graisse sur leurs vêtements – alors que, la minute suivante, elle se refusait à lui, sans cruauté mais tristement, elle reprenait sa main avec un petit signe de tête, *non*, il se levait, s'inclinait et se retirait, lais-

171

sant sa vertu et son déjeuner intact – les deux possibilités ne cessaient d'alterner dans sa tête tandis que Rosa agonisante s'agitait sur son lit, l'a-t-elle-fait-ne-l'a-t-elle-pas-fait, et composait la dernière version de l'histoire de sa vie, incapable de décider laquelle elle choisissait comme vérité.

*
* *

« Je deviens fou, pensait Gibreel. Elle meurt, mais je perds la raison. » La lune se levait, et seule la respiration de Rosa troublait le silence de la pièce : elle ronflait en inspirant et expirait lourdement, avec de petits grognements. Gibreel essaya de se lever de son fauteuil, et n'y parvint pas. Même dans les intervalles qui séparaient les visions son corps restait incroyablement lourd. Comme si on lui avait posé un rocher sur la poitrine. Et quand les images arrivaient, elles restaient confuses, de telle façon qu'à un moment il se retrouva dans le grenier à foin à Los Alamos, en train de faire l'amour avec elle tandis qu'elle susurrait son nom, *Martin de la Croix* – et l'instant d'après elle l'ignorait au grand soleil sous l'œil attentif d'une certaine Aurora del Sol – et il était impossible de distinguer le souvenir des désirs, ou la reconstruction coupable de la vérité confessée – parce que même sur son lit de mort Rosa Diamond ne savait pas comment regarder son histoire dans les yeux.

La lumière de la lune entra dans la chambre. Quand elle éclaira le visage de Rosa, il eut l'impression qu'elle le traversait et effectivement Gibreel commença à apercevoir le dessin des broderies sur la taie d'oreiller. Puis il vit Don Enrique et son ami le censeur puritain, le docteur Babington, debout sur le balcon, solides comme des rocs. Il se rendit compte qu'au fur et à mesure que les apparitions gagnaient en clarté, Rosa de son côté disparaissait, s'effaçait, prenant la place, pourrait-on dire, des fantômes. Et parce qu'il avait compris que les manifestations dépendaient de lui, son mal de ventre, sa lourdeur de pierre, il eut peur aussi pour sa vie.

« Vous avez voulu que je falsifie le certificat de décès, disait le docteur Babington. Je l'ai fait au nom de notre vieille amitié. Mais j'ai eu tort; et j'en vois le résultat. Vous avez hébergé un assassin, et c'est, peut-être, votre conscience

172

qui vous ronge. Retournez chez vous, Enrique. Rentrez, et emmenez cette femme avec vous, avant qu'il n'arrive quelque chose de pire.

– Je suis chez moi, dit Henry Diamond. Et je n'aime pas votre façon de parler de ma femme.

– Quel que soit l'endroit où s'installent les Anglais, ils ne quittent jamais l'Angleterre, dit le docteur Babington, en s'effaçant dans la lumière de la lune. À moins de tomber amoureux, comme Doña Rosa. »

Un nuage cachait la lune, et maintenant que le balcon était vide Gibreel Farishta réussit enfin à se lever de son fauteuil et à se mettre debout. En marchant il eut l'impression de traîner un boulet, néanmoins il atteignit la fenêtre. Dans toutes les directions, aussi loin qu'il pouvait voir, il y avait des chardons géants agités par le vent. Là où il y avait eu la mer s'étendait maintenant un océan de chardons, jusqu'à l'horizon, hauts comme un homme. Il entendit la voix désincarnée du docteur Babington murmurer à son oreille : « La première invasion de chardons depuis cinquante ans. Le passé, semble-t-il, est de retour. » Il vit une femme qui courait pieds nus dans cette végétation épaisse et ondulante, une femme aux cheveux noirs défaits. « C'est de sa faute, dit la voix claire de Rosa derrière lui. Après l'avoir trompé avec le Vautour, elle a fait de lui un assassin. Ensuite il n'a plus voulu la voir. Oh, c'est vraiment de sa faute. Très dangereuse celle-là. Très. » Gibreel perdit Aurora del Sol de vue dans les chardons; un mirage en cachait un autre.

Il sentit que quelque chose le saisissait par-derrière, le faisait tourner et l'allongeait sur le dos. Il ne vit personne, mais Rosa Diamond s'était redressée dans son lit, le regardait les yeux grands ouverts, lui faisant comprendre qu'elle avait abandonné tout espoir de s'accrocher à la vie, et qu'elle avait besoin de lui pour aller au bout de sa dernière révélation. Comme avec l'homme d'affaires de ses rêves, il se sentait désemparé, ignorant... cependant elle semblait savoir tirer des images de lui. Il vit un cordon brillant qui les reliait l'un à l'autre, de nombril à nombril.

Puis il se trouva au bord d'un étang dans l'infini des chardons, laissant boire son cheval, et elle arriva sur sa jument. Puis il la prit dans ses bras, il défit ses vêtements et ses cheveux, et ils firent l'amour. Puis elle chuchota, comment

173

peux-tu m'aimer, je suis tellement plus âgée que toi, et il la rassura.

Puis elle se leva, se rhabilla, s'en alla à cheval, tandis qu'il restait là, le corps langoureux et chaud, sans apercevoir la main de femme qui sortait des chardons et prenait son poignard à manche d'argent...

Non! Non! Non, pas comme ça!

Puis elle arrivait près de lui au bord de l'étang, et à l'instant où elle descendait de cheval en le regardant nerveusement, il se jetait sur elle, il lui disait qu'il ne supporterait pas ses refus plus longtemps, ils tombaient ensemble sur le sol, elle hurlait, il lui arrachait ses vêtements, et ses mains, qui lui griffaient le corps, touchaient au manche d'un poignard...

Non! Non, jamais, non! Comme ça : voilà!

Puis tous deux faisaient l'amour, tendrement, avec de douces caresses; puis un troisième cavalier entrait dans la clairière au bord de l'étang, et les amants s'arrachaient l'un à l'autre; puis Don Enrique sortait un petit pistolet et visait le cœur de son rival –

– et il sentait Aurora lui poignarder le cœur, encore et encore, celui-ci pour Juan, et celui-ci pour m'avoir **abandonnée**, et celui-ci pour ta putain de luxe anglaise –

– et il sentait le poignard de sa victime lui entrer dans le cœur, tandis que Rosa le poignardait, une fois, deux fois, encore –

– et quand la balle de Henry l'avait tué, l'Anglais prenait le poignard du mort et retournait le couteau dans la plaie béante.

À ce moment-là, Gibreel s'évanouit en hurlant.

Quand il revint à lui la vieille femme parlait toute seule dans son lit, si doucement qu'il la comprenait à peine. « Le pampero s'est levé, le vent du sud-ouest, renversant les chardons. C'est alors qu'ils l'ont trouvé, ou était-ce avant. » Fin de l'histoire. Comment Aurora del Sol cracha au visage de Rosa Diamond lors des funérailles de Martin de la Cruz. Comment on décida de n'accuser personne du meurtre, à condition que Don Enrique retourne immédiatement en Angleterre avec Doña Rosa. Comment ils prirent le train à la gare de Los Alamos et les hommes en costume blanc, avec des borsalinos, se tenaient sur le quai pour s'assurer qu'ils partaient vraiment. Comment, quand le train se mit en

174

marche, Rosa Diamond ouvrit son sac de voyage à côté d'elle, et dit sur un ton de défi, *j'ai emporté quelque chose. Un petit souvenir.* Et elle défit un paquet enveloppé de tissu et montra un poignard de gaucho au manche d'argent.

« Henry est mort le premier hiver de notre retour. Il ne s'est plus rien passé. La guerre. Fin. » Elle marqua une pause. « Être réduit à ça après avoir vécu dans cette immensité. Ce n'est pas supportable. » Puis, après un petit silence : « Tout se rétrécit. »

La lumière de la lune changea, et Gibreel sentit qu'on lui enlevait un poids de sur la poitrine, si rapidement qu'il pensa pouvoir s'envoler vers le plafond. Rosa Diamond reposait immobile, les yeux fermés, les bras sur la courte-pointe de patchwork. Elle semblait : *normale.* Gibreel se rendit compte que plus rien ne l'empêchait de franchir le seuil.

Il descendit l'escalier prudemment, les jambes encore peu sûres; il trouva le lourd pardessus qui avait appartenu à Henry Diamond, et son chapeau gris dans lequel sa femme avait cousu le nom de Don Enrique de sa propre main; et il s'en alla, sans se retourner. Dehors le vent lui arracha son chapeau et l'envoya rouler sur la plage. Il se lança à sa poursuite, le rattrapa, l'enfonça sur sa tête. *À nous deux, Londres.* Il avait la ville dans sa poche : le plan de Londres, la métropole écornée, de A à Z.

« Que faire ? se disait-il. Téléphoner ou non ? Non, je vais arriver, je vais sonner et je vais dire, ma chérie, ton vœu est exaucé, du lit de la mer à ton lit, il me faut plus qu'un accident d'avion pour m'empêcher de venir te voir. – D'accord, peut-être pas ces mots-là, mais quelque chose comme ça. – Oui. La surprise est la meilleure politique. Allie bibi, coucou ! »

Puis il entendit chanter. Cela venait du hangar à bateaux avec le pirate borgne peint sur le mur, une chanson étrangère, mais familière : une chanson que Rosa Diamond fredonnait souvent, et la voix, aussi, lui était familière, bien qu'un peu différente, moins tremblante; *plus jeune.* La porte du hangar à bateaux, inexplicablement ouverte, battait au vent. Il se dirigea vers la chanson.

« Enlève ton manteau », dit-elle. Elle était vêtue comme le jour de l'île blanche : jupe et bottes noires, corsage de soie

175

blanche, tête nue. Il étendit le manteau sur le sol du hangar à bateaux, la doublure rouge luisant dans l'espace réduit éclairé par la lune. Elle s'étendit dans le désordre d'une vie anglaise, des piquets de cricket, un abat-jour jauni, des vases ébréchés, une table pliante, des malles; et elle leva le bras vers lui. Il s'étendit à côté d'elle.

« Comment peux-tu m'aimer? murmura-t-elle. Je suis tellement plus âgée que toi. »

3

Quand ils lui baissèrent son pyjama dans le car de police sans fenêtres et qu'il vit les boucles épaisses qui lui recouvraient les cuisses, Saladin Chamcha s'effondra pour la deuxième fois de la nuit; cependant, il se mit à ricaner de façon hystérique, gagné, peut-être, par l'hilarité de ceux qui l'avaient arrêté. Les trois officiers du service d'immigration étaient particulièrement de bonne humeur, et c'était l'un d'eux – le type qui roulait les yeux et qui s'appelait Stein – qui avait « déculotté » Saladin avec un cri joyeux : « On ouvre. On va voir ce que tu as dans le pantalon! » On arracha le pyjama à rayures rouges et blanches à Chamcha qui protestait, allongé par terre, deux policiers lui tenant chacun un bras et la botte d'un cinquième lui écrasant la poitrine, et personne n'entendait ses cris dans la rigolade générale. Ses cornes heurtaient continuellement quelque chose, la carrosserie, le sol nu ou le tibia d'un policier – et dans ce dernier cas le policier naturellement en colère lui donnait une paire de gifles – et il ne se souvenait pas d'avoir jamais été aussi malheureux. Néanmoins, quand il vit ce qui se trouvait sous son pyjama d'emprunt, il laissa échapper un ricanement incrédule.

En se couvrant de poils, ses cuisses étaient également devenues anormalement grosses et puissantes. Les poils s'arrêtaient sous les genoux, et ses jambes s'amincissaient en mollets durs, osseux, presque sans chair, se terminant par deux sabots fendus et brillants, comme ceux de n'importe quel bouc. Saladin fut surpris également par la vue de son propre phallus, énormément grossi et honteusement en érection, un organe qu'il avait bien du mal à reconnaître comme

le sien. « Qu'est-ce que c'est que ça? plaisanta Novak –
l'ancien siffleur – en le pinçant. Un de nous te plaît, peut-
être? » Sur ce, l'officier « gémisseur » de l'immigration, Joe
Bruno, se donna une claque sur la cuisse et fila un coup de
coude dans les côtes de Novak en criant : « Avec un truc
comme ça, c'est pas lui qui devrait porter les cornes. » « J'ai
pigé », hurla à son tour Novak, tandis que son poing cognait
accidentellement les testicules récemment gonflés de Saladin. « He! He! » hurla Stein, en pleurant de rire. « Écoutez la
meilleure... il veut nous rendre *chèvres*. »

Et les trois hommes, répétant « les cornes... nous rendre
chèvres », se tombèrent dans les bras en beuglant de joie.
Chamcha voulait parler, mais il avait peur que sa voix ait
mué en bêlement, et, en outre, la botte du policier se faisait
de plus en plus lourde sur sa poitrine et il aurait eu bien du
mal à articuler un mot. Ce qui stupéfiait Chamcha, c'était
qu'une situation qui lui semblait totalement aberrante et
sans précédent – sa métamorphose en diablotin surnaturel –
puisse être considérée par les autres comme le fait le plus
banal et le plus quotidien. « Je ne suis pas en Angleterre », se
dit-il, ni pour la première ni pour la dernière fois. Comment
cela se pourrait-il, après tout; dans ce pays modéré et de bon
sens où y avait-il place pour un car de police à l'intérieur
duquel de tels événements pouvaient se dérouler? Il en
arriva donc à la conclusion qu'il était bien mort dans
l'explosion de l'avion et que tout ce qui avait suivi faisait
partie d'une autre vie. Si tel était le cas, son ancien refus de
l'Éternel commençait à sembler passablement stupide. –
Mais, dans tout cela, où y avait-il un signe de l'Être
Suprême, bienveillant ou malveillant? Pourquoi le Purga-
toire, ou l'Enfer, ou ce lieu quel qu'il soit, ressemblait-il tant
au Sussex des récompenses et des fées que connaissaient
tous les écoliers? – Peut-être, se dit-il, qu'il n'avait pas vraiment péri dans l'accident du *Bostan*, mais qu'il délirait, gravement blessé, dans un hôpital. Cette explication lui plut, en
particulier parce qu'elle démentait un certain coup de téléphone nocturne, et une voix d'homme qu'il essayait, sans
succès, d'oublier... Le coup de pied qu'il reçut dans les côtes
fut assez douloureux et assez réaliste pour le faire douter de
telles théories sur les hallucinations. Il fixa à nouveau son
attention sur la réalité, sur ce présent comprenant un car de

police bien fermé avec trois officiers du service d'immigration et cinq policiers, son seul univers pour le moment. Un univers de peur.

Novak et les autres avaient perdu leur belle humeur. « Animal », lui cria Stein en lui administrant une série de coups de pied, et Bruno ajouta : « Vous êtes tous les mêmes. On ne peut s'attendre à ce que les animaux soient civilisés. Hein ? » Et Novak reprit : « On parle d'hygiène personnelle, petit salaud. »

Chamcha ne comprenait pas ce qui se passait. Il remarqua alors un grand nombre de petites boules molles sur le sol du panier à salade. Il se sentit envahi par l'amertume et la honte. Il lui semblait que ses fonctions naturelles devenaient caprines. Quelle humiliation ! C'était un homme cultivé – il avait fait assez d'efforts pour ça ! Une telle dégradation pouvait convenir à la racaille des villages du Sylhet ou aux ateliers de réparation de bicyclettes de Gujranwala, mais il était d'une autre trempe ! « Mes chers amis », commença-t-il, essayant de faire preuve d'autorité, ce qui se révélait fort difficile dans une position aussi peu digne, allongé sur le dos, les sabots écartés, au milieu de ses excréments, « mes chers amis, vous devriez vous rendre compte de votre erreur, avant qu'il soit trop tard. »

Novak mit la main derrière l'oreille. « Qu'est-ce que c'est ? Ce bruit ? » demanda-t-il en regardant autour de lui, et Stein répondit, « Va savoir. » « Je vais te dire à quoi ça ressemblait », répliqua Joe Bruno, et il plaça ses mains autour de sa bouche et bêla : « Mée-mée-mée ! » Tous les trois éclatèrent de rire une nouvelle fois, et Saladin resta incapable de savoir s'ils l'insultaient ou si ses cordes vocales avaient été touchées elles aussi, comme il le redoutait, par cette démoniaquerie macabre qui l'avait surpris sans le moindre avertissement. Il recommença à frissonner. Il faisait extrêmement froid.

L'officier Stein, qui semblait être le chef, au moins du trio, en revint brusquement au problème des saletés qui roulaient par terre. « Dans ce pays, informa-t-il Saladin, on nettoie quand on a sali. »

Les policiers le relâchèrent et le mirent de force à genoux. « Il a raison, dit Novak. Nettoie. » Joe Bruno posa sa grosse main sur la nuque de Chamcha et lui baissa la tête vers le sol couvert de crottes. « Vas-y, dit-il d'une voix aimable. Plus vite tu t'y mets, plus vite tu auras fini. »

Tout en accomplissant (il n'avait pas le choix) le dernier et le plus bas des rites de son humiliation non méritée – ou, pour dire les choses autrement, au fur et à mesure que les circonstances de sa vie miraculeusement épargnée devenaient de plus en plus infernales et absurdes – Saladin Chamcha remarqua que les trois officiers du service d'immigration n'avaient plus un air ni un comportement aussi bizarres qu'au début. Tout d'abord, ils n'avaient plus la moindre ressemblance. Stein, que ses collègues appelaient « Mack » ou « Jockey », se révéla être un gros bonhomme costaud avec un nez épais en patate; il avait un accent exagérément écossais. « C'est ben ça », remarqua-t-il d'un ton approbateur tandis que Chamcha mâchait misérablement. « Un acteur, que t'as dit? J'aime ben regarder un brave gars qui joue. »

Cette observation incita Novak – c'est-à-dire « Kim » – qui avait maintenant une pâleur inquiétante, un visage décharné et ascétique comme celui des icônes médiévales, et un froncement de sourcils qui semblait indiquer un profond tourment intérieur, à se lancer dans une brève péroraison sur ses vedettes préférées de soap opéras et de jeux télévisés, tandis que Bruno, qui aux yeux de Chamcha semblait devenu soudain excessivement beau, les cheveux luisants de gel coiffés avec une raie au milieu, leur couleur sombre contrastant fortement avec la barbe plus claire – Bruno, le plus jeune des trois, dit d'un air provocant que le spectacle qu'il préférait regarder, c'étaient les filles, en ce moment, c'est mon truc. Alors les trois officiers se mirent à se raconter des anecdotes pleines de sous-entendus, mais quand les cinq policiers voulurent se joindre à eux, ils prirent un air grave et les remirent à leur place. « Les enfants ne parlent pas à table », leur rappela Stein.

Pendant ce temps Chamcha avait de violents haut-le-cœur devant son repas, et s'efforçait de ne pas vomir, car il savait qu'une telle erreur ne ferait que prolonger son supplice. Il rampait sur le plancher du car de police, à la recherche des crottes de sa torture qui roulaient d'un côté et de l'autre, et les policiers, ayant besoin de sauver la face à cause de la frustration créée par la rebuffade des officiers du service d'immigration, se mirent à maltraiter Saladin et à lui tirer les poils de la croupe pour accentuer sa déconvenue et sa déconfiture. Puis, sur un air de défi, les cinq policiers se lancèrent dans leur propre version de la conversation des officiers, et analysèrent les mérites des différentes vedettes de cinéma, de joueurs de fléchettes, de catcheurs professionnels et ainsi de suite; mais parce que le mépris de « Jockey » Stein les avait mis de mauvaise humeur, ils furent incapables de maintenir le niveau d'abstraction intellectuelle de leurs supérieurs, et ils finirent par se chamailler sur les mérites respectifs des avants des Têtes Brûlées de Tottenham au début des années soixante, et du puissant ailier de Liverpool aujourd'hui – les supporters de Liverpool exaspérèrent les fans des Têtes Brûlées en prétendant que le grand Danny Blanchefleur était un joueur « de luxe », de la gonflette, avec un nom de fleur et une nature de pédé; – à quoi la claque offensée répondit en hurlant qu'à Liverpool les pédés c'étaient les supporters, que ceux des Têtes Brûlées pouvaient les casser en deux, les bras attachés dans le dos. Évidemment tous les policiers connaissaient bien les techniques des hooligans du football, parce qu'ils avaient passé de nombreux samedis, le dos tourné au terrain, à surveiller les spectateurs dans les différents stades du pays, et quand la discussion s'échauffa vraiment ils souhaitèrent démontrer à leurs collègues ce qu'ils entendaient exactement par « casser en deux », « écraser les couilles », « baston », etc. Les deux factions en colère se lancèrent des regards furieux puis, tous ensemble, les policiers se retournèrent pour contempler la personne de Saladin Chamcha.

Eh bien, le tapage devint de plus en plus fort dans le car de police – et à la vérité il faut dire que Chamcha y était pour quelque chose, parce qu'il avait commencé à couiner comme un cochon –, et les jeunes bobbies cognaient et frappaient différentes parties de son anatomie, se servant de lui à la fois comme cobaye et comme soupape de sécurité, et malgré leur excitation ils restaient prudents et limitaient leurs coups aux parties les plus molles et les plus charnues de son individu pour diminuer les risques de fractures et de

181

bleus; et quand Jockey, Kim et Joey virent ce que faisaient leurs cadets, ils choisirent d'être tolérants, parce qu'il faut bien que les jeunes s'amusent.

En outre, toutes ces discussions sur la surveillance avaient amené Stein, Bruno et Novak à aborder des sujets de poids, et maintenant, le visage grave et la voix raisonnable, ils parlaient de la nécessité, à notre époque, d'une augmentation de l'observation, pas seulement au sens de « regarder en tant que spectateur », mais de « vigilance » et de « surveillance ». Stein déclara que l'expérience des jeunes policiers était particulièrement bienvenue : surveiller la foule, pas la partie. « Une vigilance éternelle est le prix de la liberté », proclama-t-il.

« Iiik, cria Chamcha incapable de ne pas l'interrompre. Aargh, unnh, ouwou. »

*_**

Ensuite un curieux détachement s'abattit sur Saladin. Il ne savait absolument plus depuis combien de temps ils roulaient dans le panier à salade depuis la chute de l'état de grâce, et il n'aurait pu dire non plus s'ils approchaient de leur destination, même si le bourdonnement de ses oreilles devenait de plus en plus fort, ce bruit de pas fantomatiques de grand-mère, ellehoenne déèreheuesse, Londres. Les coups qui pleuvaient lui semblaient maintenant aussi doux que des caresses d'amour; la vision grotesque de son corps métamorphosé ne l'effrayait plus; même les dernières crottes de bouc ne soulevaient plus son estomac malmené. Il restait accroupi, insensible, dans son univers réduit, essayant de se faire le plus petit possible, dans l'espoir de disparaître entièrement et de retrouver la liberté.

La discussion sur les techniques de surveillance avait permis aux officiers du service d'immigration et aux policiers de se retrouver et de combler la brèche causée par les paroles de reproche de Stein le puritain. Chamcha, l'insecte sur le plancher du car de police, entendait, comme à travers un brouillage téléphonique, les voix lointaines de ceux qui l'avaient arrêté parler avec passion de la nécessité d'équipemements vidéo supplémentaires lors des manifestations publiques et des avantages de l'informatisation des ren-

182

seignements, et, ce qui semblait être en totale contradiction, de l'efficacité d'un mélange plus riche dans la mangeoire des chevaux la veille d'un grand match, parce que les intestins équins dérangés arrosaient les supporters de crottin ce qui les rendait violents, *alors là on peut vraiment leur rentrer dedans, pas vrai?* Incapable de faire de cet univers de feuilletons télé, de match-du-jour, de cape et d'épée un tout cohérent, Chamcha ferma les oreilles aux bavardages et écouta le bruit des pas dans sa tête.

Puis tout se déclencha.

« Interrogez l'ordinateur! »

Trois officiers du service d'immigration et cinq policiers se turent quand la créature puante se dressa et hurla dans leur direction. « Qu'est-ce qu'il a? » demanda la plus jeune des policiers – un des supporters de Tottenham – perplexe. « Je lui en file une autre? »

« Je m'appelle Salahuddin Chamchawala, nom professionnel Saladin Chamcha, ânonna le demi-bouc. Je suis membre du Syndicat des Acteurs, de l'Association Automobile et du Garrick Club. Le numéro d'immatriculation de ma voiture est le suivant. Interrogez l'ordinateur. S'il vous plaît.

– Tu te moques de qui? » lui demanda un des supporters de Liverpool, mais lui aussi semblait s'interroger. « Regarde-toi. Tu n'es qu'un pauvre bouc de métèque. Salaquoi? C'est pas un nom d'Anglais, ça. »

Chamcha retrouva une étincelle de colère enfouie en lui. « Et eux? » demanda-t-il en montrant les officiers du service d'immigration d'un signe de tête. « Je n'ai pas l'impression qu'ils soient vraiment anglo-saxons. »

Pendant un instant il eut l'impression qu'ils allaient lui tomber dessus et lui arracher les membres un à un, pour le punir de sa témérité, mais finalement Novak l'officier à la tête comme un crâne lui donna quelques gifles tout en répondant, « Je suis de Weybridge, pauvre con. Mets-toi ça dans la tête : Weybridge, où habitaient les sacrés *Beatles*. »

Stein dit : « Il vaudrait mieux vérifier. » Trois minutes et demie plus tard, le panier à salade s'arrêta et trois officiers du service d'immigration, cinq policiers et un chauffeur de la police se réunirent en cellule de crise – *c'est le merdier intégral* – et Chamcha remarqua que, dans leur nouvelle disposition d'esprit, tous les neuf avaient commencé à se ressembler, la tension et la peur les rendaient égaux et identiques. Il ne mit pas longtemps non plus à comprendre que la consultation de l'Ordinateur de la Police Nationale, qui l'avait immédiatement reconnu comme Citoyen Britannique de première catégorie, n'avait pas amélioré sa situation, mais qu'au contraire elle l'avait mis dans un danger encore plus grand.

– On pourrait dire – proposa l'un des neuf – qu'on l'a trouvé sur la plage. – Ça ne marchera pas – répondit un autre, à cause de la vieille et de l'autre connard. – Alors il a résisté à la force publique au cours de son arrestation, il s'est débattu et dans l'altercation qui a suivi il s'est comme évanoui. – Ou la vieille rombière était complètement gaga, personne ne la comprenait, et l'autre type, jenesaisplussonnom, n'a pas dit un mot, et quant à ce pauvre bougre, il n'y a qu'à le regarder, on dirait le diable, qu'est-ce qu'il fallait qu'on fasse? – Et puis il nous a claqué dans les pattes, alors qu'est-ce qu'on pouvait faire, en toute justice, je vous le demande, monsieur le président, on l'a emmené au contrôle médical du Centre de Détention, pour les soins, suivis d'une garde à vue et d'un interrogatoire, en fonction des graves présomptions qui pesaient sur lui; qu'est-ce que vous en pensez? – À neuf contre un, mais la vieille chnoque et l'autre type n'ont pas facilité les choses. – Écoutez, on mettra l'histoire au point tout à l'heure, la première chose à faire, comme je n'arrête pas de le dire, c'est de l'assommer.
– D'accord.

*
**

Chamcha se réveilla dans un lit d'hôpital avec des glaires verdâtres qui lui sortaient des poumons. Il avait l'impression qu'on avait enfermé ses os dans une glacière pendant longtemps. Il se mit à tousser, et quand la quinte se termina dix-neuf minutes et demie plus tard, il se rendormit, un sommeil léger et souffreteux, sans du tout s'être rendu compte de son environnement. Quand il fit à nouveau surface, le visage amical d'une femme lui souriait de façon rassurante. «Ça va aller tlès bien, dit-elle en lui tapotant l'épaule. Tu as attlapé une bedite pneumonie, c'est tout.»

184

Elle se présenta comme sa kinésithérapeute, Hyacinth Phillips. Et elle ajouta : « Je ne juge jamais quelqu'un su' les appalences. Non monsieur. Ne cloyez pas ça. »

Puis elle le fit rouler sur le côté, posa une petite boîte de carton près de ses lèvres, souleva sa blouse blanche, retira ses chaussures, et sauta de façon athlétique dans le lit à califourchon sur lui, comme s'il était un cheval à qui elle voulait à tout prix faire traverser les paravents qui entouraient son lit pour le conduire dans on ne sait quel genre de paysage métamorphosé. « Ce sont les oldles du médecin, expliqua-t-elle. Deux séances de tlente minutes pa' jou'. » Sans rien ajouter, elle se mit à le bourrer de coups violents au milieu du corps, les poings légèrement serrés, mais évidemment experts.

Pour le pauvre Saladin, récemment sorti du passage à tabac dans le car de police, cette nouvelle agression fut la goutte d'eau. Il se débattit sous ses poings en hurlant : « Laissez-moi sortir; est-ce qu'on a prévenu ma femme ? » L'effort provoqua une seconde quinte de toux qui dura dix-sept minutes trois quarts et lui valut les remontrances de la kinésithérapeute, Hyacinth. « Vous me faite peldle mon temps, dit-elle. Je devlais déjà avoir fini vot' poumon dloit et j'ai à peine commencé. Tu vas êt' sage ou non ? » Elle était restée sur le lit, à califourchon au-dessus de lui, rebondissant tandis que son corps se tordait sous elle, comme un cavalier de rodéo qui attend la sonnerie des neuf secondes. Il reconnut sa défaite, et la laissa expulser les glaires verdâtres de ses poumons enflammés. Quand elle eut fini il fut obligé de reconnaître qu'il se sentait beaucoup mieux. Elle enleva la petite boîte de carton à moitié pleine de glaires et lui dit gaiement, « Vous allez êt' sul pied tlès vite », puis rougissant de confusion, elle s'excusa, « Pardonnez-*moi* », et elle s'enfuit en oubliant de replacer les paravents.

« Il est temps de faire le point sur la situation », se dit-il. Un rapide examen physique l'informa que sa nouvelle situation de mutant était restée inchangée. Cela lui porta un coup au moral, et il se rendit compte qu'il avait espéré à demi que le cauchemar aurait pris fin pendant son sommeil. Il portait un nouveau pyjama étranger, cette fois d'un vert pâle uniforme, assorti au tissu des paravents et à ce qu'il pouvait voir des murs et du plafond de cet endroit anonyme et

185

secret. Ses jambes se terminaient toujours par d'affligeants sabots, et les cornes de sa tête étaient toujours aussi pointues... une voix d'homme toute proche vint le déranger dans son triste inventaire, elle criait d'une façon déchirante : « Est-il possible de souffrir autant...! »

« Que se passe-t-il ? » se demanda Chamcha, bien décidé à le savoir. Mais maintenant il avait conscience de beaucoup d'autres bruits, aussi dérangeants que le premier. Il avait l'impression d'entendre toutes sortes de bruits d'animaux : les renâclements des taureaux, le babil des singes, même des perroquets ou des perruches qui répétaient « Jacquot-jacquot ». Puis, venant d'une autre direction, il entendit les grognements et les cris d'une femme à la fin d'un accouchement douloureux; suivis des hurlements d'un nouveau-né. Pourtant, les cris de la femme ne s'arrêtèrent pas quand ceux du bébé commencèrent; ils redoublèrent même d'intensité, et quinze minutes plus tard environ Chamcha entendit la voix d'un second enfant qui se joignait à celle du premier. Les douleurs d'enfantement de la femme refusèrent encore de s'arrêter, et à des intervalles de quinze à trente minutes, pendant ce qui sembla une éternité, elle continua à ajouter de nouveaux bébés au nombre déjà improbable d'enfants sortis de son ventre comme une armée de conquérants.

Son nez l'informa que l'hôpital, ou quel que soit le nom de cet endroit, commençait à puer; des odeurs de jungle et de ferme se mêlaient à un arôme riche, semblable à celui des épices exotiques qu'on fait revenir dans du beurre – coriandre, cumin, cannelle, cardamome, clous de girofle. « C'en est trop, pensa-t-il fermement. Il est temps d'éclaircir les choses. » Il lança les jambes hors du lit, essaya de se mettre debout, et tomba immédiatement par terre, absolument pas habitué à ses nouvelles pattes. Il lui fallut une heure pour résoudre ce problème – il apprit à marcher en se tenant au lit et en trébuchant jusqu'à ce qu'il ait confiance. À la fin, en chancelant encore, il arriva jusqu'au paravent le plus proche; le visage de Stein, l'officier du service d'immigration, apparut, tel le Chat-du-Cheshire, entre deux paravents à sa gauche, rapidement suivi du reste de sa personne, il referma les paravents derrière lui avec une rapidité suspecte.

« Ça va ? demanda Stein avec un sourire toujours aussi large.

186

– Quand pourrai-je voir le médecin? Quand pourrai-je aller aux toilettes? Quand pourrai-je m'en aller?» demanda Chamcha d'une seule traite. Stein répondit calmement: le médecin n'allait pas tarder; Miss Phillips allait lui apporter un bassin; il partirait dès qu'il irait mieux. «C'est bien de votre part d'avoir attrapé ce truc aux poumons», ajouta Stein avec la gratitude d'un auteur dont le personnage a résolu un problème technique délicat sans qu'il s'y attende. «Ça rend l'histoire beaucoup plus convaincante. On a l'impression que vous nous avez claqué dans les pattes parce que vous étiez vraiment malade. On s'en souviendra tous les neuf. Merci.» Chamcha resta sans voix. «Encore une chose, reprit Stein. La vieille, Mrs Diamond. On l'a retrouvée raide morte dans son lit, et l'autre monsieur avait totalement disparu. On n'élimine pas complètement la possibilité de quelque chose de louche.»

«En conclusion, dit-il avant de disparaître pour toujours de la nouvelle vie de Saladin, je vous conseillerais, Mr le Citoyen Saladin, de ne pas prendre la peine de porter plainte. Vous me pardonnerez de vous parler franchement, mais avec vos toutes petites cornes et vos grands sabots, vous ne faites pas un très bon témoin. Bien le bonjour.»

Saladin Chamcha ferma les yeux et quand il les rouvrit son bourreau avait pris les traits de l'infirmière et kinésithérapeute, Hyacinth Phillips. «Poulquoi voulez-vous malcher? demanda-t-elle. Si vous voulez quelque chose, vous n'avez qu'à me demander, Hyacinth, et on allangela ça.»

«Psst.»

Cette nuit-là, dans la lumière verdâtre du mystérieux établissement, Saladin fut réveillé par un sifflement venu tout droit d'un bazar indien.

«Psst. Belzébuth. Réveillez-vous.»

Debout devant Chamcha se tenait une créature si inimaginable que Chamcha voulut enfouir sa tête sous les draps; mais il ne le put, car il n'était pas lui-même...? «Vous avez raison, dit la créature. Vous voyez, vous n'êtes pas seul.»

Il avait un corps entièrement humain, mais la tête était celle d'un tigre féroce, avec une triple rangée de dents. «Les

187

gardiens de nuit s'assoupissent souvent, expliqua-t-il. Ainsi nous pouvons nous parler. »

À ce moment-là une voix venant d'un des lits – Chamcha savait que des paravents isolaient chaque lit – poussa un long cri : « Est-il possible de souffrir autant ! » et l'homme-tigre ou manticore, comme il s'appelait, grogna exaspéré. « Ce pauvre Epoumona Lisa, s'écria-t-il. Ils l'ont seulement rendu aveugle.

– Qui a fait quoi ? demanda Chamcha inquiet.

– Le problème, continua le manticore, c'est de savoir si vous allez les laisser faire. »

Saladin restait déconcerté. L'autre semblait insinuer que quelqu'un était responsable de ces mutations – mais qui ? Comment ça ? – « Je ne comprends pas, hasarda-t-il, qui faut-il accuser... »

Le manticore fit grincer ses trois rangées de dents avec un sentiment de frustration évident. « Il y a une femme là-bas, dit-il, qui est maintenant presque entièrement buffle. De robustes queues ont poussé à des hommes d'affaires du Nigéria. Des estivants du Sénégal, qui ne faisaient rien d'autre que changer d'avion, se sont transformés en serpents à la peau glissante. Moi-même je suis la mode ; pendant des années j'ai été un mannequin grassement payé, à Bombay, je présentais des quantités de costumes et de chemises. Mais qui m'emploiera maintenant ? » Il éclata soudain en sanglots inattendus. « Allez, allez, dit Saladin Chamcha machinalement. Tout ira bien. J'en suis sûr. Courage. »

La créature se ressaisit. « Le problème, dit-il férocement, c'est que certains ne vont plus supporter ça très longtemps. On va se tirer d'ici avant qu'ils ne nous transforment en quelque chose de pire. Chaque nuit je sens une autre partie de moi qui se modifie. Par exemple, j'ai continuellement des vents... je vous demande pardon... vous voyez ce que je veux dire ? À propos, essayez ça », il tendit à Chamcha un paquet de pastilles de menthe extra-forte. « Elles vous rafraîchiront l'haleine. Je les ai eues en fraude par un gardien.

– Mais comment s'y prennent-ils ? » Chamcha voulait savoir.

« Ils nous décrivent, chuchota l'autre d'un ton solennel. C'est tout. Ils ont le pouvoir de la description et nous succombons aux images qu'ils construisent.

188

– C'est difficile à croire, protesta Chamcha. Je vis ici depuis de nombreuses années et ça n'est jamais arrivé auparavant... » Les mots moururent sur ses lèvres parce qu'il vit le manticore le dévisager avec ses petits yeux méfiants. « Combien d'années? demanda-t-il. Comment ça se fait? – Vous êtes peut-être un indic, – Oui, c'est ça, un espion? »

Juste à ce moment-là un long gémissement s'éleva à l'autre bout de la salle. « Laissez-moi partir, hurla une voix de femme. Oh Jésus je veux m'en aller. Jésus Marie il faut que je m'en aille, laissez-moi partir, oh mon Dieu, Oh Jésus. » Un loup lubrique passa la tête entre les paravents de Saladin et parla rapidement au manticore. « Voilà les gardiens, siffla-t-il. C'est encore elle, Bertha de Verre.

– De verre...? » demanda Saladin. « Sa peau s'est changée en verre », lui expliqua le manticore énervé, sans savoir qu'il donnait une réalité au pire rêve de la vie de Chamcha. « Et ces salauds l'ont cassée. Elle ne peut même plus aller aux toilettes. »

Une autre voix siffla dans la nuit verdâtre. « Nom de Dieu, femme. Fais dans le bassin. »

Le loup entraînait le manticore. « Il est avec nous ou pas? » Le manticore haussa les épaules. « Il n'arrive pas à se décider, répondit-il. Il n'en croit pas ses yeux, c'est son problème. »

Ils s'enfuirent en entendant les lourdes bottes des gardes.

Le lendemain il n'y eut aucun signe d'un médecin, ou de Pamela, et, dans une confusion totale, Chamcha s'éveilla et s'endormit comme s'il ne fallait plus considérer ces deux états comme opposés, mais comme se mêlant l'un à l'autre pour créer une sorte de délire infini des sens... il rêva de la Reine, il faisait tendrement l'amour au monarque. Elle était le corps de la Grande-Bretagne, l'avatar de l'État, et il l'avait choisie, se fondait en elle, elle était sa Bien-Aimée, la lune de ses délices.

Hyacinth arriva à son heure pour le chevaucher et le bourrer de coups, et il se soumit sans rien dire. Mais quand elle eut fini elle lui murmura à l'oreille : « Tu es avec les aut'? » et il comprit qu'elle appartenait elle aussi à la grande conspiration. « Si tu en fais partie, tu peux m'inclure », s'enten-dit-il lui répondre. Elle hocha la tête, l'air satisfait. Chamcha sentit qu'une douce chaleur l'envahissait et il se demanda s'il devait prendre le petit poing fragile et néanmoins puis-sant de la kinésithérapeute; mais alors un cri vint de la direction de l'aveugle : « Ma canne, j'ai perdu ma canne. »

« Pauvre bougle », dit Hyacinth, et, enjambant Chamcha, elle fila vers l'aveugle, ramassa sa canne, la restitua à son propriétaire, et revint vers Saladin. « Allez, dit-elle. Je te velai cet aplem'; d'acco', pas de ploblèmes? »

Il voulait qu'elle reste, mais elle était très affairée. « Je suis une femme tlès plise, Mr Chamcha. Des choses à faile, des gens à voil. »

Après son départ il s'allongea et sourit pour la première fois depuis longtemps. Il n'imaginait pas que sa méta-morphose puisse continuer, parce qu'il nourrissait de romantiques rêveries à propos d'une femme noire; mais avant même d'avoir pu formuler d'aussi complexes pensées l'aveugle d'à côté se remit à parler.

« Je vous ai remarquée, l'entendit dire Chamcha. Je vous ai remarquée, et je vous suis très reconnaissant pour votre gentillesse et votre compréhension. » Saladin se rendit compte qu'il adressait son discours de remerciement dans le vide où il croyait fermement que se trouvait la kinési-thérapeute. « Je ne suis pas quelqu'un qui oublie une bonne action. Un jour, peut-être, je vous revaudrai ça, mais pour l'instant, sachez que je m'en souviens, et avec affection, aussi... » Chamcha n'eut pas le courage de lui dire *elle n'est plus là, vieux, ça fait longtemps qu'elle est partie.* Il continua à écouter, malheureux, jusqu'à ce que le vieil homme pose une question : « J'espère que, peut-être, vous vous souvien-drez de moi? Un peu? De temps en temps? » Un silence; un rire sec; le bruit d'un homme qui s'assoit, lourdement, tout d'un coup. Et finalement, après une pause interminable, une voix mélodramatique : « Oh, est-il possible de souffrir autant! »

Nous aspirons à la grandeur mais notre nature nous tra-hit, pensa Chamcha; des clowns qui veulent des couronnes. L'amertume l'envahissait. *Autrefois j'étais plus léger, plus heureux, au chaud. Maintenant une eau noire coule dans mes veines.*

190

Toujours pas de Pamela. *Tant pis.* Cette nuit-là, il dit au manticore et au loup qu'il était avec eux, entièrement.

La grande évasion eut lieu quelques nuits plus tard, quand les soins de Miss Hyacinth Phillips eurent presque vidé les poumons de Saladin de leurs glaires. C'était une opération à grande échelle, très bien organisée, ne concernant pas seulement les malades de l'hôpital mais aussi les *détenus,* comme les appelait le manticore, enfermés derrière les grillages du Centre de Détention proche. N'étant pas un des grands stratèges de l'évasion, Chamcha attendit simplement à côté de son lit comme on le lui avait dit jusqu'à ce que Hyacinth vienne le prévenir, et ils s'enfuirent de ce service de cauchemar pour retrouver le froid du clair de lune, et passèrent devant des hommes ligotés et bâillonnés : leurs anciens gardiens. De nombreuses silhouettes ténébreuses couraient dans la lueur de la nuit, et Chamcha apercevait des êtres qu'il n'aurait jamais pu imaginer, des hommes et des femmes qui étaient aussi en partie des plantes, ou des insectes géants, ou même, parfois, construits partiellement de briques et de pierres; des hommes avec une corne de rhinocéros à la place du nez et des femmes avec un cou aussi long que celui d'une girafe. Les monstres arrivèrent rapidement, silencieusement, aux limites du Centre de Détention, où le manticore et d'autres mutants aux dents acérées les attendaient à côté des grands trous qu'ils avaient pratiqués dans les grillages, et ils sortirent, libres, chacun dans sa direction, sans espoir mais aussi sans honte. Saladin Chamcha et Hyacinth Phillips couraient côte à côte, ses sabots de bouc résonnaient sur la chaussée : *à l'est* lui dit-elle, et ses pas remplacèrent le bourdonnement de ses oreilles, à l'est à l'est à l'est, ils couraient par les rues basses vers Londres.

4

Jumpy Joshi était devenu l'amant de Pamela Chamcha, « tout à fait par hasard », dit-elle par la suite, la nuit où elle apprit la mort de son mari dans l'explosion du *Bostan*, aussi, entendre la voix de Saladin, son vieux camarade d'université, lui parler d'outre-tombe en plein milieu de la nuit, articulant comme une formule les mots *pardon, excusez-moi, c'est une erreur* – et, cela moins de deux heures après que Jumpy et Pamela, avec l'aide de deux bouteilles de whisky, eurent joué au jeu de la bête à deux dos – le mit dans une situation difficile. « C'était *qui*? » demanda Pamela en se retournant, encore à moitié endormie, avec un masque sur les yeux, et il décida de lui répondre, « Un obsédé, ne t'inquiète pas », ce qui allait bien, sauf qu'il resta seul à s'inquiéter, assis dans le lit, nu, et suçant, pour se réconforter, comme il l'avait fait toute sa vie, le pouce de sa main droite.

C'était une petite personne avec des épaules comme un porte-manteau en fil de fer et une immense capacité pour l'agitation nerveuse, ce que traduisaient son visage blême et ses yeux enfoncés; ses cheveux clairsemés – pourtant encore très noirs et bouclés – que ses mains fébriles avaient si souvent ébouriffés qu'ils en étaient maintenant totalement insensibles aux brosses ou aux peignes, et qu'ils se dressaient dans tous les sens, donnant constamment à leur propriétaire l'air de s'être réveillé en retard et de se dépêcher; et son rire haut perché, timide et trop modeste, mais hoquetant et nerveux; à cause de tout cela, on avait transformé son nom de Jamshed en *Jumpy* [1], surnom que tout le monde utilisait

1. Agité (mot à mot : sauteur). *(N.d.T.)*

automatiquement, même ceux qui venaient de faire sa connaissance; tout le monde, sauf Pamela Chamcha. La femme de Saladin, pensa-t-il, en suçant fiévreusement son pouce. – Ou sa veuve? – Ou, Dieu me garde, sa femme, après tout. Il se mit à en vouloir à Chamcha. Revenir d'une tombe sous les eaux : à notre époque, un événement si théâtral semblait presque indécent, un acte de mauvaise foi.

Dès qu'il apprit la nouvelle, il se précipita chez Pamela, et la trouva les yeux secs et très calme. Elle le conduisit dans son bureau en désordre sur les murs duquel étaient accrochés des aquarelles représentant des roseraies entre des affiches où l'on pouvait voir des poings fermés et lire *Partido Socialista*, des photos d'amis et un groupe de masques africains, et elle se fraya un chemin entre des cendriers et le journal *Voice* et des romans de science-fiction féministes, et dit d'une voix neutre, « Ce qu'il y a d'étonnant c'est que quand on me l'a dit j'ai pensé, eh bien, haussement d'épaules, en vérité sa mort va faire un joli petit trou dans ma vie ». Jumpy, au bord des larmes, et plein de souvenirs, s'arrêta net et agita les bras, ayant l'air, dans son immense manteau noir et sans forme, et avec son visage pâle et terrorisé, d'un vampire pris dans la lumière inattendue et horrible du jour. Puis il aperçut les bouteilles de whisky vides. Pamela dit qu'elle avait commencé à boire quelques heures plus tôt, et que depuis elle continuait avec application et régularité, et le sérieux d'un coureur de fond. Il s'assit à côté d'elle sur le canapé-lit bas et mou, et lui proposa de jouer le rôle d'un stimulateur cardiaque. « Tout ce que tu veux », lui dit-elle, et elle lui passa la bouteille.

Maintenant, assis dans le lit, suçant son pouce au lieu d'un goulot, son secret et sa gueule de bois lui battant dans la tête de façon tout aussi douloureuse (il n'avait jamais bu ni gardé de secrets), Jumpy sentait les larmes lui monter aux yeux, et il décida de se lever pour aller faire un petit tour. Il monta à l'étage, dans ce que Saladin appelait sa « tanière », un loft immense éclairé par des vélux et des fenêtres qui donnaient sur des jardins avec de vieux arbres, des chênes, des mélèzes, et même le dernier des ormes qui avait échappé à l'épidémie. *D'abord les ormes, maintenant nous,* se dit Jumpy. *Les arbres étaient peut-être un avertissement.* Il se secoua pour chasser ces pensées morbides du petit matin, et

193

s'assit sur le bureau d'acajou de son ami. Une fois, lors d'une fête à l'université, il s'était assis de la même façon sur le bord d'une table couverte de vin et de bière renversés, à côté d'une fille émaciée en minijupe de dentelle noire, avec un boa de plumes violettes et des paupières comme des casques d'argent, incapable de trouver le courage de lui dire bonjour. Il se retourna finalement vers elle et bredouilla quelques banalités; elle lui jeta un regard de mépris absolu et dit sans bouger ses lèvres laquées de noir, *arrête les frais, vieux.* Cela l'avait troublé à tel point qu'il lui demanda d'une traite, *pourquoi est-ce que les filles de cette ville sont tellement mal élevées?*, et elle lui répondit sans réfléchir, *parce que la plupart des garçons sont comme toi.* Quelques instants plus tard, arriva Chamcha, empestant le patchouli, vêtu d'un kurta blanc, la caricature même des mystères de l'Orient, et cinq minutes plus tard la fille partait avec lui. Le salaud, se dit Jumpy Joshi tandis que lui revenait l'ancienne amertume, il n'avait pas honte, il était prêt à être tout ce qu'ils voulaient acheter, diseur-de-bonne-aventure en veste indienne mendiant-dharma Hare-Krishna, moi j'aurais préféré mourir. Ce mot l'arrêta net. Mourir. Regarde les choses en face, Jamshed, la vérité c'est que les filles ne se sont jamais intéressées à toi, et le reste n'est qu'envie. Oui, peut-être, reconnut-il à moitié, et puis après tout. Il est peut-être mort, ajouta-t-il, et puis après tout, peut-être pas.

La chambre de Chamcha frappa l'intrus insomniaque par son côté fabriqué et donc triste : la caricature d'une chambre d'acteur, pleine de photos de collègues, de prospectus, de programmes encadrés, de photos de tournage, de récompenses, de prix, de mémoires de vedettes, une chambre achetée clef en main, au mètre, une imitation de la vie, le masque d'un masque. Des bibelots partout : des cendriers en forme de piano, des pierrots en porcelaine cachés sur des étagères de livres. Et partout, sur les murs, sur les affiches de cinéma, dans la lueur de la lampe soutenue par un Éros de bronze, dans le miroir en forme de cœur, suintant du tapis rouge sang, dégouttant du plafond, le besoin d'amour de Saladin. Au théâtre tout le monde s'embrasse et s'appelle ma chérie. La vie de l'acteur offre au quotidien le simulacre de l'amour; un masque peut se satisfaire, ou au moins se consoler, avec l'écho de ce qu'il cherche. On voyait

194

son désespoir, se dit Jumpy, il ferait n'importe quoi, enfilerait n'importe quel costume débile, prendrait n'importe quelle forme pour mériter un mot d'amour. Saladin, qui n'avait aucun problème avec les femmes, voir plus haut. Pauvre con. Même Pamela, avec sa beauté et son éclat, n'avait pas suffi.

À l'évidence, elle considérait qu'il avait passé les bornes. Quelque part vers le fond de la deuxième bouteille de whisky elle posa la tête sur son épaule et dit d'une voix pâteuse, « Tu n'imagines pas le soulagement de ne pas avoir à se disputer à chaque fois qu'on dit ce qu'on pense. De ne pas se trouver avec quelqu'un qui est toujours du bon côté. » Il attendit; après une pause, elle reprit. « Lui et sa Famille Royale, tu n'imaginerais pas. Le cricket, le Parlement, la Reine. Il a toujours vu l'Angleterre comme une carte postale. Il ne voulait pas regarder la réalité comme elle était. » Elle ferma les yeux et laissa sa main se poser par hasard sur la sienne. « C'était un vrai Saladin, dit Jumpy. Un homme qui avait une terre sainte à conquérir, son Angleterre, celle dans laquelle il croyait. Tu en faisais partie. » Elle roula loin de lui et s'étendit sur les magazines, les papiers froissés, dans le fouillis. « J'en faisais partie? J'étais la putain de Grande-Bretagne elle-même, oui. La bière chaude, les tartes aux fruits confits, le bon sens et moi. Mais je suis aussi tout à fait réelle, J.J.; vraiment réelle. » Elle tendit le bras vers lui, l'attira vers sa bouche qui attendait, l'embrassa goulûment et bruyamment d'une façon qui ne lui ressemblait pas. « Tu vois ce que je veux dire? » Oui, il voyait.

« Tu aurais dû l'entendre parler de la guerre des Malouines », dit-elle plus tard, en se dégageant de ses bras et en jouant avec ses cheveux. « Il disait : " Pamela, imagine qu'au milieu de la nuit tu entends du bruit en bas, tu descends voir et tu trouves un énorme type avec un fusil au milieu du salon, qui te dit, remonte, qu'est-ce que tu ferais? " Je lui ai dit, je remonterais. " Eh bien, c'est comme ça. Des intrus chez soi. On ne peut pas le supporter. " » Jumpy remarqua qu'elle serrait les poings et que ses articulations étaient blanches. « Je lui ai dit, si tu veux te servir de ces putains d'images domestiques, alors fais-le correctement. Ça *ressemble* à deux personnes qui se disent proprié-

195

taires de la même maison, et l'un d'eux y est installé illégalement, et *alors*, l'autre arrive avec un fusil. C'est à ça que ça *ressemble*. » « Ça c'est vraiment réel », dit Jumpy en hochant gravement la tête. « *C'est ça* », elle lui donna une grande claque sur le genou. « C'est vraiment comme ça, Mr. Vraiment Réel... c'est la vérité vraie. Véritablement. Encore un verre. »

Elle se pencha vers le lecteur de cassettes et appuya sur un bouton. Mon Dieu, pensa Jumpy, *Boney M.?* S'il te plaît. Malgré ses attitudes de professionnelle, la petite dame avait encore beaucoup à apprendre au sujet de la musique. Ça y est, boumchicaboum. Puis, sans prévenir, il se mit à pleurer, de vraies larmes provoquées par une émotion factice, par une imitation disco de la douleur. C'était le psaume cent trente-sept, « Super flumina ». La voix du roi David à travers les siècles. « Comment chanterons-nous les chants de l'Éternel sur une terre étrangère ? »

« À l'école, j'ai été obligée d'apprendre les psaumes », dit Pamela Chamcha, assise par terre, la tête posée sur le canapé-lit, les yeux fermés. *Sur les bords du fleuve de Babylone nous étions assis, oh oh nous pleurions...* elle arrêta la bande, se recula et se mit à réciter. « Si je t'oublie, ô Jérusalem, que ma main droite m'oublie ; si je t'oublie, Jérusalem, que ma langue s'attache à mon palais ; oui, si je ne te préfère pas Jérusalem dans ma joie. »

Plus tard, dormant dans son lit, elle rêvait de son pensionnat religieux, des matines et de l'office du soir, des psaumes, quand Jumpy se précipita dans la chambre et la réveilla en la secouant, « Je n'en peux plus, il faut que je te dise. Il n'est pas mort. Saladin : il est bien vivant nom de Dieu. »

Elle se réveilla tout à fait, enfonça les mains dans sa chevelure bouclée et passée au henné, dans laquelle on commençait à apercevoir les premiers cheveux blancs ; elle s'agenouilla, nue, sur le lit, les mains dans les cheveux, incapable de bouger, jusqu'à ce que Jumpy ait fini de parler, et, sans prévenir, elle se mit à le boxer, frappant sa poitrine et ses bras et ses épaules et même son visage, aussi fort qu'elle le pouvait. Il s'assit à côté d'elle sur le lit, ridicule dans sa chemise de nuit à volants, tandis qu'elle le frappait; il se laissait aller, recevait les coups, se soumettait. Quand elle s'arrêta de le battre elle avait le corps couvert de sueur et il pensa qu'elle lui avait peut-être cassé un bras. Elle s'assit à côté de lui, haletante, et ils restèrent silencieux.

Le chien entra dans la chambre, l'air inquiet, et il vint à pas feutrés donner la patte et lécher la jambe gauche de Pamela. Jumpy bougea, prudemment. « Je croyais qu'on vous l'avait volé », finit-il par dire. Pamela fit *oui, mais*, d'un signe de tête. « Les voleurs m'ont appelée. J'ai payé la rançon. Maintenant il répond au nom de Gleen. Ça ne fait rien; de toute façon, je n'arrivais pas à prononcer Sher Khan correctement. »

Après un certain temps, Jumpy eut envie de parler. « Ce que tu viens de dire, à l'instant, commença-t-il.

– Oh, mon Dieu!

– Non. Ça ressemble à quelque chose que j'ai fait moi-même. Peut-être la chose la plus sensée que j'ai faite de ma vie. » Pendant l'été 1967, il avait entraîné le Saladin « apolitique » de vingt ans à une manifestation contre la guerre du Vietnam. « Une fois dans ta vie, Monsieur l'Orgueilleux, je vais te faire descendre à mon niveau. » Harold Wilson venait en visite officielle en ville, et on avait organisé une manifestation contre le soutien du gouvernement travailliste à l'engagement américain au Vietnam. Chamcha y alla, « uniquement par curiosité, dit-il. Je veux voir comment les gens prétendument intelligents se transforment en populace. »

Ce jour-là, il plut des cordes. Les manifestants se firent tremper à Market Square. Jumpy et Chamcha, entraînés par la foule, se retrouvèrent coincés contre les marches de l'hôtel de ville; *aux premières loges*, dit Chamcha avec une lourde ironie. À côté d'eux, il y avait deux étudiants déguisés en assassins russes, avec des feutres, des pardessus et des lunettes noires, qui portaient des boîtes à chaussures remplies de tomates trempées dans de l'encre et sur lesquelles était écrit en grandes lettres *bombes*. Peu avant l'arrivée du Premier ministre, l'un d'eux tapa sur l'épaule d'un policier et lui dit : « Excusez-moi. Quand Mr. Wilson, soi-disant Premier ministre, arrive dans grande voiture, pouvez-vous demander gentiment à lui de baisser vitre pour que ami à

197

moi puisse lui jeter bombes. » Le policier répondit, « Ho, ho, monsieur. Très bien. Je vais vous dire. Vous pouvez lui jeter des œufs, monsieur, ça ne me dérange pas. Et vous pouvez lui jeter des tomates, monsieur, comme celles que vous avez dans cette boîte, peintes en noir, et marquées *bombes*, parce que ça ne me dérange pas. Mais si vous lui jetez quelque chose de dur, monsieur, mon pote, ici, vous descend avec son fusil. » Ô jours d'innocence quand le monde était jeune... à l'arrivée de la voiture un mouvement de foule sépara Chamcha et Jumpy. Puis Jumpy réapparut, sur le capot de la limousine de Harold Wilson, et se mit à sauter à pieds joints dessus comme un fou, le bosselant, au rythme du slogan repris par la foule : *Paix au Vietnam, Ho Chi Minh vaincra.*

« Saladin me cria de descendre, en partie parce qu'il y avait plein de flics en civil dans la foule et qu'ils se dirigeaient vers la limousine, mais surtout parce qu'il était très gêné. » Pourtant il continuait à sauter, toujours plus haut et toujours plus fort, trempé jusqu'aux os, avec ses cheveux longs qui volaient : Jumpy le sauteur, bondissant dans la mythologie de cette époque ancienne. Et Wilson et sa femme Marcia blottis sur le siège arrière. *Ho! Ho! Ho Chi Minh!* Au dernier moment Jumpy prit une grande respiration, et plongea la tête la première dans la foule des visages mouillés et amicaux; et disparut. Ils ne l'attrapèrent jamais : flics cognes bourres. « Saladin ne m'a pas adressé la parole pendant une semaine, se souvint Jumpy. Et quand il l'a fait ç'a été pour me dire, j'espère que tu te rends compte que les flics auraient pu te mettre en morceaux, mais qu'ils ne l'ont pas fait. »

Ils étaient assis côte à côte sur le bord du lit. Jumpy posa la main sur l'avant-bras de Pamela. « Je veux simplement te dire que je sais ce que tu ressens. Ça semblait incroyable. Nécessaire.

– Oh, mon Dieu, dit-elle en se tournant vers lui. Oh, mon Dieu, je suis désolée, mais oui, c'est ça. »

Le lendemain matin ils mirent une heure à obtenir l'aéroport au téléphone à cause du nombre d'appels provoqués par la catastrophe aérienne, et encore vingt-cinq minutes d'insistance – *mais il a téléphoné, c'était sa voix* – tandis qu'à l'autre bout du fil une voix de femme, spécialement entraînée pour s'occuper des êtres humains en crise, comprenait ce qu'elle ressentait et sympathisait avec elle dans ce terrible moment et restait très calme, bien que ne croyant manifestement pas un seul mot de ce qu'elle disait.

Excusez-moi, madame, je n'ai pas l'intention d'être brutale, mais l'avion a explosé à trente mille pieds. À la fin de la communication Pamela Chamcha, qui d'ordinaire se contrôlait parfaitement, qui s'enfermait dans la salle de bains quand elle voulait pousser des cris, se mit à hurler au téléphone, mais nom de Dieu, est-ce que vous pouvez la fermer avec vos discours de bon Samaritain et écouter ce que je dis?

Finalement elle raccrocha violemment et se retourna vers Jumpy Joshi, qui vit l'expression de ses yeux et renversa le café qu'il lui apportait à cause de ses jambes qui se mirent à trembler de peur. « Pauvre con, lui cria-t-elle. Encore en vie, hein? Je suppose qu'il est descendu du ciel avec ses foutues *ailes* et qu'il s'est précipité dans la cabine téléphonique la plus proche pour enlever son foutu costume de Superman et téléphoner à sa petite femme. » Ils se trouvaient dans la cuisine et Jumpy remarqua une série de couteaux fixés à une bande métallique aimantée sur le mur proche du bras gauche de Pamela. Il ouvrit la bouche pour parler mais elle ne lui en laissa pas le temps. « Va-t'en avant que je fasse un malheur, dit-elle. Je n'arrive pas à croire que tu aies marché. Toi et tes voix au téléphone : j'aurais dû le savoir, bon Dieu. »

Au début des années 70 Jumpy avait une discothèque ambulante à l'arrière de son minibus jaune. Il l'avait appelé Le Pouce de Finn en l'honneur du légendaire géant endormit d'Irlande, Finn MacCool, une bonne poire comme disait Chamcha. Un jour Saladin avait joué un tour à Jumpy, lui téléphonant avec un accent vaguement méditerranéen, pour lui demander les services du Pouce musical sur l'île de Skorpios, de la part de Mrs Jacqueline Kennedy Onassis; on lui offrait la somme de dix mille dollars et le voyage en Grèce, en avion privé, pour six personnes. C'était une chose terrible à faire à un homme aussi crédule et aussi droit que Jamshed Joshi. « J'ai besoin d'une heure pour réfléchir », avait-il dit, et il avait sombré dans les tourments de l'indécision. Quand Saladin rappela une heure plus tard et entendit que Jumpy refusait l'offre de Mrs Onassis pour des raisons politiques, il comprit que son ami s'entraînait pour devenir un saint, et que ce n'était pas bien de le mener en bateau. « Mrs Onassis en aura le cœur brisé, j'en suis sûr », avait-il conclu, et Jumpy avait répondu empressé, « S'il vous plaît, dites-lui que cela n'a rien de personnel et que je l'admire beaucoup. »

Cela fait trop longtemps qu'on se connaît, se dit Pamela quand Jumpy s'en alla. Nous pouvons nous faire mal avec des souvenirs vieux de vingt ans.

À propos d'erreurs sur des voix, se disait-elle cet après-midi-là comme elle roulait bien trop vite sur l'autoroute M4 dans la vieille MG qu'elle conduisait toujours avec un certain plaisir « idéologiquement douteux », reconnaissait-elle – à ce propos, je devrais vraiment être plus charitable.

Pamela Chamcha, née Lovelace, possédait une voix à cause de laquelle, à bien des égards, le reste de sa vie n'avait été qu'un long effort pour se racheter. Il s'agissait d'une voix composée de tweed, de foulards, de goûters, de crosses de hockey, de maisons à toit de chaume, de crèmes pour le cuir, de week-ends à la campagne, de bonnes sœurs, de banc familial à l'église, de gros chiens et d'hypocrisie bourgeoise, et malgré toutes ses tentatives pour en réduire le volume elle restait toujours aussi bruyante qu'un ivrogne en smoking lançant des petits pains dans la salle à manger de son club. Cette voix avait été la tragédie de sa jeunesse, à cause d'elle elle avait été poursuivie par des gentlemen farmers et des séducteurs et quelques citadins qu'elle méprisait de tout son cœur, alors que les écolos, les marcheurs pour la paix et tous ceux qui voulaient changer le monde vers lesquels elle se sentait instinctivement attirée, la traitaient avec une méfiance frisant la rancune. Comment pouvait-on être *du bon côté* quand à chaque fois qu'on ouvrait la bouche on avait l'air d'une fille-à-papa ? Après Reading, Pamela accéléra et grinça des dents. Une des raisons pour lesquelles elle avait décidé *reconnais-le* de mettre fin à son mariage avant que le destin le fasse pour elle, c'était qu'un matin elle avait ouvert les yeux et compris que Chamcha ne l'aimait pas du tout pour elle-même, mais pour cette voix qui empestait le pudding du Yorskire et les hommes courageux, cette voix riche, ronde, de la vieille Angleterre de rêve qu'il voulait désespérément pénétrer. Leur mariage avait été un malentendu, chacun recherchant dans l'autre ce que précisément l'autre fuyait.

Aucun survivant. Et au milieu de la nuit, cet imbécile de Jumpy et sa fausse alarme stupide. Elle était tellement secouée par tout ça qu'elle n'avait pas encore eu le temps d'être secouée pour avoir couché avec Jumpy et fait l'amour avec lui d'une façon *reconnais-le* tout à fait satisfaisante, *épargne-moi ton indifférence*, se reprocha-t-elle, *quand finalement as-tu pris autant de plaisir*. Elle avait beaucoup de choses à résoudre et elle se trouvait là, et les résolvait en s'enfuyant le plus vite possible. Quelques jours à se faire dorloter dans une luxueuse auberge de campagne et peut-être que le monde ressemblerait moins à ce foutu enfer. La thérapie par le luxe : d'accord d'accord, s'avoua-t-elle, je sais : je *reviens à ma classe*. Et merde; regardez-moi bien. Si vous avez des objections, vous pouvez vous les mettre au cul. Cul.

Elle traversa Swindon à cent soixante kilomètres à l'heure, et le temps se couvrit. Brusquement, des nuages sombres, des éclairs, une forte pluie; elle continuait à appuyer sur l'accélérateur. *Aucun survivant*. Les gens n'arrêtaient pas de mourir autour d'elle, la laissant la bouche pleine de mots avec personne sur qui les cracher. Son père l'helléniste qui pouvait faire des jeux de mots en grec ancien et dont elle avait hérité de la Voix, son douaire et sa malédiction; et sa mère qui se languissait de lui pendant la Guerre, quand il était pilote d'avion de reconnaissance, obligé de revenir d'Allemagne cent onze fois, à petite vitesse, dans la nuit que ses fusées venaient d'illuminer pour les bombardiers – et qui fit le vœu, quand il rentra avec le bruit de la D.C.A. dans les oreilles, de ne jamais le quitter –, et elle le suivit partout, même dans la lente dépression d'où il ne devait plus jamais réellement émerger –, et dans ses dettes parce qu'il n'était pas fait pour le poker et qu'il joua l'argent de sa femme quand il eut perdu le sien –, et enfin jusqu'en haut d'un immeuble, où ils trouvèrent enfin leur voie. Pamela ne leur pardonna jamais, en particulier de ne pas lui avoir permis de leur dire qu'elle ne leur pardonnait pas. Pour prendre sa revanche, elle se mit à rejeter en elle tout ce qui venait d'eux. Son intelligence, par exemple : elle refusa d'aller à l'université. Et comme elle ne pouvait pas se débarrasser de sa voix, elle l'obligea à exprimer des idées que ses conservateurs et suicidaires de parents auraient considérées comme des blasphèmes. Elle épousa un Indien. Et parce qu'il se révéla trop semblable à eux, elle l'aurait quitté. Avait décidé de le quitter. Quand, une nouvelle fois, elle avait été trompée par la mort.

Elle doublait un camion frigorifique, aveuglée par l'eau que soulevaient les roues, quand elle aborda l'étendue d'eau qui l'attendait au bas d'une petite pente, et la MG partit alors en aquaplaning à une vitesse terrifiante, traversa la file de droite et fit un tête-à-queue si bien que Pamela vit les phares du camion frigorifique la fixer comme les yeux de l'ange exterminateur, Azrael. « Rideau », se dit-elle; mais sa voiture bascula et s'écarta en glissant du chemin du mastodonte, traversant les trois voies de l'autoroute, miraculeusement vides, et s'écrasant avec moins de bruit qu'on aurait pu s'y attendre contre le rail de sécurité du bas-côté, après avoir tourné de cent quatre-vingts degrés, encore une fois, vers l'ouest, où avec toute la précision rebattue de la réalité le soleil perçait les nuages.

**

Le fait d'être en vie compense ce que la vie fait à chacun. Ce soir-là, dans une salle à manger lambrissée de chêne décorée d'oriflammes médiévaux, Pamela Chamcha dans sa robe la plus éblouissante mangeait du gibier et buvait du château-talbot à une table lourde d'argenterie et de cristal, célébrant un nouveau départ, le fait d'avoir échappé aux mâchoires de, un recommencement, pour renaître il faut d'abord : bien, presque, de toute façon. Sous les yeux lubriques d'Américains et de voyageurs de commerce elle mangea et but seule, se retira tôt dans sa chambre de princesse, dans une tour de pierre, pour prendre un long bain et regarder de vieux films à la télévision. Après son contact avec la mort, elle sentait son passé la quitter : son adolescence, par exemple, passée chez son méchant oncle Harry Higham, qui vivait dans un manoir du XVII e siècle ayant appartenu à un parent éloigné, Matthew Hopkins, le Grand Inquisiteur, qui l'avait surnommé *les Lutins*, sans doute pour faire de l'humour. Se rappelant Mr Justice Higham à seule fin de l'oublier, elle murmura à Jumpy l'absent que, elle aussi, avait son histoire de Vietnam. Après la grande manifestation de Grosvenor Square au cours de laquelle quantité de gens jetèrent des billes sous les sabots des chevaux des policiers, pour la première et unique fois dans le droit anglais on considéra les billes comme une arme mortelle, et beaucoup de jeunes furent mis en prison, et même expulsés du pays, pour avoir été trouvés en possession de petites boules de verre. Le président du tribunal lors du procès des Billes de Grosvenor fut ce même Henry Higham, surnommé plus tard Hignoble et être sa nièce représentait un fardeau supplémentaire pour cette jeune femme déjà affligée d'une voix de droite. Maintenant, bien au chaud dans le lit de son château temporaire, Pamela Chamcha se débarrassait de son vieux démon, *au revoir, Hignoble, je n'ai plus le temps de m'occuper de toi*; et des fantômes de ses parents; et elle s'apprêta à se libérer de son plus récent fantôme.

En buvant un cognac à petites gorgées, Pamela regarda un film de vampires à la télévision et s'autorisa à prendre plaisir à sa propre compagnie. N'avait-elle pas elle-même inventé sa propre image? Je suis celle que je suis, elle but à sa santé une fine Napoléon. Je travaille au conseil des relations intercommunautaires dans le quartier de Brickhall, Londres, NE1; secrétaire-adjointe des relations intercommunautaires et sacrément bonne, mêmesic'estmoiqueledis. À la tienne! On vient d'élire notre premier président noir et tous les votes contre lui venaient de Blancs. Cul sec! La semaine dernière un respecté commerçant asiatique, en faveur de qui des membres de tous les partis au Parlement étaient intervenus, a été expulsé après dix-huit ans passés en Grande-Bretagne, parce qu'il y a quinze ans il avait posté un formulaire avec quarante-huit heures de retard. Tchin, Tchin! La semaine prochaine au tribunal de Brickhall la police essaiera de monter un coup contre une Nigérienne de cinquante ans, en l'accusant de coups et blessures volontaires, parce qu'auparavant ils l'ont passée à tabac. Skol! Voici ma tête : vous la voyez? Vous savez comment j'appelle mon travail : me cogner la tête contre le mur de briques de Brickhall.

Saladin était mort et elle était en vie.

Elle leva son verre. Il y a des choses que je voulais te dire, Saladin. Des choses importantes : un nouvel immeuble de bureaux dans la grande rue de Brickhall, en face de Mac-Donald; – il est parfaitement insonorisé, mais ceux qui y travaillent ont été tellement perturbés par le silence qu'on passe maintenant des cassettes de bruits dans les haut-parleurs. – Ça t'aurait plu, hein? – Et à propos de cette femme parsie que je connais, elle s'appelle Bapsy, elle a vécu en Allemagne pendant quelque temps et elle est tombée amoureuse d'un Turc. – Le problème, c'est que la seule langue qu'ils avaient en commun, c'était l'allemand; maintenant Bapsy a oublié presque tout ce qu'elle savait, tandis que lui continue à s'améliorer; il lui écrit des lettres de plus en plus poétiques et elle peut tout juste lui répondre avec des comptines. – L'amour qui meurt, à cause d'une inégalité de langue, qu'est-ce que tu en penses? – L'amour qui meurt. C'est un sujet de conversation pour nous, hein? Saladin? Qu'est-ce que tu en dis?

Et encore de petites choses. Un tueur rôde dans mon quartier, spécialisé dans le meurtre des vieilles dames; aussi ne t'inquiète pas, je ne crains rien. Elles sont bien plus vieilles que moi.

Encore une chose : je te quitte. C'est fini. Fini entre nous.

Je ne pouvais jamais rien te dire, absolument rien, pas la moindre petite chose. Si je te disais que tu grossissais tu râlais pendant une heure, comme si cela pouvait changer ce que tu voyais dans la glace, ce que te disait ton pantalon trop serré. Tu me coupais la parole en public. Les gens le remarquaient, ce que tu pensais de moi. Je te pardonnais, ce fut mon erreur; je pouvais voir au centre de toi, cette question si terrible que tu devais te protéger avec toute cette certitude feinte. Cet espace vide.

Au revoir, Saladin. Elle vida son verre et le posa à côté d'elle. La pluie cognait à nouveau sur les vitraux des fenêtres; elle tira les rideaux et éteignit la lumière.

Allongée dans son lit, s'abandonnant au sommeil, elle pensa à la dernière chose qu'elle voulait dire à son mari défunt. « Au lit, les mots venaient, tu ne semblais jamais t'intéresser à moi; à mon plaisir, à ce dont j'avais besoin, jamais vraiment. J'en suis venue à penser que tu ne cherchais pas une maîtresse. Une servante. » Voilà. Maintenant repose en paix.

Elle rêva de lui, son visage remplit son rêve. « Les choses se terminent, lui disait-il. Cette civilisation; les choses se referment dessus. Ça a été une grande culture, brillante et infecte, cannibale et chrétienne, la gloire du monde. Nous devons la célébrer pendant qu'il en est encore temps; avant que la nuit tombe. »

Elle n'était pas d'accord, même pas dans le rêve, mais tout en rêvant, elle savait que cela ne valait pas la peine de le lui dire.

Quand Pamela Chamcha l'eut chassé, Jumpy Joshi alla au café Shaandaar de Mr Sufyan, dans la grande rue de Brickhall et il s'assit en essayant de savoir s'il était un imbécile. À cause de l'heure matinale, il n'y avait presque personne, à l'exception d'une grosse femme qui achetait une boîte de pista barfi et des jalebis, de deux ouvriers du vêtement qui buvaient du thé chaloo et d'une vieille Polonaise du temps où les juifs dirigeaient les ateliers clandestins, qui passait la journée assise dans un coin avec deux samosas aux légumes, un puri et un verre de lait, déclarant à chaque nouvel arrivant qu'elle se trouvait ici parce que « c'était presque aussi bien que le cacher et par les temps qui courent on doit faire du mieux qu'on peut ». Jumpy s'assit avec son café sous le portrait très coloré d'une femme mythique à la poitrine nue, avec plusieurs têtes et des traînées de nuages qui lui dissimulaient la pointe des seins, grandeur nature, en rose saumon, vert fluo et or, et parce que le coup de feu n'avait pas encore commencé Mr Sufyan remarqua qu'il avait le cafard.

« He, saint Jumpy, cria-t-il, pourquoi apportes-tu le mauvais temps ici? Il n'y a pas assez de nuages dans ce pays? »

Jumpy rougit quand Sufyan vint vers lui en sautillant, sa petite calotte blanche bien en place comme d'habitude, sa barbe sans moustaches passée au henné après son récent pèlerinage à La Mecque. Muhammad Sufyan était un gros type aux avant-bras épais, avec une panse énorme, un croyant pieux et dénué de tout fanatisme, et Joshi le considérait comme une sorte de parent plus âgé. « Écoute, mon oncle, dit-il quand le propriétaire du café se tint debout devant lui, tu trouves que je suis un vrai imbécile ou non?

– Tu n'as jamais gagné d'argent? lui demanda Sufyan.

– Non, mon oncle.

– Tu n'as jamais fait d'affaires? Import-export? Paris clandestins? Petite boutique?

– Je n'ai jamais eu le sens des chiffres.

– Et où se trouve ta famille?

– Je n'ai pas de famille, mon oncle. Je n'ai que moi.

– Alors tu devrais continuellement prier Dieu pour qu'il te guide dans ta solitude?

– Tu me connais, mon oncle. Je ne prie pas.

– Aucun problème, conclut Sufyan. Tu es encore plus idiot que tu ne t'en doutes.

– Merci, mon oncle, dit Jumpy en finissant son café. Tu m'as été d'un grand secours. »

Sufyan, sachant que l'affection avec laquelle il le taquinait, en dépit de sa triste mine, lui remontait le moral appela l'Asiatique aux yeux bleus et à la peau claire qui venait d'entrer dans un manteau dernier cri à carreaux et à larges revers. « Toi, Hanif Johnson, viens ici résoudre un mystère. » Johnson, un avocat astucieux et un gosse du coin ayant réussi, qui possédait un bureau au-dessus du café Shaandaar, s'arracha à la compagnie des deux jolies filles de Sufyan et se dirigea vers la table de Jumpy. « Explique-moi ce type, demanda Sufyan. Ça me dépasse. Il ne boit pas, il considère l'argent comme une maladie, il possède peut-être deux chemises et pas de magnétoscope, quarante ans et pas marié, il travaille pour gagner quatre sous dans un centre sportif où il enseigne les arts martiaux, etc., il vit d'eau fraîche et d'air pur, il se conduit comme un rishi ou un pir mais n'est pas croyant, il n'a pas de but mais il a l'air de posséder un secret. Tout ça et l'université, débrouille-toi. »

Hanif Johnson donna un coup de poing dans l'épaule de Jumpy. « Il entend des voix », dit-il. Sufyan leva les mains en feignant l'étonnement. « Des voix, oh, baba! Des voix venant d'où? Du téléphone? Du ciel? D'un walkman caché dans son manteau?

– Des voix intérieures, dit solennellement Hanif. Làhaut, sur son bureau, il y a une feuille de papier avec des vers. Et un titre : *Le Fleuve de sang.* »

Jumpy bondit, renversa sa tasse vide. « Je te tuerai », hurla-t-il à Hanif, qui se sauva en gambadant et en chantant, « Nous avons un poète parmi nous, Sufyan Sahib. À traiter avec respect. À manier avec soin; Il dit que la rue est un fleuve et que nous sommes le courant; l'humanité est un fleuve de sang, c'est le point de vue du poète. Ainsi que de cet être humain », il s'interrompit pour s'enfuir de l'autre côté d'une table de huit couverts comme Jumpy le poursuivait, rougissant violemment, agitant les bras. « Est-ce que dans nos corps mêmes un fleuve de sang ne coule pas? » Ainsi que l'a dit le poète fureteur Enoch Powell *comme le Romain je vois le Tibre bouillonnant de sang.* Reprends la métaphore, s'était dit Jumpy Joshi. Retourne-la; fais-en quelque chose d'utile. « C'est un viol, déclara-t-il à Hanif. Arrête, pour l'amour de Dieu.

– Les voix qu'on entend sont à l'extérieur, mais Jeanne d'Arc, médita le propriétaire du café. Ou comment s'appelle-t-il déjà, le type avec le chat : le pauvre Whittington qui entendait des voix et qui est devenu Lord maire de Londres. Mais avec de telles voix, on devient célèbre, riche au moins. Pourtant celui-ci est inconnu, et pauvre.

– Ça suffit. » Jumpy leva les deux bras au-dessus de sa tête, avec un sourire forcé. « Je me rends. »

Ensuite, pendant trois jours, malgré les efforts de Mr Sufyan, de Mrs Sufyan, de leurs filles Mishal et Anahita, et de l'avocat Hanif Johnson, Jumpy Joshi ne fut pas vraiment lui-même. Il continuait à vaquer à ses affaires, dans les clubs de jeunes, dans les bureaux de la coopérative cinématographique dont il faisait partie, et dans les rues où il distribuait des prospectus, vendait certains journaux, et traînait; mais il avait une démarche lourde. Puis, le quatrième soir, le téléphone sonna derrière le comptoir du café Shaandaar.

« Mr Jamshed Joshi, chanta Anahita Sufyan en prenant son ton de grande bourgeoise anglaise. Mr Joshi veut-il bien venir prendre l'instrument? C'est un appel personnel. »

Son père remarqua la joie qui éclatait sur le visage de

Jumpy et murmura doucement à sa femme, « Mrs, la voix que ce garçon voulait entendre ne vient pas du tout de l'intérieur ».

*

Ce qu'on pensait impossible vint séparer Pamela et Jamshed après sept jours passés à se faire l'amour mutuellement avec un enthousiasme inépuisable, une tendresse infinie et une telle fraîcheur qu'on aurait pu croire que c'était une chose qu'on venait d'inventer. Pendant sept jours ils restèrent nus avec le chauffage central au maximum, jouant aux amants des tropiques, dans un pays de soleil et de chaleur situé au sud. Jamshed, qui avait toujours été maladroit avec les femmes, dit à Pamela qu'il ne s'était jamais senti aussi bien que depuis le jour où il avait appris à monter à bicyclette, à dix-huit ans. Au moment où les mots quittaient ses lèvres, il eut peur d'avoir tout gâché, que la comparaison du grand amour de sa vie avec le vélo chancelant de sa jeunesse estudiantine fût considérée comme l'insulte qu'elle était indéniablement; mais il n'avait pas besoin de s'inquiéter, car Pamela l'embrassa sur la bouche pour le remercier de lui avoir dit la plus belle chose qu'aucun homme n'avait jamais déclaré à une femme. Alors il comprit qu'il ne pouvait pas faire d'impair, et pour la première fois de sa vie il se sentit véritablement en sécurité, comme une maison, comme un être humain aimé; et Pamela Chamcha aussi.

La septième nuit ils furent tirés d'un sommeil sans rêves par le bruit indubitable de quelqu'un qui essayait de forcer la porte. « J'ai une crosse de hockey sous le lit », chuchota Pamela terrifiée. « Donne-la-moi », lui répondit Jumpy également épouvanté. « Je viens avec toi », chevrota Pamela. « Non pas question », tremblota Jumpy. En fin de compte ils descendirent l'escalier à petits pas, chacun vêtu d'une robe de chambre à volants appartenant à Pamela, chacun une main sur la crosse de hockey qu'aucun des deux n'avait le courage d'utiliser. Si c'était un homme avec un fusil, pensa Pamela, un homme qui dise, remontez... Ils atteignirent le bas de l'escalier. Quelqu'un alluma.

Pamela et Jumpy poussèrent un cri à l'unisson, laissèrent tomber la crosse de hockey et remontèrent aussi vite qu'ils le pouvaient; tandis que dans l'entrée, debout dans la lumière, près de la porte dont il avait cassé la vitre afin de tourner la poignée (dans les affres de la passion Pamela avait oublié de fermer le verrou), se tenait un personnage sorti d'un cauchemar ou d'un feuilleton de télé avec carré blanc, couvert de boue, de glace et de sang, la créature la plus poilue qu'on ait jamais vue, avec les pattes et les sabots d'un bouc géant, un torse d'homme avec une fourrure de bouc, des bras humains, et une tête humaine à part les cornes, couverte de crotte, de saleté et d'une barbe naissante. Seul et sans regards indiscrets, cette chose inimaginable se jeta par terre et resta immobile.

En haut, au dernier étage de la maison, c'est-à-dire dans la « tanière » de Saladin, Mrs Pamela Chamcha se débattait dans les bras de son amant, pleurant à grosses larmes, et hurlant à pleine voix : « C'est pas vrai. Mon mari est mort dans l'explosion. Aucun survivant. Tu m'entends ? Je suis la veuve Chamcha, et mon mari est mort comme une bête. »

5

Dans le train de Londres, Mr Gibreel Farishta tremblait
de peur – qui n'aurait pas tremblé – à l'idée que Dieu voulait le punir en le rendant fou parce qu'il avait perdu la foi. Il
avait choisi une place côté fenêtre dans un compartiment
non-fumeur de première classe, malheureusement dans le
sens opposé à la marche parce que quelqu'un était déjà assis
en face, et il enfonça son feutre sur sa tête et resta immobile,
les poings dans les poches rouges de son manteau, et pani-
qua. La terreur de perdre l'esprit à cause d'un paradoxe,
d'être défait par quelque chose en quoi il ne croyait plus,
d'être transformé, dans sa folie, en l'avatar d'un archange
chimérique, cette terreur était si grande qu'il ne pouvait
absolument pas la contempler longtemps; mais alors, comment rendre compte des miracles, métamorphoses et apparitions de ces derniers jours? « C'est un choix très clair, se
dit-il en tremblant. Grand A, j'ai perdu l'esprit, ou grand B,
baba, quelqu'un est venu et a changé les règles. »

Cependant, maintenant, il se trouvait dans le cocon rassurant de ce compartiment où le miraculeux brillait heureusement par son absence, les accoudoirs étaient élimés, la
lampe au-dessus de son épaule ne marchait pas, il n'y avait
plus de miroir dans le cadre, et il y avait le règlement : la
petite plaque ronde, rouge et blanche, interdisant de fumer,
l'autocollant plein de menaces contre l'utilisation abusive
du signal d'alarme, les flèches indiquant jusqu'à quel
endroit – et pas plus loin! – on avait le droit d'ouvrir les
petites vitres coulissantes. Gibreel se rendit aux toilettes et
là, une autre série d'interdictions et de recommandations lui
réjouit le cœur. Quand le contrôleur arriva avec l'autorité de

sa poinçonneuse faisant des trous en forme de croissant, ces manifestations de la loi avaient un peu soulagé Gibreel, et il reprit courage et se mit à inventer des explications rationnelles. Il avait échappé à la mort, avait déliré d'une certaine façon, et maintenant, revenu à lui, il pouvait espérer retrouver la trame de son ancienne vie – enfin, son ancienne nouvelle vie, la nouvelle vie qu'il avait imaginée avant, heu, l'interruption. Tandis que le train l'éloignait toujours plus de la zone crépusculaire de son arrivée et de la captivité mystérieuse qui avait suivi, le transportant sur l'assurance heureuse des lignes métalliques parallèles, il sentit que l'effet magique de la grande cité commençait à agir sur lui, et que son vieux don pour l'espoir se réveillait en lui, son talent pour accueillir le renouvellement, pour s'aveugler sur les épreuves du passé et laisser apparaître l'avenir. Il bondit de son siège et se jeta de l'autre côté du compartiment, le visage symboliquement tourné vers Londres, même si cela signifiait abandonner le coin fenêtre. Que lui importaient les fenêtres? Le Londres qu'il voulait se trouvait là, dans son imagination. Il prononça son nom à haute voix : « Alleluia.

– Alleluia, mon frère, répondit le seul autre voyageur du compartiment. Hosanna, mon bon monsieur, et amen. »

« Bien que je doive ajouter, monsieur, que mes croyances ne soient strictement pas confessionnelles, continua l'inconnu. Si vous aviez dit " La-ilaha ", j'aurais eu le plaisir de vous répondre à peine voix " illallah ". »

Gibreel se rendit compte que son compagnon de voyage avait interprété son changement de place et le nom inhabituel d'Allie comme une approche à la fois sociale et théologique. « John Maslama » cria le voyageur en faisant jaillir une carte de visite d'un portefeuille en croco et en la glissant de force dans la main de Gibreel. « Personnellement, je suis ma propre variante de la foi universelle inventée par l'empereur Akbar. Je dirais que Dieu a quelque chose de la musique des sphères. »

Il était évident que Mr Maslama mourait d'envie de parler, et maintenant que l'abcès était crevé, il n'y avait rien d'autre à faire que de rester assis à regarder couler le torrent

211

de sa logorrhée. Étant donné qu'il était bâti comme un boxeur, il ne semblait pas conseillé de l'énerver. Farishta vit briller dans ses yeux l'éclat du Vrai Croyant, une étincelle que jusqu'ici, il avait aperçu chaque matin dans sa glace en se rasant.

« J'ai assez bien réussi, monsieur, se vanta Maslama avec une intonation d'Oxford. Particulièrement pour un homme de couleur si l'on considère l'essence des circonstances dans lesquelles nous vivons; comme vous le reconnaîtrez aisément. » D'un geste bref mais éloquent de sa main boudinée, il montra l'opulence de sa tenue : son costume trois-pièces à fines rayures, évidemment sur mesure, la montre de gousset en or avec sa chaîne, les chaussures italiennes, la cravate en soie armoriée, les boutons de manchette ornés d'une pierre sur ses poignets de chemise amidonnés. Au-dessus de ce costume de milord anglais se tenait une tête d'une taille étonnante, recouverte d'une épaisse chevelure gominée, et où poussaient des sourcils d'une luxuriance incroyable sous lesquels brûlaient des yeux féroces que Gibreel avait déjà remarqués. « Très beau », reconnut Gibreel, car on attendait manifestement une réponse. Maslama hocha la tête. « J'ai toujours eu un goût pour la décoration », avoua-t-il.

Il avait fait son *premier gros coup* dans la production de ritournelles publicitaires, « cette musique diabolique » qui attirait les femmes vers la lingerie et le rouge à lèvres et les hommes vers la tentation. Il possédait maintenant des magasins de disques dans toute la ville, une boîte à la mode qui s'appelait Le Musée de Cire, et une boutique d'instruments de musique étincelants qui faisait sa joie et son orgueil. C'était un Indien originaire de Guyana, « mais il ne reste rien là-bas, monsieur. Les gens quittent le pays si vite que les avions ne peuvent pas fournir. » Il avait réussi très rapidement, « grâce à Dieu Tout-Puissant. Je vais à la messe tous les dimanches, monsieur; j'avoue que j'ai un petit faible pour le livre de cantiques anglais, et j'ai une voix à casser les vitres. »

Il conclut son autobiographie en faisant brièvement allusion à l'existence d'une femme et d'une douzaine d'enfants. Gibreel lui présenta ses félicitations en aspirant au silence, mais Maslama laissait maintenant tomber sa bombe. « Vous n'êtes pas obligé de me parler de vous, dit-il d'un ton jovial.

Naturellement, je sais qui vous êtes, même si l'apparition d'un personnage comme vous sur la ligne Eastbourne-Victoria est assez inattendue. » Il lui fit un clin d'œil mauvais et posa un doigt sur son nez. « Motus et bouche cousue. Je respecte la vie privée des autres, pas de problème; pas de problème du tout.

– Moi? Qui suis-je? » demanda Gibreel stupide et étonné. L'autre hocha lourdement la tête, ses sourcils s'agitant comme des andouillers mous. « C'est la question à mille dollars à mon avis. Nous vivons une époque troublée, monsieur, pour un homme qui a de la morale. Si un homme doute de son essence, comment peut-il savoir s'il est bon ou mauvais? Mais je vous ennuie. Je réponds à mes propres questions avec ma foi en Ça, monsieur » – là, Maslama montra du doigt le plafond du compartiment – « et bien sûr vous n'avez pas le moindre doute sur votre identité, puisque vous êtes le célèbre, puis-je dire le légendaire Mr Gibreel Farishta, la vedette de l'écran et, de plus en plus, je suis désolé de vous l'apprendre, des cassettes vidéo pirates; mes douze enfants, mon unique femme et moi sommes de longue date des admirateurs inconditionnels des exploits de vos héros divins. » Il saisit la main droite de Gibreel et la secoua violemment.

« Ouvert comme je le suis à une vision panthéiste, déclama Maslama, la sympathie que j'éprouve pour votre travail vient de votre disponibilité à incarner des dieux de toute nature. Monsieur, comme le dit une publicité, vous êtes les couleurs unies célestes; les Nations unies des dieux! En bref, vous êtes l'avenir. Permettez-moi de vous saluer. » Il s'était vraiment mis à dégager l'odeur indubitable de la plus grande folie, et si rien dans ce qu'il avait dit ou fait ne dépassait la simple excentricité, Gibreel commençait à s'inquiéter et à évaluer la distance qui le séparait de la porte avec des regards furtifs. « Monsieur, j'incline à penser, disait Maslama, que quel que soit le nom qu'on donne à Ça, ce n'est qu'un code; une écriture chiffrée, Mr Farishta, derrière laquelle le vrai nom reste caché. »

Gibreel resta silencieux, et Maslama, ne cherchant pas à dissimuler sa déception, se trouva obligé de parler seul. « Je vois que vous vous demandez : quel est ce vrai nom? » dit-il, et Gibreel sut qu'il avait raison; c'était un fou achevé, et son autobiographie devait être aussi fausse que sa « foi ». Gibreel pensa qu'il y avait des personnages fictifs partout où il allait, des personnages qui se faisaient passer pour des êtres humains réels. « C'est moi qui l'ai attiré, s'accusa-t-il. En m'inquiétant sur ma propre santé mentale je l'ai fait sortir de Dieu sait quel trou obscur, ce cinglé volubile et peut-être dangereux. »

« Vous ne le connaissez pas! hurla brusquement Maslama en bondissant sur ses pieds. Charlatan! Imposteur! Truqueur! Vous prétendez être à l'écran l'immortel avatar d'une centaine de dieux et vous n'en avez pas la *moindre idée*. Comment est-il possible qu'un pauvre gars comme moi, arrivé de Bartica sur l'Essequibo et qui a réussi, puisse connaître de telles choses alors que Gibreel Farishta les ignore? Faux jeton! Peuh! »

Gibreel se leva, mais l'autre occupait presque tout l'espace disponible, et lui, Gibreel, dut se pencher maladroitement sur le côté pour éviter les bras tournoyants de Maslama, mais l'un d'eux fit tomber son feutre gris. Tout d'un coup Maslama resta la bouche ouverte. Il sembla se recroqueviller, et après quelques instants d'immobilité tomba à genoux avec un bruit sourd.

Que fait-il en bas, s'étonna Gibreel, il ramasse mon chapeau? Mais le fou lui demandait pardon. « J'ai toujours su que vous viendriez, dit-il. Pardonnez ma colère stupide. » Le train entra dans un tunnel de Gibreel vit qu'une chaude lumière dorée, émanant d'un point situé juste derrière sa tête, les entourait. Dans la vitre de la porte coulissante, il vit le reflet de l'auréole autour de ses cheveux.

Maslama se débattait avec ses lacets de chaussures. « Toute ma vie, monsieur, j'ai su que j'étais choisi », dit-il d'une voix aussi humble que celle de tout à l'heure avait été menaçante. « Même enfant, à Bartica, je le savais. » Il enleva sa chaussure droite et se mit à retirer sa chaussette. « J'ai reçu un signe », dit-il. La chaussette ôtée révéla ce qui semblait un pied tout à fait normal bien que très grand. Puis Gibreel compta et recompta, de un à six. « C'est la même chose avec l'autre pied, dit Maslama fièrement. Je n'ai jamais douté un seul instant de sa signification. » Il s'était institué le compagnon du Seigneur, le sixième orteil sur le pied de la Chose Universelle. La vie spirituelle de la planète ne tournait vraiment pas rond, pensa Gibreel Farishta. Trop de démons à l'intérieur des gens qui prétendaient croire en Dieu.

Le train sortit du tunnel. Gibreel prit une décision. « Debout, Jean Six-Orteils, dit-il avec ses plus belles intonations d'acteur hindi. Maslama, lève-toi. »

L'autre s'agita, se remit debout et resta là à jouer avec ses doigts, la tête baissée. « Ce que je voudrais savoir, monsieur, balbutia-t-il, c'est ce qui va se passer. L'anéantissement ou le salut? Pourquoi êtes-vous revenu? »

Gibreel réfléchit rapidement. « Pour juger, finit-il par répondre. Il faut trier les faits, peser le pour et le contre. L'espèce humaine va être jugée, et c'est un prévenu au casier judiciaire chargé : un repris de justice, un vaurien. On doit procéder à de prudentes évaluations. Actuellement, le verdict est en attente; il sera promulgué en temps voulu. Entretemps, ma présence doit rester secrète, pour des raisons de sécurité vitales. » Il remit son chapeau, assez content de lui.

Maslama hochait la tête comme un fou. « Vous pouvez compter sur moi, promit-il. Je respecte la vie privée des gens. Motus – pour la deuxième fois! – et bouche cousue. »

Gibreel s'enfuit du compartiment, poursuivi par les cantiques du fou. Quand il arriva à l'autre bout du train, il entendait encore faiblement derrière lui les péans de Maslama. « Alleluia! Alleluia! » Apparemment son nouveau disciple s'était lancé dans des morceaux choisis du *Messie* de Haendel.

Cependant : Gibreel n'était pas suivi, et il y avait un autre wagon de première classe à l'autre bout du train. Cette voiture n'était pas divisée en compartiments, il y avait des sièges orange confortables groupés par quatre autour de tables, et Gibreel s'installa près d'une fenêtre, regardant en direction de Londres, le cœur palpitant et le chapeau enfoncé sur la tête. Il essayait de s'y retrouver avec le fait indéniable de son auréole, mais il ne réussit pas à mettre de l'ordre dans ses pensées, à cause de la folie de John Maslama qu'il venait d'affronter et de la joie d'Alleluia Cone qui l'attendait. Puis à son grand désespoir Mrs Rekha Merchant arriva en volant à la hauteur de la fenêtre, assise sur son tapis de Boukhara, manifestement indifférente à la tempête de neige qui s'amplifiait et faisait ressembler l'Angleterre à

215

un écran de télévision après la fin des programmes. Elle lui fit un petit signe et il sentit tout espoir se retirer de lui. Un châtiment sur un tapis volant : il ferma les yeux et se concentra pour ne pas trembler.

*

« Je sais ce qu'est un fantôme », dit Allie Cone à une classe d'adolescentes au visage éclairé par une douce lumière intérieure d'adoration. « Là-haut dans l'Himalaya il arrive souvent que les grimpeurs soient accompagnés des fantômes de ceux qui ont échoué, ou des fantômes plus tristes, mais plus fiers, de ceux qui ont réussi à atteindre le sommet et qui ont péri dans la descente. »

A l'extérieur, la neige se déposait sur les grands arbres dénudés, et sur l'étendue plate du parc. Entre les nuages de neige bas et sombres et la ville recouverte de blanc la lumière était jaune sale, une pauvre lumière brumeuse qui attristait le cœur et rendait les rêves impossibles. Là-*haut*, se souvint Allie, là-haut à huit mille mètres, la lumière avait un tel éclat qu'elle semblait résonner, chanter comme une musique. Ici-bas, sur la terre plate, la lumière elle aussi était plate et terre à terre. Ici, rien ne volait, les roseaux étaient blancs, et aucun oiseau ne chantait. Il ferait bientôt nuit.

« Miss Cone ? » Les mains des jeunes filles qui s'agitaient en l'air la ramenèrent dans la classe. « Des fantômes, mademoiselle ? Sans blague ? Vous voulez nous faire marcher ? » Le scepticisme le disputait à l'adoration sur leurs visages. Elle connaissait la question qu'elles voulaient vraiment poser, sans oser le faire : la question du miracle de sa peau. Elle les avait entendues chuchoter fébrilement au moment de son entrée dans la classe, c'est vrai, regarde, si *pâle*, incroyable. Alleluia Cone, dont la froideur pouvait résister à la chaleur du soleil à huit mille mètres. Allie la vierge des neiges, la reine des glaces. *Miss, comment ça se fait que vous ne bronzez jamais ?* Quand elle escalada l'Everest avec la triomphante expédition Collingwood, les journaux les appelèrent Blanche Neige et les Sept Nains, pourtant elle n'avait rien d'un personnage de Disney, ses lèvres rondes étaient pâles et pas rouges, ses cheveux d'un blond glacé et pas noirs, ses yeux pas innocemment grands ouverts mais ren-

216

dus étroits par l'habitude qu'elle avait de regarder le reflet de la lumière sur la neige. Un souvenir de Gibreel Farishta lui revint en mémoire, et la surprit : pendant leurs trois jours et demi, Gibreel hurlant avec son manque habituel de retenue, « Ma chérie, tu n'es pas un iceberg, quoi qu'ils disent. Tu es une femme passionnée, bibi. Brûlante, comme un kachori. » Il avait fait semblant de souffler sur ses doigts brûlés, et avait secoué la main d'une manière exagéré : *Oh, trop chaud. Oh, jetez-moi de l'eau.* Gibreel Farishta. Elle se reprit : Hi ho, Hi ho, nous allons au boulot.

« Des fantômes, répéta-t-elle d'une voix ferme. Pendant l'ascension de l'Everest, après avoir passé la coulée de glace, j'ai vu un homme assis dans la position du lotus sur un affleurement de rocher, les yeux fermés et un béret écossais sur la tête, chantant le vieux mantra : om mani padmé hum. » A cause de ses vieux vêtements et de son comportement bizarre, elle avait deviné tout de suite qu'il s'agissait du spectre de Maurice Wilson, le yogi qui, en 1934, avait préparé une ascension de l'Everest en solitaire en jeûnant pendant trois semaines afin de cimenter si solidement son corps et son âme que la montagne serait impuissante à les séparer. Avec un petit avion, il était monté le plus haut possible, et s'était volontairement écrasé dans la neige, le nez en l'air, et n'était jamais revenu. Wilson ouvrit les yeux quand Allie s'approcha, et la salua d'un petit signe de tête. Il marcha à côté d'elle pendant le reste de la journée, et restait suspendu en l'air quand elle escaladait un à-pic. Une fois il tomba à plat ventre dans la neige sur une pente raide et glissa vers le haut comme s'il avait remonté un toboggan antigravitationnel. Pour des raisons qui restèrent obscures, Allie s'était comportée très naturellement, comme si elle avait rencontré un vieil ami.

Wilson bavarda un petit peu – « Pas beaucoup de compagnie ces temps-ci » – et, entre autres choses, il exprima son irritation profonde que son corps ait été découvert par l'expédition chinoise de 1960. « Ces petits merdeux jaunes ont eu le toupet, le culot, de filmer mon cadavre. » Alleluia Cone remarqua ses knickerbockers immaculés, d'un écossais jaune et noir. Elle raconta tout cela aux jeunes filles de l'école de Brickhall Fields, qui lui avaient écrit tant de lettres pour la supplier de venir leur parler, au point qu'elle n'avait

pas pu refuser. « Il le faut », la suppliaient-elles par écrit.
« Vous habitez ici. » Par la fenêtre de la classe, elle pouvait
apercevoir son appartement de l'autre côté du parc, à peine
visible derrière le rideau de neige.

Ce qu'elle ne dit pas à la classe : tandis que le fantôme de
Maurice Wilson décrivait en détail sa propre ascension,
ainsi que ses découvertes posthumes, par exemple le rite
d'accouplement, lent, compliqué, infiniment délicat, et
invariablement improductif du yéti, dont il avait été récemment témoin au Col Sud – elle se rendit compte que l'excentrique de 1934, le premier être humain à tenter une ascension de l'Everest en solitaire, une sorte d'abominable
homme des neiges lui-même, ne se trouvait pas sur son chemin par hasard, mais qu'il s'agissait d'une espèce de poteau
indicateur, une déclaration de parenté. Une prophétie de
l'avenir, peut-être, car ce fut à ce moment que son rêve
secret naquit, la chose impossible : le rêve d'une ascension
en solitaire. Il se pouvait, aussi, que Maurice Wilson soit
l'ange de sa mort.

« Je voulais parler des fantômes, dit-elle, parce que la plupart des montagnards, quand ils sont redescendus des cimes,
sont gênés et ne mentionnent pas ces histoires dans leurs
récits. Mais ils existent vraiment, je dois l'avouer, même si
j'ai les pieds sur terre. »

C'était une plaisanterie. Ses pieds. Même avant l'ascension de l'Everest elle avait commencé à ressentir des douleurs lancinantes, et son médecin généraliste, le Dr Mistry,
une femme bourrue de Bombay, lui avait dit qu'elle avait
des voûtes plantaires affaissées. « Autrement dit, les pieds
plats. » Le port de tennis et autres chaussures inadéquates
avait affaibli ses voûtes plantaires déjà fragiles. Le Dr Mistry n'avait pas grand-chose à lui recommander : faire des
exercices d'orteils, monter les escaliers pieds nus, porter des
chaussures adaptées. « Vous êtes jeune. Si on fait attention,
on s'en sort. Sinon, vous serez estropiée à quarante ans. »
Quand Gibreel – merde! – apprit qu'elle avait fait l'ascension de l'Everest avec des pieds qui la faisaient souffrir, il
l'appela sa petite sirène. Il avait lu un conte de fées dans
lequel une femme de la mer avait quitté l'océan et pris une
forme humaine pour suivre l'homme qu'elle aimait. Elle
avait des pieds à la place de nageoires, mais à chaque pas

218

elle souffrait atrocement, comme si elle avait marché sur du verre brisé; elle continua cependant à s'éloigner de la mer et à pénétrer plus avant à l'intérieur des terres. Tu l'as fait pour une putain de montagne, dit-il. L'aurais-tu fait pour un homme?

Elle avait caché ses douleurs à ses compagnons d'escalade parce que l'attrait de l'Everest la submergeait. Mais elle avait toujours mal, et cela empirait. Le hasard, une faiblesse congénitale, se révéla être ses pieds bandés. Fin de l'aventure, pensa Allie; trahie par mes pieds. Elle n'arrivait pas à chasser l'image des pieds bandés. *Sacrés Chinois,* dit-elle amusée, faisant écho au fantôme de Wilson.

« La vie est facile pour certains, avait-elle pleuré entre les bras de Gibreel Farishta. Pourquoi est-ce que *leurs* pieds ne les lâchent pas? » Il l'avait embrassée sur le front. « Pour toi, ce sera toujours un combat, dit-il. Tu demandes trop. »

La classe l'attendait, s'impatientait avec toutes ces histoires de fantômes. Elles voulaient *l'histoire,* son histoire. Elles voulaient se trouver au sommet de la montagne. *Savez-vous ce qu'on ressent* voulait-elle leur demander, *quand toute sa vie est concentrée en un seul instant, en quelques heures? Savez-vous ce que c'est quand la seule possibilité c'est de redescendre?* « J'étais dans la deuxième équipe avec le sherpa Pemba, dit-elle. Le temps était parfait, parfait. Si clair qu'on avait l'impression de pouvoir voir à travers le ciel ce qui se tenait au-delà. Je dis à Pemba, la première équipe doit déjà avoir atteint le sommet. Le temps est stable et nous pouvons y aller. Pempa prit un air grave, inhabituel, parce que c'était un des clowns de l'expédition. Lui non plus n'avait jamais atteint le sommet. À ce moment-là je n'avais pas l'intention de continuer sans oxygène, mais quand j'ai vu que Pemba allait le faire, je me suis dit, d'accord, moi aussi. C'était un caprice stupide, absolument pas professionnel, mais brusquement j'ai eu envie d'être une femme au sommet de cette saloperie de montagne, un être humain, pas une machine à respirer. Pemba dit, Allie Bibi, ne fais pas, mais je suis partie. Un peu après on a croisé les autres qui redescendaient et je voyais cette chose merveilleuse dans leurs yeux. Ils planaient, en proie à une telle exaltation, qu'ils n'ont même pas remarqué que je ne portais pas de masque à oxygène. Faites attention, nous criaient-ils, méfiez-vous des anges. Pemba avait pris un bon rythme de respiration et je m'y suis accordée, inspirant et expirant avec lui. Je sentais quelque chose qui s'envolait au sommet de ma tête et je souriais, un grand sourire d'une oreille à l'autre, et quand Pemba s'est retourné j'ai vu qu'il faisait la même chose. Ça ressemblait à une grimace, comme de la douleur mais ce n'était qu'une joie folle. »

C'était une femme qui avait connu la transcendance, les miracles de l'âme, grâce à la dure tâche physique d'avoir à se hisser sur une montagne de rochers gelés. « À ce moment-là, dit-elle aux jeunes filles qui grimpaient pas à pas avec elle, je croyais en tout : que l'univers a une musique, qu'on peut lever un voile et voir le visage de Dieu, tout. Je voyais la chaîne de l'Himalaya s'étendre sous moi et c'était aussi le visage de Dieu. Quelque chose dans mon expression dut inquiéter Pemba, parce qu'il cria, Attention, Allie Bibi, c'est haut. Je me souviens avoir en quelque sorte flotté au-dessus de la dernière crête jusqu'au sommet, et nous y étions, et le sol se dérobait sous nos pieds de tous les côtés. Une telle lumière; l'univers purifié en lumière. Je voulais arracher mes vêtements pour que ma peau l'absorbe. » Pas un seul ricanement dans la classe; les jeunes filles dansaient nues avec elle sous la voûte du monde. « Puis commencèrent les visions, les arcs-en-ciel qui s'enroulaient et dansaient dans l'azur, le rayonnement qui se déversait comme une chute d'eau venant du soleil, et il y avait des anges, les autres n'avaient pas plaisanté. Je les ai vus et le sherpa Pemba aussi. À ce moment-là nous étions à genoux. Ses pupilles sont devenues d'un blanc parfait, et les miennes aussi, j'en suis sûre. Nous serions sans doute morts là-haut, j'en suis sûre, aveuglés par la neige et victimes de la folie des sommets, mais j'ai entendu un bruit fort, sec, comme un coup de fusil. Ça m'a réveillée en sursaut. J'ai dû appeler Pem jusqu'à ce que lui aussi se secoue et nous avons commencé à redescendre. Le temps changeait rapidement; une tempête de neige menaçait. L'air était lourd maintenant, la lourdeur au lieu de cette lumière, de cette légèreté. Nous sommes arrivés au point de rencontre et nous nous sommes entassés tous les quatre dans la petite tente du camp de base six, à plus de huit mille mètres. Là-haut on ne parle pas beaucoup. Chacun devait recommencer l'ascension de ses Everest,

220

encore et encore, toute la nuit. Mais à un moment j'ai demandé : " Qu'est-ce que c'était ce bruit? Quelqu'un a tiré un coup de fusil? " Ils m'ont regardée comme si j'étais folle. Qui pourrait faire une chose aussi bête à cette altitude, ont-ils dit, et de toute façon, Allie, tu sais très bien qu'il n'y a pas un seul fusil sur cette montagne. Ils avaient raison, bien sûr, mais je l'ai entendu, je le sais : pan pan, le coup de feu et l'écho. C'est tout, dit-elle brusquement pour terminer. La fin. L'histoire de ma vie. » Elle prit une canne à pommeau d'argent et s'apprêta à partir. Le professeur, Mrs Bury, s'avança pour dire les banalités d'usage. Mais les jeunes filles voulaient une réponse. « C'était quoi, alors, Allie? » insistaient-elles; et elle, paraissant brusquement avoir dix ans de plus que ses trente-trois ans, haussa les épaules. « Je ne sais pas. C'était peut-être le fantôme de Maurice Wilson. »

Elle quitta la classe en s'appuyant lourdement sur sa canne.

*

La ville – Londres proprement dit, ouais, pas *moins!* – était vêtue de blanc, comme quelqu'un en deuil qui suit un enterrement. – L'enterrement de qui, monsieur, se demanda inquiet Gibreel Farishta, pas le mien, nom de Dieu, je l'*espère* et le *souhaite*. Quand le train entra dans la gare Victoria, il sauta sans attendre avant l'arrêt complet, se tordit la cheville et s'étala sous les chariots à bagages et les rires des Londoniens qui attendaient, et s'agrippa en tombant à son chapeau de plus en plus écrasé. On ne voyait nulle part Rekha Merchant, et, profitant de cet instant, Gibreel Farishta se lança dans la foule en courant comme un possédé, pour finalement la retrouver au contrôle des billets, flottant patiemment sur son tapis, invisible à tous les regards sauf au sien, à un mètre du sol.

« Qu'est-ce que tu veux, s'écria-t-il, qu'est-ce que tu veux de moi? » « Te regarder tomber, répliqua-t-elle instantanément. Regarde autour de toi, ajouta-t-elle, je t'ai déjà rendu assez ridicule. »

Les gens faisaient un cercle autour de Gibreel, le fou avec un manteau trop grand et un chapeau de clochard, *il parle*

221

tout seul, dit une voix d'enfant, et sa mère répondit *chut, mon chéri, ce n'est pas gentil de se moquer des pauvres gens.* Bienvenue à Londres. Gibreel Farishta se précipita vers l'escalier qui conduisait au métro. Rekha sur son tapis le laissa partir.

Mais quand il arriva à toute vitesse sur le quai il la vit à nouveau. Cette fois c'était une photo en quadri sur une affiche publicitaire collée sur le mur d'en face, vantant les mérites du téléphone automatique international. *Envoyez votre voix sur un tapis volant en Inde,* conseillait-elle. *Nul besoin de génies ni de lampes magiques.* Il poussa un cri, ce qui amena à nouveau ses compagnons de voyage à douter de sa santé mentale, et il s'enfuit sur l'autre quai, où arrivait une rame. Il y sauta, et Rekha Merchant se trouvait en face de lui avec son tapis roulé sur les genoux. Les portes claquèrent derrière lui.

Ce jour-là Gibreel Farishta courut dans tous les sens dans le métro de Londres et Rekha Merchant le retrouvait partout où il allait; elle s'installa à côté de lui dans l'interminable escalier mécanique d'Oxford Circus et dans les ascenseurs pleins à craquer de Tufnell Park elle se frotta contre son dos d'une manière qu'elle aurait trouvée scandaleuse pendant sa vie. Au terminus de la Metropolitan Line elle lança les fantômes de ses enfants du haut des arbres qui ressemblaient à des griffes, et quand il ressortit à l'air libre devant la Bank of England elle se jeta théâtralement du sommet de son fronton néoclassique. Et même s'il n'avait aucune idée de la vraie forme de la plus protéenne et caméléonesque des villes il se persuada qu'elle n'arrêtait pas de se transformer tandis qu'il courait sous elle, et que les stations du métro changeaient de lignes et se succédaient au hasard. Il émergea plus d'une fois, suffocant, de ce monde souterrain dans lequel les lois de l'espace et du temps avaient cessé d'exister, il essayait d'appeler un taxi; aucun ne voulait s'arrêter, et il était obligé de replonger dans ce labyrinthe infernal, ce dédale sans issue, pour continuer son héroïque fuite. À la fin, épuisé au-delà de tout espoir, il s'abandonna à la logique fatale de sa folie et sortit arbitrairement à ce qu'il prit pour la dernière station absurde de ce voyage sans fin et inutile à la recherche de la chimère du renouveau. Il se retrouva dans l'indifférence navrante d'une rue jonchée de papiers gras près d'une place en sens giratoire bloquée par les camions. La nuit était déjà tombée et il entra en chancelant, utilisant ses dernières réserves d'optimisme, dans un parc inconnu rendu spectral par la qualité ectoplasmique de la lumière de ses réverbères. Il tomba à genoux dans la solitude de la nuit d'hiver et vit la silhouette d'une femme qui s'avançait lentement vers lui sur la pelouse recouverte d'un linceul blanc, et conclut qu'il devait s'agir de sa némésis, Rekha Merchant, venant lui donner son baiser mortel, l'entraîner dans un monde souterrain plus profond que celui dans lequel elle avait brisé son esprit blessé. Ça lui était égal, et quand la femme arriva près de lui il était tombé sur les avant-bras, son manteau pendait autour de lui et lui donnait l'air d'un énorme scarabée agonisant qui, pour des raisons obscures, portait un feutre gris et sale.

Il entendit un cri d'effroi qui s'échappait des lèvres de la femme et qui semblait venir de très loin, un halètement dans lequel se mêlaient l'incrédulité, la joie et un étrange ressentiment, et juste avant de perdre connaissance il comprit que Rekha lui avait permis, pour le moment, d'atteindre l'illusion d'un havre de sécurité, afin que son triomphe sur lui soit plus doux quand il aurait finalement lieu.

« Tu es en vie, dit la femme, répétant les premiers mots qu'elle lui avait dits autrefois. Tu es à nouveau en vie. C'est ce qui compte. »

En souriant, il s'endormit près des pieds plats d'Allie dans la neige qui tombait.

IV

Ayesha

Même les visions successives ont émigré maintenant; elles connaissent la ville mieux que lui. Et après Rosa et Rekha les mondes rêvés de son autre moi archangélique commencent à paraître aussi tangibles que les réalités changeantes dans lesquelles il habite quand il est éveillé. Ceci, par exemple : un hôtel particulier de style hollandais dans un quartier de Londres qu'il identifiera plus tard sous le nom de Kensington, vers lequel son rêve l'emporte à toute vitesse au-dessus des magasins Barkers et de la petite maison grise avec des bow-windows dans laquelle Thackeray écrivit *La Foire aux vanités*, et de la place avec une école religieuse où des petites filles en uniforme entrent toujours, mais ne ressortent jamais, et de la maison où Talleyrand habita dans sa vieillesse quand après avoir tel un caméléon changé mille et une fois d'allégeances et de principes il prit l'apparence extérieure de l'ambassadeur de France à Londres, et il arrive devant un immeuble d'angle de sept étages avec des balcons en fer forgé peints en vert jusqu'au quatrième, et maintenant le rêve lui fait escalader le mur extérieur de l'immeuble et au quatrième il écarte les lourds rideaux de la fenêtre du salon et enfin il reste assis là, sans dormir comme d'habitude, les yeux grands ouverts dans la pauvre lumière jaune, fixant dans l'avenir, l'Imam barbu et enturbanné.

Qui est-il ? Un exilé. Terme qu'il ne faut pas confondre, pas mélanger, avec tous les autres mots que les gens emploient à tort et à travers : émigré, expatrié, réfugié, immigré, silence, ruse. L'exil est un rêve de retour glorieux. L'exil est une vision de la révolution : Elbe, pas Sainte-

Hélène. C'est un paradoxe sans fin : regarder devant soi en regardant toujours derrière soi. L'exilé est une balle jetée très haut en l'air. Elle reste là, gelée dans le temps, transformée en photographie; négation du mouvement, suspendu de façon impossible au-dessus de sa terre natale, l'exilé attend le moment inévitable où la photo doit se remettre en mouvement, et la terre réclamer son bien. Telles sont les choses qu'imagine l'Imam. Sa maison est un appartement en location. C'est une salle d'attente, une photo, de l'air.

L'épais papier mural, des rayures vert olive sur un fond couleur crème, a légèrement passé au soleil, suffisamment pour faire ressortir les rectangles et les ovales plus vifs qui indiquent les endroits où étaient accrochés des tableaux. L'Imam est l'ennemi des images. Quand il est entré les tableaux ont glissé sans bruit des murs et quitté la pièce furtivement, fuyant d'eux-mêmes la colère de sa muette désapprobation. Quelques images, cependant, ont eu le droit de rester. Sur la cheminée il conserve quelques cartes postales conventionnelles de son pays, qu'il appelle simplement Desh : une montagne qui se découpe au-dessus d'une ville; une pittoresque scène villageoise sous un grand arbre; une mosquée. Mais dans sa chambre, sur le mur qui fait face à la couchette dure où il se repose, est accrochée une icône plus puissante, le portrait d'une femme d'une force exceptionnelle, célèbre pour son profil de statue grecque et ses cheveux noirs aussi longs qu'elle est grande. Une femme puissante, son ennemie, son autre : il la garde près de lui. Exactement comme, là-bas dans les palais de son omnipotence elle garde son portrait à lui sous son manteau royal ou dissimulé dans le médaillon qu'elle porte autour du cou. C'est l'Impératrice, et son nom est – quoi d'autre? – Ayesha. Sur cette île, l'Imam exilé, et là-bas à Desh, Elle. Tous deux complotent la mort de l'autre.

Les rideaux, un épais velours doré, restent fermés toute la journée, sinon le mal pourrait se glisser dans l'appartement : l'étrange, l'Extérieur, la nation étrangère. Le fait douloureux qu'il se trouve ici et pas Là-bas, l'endroit qui mobilise toutes ses pensées. Dans les rares occasions où l'Imam sort prendre l'air de Kensington, au centre d'un carré formé par huit jeunes hommes portant des lunettes noires et des costumes où l'on distingue des bosses, il croise les mains devant lui et les fixe des yeux, pour qu'aucun élément, aucune particule de cette ville haïe – cette fosse d'iniquités qui l'humilie en lui offrant un refuge, ce qui l'oblige à un sentiment de reconnaissance malgré sa luxure, son avarice et sa vanité – ne puisse lui tomber, comme une poussière, dans l'œil. Quand il quittera cet exil détesté pour revenir triomphalement dans cette autre ville aux pieds de la montagne de carte postale, il dira avec fierté qu'il est resté dans l'ignorance totale de cette Sodome dans laquelle il a été obligé d'attendre; ignorant, et par conséquent non souillé, non altéré, pur.

Et une autre raison pour laquelle les rideaux restent fermés c'est bien sûr parce que les yeux et les oreilles qui l'entourent ne sont pas tous amicaux. Les immeubles orange ne sont pas neutres. Quelque part de l'autre côté de la rue il y a des téléobjectifs, du matériel vidéo, des micros hypersensibles; et toujours le risque des tireurs d'élite. Au-dessus et en dessous et à côté de l'Imam les appartements sont occupés par ses gardes, qui parcourent les rues de Kensington déguisés en femmes couvertes de voiles avec des becs d'argent; mais on n'est jamais assez prudent. Pour l'exilé, la paranoïa est une condition préalable de survie.

Une fable, que lui a racontée l'un de ses favoris, un Américain converti, une ancienne vedette du hit-parade, connue maintenant sous le nom de Bilal X. Dans une certaine boîte de nuit où l'Imam a l'habitude d'envoyer ses lieutenants écouter certaines autres personnes appartenant à certaines factions opposées, Bilal rencontra un jeune homme de Desh, une sorte de chanteur lui aussi, et ils se mirent à parler. Il se trouva que ce Mahmood avait eu particulièrement peur. Récemment, il s'était mis *à la colle* avec une gori, une grande femme rouge et opulente, et il se trouva que l'ancien amant de sa Renata bien-aimée était le patron en exil de la SAVAK, les services de torture du Shah d'Iran. Le numéro un, le Grand Panjandrum lui-même, pas quelque petit sadique doué pour arracher les ongles des orteils ou brûler les paupières, mais le grand haramzada en personne. Le jour qui suivit l'installation de Mahmood et de Renata dans leur nouvel appartement, Mahmood reçut une lettre. *D'accord, mangeur de merde, tu baises ma femme, je voulais juste te dire bonjour.* Le lendemain une deuxième lettre arriva. *À*

229

propos, petite bite, j'ai oublié de te dire, voilà ton nouveau numéro de téléphone. Or Mahmood et Renata venaient de demander leur inscription sur la liste rouge mais on ne leur avait pas encore communiqué leur nouveau numéro. Quand il arriva quelques jours plus tard, c'était exactement le même que celui de la lettre, et Mahmood perdit tous ses cheveux d'un seul coup. Les voyant sur l'oreiller, il croisa les mains devant Renata et la supplia : « Ma chérie, je t'aime mais tu es trop dangereuse pour moi, je t'en prie, va-t'en, n'importe où, loin, loin. » Quand on raconta cette histoire à l'Imam il secoua la tête et dit, cette putain, qui la touchera maintenant, malgré son corps lascif? Son corps est marqué plus gravement qu'avec la lèpre; c'est ainsi que les êtres humains se mutilent eux-mêmes. Mais la vraie morale de la fable c'était la nécessité d'une vigilance éternelle. Londres était une ville dans laquelle l'ancien patron de la SAVAK avait des relations haut placées à la compagnie du téléphone et où l'ex-chef cuisinier du Shah tenait un restaurant prospère à Hounslow. Une ville si accueillante, un tel refuge, ils acceptent tout le monde. Il faut garder les rideaux fermés.

Les appartements du troisième au cinquième étage de cet ensemble de résidences sont, pour le moment, la seule patrie de l'Imam. Voici les fusils et les radios à ondes courtes et les pièces dans lesquelles des jeunes hommes en costume s'assoient et parlent fébrilement dans plusieurs téléphones. On ne voit de l'alcool nulle part, ni des jeux de cartes ou de dés, et la seule femme est celle du portrait accroché au mur de la chambre du vieil homme. Dans cette patrie de substitution, que le saint insomniaque considère comme sa salle d'attente ou son salon de transit, le chauffage central tourne au maximum nuit et jour, et les fenêtres restent hermétiquement fermées. L'exilé ne peut oublier, et doit par conséquent simuler, la chaleur sèche de Desh, le pays d'hier et de demain où même la lune est chaude et dégouline comme un chapati frais et beurré. Ô cette partie du monde tant désirée où le soleil et la lune sont masculins mais où leur chaude lumière sucrée porte des noms féminins. La nuit l'exilé écarte les rideaux et la lune étrangère se coule dans la pièce, et sa froideur lui transperce les yeux comme un clou. Il grimace, plisse les yeux. Vêtu d'une robe ample, les sourcils froncés, menaçant, éveillé : tel est l'Imam.

L'exil est un pays sans âme. En exil les meubles sont laids, chers, tous achetés en même temps dans le même magasin et bien trop vite : des canapés argentés et brillants avec des accoudoirs comme des ailerons de vieilles Buick DeSoto Oldsmobile, des bibliothèques vitrées qui ne contiennent pas de livres mais des dossiers bourrés de coupures de presse. En exil quand quelqu'un tire de l'eau dans la cuisine la douche devient brûlante, aussi quand l'Imam prend son bain les membres de sa suite doivent se souvenir de ne pas remplir une bouilloire ni rincer une assiette sale, et quand l'Imam va aux toilettes ses disciples se sauvent de la douche brûlante. En exil on ne fait pas de cuisine; les gardes du corps à lunettes noires vont acheter des plats à emporter. En exil toute tentative d'enracinement est vue comme une trahison : c'est un aveu d'échec.

L'Imam est le centre d'une roue.

Le mouvement rayonne à partir de lui, toute la journée. Son fils, Khalid, entre dans son sanctuaire en portant un verre d'eau, il le tient dans la main droite, la paume sous le verre. L'Imam boit de l'eau constamment, un verre toutes les cinq minutes, pour se purifier; avant qu'il la boive, l'eau est elle-même purifiée dans un appareil de filtrage américain. Tous les jeunes hommes qui l'entourent connaissent bien sa célèbre Monographie de l'Eau, qui, d'après l'Imam, communique sa pureté au buveur, ainsi que sa fluidité et sa simplicité, et le plaisir ascétique de son goût. « L'Impératrice, fait-il remarquer, boit du vin. » Du bourgogne, du bordeaux, du vin du Rhin qui mêlent leur corruption enivrante à l'intérieur de ce corps beau et souillé. Ce péché suffit à la condamner pour l'éternité sans espoir de rachat. Le portrait accroché au mur de la chambre montre l'Impératrice Ayesha tenant, à deux mains, un crâne rempli d'un liquide rouge sombre. L'Impératrice boit du sang, mais l'Imam est un homme d'eau. « Ce n'est pas par hasard que les peuples de nos terres chaudes révèrent l'eau, proclame la Monographie. L'eau, qui préserve la vie. Aucun être civilisé ne peut la refuser à un autre. Une grand-mère, aux membres raidis par l'arthrite, se lèvera immédiatement pour aller au robinet si un petit enfant va vers elle et lui demande, pani, nani. Gare à ceux qui la blasphèment. Qui la pollue, dilue son âme. »

L'Imam s'est souvent mis en rage en repensant à l'Aga

Khan défunt, après avoir lu le texte d'une interview pendant laquelle le chef des Ismailis buvait d'un excellent champagne. *Oh, monsieur, ce champagne n'est que pour la galerie. Il se change en eau dès qu'il touche mes lèvres.* Démon, a l'habitude de tempêter l'Imam. Apostat, blasphémateur, charlatan. Quand l'avenir viendra, de tels individus seront jugés, dit-il à ses hommes. L'eau règnera et le sang coulera comme du vin. Telle est la nature miraculeuse de l'avenir des exilés : ce qui est dit dans l'impuissance d'un appartement surchauffé devient le destin des nations. Qui n'a pas rêvé ce rêve, être roi pour un jour ? – Mais l'Imam rêve de plus qu'un jour ; il sent, sortant de la pointe de ses doigts, les fils arachnéens avec lesquels il contrôlera le mouvement de l'histoire.

Non : pas l'histoire.

Son rêve est plus étrange.

* * *

Son fils, le porteur d'eau Khalid, s'incline devant son père comme un pèlerin dans un lieu saint, il l'informe que le garde de service à l'extérieur du sanctuaire est Salman Farsi. Bilal s'occupe de l'émetteur radio et transmet le message du jour, sur la fréquence attribuée, à Desh.

L'Imam est un calme massif, une immobilité. C'est une pierre vivante. Ses énormes mains noueuses, d'un gris de granit, reposent lourdement sur les bras de son fauteuil à haut dossier. Sa tête, qui semble trop grande pour le corps en dessous, roule pesamment au bout d'un cou d'une maigreur étonnante que l'on aperçoit à travers les poils épars de sa barbe poivre et sel. Les yeux de l'Imam sont embrumés ; ses lèvres ne bougent pas. C'est une force pure, un être primordial ; il bouge sans mouvement, agit sans faire, parle sans proférer de son. C'est le prestidigitateur et l'histoire est son numéro.

Non, pas l'histoire : quelque chose de plus étrange.

On apprend l'explication de cette énigme, en ce moment même, par le biais de certaines ondes subreptices, sur lesquelles la voix de Bilal, l'Américain converti, chante la chanson sacrée de l'Imam. Bilal le muezzin : sa voix entre dans la radio amateur à Kensington et ressort dans le Desh de rêve, transmuée en discours tonitruant de l'Imam lui-même. Il commence rituellement par insulter l'Impératrice, avec la liste de ses crimes, de ses meurtres, de ses chantages, de ses rapports sexuels avec des lézards, et ainsi de suite, et il en arrive à l'appel nocturne de l'Imam qui demande à son peuple de se lever contre le mal qui habite l'État de l'Impératrice. « Nous ferons une révolution, proclame l'Imam par la voix de Bilal, une révolte dirigée non seulement contre un tyran mais contre l'histoire. » Car il existe un ennemi au-delà d'Ayesha, et c'est l'Histoire elle-même. L'Histoire c'est le vin de sang qu'on ne devrait plus boire. L'Histoire c'est ce qui enivre, la création et le bien du Diable, du grand Chaytan, le plus grand des mensonges – le progrès, la science, le droit – contre lesquels l'Imam s'est dressé. L'Histoire est une déviation de la Voie, la connaissance est une illusion, parce que la somme des connaissances a été achevée le jour où Al-Lah a fini sa révélation à Mahound. « Nous déferons la trame du voile de l'Histoire, déclame Bilal dans la nuit attentive, et quand elle aura été défaite nous verrons le Paradis, dans toute sa gloire et sa lumière. » L'Imam a choisi Bilal pour cette tâche à cause de la beauté de sa voix, Bilal qui, lors de son incarnation précédente, a réussi à escalader l'Everest du hit-parade, pas une seule fois mais une douzaine, tout en haut. La voix est riche et autoritaire, une voix qui a l'habitude d'être écoutée; bien nourrie, hautement qualifiée, la voix de la confiance américaine, une arme de l'Occident retournée contre ceux qui l'ont faite, dont le pouvoir soutient l'Impératrice et sa tyrannie. Au début Bilal X protestait contre une telle description de sa voix. Lui aussi appartenait à un peuple opprimé, affirmait-il, il était injuste de le comparer aux impérialistes yankees. L'Imam répondit, non sans tendresse : Bilal, ta souffrance est aussi bien la nôtre. Mais avoir grandi dans la maison du pouvoir permet d'apprendre ses méthodes, de s'en imprégner, à travers cette peau même qui est la cause de ton oppression. L'habitude du pouvoir, son timbre, son attitude, sa façon d'être avec les autres. C'est une maladie, Bilal, qui infecte tous ceux qui s'en approchent trop. Si les puissants te piétinent, tu es infecté par la plante de leurs pieds.

Bilal continue à s'adresser à l'obscurité. « Mort à la tyrannie de l'Impératrice Ayesha, du calendrier, de l'Amérique,

233

du temps! Nous recherchons l'éternité, l'infinité, de Dieu. Ses eaux tranquilles, pas les flots de vin de l'Impératrice. » Brûlez les livres et faites confiance au Livre; déchirez les journaux et écoutez la Parole, comme l'a révélée l'Archange Gibreel au Messager Mahound et comme l'a expliquée votre interprète et Imam. « Ameen », dit Bilal pour conclure la séance du soir. Tandis que, dans son sanctuaire, l'Imam envoie son propre message : et convoque, invoque, l'archange, Gibreel.

***

Il se voit lui-même dans le rêve : pas un ange, simplement un homme en vêtements de ville, les fripes posthumes de Henry Diamond : un manteau et un feutre par-dessus un pantalon trop grand retenu par des bretelles, un pull-over de pêcheur, une chemise blanche bouffante. Ce Gibreel du rêve, comme celui qui est éveillé, se tient debout tout tremblant dans le sanctuaire de l'Imam, dont les yeux sont blancs comme des nuages.

Gibreel parle d'un ton maussade, pour dissimuler sa peur.

« Pourquoi insister sur les archanges? Ces temps-là, vous devriez le savoir, sont révolus. »

L'Imam ferme les yeux, soupire. Du tapis sortent des vrilles poilues, qui s'enroulent autour de Gibreel, et le tiennent bien serré.

« Vous n'avez pas besoin de moi, insiste Gibreel. La révélation est achevée. Laissez-moi partir. »

L'autre secoue la tête, et parle, mais ses lèvres ne bougent pas, et c'est la voix de Bilal qui résonne aux oreilles de Gibreel, bien qu'on ne puisse voir nulle part l'émetteur, *c'est ce soir*, dit la voix, *et tu dois m'emporter à Jérusalem.*

Puis l'appartement se dissout et ils se retrouvent sur le toit, à côté de la citerne d'eau, parce que quand il veut se déplacer l'Imam peut rester immobile et déplacer le monde qui l'entoure. Sa barbe vole au vent. Il n'y en a plus pour très longtemps; sans le vent qui l'attrape comme s'il s'agissait d'une écharpe de mousseline, ses pieds toucheraient le sol; il a des yeux rouges, et sa voix reste suspendue autour de lui dans le ciel. *Emporte-moi.* Gibreel discute, On dirait que vous êtes tout à fait capable de le faire tout seul : mais l'Imam, d'un seul mouvement d'une étonnante rapidité, lance sa barbe par-dessus son épaule, retrousse sa jupe pour révéler deux jambes maigres recouvertes d'une toison de poils presque monstrueuse, et bondit très haut dans la nuit, tournoie sur lui-même, et s'installe sur les épaules de Gibreel, s'accrochant à lui avec des ongles qui ont poussé en serres longues et recourbées. Gibreel se sent monter dans le ciel, avec le vieil homme accroché à lui comme Jonas à la baleine, l'Imam dont les cheveux s'allongent à chaque minute, volant dans toutes les directions, les sourcils claquant au vent telles des oriflammes.

Jérusalem, se demande-t-il, c'est dans quelle direction? – Et puis, Jérusalem, c'est un mot insaisissable, ce peut être aussi bien une idée qu'un lieu : un but, une exaltation. Où est la Jérusalem de l'Imam? « La chute de la courtisane », retentit la voix désincarnée à ses oreilles. « Son écrasement, la putain de Babylone. »

Ils foncent à travers la nuit. La lune se réchauffe, elle commence à grésiller comme du fromage sur le grill; lui, Gibreel, en voit des morceaux tomber de temps en temps, des gouttes de lune qui sifflent et bouillonnent sur la plaque brûlante du ciel. Une terre apparaît sous eux. La chaleur devient intense.

C'est un paysage immense, rougeoyant, avec des arbres au sommet plat. Ils survolent des montagnes au sommet également plat; ici, même les pierres sont aplaties par la chaleur. Puis ils arrivent devant une haute montagne d'une forme presque parfaitement conique, une montagne qui est posée également en carte postale sur une cheminée très loin d'ici; et dans l'ombre de la montagne, une ville, qui s'étend à ses pieds comme une suppliante, et au bas des flancs de la montagne, un palais, le palais, son palais : l'Impératrice, que les messages radio ont détruite. C'est une révolution de radios amateurs.

Gibreel, avec l'Imam assis sur son dos comme sur un tapis, amorce sa descente, et dans la nuit fumante on dirait que les rues sont vivantes, elles semblent se tordre, comme des serpents; tandis que devant le palais de la défaite de l'Impératrice une nouvelle colline semble sortir de terre, *tandis que nous regardons, baba, qu'est-ce qu'il se passe là-bas?* La voix de l'Imam reste suspendue dans les airs : « Descends. Je vais te montrer l'Amour. »

Ils sont au niveau des toits quand Gibreel se rend compte que les rues grouillent de gens. Des êtres humains, tellement entassés dans ces rues tortueuses qu'ils se sont mêlés pour former une entité composite plus vaste, impitoyable et sinueuse. La foule se déplace lentement, du même pas, des ruelles dans les chemins, des chemins dans les rues, des rues dans les grandes artères, elle converge vers la grande avenue à douze voies bordée d'eucalyptus géants, qui conduit aux portes du palais. La foule humaine s'entasse dans l'avenue; c'est l'organe central de cet être nouveau, aux têtes multiples. Les gens marchent l'air grave, à soixante-dix de front, vers les portes de l'Impératrice. Devant, ses gardes attendent sur trois rangs, couchés, agenouillés et debout, avec des mitrailleuses armées. La foule monte la pente vers les mitrailleuses; ils arrivent à portée, soixante-dix à la fois; les armes bredouillent, et ils meurent, et alors les soixante-dix suivants enjambent les corps des morts, les fusils ricanent à nouveau, et la colline des morts s'élève. Ceux qui sont derrière commencent à leur tour à escalader. Sous les portails sombres de la ville des mères à la tête couverte poussent leurs fils bien-aimés dans le cortège, *va, sois un martyr, fais ce qui est nécessaire, meurs*. « Tu vois comme ils m'aiment, dit la voix désincarnée. Aucune tyrannie sur terre ne peut résister à la puissance de cet amour lent et en marche.

– Ce n'est pas de l'amour, répond Gibreel en pleurant. C'est de la haine. L'Impératrice les a poussés dans tes bras. » L'explication semble bien maigre, superficiellle.

« Ils m'aiment, dit la voix de l'Imam, parce que je suis l'eau. Je suis la fertilité et elle est la pourriture. Ils m'aiment parce que j'ai l'habitude d'écraser les pendules. Les êtres humains qui se détournent de Dieu perdent l'amour, et la certitude, ainsi que le sens de Son temps illimité, qui comprend le passé, le présent et l'avenir; le temps infini, qui n'a plus besoin du mouvement. Nous nous languissons de l'éternel, et je suis l'éternité. Elle n'est rien : un tic, ou un tac. Chaque jour elle regarde dans son miroir et l'idée de la vieillesse, du temps qui passe, la terrorise. Ainsi elle est prisonnière de sa propre nature; elle est, aussi, dans les chaînes du Temps. Après la révolution il n'y aura plus de pendules : nous les détruirons toutes. On supprimera le mot *pendule* de nos dictionnaires. Après la révolution il n'y aura plus

236

d'anniversaires. Nous renaîtrons tous, tous au même âge immuable aux yeux de Dieu Tout-Puissant. »

Il se tait, maintenant, parce qu'en dessous de nous le grand moment est arrivé : la foule a atteint les fusils. Qui à leur tour se taisent, tandis que le serpent sans fin de la foule, le python gigantesque des masses soulevées, entoure les gardes, les étouffe, et fait taire le gloussement mortel de leurs armes. L'Imam soupire pesamment. « C'est fait. »

Les lumières du palais s'éteignent quand le peuple s'avance, toujours du même pas mesuré qu'avant. Puis, de l'intérieur du palais plongé dans les ténèbres, s'élève un bruit horrible, qui commence comme une plainte aiguë, ténue, perçante, puis s'approfondit sourdement en un hurlement, un hululement assez fort pour remplir de rage chaque fissure de la ville. Puis le dôme d'or du palais éclate comme un œuf, et s'en élève, luisante de nuit, une apparition mythologique avec d'immenses ailes noires, les cheveux défaits, aussi longs et noirs que ceux de l'Imam sont longs et blancs : Al-Lat, comprend Gibreel, qui jaillit de la coquille d'Ayesha.

« Tue-la », ordonne l'Imam.

Gibreel se pose sur le balcon d'honneur du palais, les bras tendus pour accueillir la joie du peuple, un bruit qui couvre même les hurlements de la déesse et s'élève comme un chant. Puis il est propulsé en l'air, sans avoir le choix, c'est une marionnette qui va à la guerre; et elle, le voyant venir, se tourne, s'accroupit dans l'air, et, gémissant de façon horrible, vient vers lui avec toute sa force. Gibreel comprend que l'Imam, luttant comme d'habitude par personnes interposées, va le sacrifier aussi volontiers qu'il a sacrifié la colline de cadavres devant la porte du palais, qu'il est un soldat-suicide au service de la cause de l'ecclésiastique. Je suis faible, pense-t-il, je ne suis pas de taille avec elle, mais elle, aussi, a été affaiblie par sa défaite. La force de l'Imam pousse Gibreel, met la foudre dans ses mains, et le combat s'engage; il plante les piques des éclairs dans ses pieds et elle lui lance des comètes dans le bas-ventre, *nous allons nous entretuer*, se dit-il, *nous allons mourir et il y aura deux nouvelles constellations dans l'espace : Al-Lat, et Gibreel.* Comme des guerriers épuisés sur un champ de bataille couvert de morts, ils chancellent et se frappent. Tous deux s'affaiblissent vite.

Elle tombe.

Elle s'effondre, Al-Lat reine de la nuit; elle s'écrase sens-dessus-dessous contre la terre, et sa tête éclate en morceaux; et elle gît là, en tas, un ange noir et sans tête, les ailes arrachées, près d'un petit portillon dans les jardins du palais. – Et Gibreel, détournant les yeux d'horreur, voit l'Imam grossir monstrueusement, s'allonger dans la cour devant le palais avec sa bouche béante qui s'ouvre derrière les portes; quand le peuple entre il l'avale entièrement.

Le corps d'Al-Lat s'est ratatiné sur le gazon, ne laissant derrière lui qu'une tache noire; et maintenant chaque horloge dans la capitale de Desh se met à sonner, et continue sans fin, au-delà de douze coups, au-delà de vingt-quatre, au-delà de mille et un, annonçant la fin du Temps, l'heure qui est au-delà de toute mesure, l'heure du retour d'exil, de la victoire de l'eau sur le vin, du commencement du Non-Temps de l'Imam.

Quand l'histoire nocturne change, quand, sans prévenir, le déroulement des événements à Jahilia et à Yathrib aboutit à la lutte de l'Imam et de l'Impératrice, Gibreel espère brièvement que la malédiction a pris fin, que ses rêves ont été rendus au hasard excentrique de la vie ordinaire; tandis que la nouvelle histoire tombe, elle aussi, dans le vieux modèle, reprenant à chaque fois qu'il s'assoupit à l'endroit précis où elle avait été interrompue, et que sa propre image, traduite dans l'avatar d'un archange, entre à nouveau dans le cadre, alors son espoir s'éteint, et il succombe une fois encore à l'inexorable. Les choses en sont arrivées au point où certaines de ses sagas nocturnes semblent plus tolérables que d'autres, et après l'apocalypse de l'Imam il est presque heureux quand le récit suivant commence, étendant son répertoire intérieur, parce qu'au moins cela suggère que la déité que lui, Gibreel, a essayé en vain de tuer peut être un Dieu d'amour, autant que de vengeance, de pouvoir, de devoir, de règles et de haine; et c'est aussi une sorte de conte nostalgique, à propos d'une patrie perdue; cela ressemble à un retour au passé... quelle histoire est-ce? Voilà. Commençons par le commencement : Le matin de son quarantième

238

anniversaire, dans une chambre pleine de papillons, Mirza
Saeed Akhtar contemplait sa femme endormie...

*_**

Le matin fatidique de son quarantième anniversaire, dans
une chambre pleine de papillons, le zamindar Mirza Saeed
Akhtar contemplait sa femme endormie, et sentait son cœur
prêt à éclater d'amour. Pour une fois il s'était réveillé tôt, se
levant avant l'aube avec un mauvais rêve qui lui laissait un
goût d'amertume dans la bouche, le rêve qu'il faisait sans
cesse de la fin du monde, dans lequel la catastrophe était
invariablement de sa faute. Il avait lu Nietzsche la veille au
soir – « la fin impitoyable de cette petite espèce trop répandue qu'on appelle l'Homme » – et s'était endormi avec le
livre ouvert posé sur la poitrine. En s'éveillant au bruisse-
ment des ailes des papillons dans la pénombre fraîche de la
chambre, il s'en était voulu de choisir si sottement ses livres
de chevet. Pourtant, il était maintenant tout à fait réveillé. Il
se leva doucement, glissa les pieds dans des chappals et alla
se promener oisivement dans les vérandas de l'immense
demeure, toujours plongée dans l'obscurité parce qu'on
n'avait pas encore levé les stores, tandis que les papillons
voletaient comme des courtisans dans son dos. Quelqu'un
jouait de la flûte au loin. Mirza Saeed remonta les stores et
attacha les cordons. Les jardins étaient plongés dans la
brume, dans laquelle tourbillonnaient les nuages de papillons, une brume se mêlant à l'autre. Cette région lointaine
avait toujours été réputée pour ses lépidoptères, pour ces
escadrilles miraculeuses qui emplissaient l'air jour et nuit,
des papillons qui avaient le don des caméléons, dont les
ailes changeaient de couleur quand ils se posaient sur des
fleurs écarlates, des rideaux ocres, des verres d'obsidienne
ou l'ambre d'une bague. Dans la demeure du zamindar,
ainsi que dans le village proche, le miracle des papillons
était devenu si familier qu'il en semblait banal, mais en fait
ils n'étaient revenus que depuis dix-neuf ans, comme les ser-
vantes s'en souvenaient. Ils avaient été les esprits familiers,
ainsi que le disait la légende, d'une sainte locale, une femme
connue sous le seul nom de Bibiji, qui avait vécu jusqu'à
l'âge de deux cent quarante-deux ans et dont la tombe,

239

jusqu'à ce qu'on en ait oublié l'emplacement, avait la propriété de soigner l'impuissance et les verrues. Depuis la mort de Bibiji cent vingt ans auparavant les papillons étaient partis dans le même royaume de légendes que Bibiji elle-même, aussi quand ils revinrent cent un ans exactement après leur disparition cela apparut, au début, comme le présage d'une chose imminente et merveilleuse. Après la mort de Bibiji – il faut le dire tout de suite – le village avait continué à prospérer, les récoltes de pommes de terre à être abondantes, mais il y avait eu un vide dans beaucoup de cœurs, même si les villageois d'aujourd'hui n'avaient aucun souvenir de l'époque de la sainte. Aussi le retour des papillons redonna-t-il du courage à beaucoup, mais quand les merveilles attendues ne se réalisèrent pas les villageois retombèrent, petit à petit, dans l'insuffisance du quotidien. Le nom de la demeure du zamindar, *Peristan*, pouvait venir des ailes de fées des créatures magiques, quand au nom du village, *Titlipur*, il en venait certainement. Mais les noms, quand ils sont passés dans le langage courant, deviennent rapidement de simples sons, leur étymologie disparaît, comme tant de merveilles de la terre, sous la poussière de l'habitude. Les habitants humains de Titlipur, et les hordes de papillons, se heurtaient les uns aux autres avec une sorte de dédain mutuel. Les villageois et la famille du zamindar avaient depuis longtemps abandonné toute tentative pour chasser les papillons de leurs maisons, et maintenant, dès qu'on ouvrait un coffre, une fournée d'ailes en sortaient comme des diables de Pandore, et changeaient de couleur en s'élevant; il y avait des papillons sous les couvercles baissés des toilettes de Peristan, et dans chaque garde-robe, et entre les pages des livres. Quand on s'éveillait, on trouvait des papillons endormis sur ses joues.

Le banal finit par devenir invisible, et Mirza Saeed n'avait pas vraiment remarqué les papillons depuis plusieurs années. Cependant, le matin de son quarantième anniversaire, quand la première lumière de l'aube toucha la maison et que les papillons se mirent instantanément à briller, la beauté de l'instant lui coupa le souffle. Il se précipita vers la chambre dans l'aile réservée au zenana, où sa femme Mishal dormait, voilée par une moustiquaire. Les papillons magiques étaient posés sur ses orteils découverts, et un moustique avait réussi lui aussi se faufiler à l'intérieur, parce qu'elle avait une ligne de petites piqûres sur l'arête de la clavicule. Il voulut soulever la moustiquaire, se glisser à l'intérieur et embrasser les piqûres jusqu'à ce qu'elles aient disparu. Comme elles semblaient enflammées! Comme elles la démangeraient quand elle se réveillerait! Mais il se retint, préférant profiter de l'innocence de sa forme endormie. Elle avait des cheveux brun-roux et souples, une peau très blanche, et, sous ses paupières closes, des yeux d'un gris soyeux. Son père était directeur de la banque nationale, aussi semblaient-ils faits l'un pour l'autre, car leur mariage arrangé avait restauré la fortune de la famille de Mirza, ancienne et sur le déclin, et, avec le temps malgré leur incapacité à avoir des enfants, avait abouti à une union fondée sur un amour véritable. Bouleversé par son émotion, Mirza Saeed regardait Mishal dormir et chassait de son esprit les derniers lambeaux de son cauchemar. «Comment le monde pourrait-il être fichu, se dit-il avec satisfaction, s'il peut offrir de tels exemples de perfection que cette aube merveilleuse?»

Poursuivant ses pensées heureuses, il prononça un discours silencieux à sa femme qui reposait. «Mishal, j'ai quarante ans et je suis aussi heureux qu'un nouveau-né de quarante jours. Je vois aujourd'hui qu'au cours des années je suis tombé de plus en plus amoureux de toi, et maintenant, comme un poisson, je nage dans cette mer chaude.» Comme elle le comblait s'émerveilla-t-il; comme il avait besoin d'elle! Leur mariage transcendait la simple sensualité, leur rapport était si intime qu'une séparation semblait impensable. «Vieillir près de toi, lui dit-il tandis qu'elle dormait, sera, Mishal, un privilège.» Il se permit un geste sentimental et envoya un baiser dans sa direction, puis il quitta la pièce sur la pointe des pieds. À nouveau sur la grande véranda de ses appartements privés, à l'étage supérieur de la demeure, il regarda les jardins, qui apparaissaient plus nettement au fur et à mesure que l'aube dissipait la brume, et vit le spectacle qui allait détruire pour toujours la paix de son esprit, la brisant sans espoir de réparation à l'instant même où il avait eu la certitude qu'elle était inaccessible aux ravages du destin.

Une jeune femme était assise sur la pelouse, tendant la

241

paume de sa main gauche. De la main droite elle prenait les papillons qui se posaient dessus et se les mettait dans la bouche. Lentement, méthodiquement, elle mangeait les ailes consentantes pour son petit déjeuner.

Les très nombreuses couleurs, qui avaient quitté les ailes des papillons agonisants, tachaient fortement ses lèvres, ses joues, son menton.

Quand Mirza Saeed Akhtar vit la jeune fille déguster son petit déjeuner diaphane sur la pelouse, il sentit monter en lui un désir si puissant qu'il en eut aussitôt honte. « C'est impossible, se reprocha-t-il, je ne suis pas un animal, quand même. » La jeune femme portait un sari jaune safran enroulé sur son corps nu, à la façon des femmes pauvres de la région, et quand elle se penchait vers les papillons son sari, s'entrebâillant, découvrait ses seins nus au regard du zamindar cloué sur place. Mirza Saeed tendit les mains pour attraper la rampe du balcon, et l'œil de la jeune fille dut saisir le léger mouvement de son kurta blanc, car elle leva rapidement la tête et le regarda en face.

Et elle ne baissa pas immédiatement les yeux. Elle ne se redressa pas non plus pour s'enfuir, comme il s'y était à moitié attendu.

Ce qu'elle fit : elle attendit quelques secondes, comme pour voir s'il avait l'intention de parler. Quand elle comprit qu'il ne dirait rien, elle reprit simplement son étrange repas sans quitter son visage des yeux. Le plus étrange, c'était que les papillons semblaient descendre vers elle comme pris dans un conduit rempli d'air qui allait en s'éclaircissant, ils allaient volontairement vers ses paumes ouvertes et leur propre mort. Elle les tenait par l'extrémité des ailes, rejetait la tête en arrière et les faisait entrer dans sa bouche avec la pointe de sa langue étroite. À un moment elle garda la bouche ouverte, les lèvres noires écartées d'un air de défi, et Mirza Saeed trembla en voyant le papillon voleter dans la sombre caverne de sa mort, sans tenter de s'échapper. Quand elle fut satisfaite qu'il ait vu cela, elle rapprocha les lèvres et se mit à mâcher. Ils restèrent ainsi, la paysanne en bas, le propriétaire terrien en haut, jusqu'à ce que, sans qu'on s'y attende, ses yeux se révulsent et qu'elle tombe lourdement sur le côté gauche prise de violentes convulsions.

Après quelques secondes pendant lesquelles il resta cloué sur place de panique, Mirza cria : « Ohé, dans la maison! Ohé, éveillez-vous, venez vite! » En même temps il se précipita vers l'imposant escalier d'acajou venu d'Angleterre, apporté de quelque inimaginable Warwickshire, un endroit invraisemblable où, dans un prieuré humide et sombre, le roi Charles Iᵉʳ avait monté ces mêmes marches avant de perdre la tête, dans le dix-septième siècle d'un autre système de décompte du temps. Mirza Saeed Akhtar, le dernier de sa lignée, dévala cet escalier et foula l'impression spectrale de pieds décapités en courant vers la pelouse.

La jeune fille avait des convulsions et écrasait des papillons sous son corps, se roulant et donnant des coups de pieds. Mirza Saeed arriva le premier auprès d'elle, mais les serviteurs et Mishal, éveillés par ses cris, n'étaient pas loin derrière. Il saisit la mâchoire de la fille et l'obligea à l'ouvrir, y insérant une brindille ramassée sur le sol, qu'elle sectionna aussitôt en deux. Un filet de sang coula de sa bouche coupée, et il eut peur pour sa langue, mais le mal la quitta juste à ce moment-là, elle redevint calme, et s'endormit. Mishal la fit porter dans sa propre chambre, et Mirza Saeed fut obligé de contempler dans ce lit une seconde belle au bois dormant, et pour la deuxième fois fut envahi par une sensation trop riche et trop profonde pour porter le nom brutal de *désir*. Il découvrit que ses desseins impurs le rendaient malade et qu'en même temps il se sentait transporté de joie par les sentiments qui le parcouraient, des sentiments frais dont la nouveauté l'enflammait. Mishal vint près de son mari. « Tu la connais? » demanda Saeed, et elle fit oui de la tête. « Une orpheline. Elle fabrique de petits animaux en émail et elle les vend sur la grande route. Elle a le haut mal depuis qu'elle est toute petite. » Ce n'était pas la première fois que Mirza Saeed était impressionné par la capacité de sa femme à s'intéresser à d'autres êtres humains. Lui-même ne pouvait identifier qu'une poignée de villageois, mais elle connaissait le diminutif de chacun, l'histoire et les ressources des familles. Ils lui racontaient même leurs rêves, pourtant rares étaient ceux qui rêvaient plus d'une fois par mois car ils étaient trop pauvres pour s'offrir un tel luxe. La tendresse qui l'avait envahi à l'aube revint, et il posa le bras sur ses épaules. Elle pencha la tête vers lui et dit doucement :

« Bon anniversaire. » Il déposa un baiser sur ses cheveux. Ils restèrent enlacés à contempler la fille endormie. Ayesha : sa femme lui dit son nom.

Quand Ayesha l'orpheline arriva à l'âge de la puberté et devint, à cause de sa beauté exceptionnelle et de son air de regarder dans un autre monde, l'objet du désir de très nombreux jeunes gens, on commença à dire qu'elle cherchait un amant venu des cieux, parce qu'elle se croyait trop bien pour les mortels. Ses soupirants éconduits se plaignirent en disant qu'elle ne devrait pas jouer les difficiles, tout d'abord parce qu'elle était orpheline, et ensuite parce qu'elle était possédée par le démon de l'épilepsie, ce qui dissuaderait sans aucun doute les esprits des cieux qui auraient pu être intéressés. Certains jeunes pleins d'amertume allèrent jusqu'à suggérer que, puisque les défauts d'Ayesha l'empêcheraient à jamais de trouver un mari, elle ferait aussi bien de commencer à prendre des amants, afin de ne pas gaspiller cette beauté, qu'en toute justice on aurait dû donner à quelqu'un ayant moins de problèmes. Malgré toutes les tentatives des jeunes gens de Titlipur d'en faire leur prostituée, Ayesha resta chaste, ayant pour seule défense un regard d'une telle concentration sur un point situé immédiatement au-dessus de l'épaule gauche des gens qu'on l'accusait régulièrement de mépris. Puis les gens apprirent sa nouvelle habitude de manger des papillons et ils modifièrent leur opinion à son sujet, convaincus que sa tête ne tournait pas rond et que, par conséquent, il était dangereux de coucher avec elle car les démons pourraient passer dans ses amants. Ensuite les mâles lubriques du village la laissèrent seule dans son taudis, seule avec les petits animaux qu'elle fabriquait et son régime alimentaire voletant et très particulier. Cependant, un jeune homme prit l'habitude de venir s'asseoir à quelque distance de sa porte, discrètement tourné dans l'autre direction, comme s'il était de garde, même si elle n'avait plus besoin d'aucun protecteur. C'était un ancien intouchable du village voisin de Chatnapatna qui s'était converti à l'Islam et avait pris le nom de d'Osman. Ayesha ne reconnut jamais la présence d'Osman, et il ne le lui

244

demanda jamais. Les branches feuillues du village s'agitaient au-dessus de leur tête dans la brise.

Le village de Titlipur s'était développé à l'ombre d'un immense banian, monarque absolu qui, avec ses multiples racines, régnait sur une aire de huit cents mètres de diamètre. À cette époque le développement de l'arbre en village et du village en arbre était si complexe qu'il paraissait impossible de faire la différence entre les deux. Certains quartiers de l'arbre étaient devenus des recoins bien connus des amoureux; d'autres servaient de poulaillers. Des travailleurs parmi les plus pauvres avaient construit des abris de fortune dans l'angle de grosses branches, et vivaient vraiment dans le feuillage dense. On se servait de certaines branches comme de sentiers pour traverser le village, on faisait des balançoires aux enfants avec les barbes du vieil arbre, et aux endroits où l'arbre se penchait très bas vers la terre ses feuilles constituaient le toit de nombreuses huttes qui semblaient accrochées dans le feuillage comme des nids de tisserins. Quand le panchayat du village se réunissait, ses membres s'asseyaient sur la plus grosse branche. Les villageois avaient pris l'habitude de donner à l'arbre le nom du village, et d'appeler tout simplement le village « l'arbre ». On accordait aux habitants non humains du banian – fourmis, écureuils, chouettes – le respect dû à des concitoyens. Seuls les papillons restaient ignorés, comme des espoirs qui se sont révélés faux.

C'était un village musulman, ce qui expliquait pourquoi Osman le converti y était venu avec ses vêtements de clown et son bœuf « boum-boum », après avoir embrassé cette foi dans un acte de désespoir, s'attendant à ce que son nom musulman lui fasse plus de bien que les changements de nom précédents, par exemple quand on avait rebaptisé les intouchables « enfants de Dieu ». En tant qu'enfant de Dieu à Chatnapatna on ne l'avait pas autorisé à se servir du puits communal, parce que le contact d'un paria aurait pollué l'eau potable... Sans patrie et, comme Ayesha, orphelin, Osman gagnait sa vie comme clown. Son bœuf portait des cônes de papier rouge brillant sur les cornes et des guirlandes d'étoffe sur le nez et le dos. Il allait de village en village où, aux mariages et autres fêtes, il faisait son numéro dans lequel le bœuf était son principal partenaire et son

245

faire-valoir, hochant la tête pour répondre à ses questions, une fois pour non, deux pour oui.

« Est-ce que nous nous trouvons dans un joli village ? » demandait Osman.

Boum, le bœuf disait non.

« Il n'est pas joli ? Oh si. Regarde : est-ce que les gens ne sont pas gentils ? »

Boum.

« Quoi ? Alors c'est un village plein de pécheurs ? »

– Boum boum.

« Baaupu-ré ! Alors, tout le monde va aller en enfer ? »

Boum boum.

« Mais, bhaijan. Ils n'ont aucun espoir ? »

Boum boum, le bœuf offrait le salut. Tout heureux, Osman se penchait et mettait son oreille près du museau du bœuf. « Dis-moi vite. Que doivent-ils faire pour être sauvés ? » À ce moment-là le bœuf attrapait la casquette d'Osman et la tendait aux spectateurs en demandant de l'argent, et Osman hochait joyeusement la tête : Boum, boum.

On aimait bien Osman le converti et son bœuf boum-boum à Titlipur, mais le jeune homme ne désirait l'approbation que d'une seule personne, et elle ne la lui donnait pas. Il lui avait avoué que sa conversion à l'Islam avait eu en grande partie des raisons tactiques, « Comme ça je peux boire un petit coup, bibi, je n'avais pas le choix. » La confession d'Osman l'avait indignée, elle lui avait dit qu'il n'était absolument pas musulman, que son âme se trouvait en grand danger et que, pour elle, il pouvait bien retourner à Chatnapatna et y mourir de soif. Son visage se colorait, tandis qu'elle parlait, d'une déception inexplicablement profonde, et ce fut la force de cette déception qui lui donna l'optimisme de rester accroupi à une douzaine de pas de chez elle, jour après jour, mais elle continua à passer près de lui, le nez en l'air, sans lui lancer autre chose qu'un bonjour ou un comment vas-tu.

Une fois par semaine, les charrettes de pommes de terre de Titlipur prenaient le chemin étroit et creusé d'ornières qui menait en quatre heures à Chatnapatna, situé à l'endroit où le chemin croisait la grande route. C'est là que se dressaient les grands silos miroitants en aluminium des gros-

246

sistes de pommes de terre, mais cela n'avait aucun rapport avec les visites que faisait régulièrement Ayesha à la ville. Elle voyageait sur une charrette accrochée à un sac, pour aller vendre ses jouets au marché. Chatnapatna était renommée dans toute la région pour ses jouets de bois sculpté, ses babioles pour les gosses et ses petites figurines d'émail. Osman et son bœuf se tenaient à la limite du banian, il la regardait rebondir sur les sacs de pommes de terre jusqu'à ce qu'elle ne soit plus qu'un point au loin.

À Chatnapatna elle se rendait au magasin de Sri Srinivas, le propriétaire de la plus grande fabrique de jouets de la ville. Sur les murs, il y avait les inscriptions politiques du jour : *Votez HAND*. Ou, plus poliment : *Veuillez voter pour le PC (M)*. Au-dessus de ces exhortations, il y avait cette fière annonce : *Jouets Srinivas. Notre devise : Sincérité et Créativité*. Srinivas était à l'intérieur : un gros homme mou, la tête comme un soleil sans cheveux, un type dans la cinquantaine qu'une vie dans le commerce des jouets n'avait pas rendu amer. Ayesha lui devait son gagne-pain. Il avait été tellement frappé par les qualités artistiques de ses sculptures qu'il avait accepté d'acheter tout ce qu'elle fabriquerait. Mais malgré sa bonhomie coutumière il s'assombrit quand Ayesha ouvrit son ballot pour lui montrer deux douzaines de petites figurines représentant un jeune homme en chapeau de clown accompagné d'un bœuf décoré qui pouvait hocher sa tête ornée. Ayant compris qu'Ayesha avait pardonné à Osman sa conversion, Sri Srinivas s'écria : « Cet homme a trahi ses origines, tu le sais bien. Qui peut changer aussi facilement de dieux que de dhotis ? Dieu sait ce qui t'a pris, ma fille, mais je ne veux pas de ces poupées. » Sur le mur derrière son bureau était accroché un cadre contenant un document qui, dans une écriture enjolivée, disait : *Ceci certifie que MR SRI S. SRINIVAS est un Expert en Histoire Géologique de la Planète Terre, ayant survolé le Grand Canyon avec SCENIC AIRLINES*. Srinivas ferma les yeux et croisa les bras, un Bouddha sérieux avec l'indiscutable autorité de celui qui a volé. « Ce garçon est un diable », dit-il de façon définitive, et Ayesha remballa ses poupées dans le morceau de sac et se retourna, pour partir sans discuter. Srinivas ouvrit de grands yeux. « Nom de Dieu, cria-t-il, tu veux me mener la vie dure ? Tu crois que je ne sais pas que

247

tu as besoin d'argent? Pourquoi as-tu commis une pareille sottise? Qu'est-ce que tu vas faire maintenant? Tu vas rentrer chez toi et me fabriquer à toute vitesse des poupées PF, et je te les paierai bien parce que je suis trop bon. » Les poupées Planning Familial étaient une invention personnelle de Mr Srinivas, une variante socialement responsable de la bonne vieille poupée russe. Dans une poupée Abba, avec costume et bottes, se trouvait une Amma, pudique et vêtue d'un sari, dans laquelle se trouvait une fille contenant un fils. Deux enfants suffisent : tel était le message des poupées. « Vas-y vite vite », cria Srinivas à Ayesha qui partait. « Les poupées PF se vendent bien. » Ayesha se retourna, et sourit. « Ne vous faites pas de souci pour moi, Srinivasji », dit-elle et elle s'en alla.

Ayesha l'orpheline avait dix-neuf ans quand elle commença son voyage de retour à Titlipur sur le chemin creusé d'ornières par les charrettes de pommes de terre, mais en arrivant au village, quarante-huit heures plus tard, elle avait atteint une sorte d'état sans âge, parce que ses cheveux étaient devenus d'un blanc de neige et que sa peau avait retrouvé la perfection lumineuse de celle d'un nouveau-né, et bien qu'elle fût entièrement nue les papillons la recouvraient en couches si épaisses qu'elle semblait porter une robe faite dans le tissu le plus délicat de l'univers. Osman le clown répétait avec son bœuf boum-boum près du chemin, parce que même s'il s'était fait du mauvais sang à cause de son absence, et avait passé la nuit précédente à sa recherche, il avait quand même besoin de gagner sa vie. Quand il posa les yeux sur elle, ce jeune homme qui n'avait jamais respecté Dieu parce qu'il était né intouchable fut rempli d'une terreur sacrée, et n'osa pas s'approcher de la jeune fille dont il était si éperdument amoureux.

Elle rentra dans sa hutte et dormit un jour et une nuit sans se réveiller. Puis elle alla voir le chef du village, le sarpanch Muhammad Din, et l'informa le plus naturellement du monde que l'Archange Gibreel lui était apparu et qu'il s'était allongé auprès d'elle pour se reposer. « La grandeur est venue parmi nous », indiqua-t-elle au sarpanch alarmé, qui jusque-là s'était beaucoup plus inquiété des quotas de production agricole que de transcendance. « Tout nous sera demandé, et tout nous sera donné. »

Dans une autre partie de l'arbre, Khadija, l'épouse de Sarpanch, consolait un clown en larmes, qui acceptait difficilement la perte de son Ayesha bien-aimée au profit d'un être supérieur, parce que quand un archange couche avec une femme elle est à jamais perdue pour les hommes. Khadija était âgée et distraite et souvent maladroite quand elle essayait d'être affectueuse, et elle donna à Osman une maigre consolation. Elle cita le vieux proverbe : « Le soleil se couche toujours quand on craint l'approche des tigres »; ce qui voulait dire : un malheur n'arrive jamais seul.

Quand l'histoire du miracle fut connue, on convoqua Ayesha dans la grande maison, et les jours suivants elle passa de longues heures enfermée avec la femme du zamindar, Begum Mishal Akhtar, dont la mère venait d'arriver en visite, et qui elle aussi s'était éprise de la femme aux cheveux blancs de l'archange.

Le rêveur, en rêvant, veut (mais ne peut) protester : je ne l'ai jamais touchée, qu'est-ce que vous croyez, c'est un rêve avec pollution nocturne ou quoi? Je ne sais absolument pas d'où cette fille tire son information/inspiration. Pas de chez moi, assurément.

Voici ce qui arriva : elle revenait au village quand brusquement une immense fatigue s'abattit sur elle, et elle quitta le chemin pour aller s'allonger à l'ombre d'un tamarinier et se reposer. À l'instant où elle ferma les yeux il fut à côté d'elle, Gibreel rêvant avec son manteau et son chapeau, crevant de chaleur. Elle le regardait mais il ne pouvait dire ce qu'elle voyait, peut-être des ailes, des auréoles, tout le fourbi. Puis il se retrouva allongé là, incapable de se relever, les membres plus lourds que des barres de fer, comme si le poids de son propre corps pouvait l'enfoncer en terre. Quand elle eut fini de le contempler, elle lui fit, gravement, un signe de la tête, comme s'il avait parlé, puis elle enleva son bout de sari et s'étendit nue à côté de lui. Dans le rêve il s'endormit, s'éteignit tout d'un coup comme si quelqu'un avait enlevé la prise, et quand il se rêva à nouveau éveillé elle se tenait devant lui avec ses cheveux blancs défaits et sa robe de papillons : transformée. Elle hochait toujours la tête, le visage transfiguré, recevant de quelque part un message qu'elle appela Gibreel. Puis elle le laissa allongé là et revint faire son entrée au village.

Le rêveur devient assez conscient pour penser. Alors maintenant j'ai une femme de rêve. Qu'est-ce que je vais bien pouvoir en faire? – Mais ça ne le regarde pas. Ayesha et Mishal Akhtar sont ensemble dans la grande maison.

Depuis le jour de son anniversaire Mirza Saeed était plein de désirs passionnés, «comme si la vie commençait vraiment à quarante ans», s'émerveillait sa femme. Leur mariage devenait si actif que les domestiques devaient changer les draps trois fois par jour. Mishal espérait secrètement que le réveil de la libido de son mari la ferait concevoir, parce qu'elle était profondément convaincue que l'enthousiasme comptait, malgré l'avis contraire des médecins, et que les années pendant lesquelles elle avait pris sa température chaque matin avant de se lever pour inscrire le résultat sur une fiche afin d'établir la courbe de son ovulation avaient en fait dissuadé les bébés de naître, en partie parce qu'il était difficile de se montrer ardent quand la science se glissait dans le lit avec vous et, en partie aussi, d'après elle, parce qu'aucun fœtus digne de ce nom n'accepterait d'entrer dans le ventre d'une mère programmée aussi mécaniquement. Mishal priait toujours pour avoir un enfant même si elle n'en parlait plus à Saeed afin de lui épargner le sentiment de l'avoir déçue sur ce point. Les yeux fermés, faisant semblant de dormir, elle sollicitait de Dieu un signe, et quand Saeed devint si affectueux, si fréquemment, elle se demanda si ce n'était pas ce qu'elle attendait. En conséquence, à partir de ce jour elle ne traita plus par le mépris qu'elle méritait l'étrange requête de son mari, qui voulait qu'elle en revienne aux «vieilles coutumes» et utilise le purdah à chaque fois qu'ils venaient à Peristan. En ville, où ils possédaient une grande maison hospitalière, le zamindar et sa femme étaient connus comme le couple le plus «moderne» et le plus «branché»; ils faisaient collection d'œuvres d'art contemporaines, donnaient des soirées folles et invitaient des amis à des parties fines dans le noir en regardant des cassettes de porno soft. Aussi quand Mirza Saeed lui dit, « Ne serait-il pas délicieux, chère Mishu, d'adapter notre comportement à cette demeure ancienne », autrefois, elle lui aurait ri au nez. Au lieu de cela elle répondit, « Comme tu voudras, Saeed », parce qu'il lui avait fait comprendre qu'il s'agissait d'une sorte de jeu érotique. Il lui laissa même entendre que sa passion pour elle était devenue si envahissante qu'il aurait peut-être besoin de l'exprimer à n'importe quel moment, et que si elle n'était pas enfermée à ce moment-là cela pourrait gêner le personnel; sa présence même l'empêcherait certainement de se concentrer sur son travail, et, de toute façon, en ville, ils continueraient à être « à la mode ». Elle en déduisit que la ville proposait tant de distractions à Mirza que ses chances de concevoir étaient plus grandes ici, à Titlipur. Elle décida fermement d'y rester. C'est à ce moment-là qu'elle invita sa mère, parce que, si elle devait rester enfermée dans le zenana, elle aurait besoin de compagnie. Mrs Qureishi arriva en se dandinant avec une fureur grassouillette, bien déterminée à réprimander son gendre pour qu'il abandonne cette bêtise du purdah, mais Mishal stupéfia sa mère en la suppliant : « N'en fais rien. » Mrs Qureishi, la femme du directeur de la banque nationale, était elle-même très raffinée. « Déjà, pendant ton adolescence, Mishu, tu étais le petit canard gris alors que j'étais dans le vent. Je croyais que tu t'étais sortie de ce fossé mais je vois qu'il t'y a replongée. » La femme du financier avait toujours pensé que son gendre était un pingre que se cachait, opinion qui avait survécu à l'absence de début de commencement de la moindre preuve. Ignorant le veto de sa fille, elle alla trouver Mirza Saeed dans le jardin et l'attaqua de but en blanc, en se dandinant, comme à son habitude, pour souligner ce qu'elle disait : « Quel genre de vie menez-vous? demanda-t-elle. Ma fille n'est pas faite pour qu'on l'enferme, mais pour qu'on la sorte! À quoi vous sert votre fotune, si vous la gardez aussi sous clef? Mon fils, sortez à la fois votre portefeuille et votre femme! Emmenez-la, renouvelez votre amour par quelque *sortie* agréable! » Mirza Saeed ouvrit la bouche, ne trouva rien à répondre, la referma. Aveuglée par son éloquence, qui avait fait naître en elle, sous l'impulsion de l'instant, l'idée de vacances, Mrs Qureishi s'enthousiasma. « Décidez-vous et partez! dit-elle d'un ton pressant.

Allez-y, jeune homme, partez avec elle, ou voulez-vous la tenir enfermée ici jusqu'à ce qu'elle parte – et elle tendit un doigt menaçant vers le ciel – *pour toujours?* »

D'un air coupable, Mirza promit de réfléchir à la question.

« Qu'attendez-vous? s'écria-t-elle triomphante. Espèce de mollasson? Espèce de... *Hamlet!* »

L'attaque de sa belle-mère fit naître en Mirza Saeed une de ces crises de reproches qui l'accablaient depuis qu'il avait persuadé Mishal de reprendre le voile. Pour se consoler il se mit à lire *Ghare-Baire* de Tagore dans lequel un zamindar persuade sa femme de *sortir* du purdah, et ensuite elle se lie d'amitié avec un agitateur politique engagé dans la campagne « swadeshi », et le zamindar finit par être tué. Le roman lui remonta le moral pendant un moment, mais ses soupçons revinrent. Avait-il été sincère dans les raisons qu'il avait données à sa femme, ou cherchait-il seulement le moyen d'avoir le champ libre afin de poursuivre la madone des papillons, l'épileptique, Ayesha? « Un peu de champ », se dit-il, se souvenant de Mrs Qureishi avec ses yeux de faucon accusateur, « un peu de liberté. » Il remarqua que la présence de sa belle-mère était une preuve supplémentaire de sa bonne foi. N'avait-il pas indiscutablement encouragé Mishal à l'envoyer chercher, même s'il savait très bien que cette grosse dondon ne pouvait pas le supporter et qu'elle le soupçonnait de tous les mensonges de la terre? « Aurais-je autant désiré qu'elle vienne si j'avais eu un mauvais coup en tête? » se demanda-t-il. Mais les voix intérieures agaçantes continuaient : « Toute cette activité sexuelle récente, cet intérêt renouvelé pour ta femme, n'est qu'un simple transfert. En réalité, tu n'as qu'une envie, c'est que ta petite roulure de paysanne vienne se rouler avec toi. »

À cause de ce sentiment de culpabilité, le zamindar pensa qu'il ne valait pas cher. Dans son malheur, les insultes de sa belle-mère finirent par lui sembler l'exacte vérité. Elle l'appelait « mollasson », et assis dans son bureau, entouré de bibliothèques où des vers rongeaient avec plaisir des textes en sanskrit à tel point inestimables qu'on n'en trouvait pas d'équivalents aux archives nationales, ainsi que, avec moins d'enthousiasme, les œuvres complètes de Percy Westerman, G.A. Henty et Dornford Yates, Mirza admit, oui, exacte-

252

ment, je suis mou. La maison avait connu sept générations et la mollesse durait depuis sept générations. Il descendit le couloir où ses ancêtres étaient accrochés dans des cadres dorés et sinistres, et contempla le miroir placé au dernier endroit disponible comme le rappel que, lui aussi, un jour, devrait grimper sur le mur. C'était un homme sans angles durs, sans rebords marqués; même ses coudes étaient recouverts de petits coussinets de chair. Il vit dans le miroir la fine moustache, le menton fuyant, les lèvres tachées de paan. Les joues, le nez, le front : tout était mou, mou, mou. « Qui pourrait voir quelque chose dans un type comme moi? » s'écria-t-il, et quand il se rendit compte qu'il était troublé au point d'avoir parlé à haute voix il sut qu'il devait être amoureux, amoureux comme un chien, et que l'objet de son amour n'était plus son affectueuse femme.

Il soupira : « Quel pauvre type je fais, superficiel, rusé, malhonnête, pour changer autant et si vite. Je mérite de finir sans cérémonie. » Mais ce n'était pas le genre de personne à se jeter sur son épée. Au lieu de cela, il alla se promener dans les couloirs de Peristan et très vite la magie de la demeure fit son effet et lui redonna quelque chose qui ressemblait à de la bonne humeur.

La maison : malgré son nom de conte de fées, c'était un bâtiment solide, plutôt banal, rendu exotique pour la seule raison qu'il ne se trouvait pas dans le bon pays. Elle avait été construite sept générations plus tôt par un certain Perowne, un architecte anglais très apprécié des autorités coloniales, dont le style unique était celui des maisons de campagne anglaises néoclassiques. À cette époque les grands zamindars étaient fous d'architecture européenne. L'arrière-arrière-arrière-arrière-arrière-grand-père de Saeed l'avait engagé cinq minutes après l'avoir rencontré à la réception du vice-roi, afin de montrer publiquement que tous les Indiens musulmans n'avaient pas soutenu l'action des soldats de Meerut ou sympathisé avec les soulèvements qui en étaient suivis, non, en aucun cas; – et il lui avait donné carte blanche –; ainsi Peristan se dressait maintenant au milieu des champs de pommes de terre presque tropicaux et près du grand banian, recouvert de bougainvillées, avec des serpents dans la cuisine et des cadavres de papillons dans les placards. Certains disaient que son nom devait plus à l'Anglais qu'à quoi que ce soit de plus fantaisiste : c'était une simple contraction de *Perownistan*.

Après sept générations la maison commençait enfin à avoir l'air d'appartenir à ce paysage de charrettes à bœufs, de palmiers et de cieux hauts, clairs et chargés d'étoiles. Même les fenêtres à vitraux qui donnaient sur l'escalier du Roi Charles-Sans-Tête avaient été, d'une certaine façon, naturalisées. Très peu de ces vieilles maisons de zamindars avaient survécu aux déprédations égalitaires des temps modernes, et, en conséquence, Peristan avait quelque chose d'un musée moisi, même si – ou peut-être parce que – Mirza Saeed tirait un grand orgueil de l'ancienne demeure et dépensait sans compter pour la maintenir en bon état. Il dormait dans un lit en forme de bateau, surmonté d'un haut baldaquin de cuivre martelé et repoussé qu'avaient occupé avant lui trois vice-rois. Dans le grand salon il aimait s'asseoir avec Mishal et Mrs Qureishi dans un sofa pour amoureux, inhabituellement à trois place. À l'une des extrémités de cette pièce, il y avait un immense tapis de Chiraz roulé, soutenu sur des cales, et qui attendait la réception prestigieuse méritant qu'on le déploie, et qui ne vint jamais. Dans la salle à manger on trouvait de solides colonnes classiques à chapiteau corinthien, et des paons, à la fois réels et en pierre, se promenaient dans le grand escalier qui conduisait à la maison, et des chandeliers vénitiens tintaient dans l'entrée. Les punkahs d'origine fonctionnaient toujours parfaitement, les cordes qui les faisaient tourner passaient dans les murs et les planchers grâce à des poulies et à des trous, jusqu'à une petite pièce sans air où le punkah-wallah restait assis pour actionner l'ensemble, piégé dans l'ironie de l'air fétide de cette pièce minuscule et sans fenêtre tandis qu'il dispensait de fraîches brises dans les autres parties de la maison. Les domestiques, eux aussi, remontaient à sept générations et avaient perdu par conséquent l'art de se plaindre. Les anciennes coutumes réglaient tout : même le marchand de bonbons de Titlipur devait obtenir l'accord du zamindar avant de mettre en vente toute nouvelle confiserie qu'il pouvait inventer. La vie à Peristan était aussi douce qu'elle était dure sous l'arbre; mais des coups durs peuvent tomber, même sur des existences aussi bien rembourrées.

Découvrir que sa femme passait la plus grande partie de ses journées enfermée avec Ayesha remplit Mirza d'une irritation insupportable, un eczéma de l'esprit qui le rendit fou parce qu'il n'avait aucun moyen de se gratter. Mishal espérait que l'archange, le mari d'Ayesha, lui donnerait un bébé, mais comme elle ne pouvait en parler à son mari elle devint maussade et haussait les épaules avec mauvaise humeur quand il lui demandait pourquoi elle perdait autant de temps avec la fille la plus folle du village. Cette nouvelle réticence de Mishal aggrava la démangeaison dans le cœur de Mirza, et le rendit également jaloux, sans savoir si c'était d'Ayesha, ou de Mishal. Pour la première fois il remarqua que la maîtresse des papillons avait les mêmes yeux gris et brillants que sa femme, et pour une raison quelconque cela le mit aussi en colère, comme s'il y voyait la preuve que les deux femmes se liguaient contre lui, se chuchotant Dieu sait quels secrets; peut-être médisaient-elles de *lui*! Cette histoire de zenana semblait s'être retournée contre lui; même la grosse Mrs Qureishi avait été séduite par Ayesha. Un sacré trio, se disait Mirza Saeed; quand la superstition entre par la porte, le bon sens se sauve par la fenêtre.

Ayesha : quand, sur le balcon ou dans le jardin, elle rencontrait Mirza qui se promenait en lisant des poèmes d'amour en ourdou, elle se montrait invariablement respectueuse et timide; mais son comportement correct, associé à l'absence totale de toute lueur d'intérêt érotique, enfonçait de plus en plus Saeed dans l'impuissance de son désespoir. C'est ainsi que, un jour, alors qu'il espionnait Ayesha qui entrait dans les appartements de sa femme et entendit, quelques minutes plus tard, sa belle-mère pousser un cri mélodramatique, il fut saisi d'un sentiment obstiné de vengeance et attendit délibérément trois minutes avant d'entrer voir ce qui se passait. Il découvrit Mrs Qureishi qui s'arrachait les cheveux et pleurait comme une reine de cinéma, cependant que Mishal et Ayesha étaient assises jambes croisées sur le lit, face à face, les yeux gris regardant fixement le gris, et que le visage de Mishal reposait entre les paumes largement ouvertes d'Ayesha.

255

L'archange avait informé Ayesta que la femme du zamindar était en train de mourir d'un cancer, que ses seins étaient remplis de nodules de mort, et qu'il ne lui restait que quelques mois à vivre. L'emplacement du cancer prouvait à Mishal la cruauté de Dieu, car seule une déité méchante pouvait mettre la mort dans les seins d'une femme dont le seul rêve était qu'ils allaient une vie. Quand Saeed entra, Ayesha chuchotait rapidement à Mishal : « Vous ne devez pas penser cela. Dieu vous sauvera. C'est pour éprouver votre foi. »

Mrs Qureishi apprit la mauvaise nouvelle à Mirza Saeed avec force cris et hurlements, et pour le zamindar désorienté ce fut la goutte d'eau qui fit déborder le vase. Il se mit en colère et commença à hurler et à trembler comme si, à tout moment, il pouvait écraser les meubles de la pièce ainsi que ses occupants.

« Va au diable avec ton cancer fantôme, cria-t-il exaspéré à Ayesha. Tu es venue dans ma maison avec ta folie et tes anges et tu as empoisonné les oreilles de ma famille.. Sors d'ici avec tes visions et ton époux invisible. Nous sommes dans le monde moderne, et ce sont les médecins et pas les fantômes dans les champs de pommes de terre qui nous disent quand nous sommes malades. Tu as fait tout ce foutu chambard pour rien. Sors d'ici et ne reviens jamais. »

Ayesha l'écouta sans retirer ses yeux ni ses mains de ceux de Mishal. Quand Saeed s'arrêta pour reprendre son souffle, serrant et ouvrant les poings, elle dit doucement à sa femme : « Tout nous sera demandé, et tout nous sera donné. » Quand il entendit cette formule que tous les gens du village commençaient à répéter comme des perroquets comme s'ils savaient ce qu'elle signifiait, Mirza Saeed Akhtar perdit un instant la raison, il leva la main et assomma Ayesha. Elle tomba par terre, saignant de la bouche, une dent cassée par le coup de poing, et comme elle restait étendue là Mrs Qureishi injuria son gendre : « Oh mon Dieu, j'ai donné ma fille à un assassin. Oh mon Dieu, un homme qui bat les femmes. Allez-y, frappez-moi aussi, vous avez l'habitude. Profanateur de saintes, blasphémateur, démon, impur. » Saeed quitta la pièce sans ajouter un mot.

Le lendemain Mishal Akhtar voulut absolument rentrer en ville pour un bilan médical complet. Saeed s'y opposa fermement. « Si tu veux prêter l'oreille aux superstitions, vas-y, mais ne crois pas que je vais t'accompagner. Cela fait huit heures pour aller et autant pour revenir; alors pas question. » Mishal partit dans l'après-midi avec sa mère et le chauffeur, et en conséquence Mirza Saeed ne se trouvait pas où il aurait dû, c'est-à-dire aux côtés de sa femme, quand on communiqua à Mishal les résultats des examens : positif, inopérable, trop avancé, les griffes du cancer étaient trop profondément enfoncées dans sa poitrine. Quelques mois, six avec de la chance, et avant ça, bientôt, la douleur. Mishal rentra à Peristan et se dirigea directement vers sa chambre dans le zenana, où elle rédigea une note en bonne et due forme sur du papier à lettres couleur lavande, afin d'informer son mari du diagnostic du médecin. Quand il lut sa condamnation à mort, écrite de sa propre main, il voulut à tout prix fondre en larmes, mais ses yeux restèrent obstinément secs. Depuis plusieurs années il ne trouvait plus de temps à consacrer à l'Être Suprême, mais maintenant quelques phrases d'Ayesha lui revenaient à l'esprit. *Dieu vous sauvera. Tout sera donné.* Il eut une pensée amère et superstitieuse : « C'est une malédiction. Parce que j'ai désiré Ayesha, elle a assassiné ma femme. »

Quand il alla au zenana, Mishal refusa de le voir, mais sa mère, qui barrait la porte, tendit à Saeed une deuxième note sur du papier à lettres bleu et parfumé. Il lut : « Je veux voir Ayesha. Veuillez m'en accorder la permission. » Inclinant la tête, Mirza Saeed donna son consentement, et s'éclipsa honteux.

Avec Mahound, il y a toujours une lutte; avec l'Imam, l'esclavage; mais avec cette fille, il n'y a rien. Gibreel est inerte, généralement endormi dans le rêve comme il l'est dans la vie. Elle vient le trouver sous un arbre, ou dans un fossé, elle entend ce qu'il ne dit pas, prend ce dont elle a besoin, et s'en va. Que sait-il au sujet du cancer, par exemple? Strictement rien.

Tout autour de lui, pense-t-il mi-rêvant mi-éveillé, il y a des gens qui entendent des voix, qui sont séduits par des mots. Mais pas les siens; le texte n'est jamais de lui. – De

257

qui alors? Qui chuchote à leurs oreilles, et les rend capables de déplacer les montagnes, d'arrêter les pendules, de diagnostiquer les maladies?

Il ne comprend pas.

**

Le jour qui suivit le retour de Mishal à Titlipur, Ayesha, que les gens commençaient à appeler une kahin, une pir, disparut complètement pendant une semaine. Son soupirant malheureux, Osman le clown, qui l'avait suivie de loin sur le chemin poussiéreux par lequel on transporte les pommes de terre à Chatnapatna, raconta aux villageois qu'une brise s'était levée et que la poussière avait aveuglé ses yeux : quand la vue lui fut rendue elle avait « disparu ». Généralement, quand Osman et son bœuf commençaient à raconter leurs histoires de djinns et de lampes magiques et de Sésame-ouvre-toi, les villageois se montraient tolérants et le taquinaient, d'accord, Osman, garde ça pour ces idiots de Chatnapatna; ils peuvent gober tes contes mais ici à Titlipur nous avons les pieds sur terre et nous savons que les palais n'apparaissent que si mille et un ouvriers les construisent, et qu'ils ne disparaissent que si mille et un ouvriers les détruisent. Cette fois-ci, cependant, personne ne rit du clown, parce que dès qu'il s'agissait d'Ayesha les villageois étaient prêts à croire n'importe quoi. Ils étaient convaincus que la fille aux cheveux de neige avait succédé à la vieille Bibiji, les papillons n'étaient-ils réapparus l'année de sa naissance, et ne la suivaient-ils pas pour lui faire une cape? Ayesha était la justification de l'espoir longtemps déçu qu'avait fait naître le retour des papillons, et la preuve que de grandes choses étaient encore possibles dans cette vie-ci, même pour les plus faibles et les plus pauvres du pays.

« L'ange l'a enlevée », s'émerveilla Khadija, la femme du sarpanch, et Osman éclata en sanglots. « Mais non, c'est une chose merveilleuse », expliqua la vieille Khadija sans comprendre. Les villageois se moquèrent du sarpanch : « Ça nous dépasse que tu sois devenu chef de village avec une épouse aussi grossière.

– C'est vous qui m'avez choisi », répondit-il d'un ton maussade.

258

Le septième jour après sa disparition on aperçut Ayesha qui venait vers le village, à nouveau nue et vêtue de papillons dorés, ses cheveux argentés volant derrière elle dans le vent. Elle alla directement chez le sarpanch Muhammad Din et lui demanda de convoquer le panchayat de Titlipur pour une réunion d'urgence. « Le plus grand événement de l'histoire de l'arbre vient de commencer », lui confia-t-elle. Muhammad Din, incapable de rien lui refuser, fixa la réunion le soir même, après la tombée de la nuit.

Le soir les membres du panchayat prirent place sur la branche habituelle de l'arbre, tandis qu'Ayesha la kahin restait debout devant eux par terre. « J'ai volé avec l'ange jusqu'au plus haut des cieux, dit-elle. Oui, même jusqu'au plus lointain des arbres. L'archange, Gibreel : il nous a apporté un message qui est aussi un ordre. Tout nous est demandé, et tout nous sera donné. »

Rien dans la vie du sarpanch Muhammad Din ne l'avait préparé au choix qu'il allait devoir faire. « Que demande l'ange, Ayesha, ma fille ? » dit-il en essayant de garder une voix ferme.

« La volonté de l'ange est que nous tous, chaque homme, chaque femme, chaque enfant du village, nous préparions pour partir en pèlerinage. On nous ordonne d'aller jusqu'à La Mecque Sharif, d'embrasser la Pierre Noire dans la Ka'aba au centre du Haram Sharif, la mosquée sacrée. Qu'il en soit fait ainsi. »

Les cinq du panchayat se mirent à discuter ardemment. Il fallait penser aux récoltes, et on ne pouvait abandonner toutes les maisons d'un seul coup. « C'est impensable, mon enfant, lui dit le sarpanch. Il est bien connu qu'Allah dispense du Hadj et de l'Omra ceux qui en sont vraiment incapables pour des raisons d'argent ou de santé. » Mais Ayesha restait silencieuse et les anciens continuèrent à discuter. Puis tout se passa comme si son silence gagnait tous les autres et pendant un long moment, pendant lequel la question fut résolue – même si personne ne comprit exactement par quel moyen –, aucun mot ne fut prononcé.

Finalement ce fut Osman le clown qui parla, Osman le converti, pour qui la nouvelle foi n'avait été rien de plus qu'une gorgée d'eau. « Il y a plus de trois cents kilomètres d'ici à la mer, s'écria-t-il. Il y a de vieilles femmes et des bébés parmi nous. Comment pourrons-nous y aller ?

– Dieu nous donnera la force, répondit sereinement Ayesha.

– Ne t'est-il pas venu à l'idée, hurla Osman, refusant de céder, qu'il y a un très grand océan entre nous et La Mecque Sharif? Comment le traverserons-nous? Nous n'avons pas d'argent pour prendre les bateaux de pèlerinage. L'ange va peut-être nous faire pousser des ailes pour que nous puissions voler? »

Plusieurs villageois en colère entourèrent Osman le blasphémateur. « Tais-toi maintenant, lui ordonna le sarpanch Muhammad Din. Tu ne fais pas partie depuis très longtemps de notre foi ni de notre village. Ferme-la et apprends nos coutumes. »

Cependant, Osman répliqua avec toupet, « Alors c'est comme ça que vous accueillez les nouveaux venus. Pas comme des égaux, mais comme des gens qui doivent faire ce qu'on leur dit. » Un cercle d'hommes au visage rouge commença à se resserrer autour d'Osman, mais avant que quelque chose d'irréparable ait pu arriver, la kahin Ayesha modifia complètement l'atmosphère en répondant aux questions du clown.

« L'ange a également expliqué cela, dit-elle calmement. Nous marcherons pendant trois cents kilomètres, et quand nous atteindrons le rivage de la mer, nous mettrons nos pieds dans l'écume, et les eaux se partageront devant nous. Les vagues se sépareront, et nous marcherons sur le fond de la mer jusqu'à La Mecque. »

Le lendemain matin Mirza Saeed Akhtar s'éveilla dans une maison inhabituellement silencieuse, et quand il appela les domestiques il n'obtint pas de réponse. Le calme avait gagné aussi les champs de pommes de terre; mais sous le large toit étalé de l'arbre de Titlipur ce n'était qu'agitation. Le panchayat avait voté à l'unanimité l'obéissance à l'ordre de l'Archange Gibreel, et les villageois avaient commencé les préparatifs du départ. Au début le sarpanch avait voulu que le charpentier Isa construise des litières qui seraient tirées par des bœufs pour les vieillards et les infirmes, mais cette idée lui était retombée sur le nez à cause de sa femme, qui lui dit, « Tu n'écoutes pas, sarpanch sahibji! L'ange a dit qu'on devait marcher. Alors, c'est ce qu'on doit faire. » On me dispensa de marche à pied que les plus jeunes des enfants en bas âge, les adultes les porteraient (c'est ce qu'on décida) sur leur dos à tour de rôle. Les villageois avaient mis toutes leurs ressources en commun, et des monceaux de pommes de terre, de lentilles, de riz, de courges amères, de piments rouges, d'aubergines et autres légumes s'entassaient près de la branche du panchayat. On répartissait également les provisions entre les marcheurs. On rassemblait, aussi, les ustensiles de cuisine, et toute la literie qu'on pouvait trouver. On emmènerait des bêtes de somme, et quelques charrettes transportant des poulets et de la volaille, mais d'une façon générale les pèlerins devaient respecter les instructions du sarpanch et emporter le minimum d'objets personnels. Les préparatifs avaient commencé avant l'aube, si bien que lorsque Mirza Saeed hors de lui arriva au village d'un pas décidé, les choses étaient déjà bien avancées. Pendant quarante-cinq minutes le zamindar ralentit les villageois en faisant de violents discours et en secouant chaque paysan individuellement par les épaules, mais, heureusement, il finit par renoncer et s'en aller, si bien que le travail put reprendre au même rythme rapide. En partant, Mirza se donna plusieurs gifles et traita les gens de *mabouls, nigauds,* de très vilains mots, mais le zamindar avait toujours été un impie, une fin de race, et il n'y avait qu'à le laisser à son destin; il ne servait à rien de discuter avec des hommes comme lui.

Au coucher du soleil les villageois étaient prêts à partir, et le sarpanch demanda à chacun de se lever dès l'aurore pour dire ses prières afin de pouvoir s'en aller immédiatement après et d'éviter ainsi la pire chaleur de la journée. Cette nuit-là, allongé sur sa natte près de la vieille khadija, il murmura, « Enfin. J'ai toujours voulu voir la Ka'aba, tourner autour avant de mourir. » Sa femme tendit le bras depuis sa propre natte pour lui prendre la main, « Moi aussi, je l'ai espéré, contre tout espoir, dit-elle. Nous traverserons les eaux ensemble. »

Mirza Saeed, mis dans une rage impuissante par le spectacle du village faisant ses paquets, fit irruption chez sa femme sans cérémonie. « Tu devrais voir ce qui se passe, Mishu, s'écria-t-il, en gesticulant de façon ridicule. Tout le

261

village a perdu l'esprit, ils partent pour le bord de la mer. Que va-t-il arriver à leurs maisons, à leurs champs? C'est la ruine. Il doit y avoir des agitateurs politiques là-dessous. Quelqu'un a dû acheter quelqu'un. – Si je leur offrais de l'argent, tu crois qu'ils resteraient ici, comme des gens sensés?» Sa voix s'arrêta brusquement. Ayesha était dans la pièce.

«Espèce de garce», lui cria-t-il. Elle était assise sur le lit, les jambes croisées, tandis que Mishal et sa mère, accroupies par terre, triaient leurs affaires en essayant d'en prendre le moins possible pour le pèlerinage.

«Tu ne pars pas, hurla Mirza Saeed. Je te l'interdis, le diable seul sait avec quel germe cette putain a infecté les villageois, mais tu es ma femme et je refuse de te laisser t'embarquer dans une aventure aussi suicidaire.

– Ce sont vraiment les mots qui conviennent, dit Mishal en riant amèrement. Saeed, tu choisis bien tes mots. Tu sais que je suis condamnée mais tu parles de suicide. Saeed, il se passe quelque chose ici, et toi avec ton athéisme importé d'Europe tu ne sais pas de quoi il s'agit. Ou peut-être le saurais-tu si tu regardais sous tes costumes anglais et si tu essayais de repérer ton cœur.

– C'est incroyable, cria Saeed. Mishal, Mishu, c'est toi? Tout d'un coup tu t'es transformée en cette bigote d'un autre temps?»

Mrs Qureishi dit, «Allez-vous-en, mon fils. Il n'y a pas de place pour les incroyants ici. L'ange a dit à Ayesha que quand Mishal achèvera son pèlerinage à La Mecque, son cancer aura disparu. Tout est demandé et tout sera donné.»

Mirza Saeed Akhtar posa ses paumes ouvertes sur le mur de la chambre de sa femme et appuya son front sur le plâtre. Après une longue pause, il dit : «S'il s'agit de faire l'Omra alors, pour l'amour de Dieu allons en ville et prenons l'avion. On peut être à La Mecque dans deux jours.»

Mishal répondit : «On nous a donné l'ordre de marcher.»

Saeed perdit tout contrôle de lui-même. «Mishal? Mishal? hurla-t-il dans un cri déchirant. Donné l'ordre? Les archanges, Mishu? *Gibreel?* Le bon Dieu avec une grande barbe et des anges avec des ailes? Le ciel et l'enfer, Mishal? Le Diable avec une queue pointue et des sabots fendus? Tu va aller jusqu'où avec tout ça? Les femmes ont-elles une âme, à ton avis? Ou dit autrement : les âmes ont-elles un genre? Dieu est-il noir ou blanc? Quand les eaux de l'océan se sépareront, où ira l'eau en trop? Va-t-elle se dresser de chaque côté comme des murs? Mishal? Réponds-moi. Les miracles existent-ils? Crois-tu au Paradis? Me pardonnera-t-on mes péchés? » Il se mit à pleurer, et tomba à genoux, le front toujours contre le mur. Sa femme mourante se leva et l'enlaça par-derrière. « Pars avec le pèlerinage, alors, dit-il tristement. Mais prends au moins le break Mercedes. Il y a l'air conditionné et tu pourras remplir la glacière de boîtes de Coca-Cola.

– Non, dit-elle, doucement. Nous irons comme les autres. Nous sommes des pèlerins, Saeed. Nous n'allons pas pique-niquer à la plage.

– Je ne sais plus quoi faire, dit Mirza Saeed Akhtar en pleurant. La situation me dépasse. »

Ayesha parla depuis le lit : « Mirza sahib, venez avec nous. Abandonnez ces idées. Venez avec nous et sauvez votre âme. »

Saeed se releva, les yeux rouges. « Vous vouliez une putain de sortie, dit-il d'une voix méchante à Mrs Qureishi. Vous êtes arrivée à vos fins. Votre sortie nous achèvera tous, sept générations, et toutes liquidées. »

Mishal posa la joue sur le dos de son mari. « Viens avec nous, Saeed. Viens. »

Il se retourna vers Ayesha. « Il n'y a pas de Dieu, dit-il fermement.

– Il n'y a de Dieu que Dieu, et Mahomet est Son Prophète, répondit-elle.

– L'expérience mystique est une vérité subjective, pas objective, poursuivit-il. Les eaux ne s'ouvriront pas.

– La mer s'ouvrira sur l'ordre de l'ange, répondit Ayesha.

– Tu conduis ces gens à leur perte assurée.

– Je les conduis dans le sein de Dieu.

– Je ne crois pas en toi, insista Saeed. Mais je vais y aller, et à chaque pas j'essaierai de mettre fin à cette folie.

– Dieu choisit beaucoup de voies, dit Ayesha réjouie, beaucoup de routes par lesquelles celui qui doute peut être conduit vers sa certitude.

– Va au diable », hurla Mirza Saeed Akhtar, et il s'enfuit de la chambre en faisant s'envoler les papillons.

***

« Qui est le plus fou », murmura Osman le clown à l'oreille de son bœuf qu'il soignait dans sa petite étable, « la femme folle, ou l'imbécile qui aime la femme folle ? » Le bœuf ne répondit pas. « Nous aurions peut-être dû rester intouchables, poursuivit Osman. Un océan obligatoire me semble pire qu'un puits interdit. » Et le bœuf hocha la tête, deux fois pour oui, boum, boum.

V

Une cité visible mais inaperçue

1

« *Quand je serai un hibou, quel charme ou quel antidote me fera redevenir moi-même?* » Mr Muhammad Sufyan, propriétaire du café Shaandaar et de l'immeuble où se trouvait la pension au-dessus, mentor de ses habitants divers, de passage et de toutes les couleurs, type qui avait tout vu, le moins doctrinaire des hadjis et le plus éhonté des voyeurs de cassettes vidéo, ancien instituteur, autodidacte dans les textes classiques de plusieurs cultures, licencié de son poste à Dacca à cause de différences culturelles avec certains généraux, autrefois, quand le Bangladesh n'était qu'une Partie Orientale, et, d'après ses propres paroles, « moins un petit immig qu'un petit émig-rien » – cette dernière plaisanterie faisant allusion à son manque de centimètres, car s'il était large, avec une taille et des bras épais, il ne se dressait qu'à un mètre cinquante-deux au-dessus du sol, cligna des yeux sur le seuil de sa chambre, réveillé à minuit par les coups urgents frappés à sa porte par Jumpy Joshi, essuya ses lunettes demi-lune avec le bord de son kurta à la mode bengali (lacet noué habilement autour du cou), ouvrit et ferma plusieurs fois les paupières sur ses yeux myopes, remit ses lunettes, rouvrit les yeux, caressa sa barbe au henné sans moustaches, se suça les dents, et réagit aux cornes à présent indéniables sur le front du type frissonnant, que Jumpy, tel le chat, semblait avoir ramassé dans le ruisseau, et lui appliqua la plaisanterie ci-dessus, empruntée, avec une vivacité d'esprit méritoire pour quelqu'un qui sort de son lit, à Lucius Apuleius de Madaura, prêtre marocain, 120 à 180 environ après JC, colon d'un des premiers empires, quelqu'un qui nia avoir ensorcelé une riche veuve et avoua,

267

avec une certaine perversité, qu'au début de sa carrière il avait été transformé, par sorcellerie, en (pas en hibou mais) en âne. « Oui, oui », continuait Sufyan en faisant un pas dans le couloir et en soufflant une buée blanche hivernale dans ses mains croisées, « Pauvre garçon, mais il ne faut pas se complaire dans le malheur. On doit adopter une attitude constructive. Je vais réveiller ma femme. »

Chamcha sale et mal rasé était drapé dans une couverture comme dans une toge d'où ressortait la difformité comique de ses sabots de bouc, tandis qu'il portait par-dessus la triste comédie d'une veste en mouton retourné prêtée par Jumpy, le col relevé et les boucles de mouton nichées à quelques centimètres de ses cornes pointues. Il semblait incapable de parler, le corps lourd, l'œil vitreux; même si Jumpy essayait de l'encourager – « Voilà, on va arranger ça tout de suite » – lui, Saladin, restait le plus mou et le plus passif des – quoi? – disons-le : satyres. Cependant, Sufyan lui proposa une compassion apuléenne supplémentaire. « Dans le cas de l'âne, pour renverser la métamorphose, il a fallu l'intervention personnelle de la déesse Isis, dit-il en souriant. Mais les temps anciens sont bons pour les vieilles badernes. En ce qui vous concerne, jeune homme, la première chose à faire c'est peut-être de manger un bol de bonne soupe chaude. »

À ce moment-là sa voix amicale fut dominée par l'intervention d'une seconde voix, très haut perchée à cause d'une terreur théâtrale; quelques secondes plus tard, sa petite personne était bousculée et repoussée par la montagne de chair d'une femme, qui semblait incapable de décider si elle devait l'écarter de son chemin ou le tenir devant elle comme un bouclier protecteur. Accroupi derrière Sufyan, ce nouvel être tendit un bras frissonnant au bout duquel se trouvait un index boudiné et tremblant à l'ongle écarlate. « Ça, là, hurlat-elle. Qu'est-ce qui nous tombe dessus?

– C'est un ami de Joshi, dit Sufyan calmement et, se tournant vers Chamcha, il poursuivit, Excusez, s'il vous plaît... c'est tellement inattendu, etc., n'est-ce pas? Quoi qu'il en soit permettez-moi de vous présenter Mrs; – ma Begum Sahiba – Hind.

– Quel ami? Comment ça un ami? cria l'accroupie. Ya Allah, tu n'as pas les yeux en face des trous? »

Le couloir – plancher nu, papier mural à fleurs déchiré, –

commençait à se remplir de résidents endormis. Parmi eux on remarquait deux adolescentes, une aux cheveux punks, l'autre avec une queue de cheval, et toutes deux se réjouissant d'avoir l'occasion de faire la démonstration de leur connaissance (enseignée par Jumpy) des arts martiaux, karaté et Wing Chun : les filles de Sufyan, Mishal (dix-sept ans) et Anahita, quinze ans, avaient bondi à l'extérieur de leur chambre en tenue de combat, un pyjama à la Bruce Lee, par-dessus un T-shirt avec le portrait de la nouvelle madone, Madonna; – elles aperçurent le pauvre Saladin; – et secouèrent la tête les yeux écarquillés de plaisir.

« Géant », dit Mishal, admirative. Et sa sœur approuva de la tête : « Putain. Classe. » Sa mère, cependant, ne lui reprocha pas son langage; Hind avait l'esprit ailleurs, et elle hurla de plus belle : « Regardez-moi ce mari. C'est un hadji, ça? Chaytan lui-même entre chez nous, et il faut que je lui offre un yakhni chaud au poulet, préparé de ma propre main. »

Il était, maintenant, inutile que Jumpy Joshi fasse appel à la tolérance de Hind, qu'il essaie de lui expliquer et lui demande de faire preuve de solidarité. « Si ce n'est pas le diable en personne, fit remarquer d'un ton autoritaire la femme à la poitrine haletante, alors d'où sort cette haleine pestilentielle? Du Jardin Parfumé peut-être?

– Pas du Gulistan, mais du Bostan, dit brusquement Chamcha. AI vol 420. » Mais, en entendant sa voix, Hind couina avec terreur, et se précipita en courant vers la cuisine.

« Monsieur, dit Mishal à Saladin tandis que sa mère dévalait l'escalier, quiconque arrive à lui faire peur de cette façon ne peut être foncièrement *mauvais*.

– Terrible, dit Anahita. Bienvenue à bord. »

Cette Hind, aujourd'hui si fermement retranchée dans le mode exclamatif, avait été autrefois – incroyablemaisvrai – la plus rougissante des jeunes mariées, la gentillesse même, l'incarnation de la bonne humeur et de la tolérance. En tant qu'épouse de l'instituteur érudit de Dacca, elle avait pris sa tâche à cœur, la parfaite moitié, apportant à son mari du thé parfumé à la cardamome quand il veillait tard pour corriger des copies d'examens, s'insinuant dans les bonnes grâces du directeur lors de la sortie de fin de trimestre réservée aux familles des instituteurs, essayant de venir à bout des romans de Bibhutibhushan Banerji et de la métaphysique de Tagore afin de se rendre digne d'un époux capable de citer sans effort aussi bien le Rig-veda que le Coran, les récits des conquêtes militaires de Jules César que les Révélations de saint Jean l'Évangéliste. À cette époque, elle admirait son ouverture d'esprit pluraliste, et s'efforçait d'atteindre, dans sa cuisine, un éclectisme parallèle, apprenant à cuisiner les dosas et les uttapams de l'Inde du Sud aussi bien que les boulettes de viande molles du Cachemire. Mais elle ne fit pas qu'épouser la cause du pluralisme gastronomique, elle se passionna pour elle, et tandis que le laïc Sufyan avalait les multiples cultures du sous-continent indien – « et ne croyons pas que la culture occidentale en soit absente; après des siècles, comment ne ferait-elle pas partie de notre héritage? » – son épouse cuisinait, et absorbait des quantités toujours plus grandes de nourriture. Tandis qu'elle dévorait les plats très épicés de Hyderabad et les prétentieuses sauces au yaourt de Lucknow son corps changeait, parce qu'il fallait loger quelque part toute cette nourriture, et elle commença à ressembler à cet immense pays qui se déroule à l'infini, ce sous-continent sans frontières, parce que la nourriture franchit toutes les barrières qu'on peut imaginer.

Cependant, Mr Muhammad Sufyan ne prenait pas de poids : pas un *tola,* pas un *gramme.*

Son refus d'engraisser marqua le début des difficultés. Quand elle lui reprocha – « Tu n'aimes pas ma cuisine? Pour qui est-ce que je prépare tout ça, et pour qui est-ce que je gonfle comme un ballon? » – il lui répondit, calmement, la regardant d'en bas (elle était plus grande que lui) pardessus ses lunettes demi-lune : « La modération fait aussi partie de nos traditions, Begum. Manger deux bouchées de moins que sa faim : la privation, la voie de l'ascétisme. » Quel homme : il avait réponse à tout, mais on n'arrivait pas à se disputer comme il fallait avec lui.

La modération n'était pas pour Hind. Peut-être, si Sufyan s'était plaint; s'il avait dit une seule fois, *j'avais cru me marier avec une femme mais maintenant tu es grosse comme deux;* s'il l'avait un peu poussée! – elle aurait peut-être arrêté, pourquoi pas, bien sûr elle l'aurait fait; c'était donc de sa faute, il n'avait pas assez d'agressivité, quel genre d'homme était-il s'il se montrait incapable d'insulter sa grosse femme? – En vérité, Hind n'aurait peut-être pas pu contrôler ses crises de boulimie même si Sufyan lui avait fourni les imprécations et les supplications requises; mais, comme il ne l'avait pas fait, elle continuait à mastiquer, et se contentait de le rendre responsable de son état.

En fait, dès qu'elle se mit à l'accuser de certaines choses, elle découvrit qu'elle pouvait lui en reprocher quantité d'autres; et découvrit, aussi, son verbe, si bien que l'humble appartement de l'instituteur résonna régulièrement des remontrances qu'il était trop timide pour faire à ses élèves. Par-dessus tout, elle lui reprochait ses principes excessivement élevés grâce auxquels, lui disait Hind, elle savait qu'il ne lui permettrait jamais de devenir la femme d'un homme riche; – car que pouvait-on attendre d'un homme qui, découvrant que sa banque avait crédité par erreur deux fois son salaire dans le même mois, *attira immédiatement l'attention de l'établissement bancaire,* et rendit l'argent en espèces?; – que pouvait-on espérer d'un instituteur qui, contacté par les plus riches des parents d'élèves, refusait catégoriquement d'accepter les rémunérations habituelles pour les services rendus lors de la correction des copies d'examen des petits gars?

« Mais tout cela je pourrais le pardonner », lui murmurait-elle d'une voix menaçante sans dire le reste de la phrase, qui était s'*il n'y avait pas aussi tes deux véritables offenses : tes crimes sexuels, et politiques.*

Depuis le début de leur mariage, ils avaient accompli l'acte sexuel peu fréquemment, dans l'obscurité absolue, dans un silence de mort et une immobilité presque complète. Hind n'aurait jamais eu l'idée de se tortiller ou de gigoter, et puisque Sufyan semblait s'en tirer avec le minimum de mouvement, elle pensait – elle avait toujours pensé – qu'ils étaient du même avis sur la question, c'est-à-dire, qu'il s'agissait de quelque chose de sale, dont on ne parlait ni avant ni après, et sur lequel il ne fallait pas non plus trop attirer l'attention, pendant. Elle considéra comme un châtiment divin, à cause de sa conduite passée connue de Lui seul, l'arrivée tardive d'enfants; mais elle refusa d'accuser

Allah de n'avoir que des filles, préférant tout faire reporter sur la pauvre semence qu'avait mise en elle son mari peu viril, une attitude qu'elle ne se priva pas d'exprimer, avec emphase, à la plus grande horreur de la sage-femme, au moment même de la naissance de la petite Anahita. « Encore une fille, haleta-t-elle, dégoûtée. Étant donné celui qui l'a faite, j'ai bien de la chance que ce ne soit pas un cafard ou une souris. » Après cette deuxième fille, elle dit à Sufyan que ça suffisait, et lui donna l'ordre d'installer son lit dans le couloir. Il accepta sans discuter son refus d'avoir d'autres enfants; mais elle découvrit par la suite que ce débauché pensait qu'il pouvait encore, de temps en temps, entrer dans sa chambre obscure pour accomplir cet étrange rite de silence et de semi-immobilité auquel elle ne s'était soumise qu'au nom de la reproduction. « Qu'est-ce que tu crois, lui cria-t-elle la première fois qu'il essaya, tu t'imagines que je fais ça pour *m'amuser*? »

Quand il se fut mis dans la tête qu'elle ne plaisantait pas, plus de ça, non monsieur, c'était une honnête femme, pas une libertine folle de son corps, il commença à sortir le soir. Pendant cette période – elle pensait à tort qu'il allait voir des prostituées – il se mit à faire de la politique, et pas n'importe quelle bonne vieille politique, oh non, monsieur la Grosse-Tête rejoignit les diables eux-mêmes, le Parti Communiste, pas moins, pour vous dire quels étaient ses principes; de vrais démons, bien pires que des putains. Et c'est parce qu'il s'était mêlé de cette science occulte qu'elle avait dû faire ses valises pour l'Angleterre avec deux bébés sur les bras; c'est à cause de cette sorcellerie idéologique qu'elle avait dû endurer toutes les privations et les humiliations de l'immigration; et à cause de son culte du diable qu'elle se trouvait coincée à jamais en Angleterre et ne reverrait jamais son village. « L'Angleterre, lui dit-elle un jour, c'est ta façon de te venger parce que je t'ai empêché d'accomplir sur mon corps tes actes obscènes. » Il n'avait rien répondu; et qui ne dit mot consent.

Et comment gagnaient-ils leur vie dans ce Vilayet de son exil, ce Yuké de la vengeance de son mari obsédé sexuel? Comment? Avec son savoir? Ses *Gitanjali*, *Églogues*, ou cette pièce *Othello* dont il disait qu'en réalité il s'agissait d'Attallah ou d'Attaullah mais que l'écrivain n'en connaissait pas l'orthographe, c'est un écrivain ça, je vous demande un peu?

Comment : sa cuisine. On en faisait l'éloge. « Shaandaar, exceptionnel, génial, délicieux.» Les gens de Londres venaient de partout manger ses samosas, son chaat de Bombay, ses gulab jamans arrivés tout droit du Paradis. Et Sufyan, que lui restait-il à faire? Prendre l'argent, servir le thé, courir à droite et à gauche, se conduire en domestique malgré toutes ses connaissances. Oh oui, bien sûr, les clients l'aimaient, il avait un caractère agréable, mais quand on tient un restaurant on ne met pas la conversation sur la note. Jalebis, barfi, Plat du Jour. C'est drôle la vie! C'était elle le chef maintenant.

Victoire!

Pourtant, il y avait aussi le fait qu'elle – qui faisait la cuisine et gagnait le pain, principale architecte de la réussite du café Shaandaar, qui leur avait finalement permis d'acheter l'immeuble de quatre étages et de louer les chambres – elle était celle autour de qui planaient, comme une mauvaise haleine, les miasmes de la défaite. Alors que Sufyan scintillait, elle avait l'air éteint, comme une ampoule au filament cassé, comme une étoile qui a fait long feu, comme une flamme. – Pourquoi? – Pourquoi, alors que Sufyan, privé de sa vocation, de ses élèves et de sa dignité, trottait comme un jeune agneau, et commençait même à prendre du poids, engraissant dans Londres proprement dit comme il ne l'avait jamais fait chez lui; pourquoi, quand le pouvoir avait quitté ses mains pour venir dans les siennes, pourquoi faisait-elle – comme disait son mari – sa «rabat-joie», sa «porte de prison» et sa «tête d'enterrement»? Très simple : non pas en dépit de, mais à cause de. Tout ce à quoi elle attachait de la valeur avait été bouleversé par le changement; avait au cours du transfert, été perdu.

Son langage : obligée, maintenant, d'émettre ces sons étranges qui lui fatiguaient la langue, n'avait-elle pas le droit de gémir? Son lieu familier : qu'importait qu'ils aient vécu, à Dacca, dans l'humble appartement d'un instituteur, et que maintenant, grâce à sa capacité d'entreprendre, son sens de l'économie et sa connaissance des épices, ils occupent cet hôtel particulier de quatre étages avec terrasse? Où était maintenant la ville qu'elle connaissait? Où se trouvait le village de sa jeunesse et les canaux verts de chez elle? Les coutumes autour desquelles elle avait bâti sa vie avaient disparu ou, du moins, étaient difficiles à retrouver. Dans cette Vilayet, personne n'avait de temps à perdre pour les lentes politesses de la vie de chez elle, ou pour les nombreux rituels de la foi. En outre : ne devait-elle pas supporter un mari bon à rien, tandis qu'autrefois elle pouvait jouir de sa position respectable? Quelle fierté pouvait-elle trouver à travailler pour gagner sa vie, leur vie, alors qu'autrefois elle pouvait rester chez elle dans un faste qui lui convenait parfaitement? – Et elle savait, comment aurait-elle pu l'ignorer, la tristesse qu'il cachait sous sa bonhomie, et cela, aussi, était une défaite; jamais auparavant elle ne s'était sentie aussi peu à la hauteur en tant qu'épouse, parce que quelle sorte de Madame ne peut remonter le moral de son homme, mais doit se contenter de contempler cette contrefaçon du bonheur et faire avec? – En outre à nouveau : ils se trouvaient dans une ville du démon où tout pouvait arriver, on cassait vos fenêtres en pleine nuit sans raison, on se faisait renverser dans la rue par des mains invisibles, dans les magasins on entendait des insultes à n'en pas croire ses oreilles mais quand on se retournait dans la direction d'où venaient les mots on ne voyait que de l'air et des visages souriants, et chaque jour on entendait parler de ce garçon, de cette fille, tabassés par des fantômes. – Oui, un pays de diablotins fantômes, comment dire; le mieux était de ne pas sortir, de ne même pas aller poster une lettre, de rester chez soi, de fermer sa porte à clef, de dire ses prières, et les esprits ne viendraient (peut-être) pas. – Les raisons de cette défaite? Baba, qui pourrait les énumérer? Elle n'était pas seulement la femme d'un petit commerçant et l'esclave de sa cuisine, mais elle ne pouvait même pas compter sur les siens; – il y avait des hommes, qu'elle prenait pour des gens respectables, sharif, qui divorçaient par téléphone de femmes restées à la maison, pour s'enfuir avec une espèce de femelle haramzadi, et des jeunes filles tuées pour une dot (on pouvait importer certaines coutumes étrangères sans payer de droits); – et le pire, le poison de cette île diabolique avait contaminé ses petites filles, qui grandissaient en refusant de parler leur langue maternelle, même si elles en comprenaient chaque mot, elles le faisaient exprès pour la blesser;

et pour quelle autre raison Mishal s'était-elle coupé les cheveux et y avait-elle mis des arcs-en-ciel; et tous les jours ce n'était que bagarres, querelles, désobéissances – et le pire c'est qu'il n'y avait rien de nouveau dans ses plaintes, ça se passait comme ça pour les femmes comme elle, aussi aujourd'hui elle n'était plus seulement unique, plus seulement elle-même, plus seulement Hind l'épouse de l'instituteur Sufyan; elle s'était noyée dans l'anonymat, dans la pluralité terne, de n'être qu'une-des-femmes-comme-elle. C'était la leçon de l'histoire : les femmes-comme-elle ne pouvaient que souffrir, se souvenir, et mourir.

Ce qu'elle faisait : pour ignorer la faiblesse de son mari, elle le traitait, pour l'essentiel, comme un seigneur, comme un monarque, car dans son monde perdu sa gloire avait été liée à la sienne; pour ignorer les fantômes du monde extérieur, elle ne sortait pas et envoyait quelqu'un faire les courses pour le restaurant et la maison, et pour chercher des stocks inépuisables de cassettes vidéo bengali et hindi grâce auxquelles (ainsi qu'à sa collection toujours plus grande de magazines de cinéma indien) elle pouvait rester en contact avec les événements du « monde réel », comme la bizarre disparition de l'incomparable Gibreel Farishta et l'annonce tragique de sa mort dans un accident d'avion; et pour offrir un exutoire à ses sentiments de désespoir, d'épuisement et de défaite, elle criait contre ses filles. Dont l'aînée, pour se venger, s'était fait taillader les cheveux et laissait ses seins pointer sous des chemises provocantes et moulantes.

À la lumière de ce qui précédait, l'arrivée d'un diable parfaitement constitué, un homme-bouc à cornes, ressemblait fort à la dernière, ou tout au moins, à l'avant-dernière, goutte d'eau.

Les résidents de Shaandaar se réunirent la nuit dans la cuisine pour un sommet de crise impromptu. Tandis que Hind hurlait des impécations dans la soupe de poulet, Sufyan installa Chamcha à table, avançant, pour le pauvre garçon, une chaise en aluminium au siège en plastique bleu, et ouvrit la séance de nuit. Je suis heureux de noter que les théories de Lamarck furent citées par l'instituteur en exil, qui parlait de sa plus belle voix de pédagogue. Quand Jumpy eut raconté l'histoire invraisemblable de Chamcha chu des cieux – le protagoniste lui-même était trop absorbé par la soupe de poulet et son propre malheur pour parler lui-même – Sufyan, en se suçant les dents, fit référence à la dernière édition de *L'Origine des espèces*. « Dans laquelle même le grand Charles accepte comme dernier recours la notion de mutation, pour assurer la survie de l'espèce; et qu'importe qu'après sa mort ses disciples – toujours plus darwiniens que Darwin lui-même! – aient répudié une telle hérésie lamarckienne, en insistant sur la sélection naturelle et rien d'autre mais – cependant, je suis obligé d'admettre qu'une telle théorie ne s'applique pas à la survie d'un spécimen individuel mais seulement à l'espèce dans son entier; – en outre, en ce qui concerne la nature de la mutation, le problème est de comprendre l'utilité véritable du changement.

– Pa-paa, Anahita Sufyan, les yeux levés au ciel, la joue posée, j'm'ennuie, dans sa main, interrompit ces cogitations. Arrête. Le problème, c'est comment il est devenu un tel, un tel, – avec admiration – phénomène de foire? »

Et le diable en personne, levant le nez de sa soupe au poulet, s'écria, « Non, non. Je ne suis pas un phénomène de foire, oh non, sûrement pas. » Sa voix, qui semblait venir d'un abîme insondable de douleur, émut et inquiéta la jeune fille, qui se précipita vers lui et dit, sans pouvoir s'empêcher de lui caresser l'épaule, pour s'excuser : « Bien sûr que non, je suis désolée, bien sûr je ne crois pas que tu sois un phénomène de foire; tu en as l'air c'est tout. »

Saladin Chamcha éclata en sanglots.

Cependant, Mrs Sufyan avait été horrifiée de voir que sa fille cadette posait vraiment la main sur cette créature, et se retournant vers le public de résidents en chemise de nuit elle agita sa louche vers eux pour leur demander un soutien.

« Comment tolérer? – L'honneur, la sécurité des jeunes filles ne peuvent plus être assurés. – Que dans ma propre maison, une telle chose...! »

Mishal Sufyan perdit patience. « Mon Dieu, m'man. –*Mon Dieu?* »

Mishal, tournant le dos à Hind scandalisée, demanda à Sufyan et à Jumpy : « T' crois qu' ça va passer? C'est pas une sorte de truc de possession – on ne peut pas le faire, tu sais, *exorciser?* » Des présages, des apparitions, des goules, des nuits-des-morts-vivants, brillaient dans ses yeux, et son père, qui aimait autant les cassettes vidéo que n'importe quel adolescent, sembla en envisager sérieusement la possibilité. « Dans *Le loup des steppes* », commença-t-il, mais Jumpy ne put en supporter davantage. « L'essentiel, déclarat-il, c'est de considérer la situation d'un point de vue idéologique. »

Il fit taire tout le monde.

« Objectivement, dit-il, avec un sourire d'une modestie exagérée, que s'est-il passé ici? Grand A : Arrestation illégale, intimidation, violence. Deux : Détention illégale, expérimentations médicales clandestines dans un hôpital », – murmures d'approbation dans le public, comme des souvenirs d'inspections intra-vaginales, scandale de la thalidomide, stérilisations post-partum sans autorisation, et, là-bas, les médicaments périmés déversés sur le Tiers Monde, tout cela revint à la mémoire des personnes présentes pour confirmer les insinuations de l'orateur – parce que ce que vous croyez dépend de ce que vous avez vu, – pas seulement ce qui est visible, mais ce que vous êtes prêt à regarder en face, – et de toute façon, il fallait bien expliquer les cornes et les sabots; dans ces services médicaux gardés par la police, il pouvait se passer n'importe quoi – « Et troisièmement, continua Jumpy, dépression nerveuse, perte du sens de soi, incapacité de faire face. Nous avons déjà vu tout cela. »

Personne ne chercha à discuter, même pas Hind; il existait des vérités avec lesquelles il était difficile de ne pas être d'accord. « Idéologiquement, dit Jumpy, je refuse d'accepter la position de victime. Il a sans doute été victim-*isé*, mais nous savons que celui qui en est l'objet est en partie responsable de l'abus de pouvoir; notre passivité collabore avec, permet, de tels crimes. » Sur ce, ayant réprimandé et fait honte à l'assemblée, il demanda à Sufyan de débarrasser la petite chambre sous les toits, actuellement inoccupée, et Sufyan, à son tour, à cause de sentiments de solidarité et de culpabilité, se trouva dans l'impossibilité totale de demander un sou de loyer. Il est vrai que Hind murmura : « Maintenant que le diable est mon invité, je suis sûre que le monde est fou », mais elle le dit en aparté, et seule Mishal sa fille aînée l'entendit.

277

Sufyan, prenant exemple sur sa plus jeune fille, s'approcha de Chamcha qui, emmitouflé dans sa couverture, ingurgitait d'énormes quantités de l'incomparable yakhni au poulet de Hind, il s'accroupit et passa le bras autour du malheureux toujours frissonnant. « Pas de meilleur endroit pour toi, lui dit-il comme s'il s'adressait à un demeuré ou à un enfant. Où pourrais-tu aller pour guérir ta difformité et retrouver la santé? Où, sinon ici, parmi nous, parmi les tiens? »

Ce n'est que quand Saladin Chamcha, à bout de forces, se retrouva seul dans la soupente qu'il put répondre à la question rhétorique de Sufyan. « Je ne suis pas des vôtres, dit-il distinctement dans la nuit. Vous n'êtes pas les miens. J'ai passé la moitié de ma vie à essayer de vous échapper. »

*

Son cœur commença à marcher de travers, à donner des coups de pieds et à trébucher, comme si, lui aussi, voulait se métamorphoser en quelque nouvelle forme diabolique, substituer les improvisations complexes et imprévisibles du tabla à son ancien battement de métronome. Allongé dans un lit étroit, se prenant les cornes dans les draps et la taie d'oreiller tandis qu'il se tournait et se retournait, il subit le renouveau de l'excentricité coronarienne avec une sorte d'acceptation fataliste : si tout le reste changeait, alors pourquoi pas lui aussi? Badadoum, faisait son cœur, et sa poitrine sursautait. *Fais gaffe où je te rentre dedans. Doumboumbadoum.* Oui : pas de doute, c'était l'Enfer. La ville de Londres, transformée en Jahannum, Géhenne, Muspellheim.

Est-ce que les diables souffrent en Enfer? N'est-ce pas eux qui tiennent les fourches?

De l'eau se mit à dégoutter régulièrement par la lucarne. Dehors, dans la ville traîtresse, le dégel avait commencé, donnant aux rues la consistance peu sûre du carton humide. De lentes masses blanches glissaient de sur les toits en pente, couverts d'ardoises grises. Les traces des camions de livraison transformaient la gadoue en carton ondulé. Première lumière; et le chœur de l'aube commença, grondement des marteaux-piqueurs, pépiement des systèmes d'alarme, trompette de créatures à roues qui se heurtaient aux coins des rues, le ronronnement profond d'un avaleur d'ordures vert olive, braillements des voix de la radio sortant d'un échafaudage de peintres, en bois, accroché au dernier étage d'un café, rugissement des énormes mastodontes qui descendaient à une vitesse effrayante cette longue et étroite allée. Des tremblements montaient de sous la terre signalant le passage de gigantesques vers souterrains qui avalaient et dégurgitaient des êtres humains, et venant des cieux le raclement d'hélicoptères et, de plus haut encore, le crissement d'oiseaux brillants.

Le soleil se leva, déballant la ville embrumée comme un paquet-cadeau. Saladin Chamcha dormait.

Ce qui ne lui procura aucun répit : mais le ramena, au contraire, au milieu de cette autre rue nocturne dans laquelle, en compagnie de la kinésithérapeute Hyacinth Phillips, il avait filé vers sa destinée, clip-clop, sur des sabots chancelants ; et lui rappela que, au fur et à mesure que la captivité s'éloignait et que la ville se rapprochait, le visage et le corps de Hyacinth Phillips avaient semblé changer. Il vit l'espace qui séparait ses incisives centrales supérieures s'ouvrir et s'élargir, et ses mèches se nouer et se natter en cheveux de méduse, et l'étrange aspect triangulaire de son visage, qui partait en deux pentes symétriques depuis la naissance des cheveux jusqu'au bout de son nez, pour aller se rejoindre en ligne droite dans son cou. Dans la lumière jaune il vit qu'à chaque instant sa peau s'assombrissait, et ses dents avançaient, et son corps devenait aussi long que la silhouette maigre d'un dessin d'enfant. En même temps elle lui jetait des regards d'une lubricité toujours plus explicite, et elle lui saisit la main avec des doigts si décharnés et si impératifs qu'il eut l'impression qu'un squelette l'avait attrapé et essayait de l'entraîner dans un tombeau ; il sentait l'odeur de la terre fraîchement creusée, son parfum répugnant, dans son haleine, sur ses lèvres... il fut pris d'écœurement. Comment aurait-il jamais pu la trouver attirante et même la désirer, comment aurait-il pu aller jusqu'à imaginer, tandis qu'elle se trouvait à califourchon sur lui et qu'elle expulsait les glaires de ses poumons, qu'ils étaient des amants au plus fort du rapport amoureux ?... La ville s'épaississait autour d'eux comme une forêt ; les immeubles se jumelaient et devenaient aussi emmêlés que ses cheveux. « Aucune lumière ne peut pénétrer ici, lui murmura-t-elle. Il fait noir; tout noir. » Elle s'apprêtait à s'allonger et à le tirer vers elle, vers la terre, mais il hurla, « Vite, l'église », et fonça dans un bâtiment peu accueillant en forme de boîte, recherchant plus qu'un simple abri. Mais, à l'intérieur, les bancs étaient remplis de Hyacinth, des jeunes et des vieilles, des Hyacinth portant des ensembles deux-pièces sans forme, de fausses perles, et de petites toques ornées de bouts de gaze, des Hyacinth vêtues de chemises de nuit blanches et virginales, toutes les formes imaginables de Hyacinth, qui, toutes, chantaient très fort, *Regarde-moi, Jésus*; jusqu'à ce qu'elles voient Chamcha, abandonnent leurs dévotions, et se mettent à brailler de façon beaucoup plus profane, *Satan, le Bouc, le Bouc,* et des trucs du même genre. Il devint évident que la Hyacinth avec laquelle il était entré, le regardait maintenant avec des yeux nouveaux, comme il l'avait regardée dans la rue; qu'elle aussi avait commencé à voir quelque chose qui la rendait malade; et quand il vit apparaître le dégoût sur cet hideux visage pointu et sombre il explosa de colère. « *Hubshees* », leur cria-t-il, utilisant pour une quelconque raison la langue maternelle à laquelle il avait renoncé. Il les traita de trublions, de sauvages. « Je suis désolé pour vous, déclara-t-il. Chaque matin vous êtes obligées de vous regarder dans le miroir et de voir, votre reflet, l'obscurité : la tache, la preuve que vous êtes les plus basses. » Alors elles l'entourèrent, cette congrégation de Hyacinth, avec sa propre Hyacinth perdue au milieu des autres, impossible à distinguer, ayant cessé d'être un individu pour devenir une femme-comme-elles, et elles le battirent de façon épouvantable, tandis qu'il poussait un bêlement pitoyable et tournait en rond en cherchant le moyen de fuir; jusqu'à ce qu'il se rende compte que sa peur des assaillantes était plus forte que leur colère, alors il se redressa de toute sa hauteur, tendit les bras, et poussa des cris diaboliques, elles se dispersèrent à la recherche d'un abri, se blottirent derrière les bancs, tandis qu'il quittait le champ de bataille, couvert de sang mais la tête haute.

Les rêves arrangent les choses à leur façon; mais Chamcha, se réveillant brièvement parce que son cœur avait un nouvel accès de mouvements syncopés, sut amèrement que le cauchemar ne s'écartait pas tellement de la réalité; en tout cas, l'esprit en était juste. – Il se dit qu'il s'agissait de la fin de Hyacinth, et il repartit au loin. – Pour se retrouver frissonnant dans l'entrée de sa propre maison, tandis qu'à un niveau supérieur Jumpy Joshi se disputait violemment avec Pamela. *Avec ma femme.*

Et quand la Pamela du rêve, répétant exactement les mêmes mots que celle du monde réel, eut rejeté son mari cent une fois, *il n'existe pas, de telles choses n'existent pas,* ce fut Jamshed le vertueux qui, mettant de côté l'amour et le désir, lui vint en aide. Abandonnant une Pamela en pleurs – *Ne t'avise pas de ramener ça ici,* lui cria-t-elle du dernier étage – depuis la tanière de Saladin – Jumpy, enveloppant Chamcha dans une peau de mouton et une couverture, le conduisit très faible dans la nuit jusqu'au café Shaandaar, en lui promettant avec une gentillesse vaine : « Ça va aller. Tu vas voir. Tout va bien se passer. »

Quand Saladin Chamcha s'éveilla, le souvenir de ces paroles l'emplit de colère et d'amertume. Il se demanda, Où est Farishta. Le salaud : je parie que tout va bien pour lui. – C'est une pensée à laquelle il reviendrait, et qui donnerait des résultats extraordinaires; pour l'instant, cependant, il avait d'autres chats à fouetter.

Je suis l'incarnation du mal, se dit-il. Il devait affronter cette réalité. Pourtant cela était arrivé, on ne pouvait le nier. Je ne suis *plus moi-même,* ou plus seulement. Je suis la personnification du mal, de ce-qu'on-hait, du péché.

Pourquoi? Pourquoi moi?

Quel mal avait-il fait – quelle chose infâme avait-il pu, voulu faire?

Pour quel acte était-il – il ne pouvait éviter cette notion – puni? Et, enfin, *par qui?* (Je n'en dis pas plus.)

N'avait-il pas poursuivi l'idée qu'il se faisait du *bien,* cherché à devenir ce qu'il admirait le plus, ne s'était-il pas consacré avec une détermination qui confinait à l'obsession à la conquête de l'anglicité? N'avait-il pas travaillé dur, évité les problèmes, fait tout son possible pour devenir un homme nouveau? Assiduité, minutie, modération, retenue, indépendance, probité, vie de famille : est-ce que tout cela ne se résumait pas à un code moral?

Était-ce sa faute si Pamela et lui n'avaient pas d'enfants?

281

Était-il responsable de la génétique? Se pouvait-il, dans ce siècle où tout s'inversait, que – il décida d'appeler ses persécuteurs les Parques – l'aient choisi comme victime précisément *à cause de* sa poursuite du « bien »? – Que de nos jours une telle recherche soit considérée comme perverse, et même mauvaise? – Comme ce destin était cruel alors, de le faire rejeter par le monde même qu'il avait courtisé avec autant de détermination; comme il était désolant d'être mis à la porte d'une ville qu'on croyait avoir conquise depuis si longtemps! Quelle étroitesse d'esprit de le renvoyer parmi *les siens,* dont il se sentait tellement éloigné depuis tant d'années! – La pensée de Zeeny Vakil l'envahit, et il la repoussa avec mauvaise conscience et nervosité.

Son cœur s'agita violemment, et il se redressa, se plia en deux, haletant. *Du calme, sinon rideau. Ce n'est pas le moment pour des cogitations aussi épuisantes : plus maintenant.* Il respira profondément; s'allongea; fit le vide dans son esprit. Le traître dans sa poitrine reprit son service normal.

Plus de ça, se dit Saladin Chamcha fermement. Il ne faut plus que je me considère comme le mal. Les apparences sont trompeuses; ce n'est pas l'habit qui renseigne le mieux sur le moine. Diable, Bouc, Chaytan? Pas moi.

Pas moi : un autre
Qui?

*_**

Mishal et Anahita, le visage joyeux, arrivèrent avec le plateau du petit déjeuner. Chamcha avala les cornflakes et le Nescafé et les jeunes filles, après quelques instants de timidité, se mirent à caqueter, simultanément, sans s'arrêter. « Eh bien, tu as fait jaser, pas de doute. – Tu ne t'es pas retransformé dans la nuit, hein? – Écoute, c'est pas un truc? J' veux dire, c'est pas du maquillage ou un tour de théâtre? – J' veux dire, Jumpy dit que tu es acteur, alors je me disais, – j' veux dire », et ici la voix de la jeune Anahita s'arrêta net, parce que Chamcha, en colère, crachant des cornflakes, hurla : « Du maquillage? Du théâtre? *Un truc?*

– Ne prends pas ça mal, dit Mishal inquiète pour sa sœur. C'est seulement qu'on se disait, enfin tu vois ce que j' veux dire, eh bien, ce serait vraiment horrible si tu n'étais pas, mais tu l'es, bien sûr que tu l'es, alors ça va », dit-elle rapidement tandis que Chamcha la regardait à nouveau. – « Enfin », reprit Anahita, et bafouillant, « J' veux dire, eh ben, on trouve que c'est super. – Elle veut dire toi, corrigea Mishal. On pense que tu es, tu vois. – Géant », dit Anahita et elle éblouit Chamcha stupéfait avec un sourire. « Magique. Tu vois. *Extrême.*

– Nous n'avons pas dormi de la nuit, dit Mishal. Nous avons des idées.

– On s'est dit, dit Anahita en frissonnant, puisque tu es devenu... ce que tu es... alors peut-être, eh bien, probablement, en effet, même si tu ne t'en sers pas, il se pourrait que, tu pourrais... » La sœur aînée termina son idée : « Tu aurais pu avoir... tu sais... des *pouvoirs.*

– C'est ce qu'on a pensé », ajouta Anahita à voix basse, en voyant le front de Chamcha s'assombrir. Et elle ajouta, en reculant vers la porte : « Mais on a sûrement tort. – Ouais. On se trompe. Bon appétit. » – Mishal, avant de s'enfuir, sortit une petite bouteille de liquide vert de la poche de son blouson à carreaux rouges et noirs, la posa par terre près de la porte, et tira le coup de grâce. « Oh, excuse-moi, mais m'man dit que tu peux t'en servir pour ton haleine, c'est un bain de bouche. »

* * *

Que Mishal et Anahita puissent adorer cette difformité qu'il haïssait de tout son être le convainquit que « les siens » étaient aussi fous et pervers qu'il le suspectait depuis longtemps. Que, pour son deuxième matin sous les toits, les deux jeunes filles répondent à son amertume – elles lui apportaient un masala dosa au lieu d'un paquet de cornflakes avec en cadeau un astronaute argenté, et il s'écria avec ingratitude : « Alors maintenant il faut que je mange cette pâtée pour étrangers ? » – donc, qu'elles répondent à son amertume avec compassion empira les choses. Mishal fut d'accord avec lui : « C'est de la bouffe dégueu. Et ce qui est pire, c'est qu'il n'y a même pas de saucisson ici. » Prenant conscience d'avoir offensé leur hospitalité, il essaya de leur expliquer que, maintenant, eh bien, il se considérait comme britannique... « Et nous? lui demanda Anahita. Qu'est-ce que tu crois? » – Et Mishal lui avoua : « Le Bangladesh ce n'est rien pour moi. Papa et maman n'arrêtent pas de nous bassiner les oreilles avec, c'est tout. » – Et Anahita conclut : « Bang-la-dèche. » – Avec un signe de tête satisfait. – « C'est comme ça que je l'appelle, moi. »

Mais il voulait leur dire qu'elles n'étaient pas britanniques : pas *vraiment*, pas d'une façon qu'il pouvait reconnaître. Et pourtant, à chaque instant, ses anciennes certitudes l'abandonnaient, ainsi que son ancienne vie... « Où est le téléphone? demanda-t-il. Il faut que je passe des coups de fil. »

Le téléphone se trouvait dans le couloir; Anahita, sacrifiant ses économies, lui prêta des pièces. La tête enveloppée dans un turban emprunté, le corps dissimulé dans un pantalon prêté (par Jumpy), avec les chaussures de Mishal, Chamcha appela le passé.

« Chamcha, dit la voix de Mimi Mamoulian. Tu es mort. »

Voici ce qui se passa pendant son absence : Mimi tomba dans les pommes et se cassa les dents. « Je suis tombée dans le cirage oui, lui raconta-t-elle, parlant plus durement que d'habitude à cause de ses problèmes de mâchoires. Pour quelle raison? Ne m'en parle pas. Qui peut parler de raison aujourd'hui? C'est quoi ton numéro? ajouta-t-elle en entendant les pièces qui tombaient. Je te rappelle. » Mais il lui fallut cinq minutes pour le faire. « Je suis allée pisser. Tu peux m'expliquer pourquoi tu es en vie? Pourquoi est-ce que les eaux se sont ouvertes pour toi et l'autre type mais refermées sur les autres? Ne me dis pas que tu valais mieux qu'eux. Personne ne gobera ça aujourd'hui, même pas toi, Chamcha. Je descendais Oxford Street, je cherchais une paire de chaussures en croco quand c'est arrivé : tout d'un coup, en marchant, je suis tombée en avant comme un arbre, j'ai atterri sur la pointe du menton et toutes mes dents se sont éparpillées devant moi sur le trottoir, près d'un type qui jouait au bonneteau. les gens sont parfois prévenants, Chamcha. Quand je suis revenue à moi, j'ai vu mes dents en tas, à côté de mon visage. J'ai rouvert les yeux et j'ai vu ces petits salauds qui me regardaient, c'est pas gentil ça? La première chose à laquelle j'ai pensé, Dieu soit loué, j'ai l'argent.

284

Je me les suis fait remettre, chez un non conventionné bien sûr, un boulot terrible, mieux qu'avant. Alors j'ai pris un petit congé. Le doulage marche mal, crois-moi, toi mort et mes dents cassées, on n'a aucun sens de nos responsabilités. Le niveau a baissé, Chamcha. Allume la télé, écoute la radio, les pubs sont nulles, pour les pizzas, pour la bière avec un accent chermanigueu, et les Martiens qui mangent de la purée en flocons avec l'air de tomber de la Lune. Ils nous ont mis à la porte des *Extraterrestres*. Guéris vite. A propos, tu pourrais me dire la même chose. »

Ainsi il avait perdu son travail, sa femme, sa maison, le contrôle de sa vie. « Il n'y a pas que les dentales qui ne marchent pas, continua Mimi. Ces putains d'explosives me foutent la frousse. J'ai l'impression que je vais encore tout cracher sur le trottoir. La vieillesse, Chamcha : c'est rien que des humiliations. Tu viens au monde, on te tape dessus et tu es couvert de bleus et finalement tu casses ta pipe et on te balance dans le trou. De toute façon, même si je ne travaille plus je mourrai à l'aise. Est-ce que tu savais que je suis avec Billy Battuta maintenant? C'est vrai, comment t'aurais pu, tu nageais. Oui, j'ai renoncé à t'attendre, et j'ai choisi un de tes compatriotes au berceau. Tu peux prendre ça pour un compliment. Il faut que je me sauve. Bien des choses aux morts. Chamcha. La prochaine fois saute du petit plongeoir. Salut. »

Je suis par nature un homme réservé, dit-il silencieusement à l'appareil téléphonique. À ma façon, j'ai lutté pour pouvoir apprécier les belles choses, pour avoir un peu de raffinement. Les bons jours j'avais l'impression que c'était à portée de la main quelque part en moi, quelque part en. Mais cela m'a échappé. Je me suis embrouillé, dans les choses, dans le monde et sa pagaille, et je ne peux pas y résister. Je suis aux prises avec le grotesque, comme je l'étais avec le quotidien. La mer m'a rejeté; la terre m'entraîne vers le bas.

Il glissait sur une pente grise, l'eau noire lui léchait le cœur. Pourquoi cette renaissance, cette seconde chance offerte à Gibreel Farishta et à lui-même, lui donnait-elle, dans son cas, l'impression d'être une fin perpétuelle? Il était né une seconde fois avec la connaissance de la mort; et l'impossibilité d'échapper au changement, aux choses-

285

toujours-différentes, sans espoir-de-retour, lui faisait peur. Quand on perd son passé on reste nu face au méprisant Azraeel, l'ange de la mort. Tiens bon si tu le peux, se dit-il. Accroche-toi aux hiers. Laisse la marque de tes ongles sur la pente grise où tu glisses.

Billy Battuta : cette merde sans valeur. Un play-boy pakistanais, qui avait transformé une banale agence de voyage – *Les Voyages Battuta* – en flotte de supertankers. Essentiellement un magouilleur, célèbre pour ses aventures avec des vedettes du cinéma hindi et, d'après les ragots, pour sa prédilection envers les femmes blanches aux seins énormes et aux grosses fesses, qu'il « traitait mal », selon un euphémisme, et « récompensait généreusement ». Que faisait Mimi avec le méchant Billy, ses instruments de perversion et sa Maserati biturbo ? Pour des garçons comme Battuta, les femmes blanches – ne parlons pas des grosses juives irrespectueuses – étaient bonnes à baiser et à jeter. Ce qu'on déteste chez les blancs – l'amour de l'exotique – on doit aussi le détester quand il apparaît, en négatif, chez les noirs. Le fanatisme n'est pas seulement une fonction du pouvoir.

Mimi lui téléphona le lendemain soir de New York. Anahita l'appela avec son meilleur accent yankee, et il se débattit avec son déguisement. Quand il arriva elle avait raccroché, mais elle rappela. « Personne ne paie depuis les États-Unis pour poireauter. » « Mimi, dit-il avec un désespoir évident dans la voix, tu ne m'avais pas dit que tu partais. » « Tu ne m'avais pas donné ta foutue adresse », lui répondit-elle. « Alors, nous avons tous les deux des secrets. » Il voulait lui dire, Mimi, reviens, tu vas te faire avoir. « Je l'ai présenté à la famille, dit-elle en plaisantant un peu trop. Tu imagines, Yasser Arafat rencontrant les Begin. Ce n'est pas grave. Tout le monde s'en remettra. » Il voulait lui dire, Mimi je n'ai plus que toi. Mais il ne réussit qu'à la foutre en boule. Il lui dit seulement, « je voudrais te mettre en garde contre Billy. »

Elle devint de glace. « Chamcha, écoute-moi. Je veux bien en parler avec toi, pour cette fois, parce que derrière toute ta connerie tu m'aimes peut-être un petit peu. Mets-toi bien dans la tête, s'il te plaît, que je suis une femme intelligente. J'ai lu *Finnegans Wake* et je manie bien la critique postmoderniste de l'Occident, par exemple que notre société

286

n'est capable que de pastiche : un monde " aplati ". Quand je deviens la voix d'un flacon de bain moussant, j'entre en Terre-Aplatie en pleine connaissance, je comprends ce que je fais et pourquoi. C'est-à-dire que je gagne de l'argent. Et en tant que femme intelligente, capable de parler pendant un quart d'heure du stoïcisme et un peu plus du cinéma japonais, je te le dis, Chamcha, j'ai tout à fait conscience de la réputation du petit Billy. Ne me fais pas de discours sur l'exploitation. Nous connaissions déjà l'exploitation quand vous portiez encore des peaux de bête. Essaie d'être femme, laide et juive pour voir. Tu supplieras de devenir noir. Excuse-moi : de couleur.

– Alors tu reconnais qu'il t'exploite », réussit à placer Chamcha, mais le torrent reprit. « Ça change quoi? pépia-t-elle comme Titi qui parle à Gros-Minet. Billy est un garçon amusant, un artiste de la combine, un des grands. Qui sait combien de temps ça durera? Je vais te dire de quoi je n'ai pas besoin : le patriotisme, Dieu et l'amour. Ils sont définitivement exclus du voyage. J'aime bien Billy parce qu'il n'est pas dupe.

– Mimi, dit-il, il m'est arrivé quelque chose », mais elle protestait encore trop et n'entendit pas. Il raccrocha sans lui donner son adresse.

Elle le rappela, quelques semaines plus tard, et maintenant les règles non dites étaient établies; elle ne lui demanda pas ses coordonnées, il ne les lui donna pas, et tous deux avaient conscience qu'une époque était révolue, qu'ils s'étaient éloignés l'un de l'autre, et qu'il était temps de se dire adieu. Mimi ne parlait que de Billy : ses projets de films hindi en Angleterre et aux États-Unis, en invitant de grandes vedettes, Vinod Khanna, Sridevi, pour faire des cabrioles devant la mairie de Bradford et le pont de Goldengate – « évidemment, c'est une façon d'échapper au fisc », chantonnait Mimi gaiement. En fait, ça chauffait pour Billy; Chamcha avait vu son nom dans les journaux, associé aux termes de *contrôle fiscal* et de *fraude fiscale*, mais, comme dit Mimi, un combinard sera toujours un combinard. « Alors il me dit, tu veux un vison? Je lui dis, Billy, ne m'achète rien, mais il dit, qui parle d'acheter? Prends un vison. Ce sont les affaires. » Ils étaient à nouveau à New York, et Billy avait loué une Mercedes bien longue, et « un chauffeur bien long aussi ». En arrivant chez le fourreur, ils avaient l'air d'un émir du pétrole avec sa poule. Mimi essaya les modèles à cinq chiffres en attendant un signe de Billy. Finalement, il dit, tu aimes celui-ci? Il est beau. Billy, chuchota-t-elle, il coûte *quarante mille*, mais il était déjà en train d'amadouer le vendeur : c'était un vendredi après-midi, les banques étaient fermées, le magasin accepterait-il un chèque.

« Maintenant, ils *savent* que c'est un émir du pétrole, alors ils disent oui, nous partons avec le manteau, et il m'emmène dans une autre boutique une rue plus loin, il montre le manteau et dit, Je viens d'acheter ça pour quarante mille dollars, voici la facture, est-ce que vous m'en donneriez trente, j'ai besoin de liquide, pour le week-end. » – On fit attendre Mimi et Billy pendant que le second magasin téléphonait au premier, et toutes les sonneries d'alarme se mirent à sonner dans la tête du directeur, et cinq minutes plus tard la police arriva, arrêta Billy pour chèque en bois, et lui et Mimi passèrent le week-end en prison. Le lundi matin les banques ouvrirent et on s'aperçut que le compte de Billy était crédité de quarante-deux mille et cent dix-sept dollars, le chèque était donc avec provision. Il informa les fourreurs qu'il avait l'intention de leur demander deux millions de dollars pour diffamation, et l'affaire fut dans le sac, en quarante-huit heures ils passèrent un accord amiable pour 250 000 dollars, rubis sur l'ongle. « Tu ne le trouves pas fantastique? demanda Mimi à Chamcha. Ce type est un génie. Je veux dire, ça c'est *classe.* »

Je suis un homme, se dit Chamcha, qui ne connaît pas les combines, je vis dans un monde amoral, où on ne cherche qu'à survivre, qu'à s'en tirer. Mishal et Anahita Sufyan, qui, inexplicablement, continuaient à le traiter comme une âme sœur, malgré toutes ses tentatives pour les en dissuader, admiraient manifestement ceux qui déménageaient à la cloche de bois, qui volaient à l'étalage, qui chapardaient : les artistes de la combine en général. Il rectifia : elles n'admiraient pas, non. Ni l'une ni l'autre n'aurait volé un œuf. Mais elles considéraient de tels individus comme des représentants de l'esprit du temps, tel quel. À titre d'expérience il leur raconta l'histoire de Billy Battuta et du manteau de vison. Leurs yeux brillaient, et à la fin elles applaudirent et

288

gloussèrent de plaisir : le mal impuni les faisait rire. Chamcha se rendit compte que c'est ainsi qu'autrefois on avait ri et applaudi aux exploits des bandits, Dick Turpin, Ned Kelly, Phoolan Devi, et bien sûr l'autre Billy : William Bonney, le Kid.

« De Criminelles Idoles des Jeunes des Dépotoirs », lut Mishal en imagination puis, riant de sa désapprobation, elle le traduisit en gros titres d'un journal à scandale, tout en prenant des poses de pin-up avec son corps long, et, comme le remarqua Chamcha, étonnant. Avec une moue exagérée, ayant tout à fait conscience qu'elle l'avait troublé, elle ajouta d'une voix mutine : « Bisou bisou ? »

Sa plus jeune sœur, ne voulant pas être en reste, essaya d'imiter la pose de Mishal, avec moins d'efficacité. Elle arrêta agacée et ajouta d'un ton boudeur : « Le problème, c'est que nous, nous avons de bonnes perspectives. Une affaire de famille, pas de frères, c'est dans la poche. On gagne du fric ici, hein ? Alors. » La pension Shaandaar était classée « Bed and Breakfast », du genre de plus en plus utilisé par les conseils d'arrondissement à cause de la crise du logement, pour y installer des familles de cinq personnes dans une seule pièce, au mépris des règlements de sécurité et d'hygiène, tout en réclamant des subventions au gouvernement, pour « hébergement temporaire ». « Six livres par nuit et par personne, dit Anahita à Chamcha installé sous les toits. Trois cent cinquante livres par chambre et par semaine, c'est ce que ça rapporte d'habitude. Six chambres occupées : fais le calcul toi-même. En ce moment, on perd trois cents livres par mois avec cette chambre sous les toits, aussi j'espère que tu te sens vraiment coupable. » Chamcha remarqua qu'avec une somme pareille on pouvait louer un appartement privé pour toute une famille. Mais ce ne serait pas classé en « hébergement temporaire »; pas de subventions pour de telles solutions. Les politiciens locaux qui luttaient contre la « réduction » des subventions s'y opposeraient également. *La lutte continue;* pendant ce temps, Hind et ses filles ramassaient les sous, Sufyan, détaché des biens de ce monde, allait en pèlerinage à La Mecque et rentrait pour dispenser une sagesse simple, de la gentillesse et des sourires. Et derrière les six portes qui s'entrouvraient à chaque fois que Chamcha allait au téléphone ou aux toilettes, se tenait une trentaine d'êtres humains temporaires, avec un peu d'espoir d'être un jour déclaré permanents.

Le monde rél.

« Pas la peine de faire cette tête de merlan frit, de toute façon, lui fit remarquer Mishal Sufyan. Regarde où ça t'a mené ton respect de la loi. »

*
* *

« Ton univers se rétrécit. » Hal Valance, homme très occupé, créateur des *Extraterrestres* et seul propriétaire des droits, mit exactement dix-sept secondes à féliciter Chamcha d'être encore en vie, avant de lui expliquer pourquoi cela n'affectait absolument en rien la décision de la production de l'émission de se passer de ses services. Valance avait commencé dans la publicité et son vocabulaire ne s'était jamais remis du choc. Cependant, Chamcha arrivait à suivre. Toutes ces années passées dans le doublage vous apprennent un peu de mauvais langage. Dans le parler du marketing, *un univers* désignait la totalité du marché potentiel pour un produit ou un service donné : l'univers du chocolat, l'univers des régimes amaigrissants. L'univers dentaire désignait tous ceux qui avaient des dents; les autres étaient le cosmos du dentier. « Je parle, Valance souffla avec sa plus belle voix de Gorge Profonde, de ton univers ethnique. »

Encore les miens : Chamcha, déguisé avec son turban et le reste de ses frusques mal assorties, s'accrochait à un téléphone situé dans un couloir tandis que les yeux de femmes et d'enfants temporaires brillaient dans l'entrebâillement des portes; et il se demanda ce que les siens lui avaient encore fait. « No capitche », dit-il, se souvenant du penchant de Valance pour l'argot italo-américain – après tout, c'était l'auteur du slogan des fast-food *Getta pizza da action* [1]. Cependant, en ce moment, Valance ne jouait pas. « Les indices d'écoute montrent, souffla-t-il, que les minorités ethniques ne regardent pas les émissions ethniques. Elles n'en veulent pas, Chamcha. Elles veulent les foutues *Dynastie*, comme n'importe qui. Tu n'as pas le bon profil, si tu me

1. Transcription phonétique de l'argot américain : Get a piece of the action : Soyez dans le coup.

suis : avec toi dans l'émission c'est trop racial. *Les Extra-terrestres* est une trop bonne idée pour rester limitée à la dimension raciale. Rien que les possibilités de la commercialisation, mais c'est inutile que je t'explique. »

Chamcha se voyait dans le petit miroir craquelé au-dessus du téléphone. Il ressemblait à un génie abandonné à la recherche d'une lampe magique. « C'est un point de vue », répondit-il à Valance, sachant qu'il ne servait à rien de discuter. Avec Hal, toute explication devenait à posteriori une rationalisation. C'était un homme bien assis sur une seule chaise, qui avait pris comme devise le conseil donné par Gorge Profonde à Bob Woodward : *Suivez l'argent*. Il l'avait fait imprimer en grands caractères et l'avait accrochée au mur de son bureau au-dessus d'une photo du film *Les Hommes du Président :* Hal Holbrook (un autre Hal!) dans le parking, tapi dans l'ombre. Suivez l'argent : cela expliquait, aimait-il raconter, ses cinq épouses, toutes riches, dont il avait reçu de chacune une coquette pension alimentaire. Actuellement il était marié avec une enfant sous-alimentée, peut-être trois fois plus jeune que lui, avec des cheveux auburn qui lui descendaient à la taille et un air spectral qui aurait fait d'elle une grande beauté un quart de siècle plus tôt. « Celle-là n'a pas un radis; elle m'a pris pour tout ce que j'ai gagné et quand elle l'aura mangé elle foutra le camp », avait dit Valance à Chamcha, à leur belle époque. « Tant pis. Je suis aussi un être humain. Cette fois c'est l'amour. » Au berceau. Pas moyen d'y échapper de nos jours. Chamcha au téléphone se rendit compte qu'il ne se souvenait pas du nom de l'enfant. « Tu connais ma devise », disait Valance. « Oui, répondit Chamcha d'une voix neutre. C'est la bonne ligne pour le produit. » Le produit, pauvre con, étant toi.

Quand il avait rencontré Hal Valance (il y avait combien d'années? Cinq, peut-être six), lors d'un déjeuner à la White Tower, l'homme était déjà un monstre : l'image parfaite du type qui s'est fait lui-même, avec tout un assortiment d'attributs collés sur un corps qui, d'après les propres mots de Hal, « s'entraînait pour devenir Orson Welles ». Il fumait des caricatures absurdes de cigares, refusant les marques cubaines à cause de ses positions capitalistes sans compromis possible. Il possédait un gilet aux couleurs de l'Union

Jack et tenait à faire flotter un drapeau sur son agence et aussi au-dessus de la porte de sa maison à Highgate; aimait s'habiller comme Maurice Chevalier et, dans les grandes présentations, il chantait devant ses clients stupéfaits, avec un canotier et une canne à pommeau d'argent; prétendait posséder le premier château de la Loire où on avait installé un télex et un télécopieur; et faisait grand cas de sa relation « privilégiée » avec le Premier ministre qu'il appelait du terme affectueux de « Mrs Torture ». La personnification du philistinisme triomphant, Hal à l'accent anglo-américain, était une des gloires du temps, le créatif de l'agence la plus en vue de la ville, la Société Valance et Lang. Comme Billy Battuta il aimait les grosses voitures conduites par de gros chauffeurs. On disait qu'une fois, alors qu'il se faisait conduire très vite sur une route de Cornouaille afin de « chauffer » un mannequin finlandais de deux mètres particulièrement glacial, il y avait eu un accident : pas de blessés, mais quand l'autre conducteur était sorti furieux de sa voiture complètement écrasée, il était encore plus grand que le garde du corps de Hal. Au moment où le colosse lui fonçait dessus, Hal baissa sa vitre automatique et lui souffla, avec un doux sourire : « Je vous conseille vivement de faire demi-tour et de filer en vitesse; parce que si vous ne le faites pas dans les quinze secondes, cher monsieur, je vais vous faire descendre. » Les autres génies de la publicité étaient célèbres pour leur œuvre : Mary Wells pour les avions de la Compagnie Braniff qu'elle avait fait peindre en rose vif, David Ogilvy pour le bandeau qu'il portait sur l'œil, Jerry della Femina pour « En direct, de la part de ces gens merveilleux qui vous ont fait cadeau de Pearl Harbor ». Valance, dont l'agence ne s'occupait que de vulgarité bon marché et joyeuse, arnaque et bastringue, était connu dans la profession pour son (sans doute apocryphe) « Je vais vous faire descendre », une tournure de phrase qui prouvait, à ceux qui savaient, que ce type avait vraiment du génie. Chamcha l'avait longtemps soupçonné d'avoir inventé toute l'histoire, avec les ingrédients nécessaires – le glaçon finlandais, les deux brutes, les voitures coûteuses, Valance dans le rôle de Blofeld et pas de 007 dans les parages – et de l'avoir colportée lui-même en sachant que c'était bon pour les affaires.

Le déjeuner était donné pour remercier Chamcha de son rôle dans une récente campagne à tout casser pour les régimes amaigrissants Mincelette. Saladin avait fait la voix d'une cellule dans un dessin animé : *Salut. Je m'appelle Cal, et je suis une calorie triste.* Quatre plats et du champagne à volonté comme récompense pour avoir persuadé les gens de mourir de faim. *Comment est-ce qu'une pauvre calorie peut gagner sa vie? Merci Mincelette, je n'ai plus de travail.* Chamcha ne savait pas à quoi s'attendre avec Valance. En tout cas, il lui parla sans détour. Hal le félicita « Tu étais très bon pour un type légèrement coloré. » Puis il continua en regardant Chamcha bien en face : « Laisse-moi te dire plusieurs choses. Au cours des trois derniers mois, nous avons refait le cliché pour une affiche de beurre de cacahuète parce qu'elle était plus efficace sans le gosse noir à l'arrière-plan. Nous avons refait l'enregistrement du jingle publicitaire d'une société de construction parce que le Président pensait que le chanteur avait des intonations de noir, même s'il était blanc comme un foutu drap, et même si, l'année d'avant, on avait utilisé un noir qui, heureusement pour lui, n'avait pas trop de blues dans la voix. Une grande compagnie aérienne nous a dit qu'elle ne voulait plus qu'on montre de noirs dans leurs films annonces, même s'il s'agissait de véritables employés de la compagnie. Un acteur noir est venu passer une audition et il portait un badge Égalité Raciale, une main noire serrant une main blanche. Je lui ai dit ceci : ne va pas t'imaginer que je vais te traiter mieux que les autres, mon pote. Tu me suis? Tu suis ce que je te raconte? » Saladin se rendit compte qu'il était en train de passer une sacrée audition. Il répondit : « Je n'ai jamais eu l'impression d'appartenir à une race. » Quand Hal Valance créa sa société de production, c'est peut-être pour cela que Chamcha fut sur sa « liste A »; et pour cela, en fin de compte, qu'on lui confia Maxim Alien.

Quand l'émission *Les Extraterrestres* commença à subir les critiques des extrémistes noirs, ils donnèrent un surnom à Chamcha. En raison de son éducation dans une école privée et de son intimité avec le Valance détesté, on l'appela « Oncle Tom Café au lait ».

Apparemment les pressions politiques exercées sur l'émission s'étaient accrues pendant l'absence de Chamcha,

293

orchestrées par un certain Dr Uhuru Simba. « Docteur en quoi, ça me dépasse, dit la gorge profonde de Valance au téléphone. Nos, heu, chercheurs n'ont encore rien trouvé. » Des manifestations, une apparition gênante à l'émission *Droit de réponse.* « Ce type est bâti comme une putain de tank. » Chamcha les imagina tous les deux, Valance et Simba, l'antithèse l'un de l'autre. Les protestations semblaient avoir abouti : Valance « dépolitisait » l'émission, en mettant Chamcha à la porte et en plaçant un énorme Teuton blond avec des pectoraux et une moumoute dans le maquillage de prothèse et l'image de synthèse. Un Schwarzenegger en caoutchouc, une version synthétique, branchée de Rutger Hauer dans *Blade Runner.* Les juifs avaient également disparu : à la place de Mimi, il y avait une voluptueuse poupée goye. « J'ai fait savoir au Dr Simba : Fous ça dans ton putain de doctorat. je n'ai pas eu de réponse. Il va falloir qu'il travaille un peu plus s'il veut conquérir ce petit pays-*là*. Moi, déclara Hal Valance, j'adore ce putain de pays. C'est pourquoi je vais le vendre à ce putain de monde entier, le Japon, l'Amérique, la foutue Argentine. Je vais leur fourguer. J'ai passé ma foutue vie à faire ça : vendre cette foutue nation. Le *drapeau.* » Chamcha ne comprenait pas ce qu'il disait. À chaque fois qu'il abordait ce sujet, il devenait violet et pleurait souvent. C'est exactement ce qu'il fit au restaurant White Tower, cette première fois, tout en s'empiffrant de cuisine grecque. Chamcha se rappela soudain de la date : juste après la guerre des Malouines. À cette époque les gens avaient tendance à jurer fidélité à la nation, à fredonner des chants patriotiques dans les autobus. Alors quand Valance, en sirotant un énorme ballon d'armagnac, se lança dans son numéro – « Je vais te dire pourquoi j'adore ce pays » – Chamcha, lui-même partisan de la guerre des Malouines, eut l'impression de déjà connaître la suite. Mais Valance se mit à décrire le programme de recherches d'une compagnie aérospatiale britannique, un de ses clients, qui venait de révolutionner la construction des systèmes de guidage des missiles par l'étude du vol des mouches domestiques. « Corrections de la trajectoire pendant le vol, chuchota-t-il d'une voix théâtrale. Traditionnellement faites pendant le vol : on ajuste l'angle un petit peu en haut, un petit peu en bas, un chouia à droite ou à gauche. Mais des scientifiques, en étu-

294

diant des films au ralenti de l'humble mouche domestique, ont découvert que ces petites bougresses font toujours, mais toujours, les corrections à *angle droit*. » Il lui fit la démonstration avec la main tendue, la paume à plat, les doigts joints. « Bzzz! Bzzz! En réalité ces petites chipies volent verticalement, en haut, en bas ou sur les côtés. Beaucoup plus précis. Beaucoup plus économique en carburant. Essaie de faire ça avec un moteur qui a besoin d'une circulation d'air d'avant en arrière, et qu'est-ce qu'il se passe? Ton putain de truc ne peut plus respirer, il cale, il tombe du ciel sur tes putains d'alliés. Mauvais karma. Tu me suis. Tu suis ce que je te dis. Alors ces mecs, ils inventent un moteur avec circulation d'air tridirectionnelle : d'avant en arrière, de haut en bas, d'un côté à l'autre. Et banco : un missile qui vole comme une putain de mouche, et qui peut toucher une pièce de cinquante pence à une vitesse au sol de cent soixante kilomètres heure à une distance de cinq kilomètres. C'est ça que j'adore dans ce pays : son génie. Les plus grands inventeurs du monde. C'est superbe : j'ai raison ou j'ai raison? » Il était tout à fait sérieux. Chamcha répondit : « Tu as raison. » « Tu as raison de dire que j'ai raison », confirma l'autre.

Ils se rencontrèrent pour la dernière fois juste avant le départ de Chamcha pour Bombay : déjeuner dominical à la résidence de Highgate avec le drapeau. Des boiseries de palissandre, une terrasse avec des vasques en pierre, la vue sur une colline boisée. Valance se plaignit qu'un nouveau lotissement allait gâcher le paysage. On pouvait s'attendre à un repas agressivement chauvin *rosbif, boudin du Yorkshire, choux de Bruxelles* [1]. Bébé, l'épouse nymphette, ne se joignit pas à eux, mais mangea un sandwich de cornbeef chaud au pain de seigle tout en jouant au billard américain dans la pièce à côté. Des domestiques, un bourgogne du tonnerre, encore de l'armagnac, des cigares. Le paradis du self-made man, admit Chamcha, avec un peu d'envie.

Après le déjeuner, une surprise. Valance le conduisit dans une pièce où se tenaient deux clavicordes d'une grande délicatesse et d'une grande légèreté. « J'en fabrique, avoua Valance. Pour me détendre. Bébé veut que je lui fabrique une putain de guitare. » Le talent de Hal Valance comme facteur était indéniable, et d'une certaine façon en contra-

1. En français dans le texte.

diction avec le reste de sa personnalité. « Mon père était de la partie », avoua-t-il à Chamcha qui l'interrogeait, et Saladin comprit qu'on lui avait accordé le privilège d'entrer dans la seule pièce où restait quelque chose du Valance d'origine, le Harold produit par l'histoire et le sang et pas par la frénésie de son cerveau.

Quand ils quittèrent la pièce secrète des clavicordes, le Hal Valance habituel réapparut instantanément. Se penchant sur la balustrade de la terrasse, il confia : « Ce qui est le plus étonnant chez elle, c'est la dimension de ce qu'elle entreprend. » Qui ? Bébé ? Chamcha ne comprenait pas. « Je parle de tu-sais-qui, lui expliqua Valance pour l'aider. Torture. Maggie la Garce. » Oh. « Elle est radicale, on peut le dire. Ce qu'elle veut – ce qu'elle croit vraiment pouvoir *atteindre* nom de Dieu – c'est littéralement inventer une putain de classe moyenne entièrement nouvelle dans ce pays. Se débarrasser de la vieille classe moyenne molle et incompétente du Surrey et du Hampshire, et la remplacer par la nouvelle. Des gens sans passé, sans histoire. Des gens qui en veulent. Des gens qui en veulent *vraiment*, et qui savent qu'avec elle, ils peuvent vraiment y *arriver*. Jamais personne n'a essayé de remplacer toute une putain de *classe*, et ce qu'il y a de plus étonnant c'est qu'elle va peut-être réussir s'ils ne l'ont pas avant. La vieille classe. Les morts. Tu suis ce que je te dis. » « Je crois », mentit Chamcha. « Et pas seulement les hommes d'affaires, dit Valance d'une voix pâteuse. Les intellectuels aussi. Terminé avec cette bande de pédés. Voilà les mecs qui en veulent, et sans culture. Les nouveaux professeurs, les nouveaux peintres, tout. C'est une putain de révolution. La nouveauté qui arrive dans un pays bourré de putains de vieux *cadavres*. Ça va être quelque chose. Ça l'est déjà. »

Bébé vint les voir, en ayant l'air de s'ennuyer. « Il est temps de partir, Chamcha, ordonna son mari. Le dimanche après-midi nous nous mettons au lit et nous regardons des cassettes porno. C'est tout un monde nouveau, Saladin. Tous devront y venir un jour. »

Pas de compromis. Tu es dans le coup ou tu es mort. Ce n'était pas la façon de voir de Chamcha ; ni la sienne, ni celle de l'Angleterre qu'il avait idolâtrée et qu'il était venu conquérir. Il aurait dû comprendre à ce moment-là : on lui donnait, on lui avait donné à temps, un avertissement.

Et maintenant le coup de grâce. « Faut pas m'en vouloir, murmura Valance à son oreille. À un de ces jours, hein? OK, d'accord.

– Hal, s'obligea-t-il à dire. J'ai un contrat. »

Comme un bouc à l'abattoir. La voix dans son oreille était ouvertement amusée. « Ne sois pas ridicule, lui dit-il. Bien sûr que non. Lis ce qui est imprimé en tout petit. Prends un *avocat* pour le lire. Traîne-moi en justice. Fais ce que tu dois faire. Ça m'est égal. Tu comprends? Tu es du passé. »

Tonalité.

Laissé tomber par une Angleterre étrangère, abandonné dans une autre, Mr Saladin Chamcha en pleine dépression reçut des nouvelles d'un ancien compagnon qui connaissait manifestement de meilleures fortunes. Le hurlement de sa propriétaire – *« Tini bénché achén! »* – l'avertit qu'il se passait quelque chose. Hind aux robes gonflées courait dans les couloirs de Shaandaar Bed and Breakfast, en agitant ce qui se révéla être le dernier numéro de la revue de cinéma indien *Ciné-Blitz*. Des portes s'ouvrirent; des êtres temporaires passèrent la tête, étonnés et inquiets. Mishal Sufyan sortit de sa chambre en laissant voir des mètres de peau nue entre son débardeur trop court et son jean 501. Hanif Johnson sortit du bureau qu'il avait gardé de l'autre côté du couloir, dans un costume trois-pièces incongru et bien coupé, et, frappé par la peau nue, se couvrit le visage. « Dieu ait pitié », dit-il. Mishal l'ignora et appela sa mère : « Que se passe-t-il? Qui est vivant?

– Éhontée de nulle part, lui répondit Hind, va couvrir ta nudité.

– Fais chier, dit-elle entre ses dents, fixant un œil mutin sur Hanif Johnson. Et le pneu que tu as autour de la taille entre ton sari et ton choli, explique-moi. » À l'autre bout du couloir, dans la pénombre, on pouvait voir Hind coller *Ciné-Blitz* sous le nez de ses locataires, en répétant, il est vivant. Avec la ferveur des Grecs qui, après la disparition de Lambrakis, recouvrirent les murs du pays de la lettre Z. *Zeta : il est vivant.*

« Qui? redemanda Mishal.

297

– Gibreel, crièrent les enfants temporaires. *Farishta bénché achéen.* » Hind disparut dans l'escalier sans remarquer que sa fille aînée retournait dans sa chambre – en laissant la porte entrouverte; – et qu'elle était suivie, quand il eut vérifié que la voie était libre, par Hanif Johnson, l'avocat bien connu, avec costume et bottes, qui avait gardé un bureau ici pour rester en contact avec son électorat, qui avait également une belle clientèle dans les quartiers chics, d'excellentes relations avec le Parti Travailliste et qui était accusé par le député du coin de vouloir lui prendre sa place aux prochaines élections.

À quelle date était situé le dix-huitième anniversaire de Mishal? – Pas avant quelques semaines. Et où se trouvait sa sœur, sa compagne de chambre, sa copine, son ombre, son écho et son faire-valoir? Où se trouvait son chaperon potentiel? Elle se trouvait : dehors.

Mais reprenons :

L'article de *Ciné-Blitz* disait qu'une récente maison de production, installée à Londres, et dirigée par le jeune homme d'affaires prodige Billy Battuta, dont l'intérêt pour le cinéma était bien connu, s'était associée avec le célèbre producteur indépendant indien, Mr S.S. Sisodia dans le but de réaliser un film pour le retour à l'écran du légendaire Gibreel, qui, selon une information exclusive, avait échappé pour la seconde fois à la mort. On citait la star : « C'est vrai, j'avais retenu une place dans l'avion sous le nom de Najmuddin. Je sais que, quand les policiers ont découvert qu'il s'agissait de mon pseudonyme – en réalité, mon vrai nom – cela a causé beaucoup de peine chez moi, et je prie sincèrement mes admirateurs de bien vouloir m'en excuser. Vous voyez, la vérité, c'est que, grâce à Dieu, j'ai raté mon avion, et comme en aucun cas je ne souhaitais que mon voyage tombe à l'eau, excusez-moi, je ne voulais pas faire de jeu de mots, je n'ai pas fait rectifier la fiction de mon décès et j'ai pris un vol suivant. Une telle chance : à la vérité, un ange a dû veiller sur moi. » Cependant, après réflexion, il avait conclu qu'il avait tort de priver son public, de cette façon peu élégante et blessante, de la vérité et aussi de sa présence sur l'écran. « En conséquence, j'ai accepté ce projet dans lequel je me suis engagé totalement et avec joie. » Le film devait être – quoi d'autre – un film théologique, mais d'un nouveau genre. Il se passerait dans une ville de sable fabuleuse et imaginaire, et raconterait la rencontre d'un prophète et d'un archange; ainsi que la tentation du prophète, et le choix qu'il avait fait de la voie de la pureté et non de celle du vil compromis. Le producteur, Sisodia, informait *Ciné-Blitz*: «C'est un film qui décrit comment la nouveauté entre dans le monde.» – Mais ne serait-il pas reçu comme un blasphème, un crime contre... – «Certainement pas, affirmait Billy Battuta. La fiction, c'est la fiction; les faits sont les faits. Nous n'avons pas comme but de faire une sorte de méli-mélo comme le film *Le Message* dans lequel, à chaque fois qu'on entendait parler le Prophète Mahomet (que la paix soit avec lui!), on ne voyait que la tête de son chameau, remuant la bouche. *Ça,* – excusez-moi de vous le faire remarquer – n'a aucune classe. Nous faisons un film de bon goût et de qualité. Un conte moral: comme – comment ça s'appelle déjà? – des fables.»

«Comme un rêve», disait Mr Sisodia.

Quand Anahita et Mishal Sufyan apportèrent la nouvelle dans la chambre de Chamcha, il se lança dans la plus grande fureur qu'elles avaient jamais vue, une rage dont l'effet terrifiant fit tellement monter sa voix qu'on eut l'impression qu'elle allait se déchirer, comme si des couteaux lui avaient poussé dans la gorge et allaient réduire ses cris en lambeaux; son haleine pestilentielle les chassa presque de la pièce, et avec ses bras levés et ses pieds de bouc qui dansaient, il ressemblait enfin au diable dont il était devenu l'image. «Menteur, hurlait-il à Gibreel absent. Traître, déserteur, ordure. Raté l'avion, hein? Alors c'était la tête de qui sur mes genoux, dans mes mains...? – qui a reçu des caresses, raconté ses cauchemars, et qui, en définitive, est tombé du ciel en chantant?

– Allez, allez, le suppliait Mishal terrifiée. Calme-toi. Si tu continues, m'man va arriver dans une minute.»

Saladin s'apaisa, il redevint un tas pathétique et caprin, ne menaçant personne. «Ce n'est pas vrai, gémissait-il. Ce qui est arrivé, nous est arrivé à tous les deux.

– Bien sûr, lui dit Anahita d'une voix encourageante. De toute façon, personne ne croit ces revues de cinéma. Ils disent n'importe quoi.»

Les deux sœurs sortirent à reculons, retenant leur respiration, et laissèrent Chamcha à son malheur, sans remarquer quelque chose de tout à fait extraordinaire. Mais il ne faut pas les blâmer; les singeries de Chamcha suffisaient à distraire l'œil le plus attentif. En toute justice, on doit signaler que Saladin lui-même ne se rendit pas compte du changement.

Que se passa-t-il? Ceci : au cours de la brève mais violente colère de Chamcha contre Gibreel, les cornes de sa tête (il faudrait dire d'abord qu'elles avaient poussé de plusieurs centimètres tandis qu'il se languissait dans la soupente du Shaandaar Bed and Breakfast) avaient nettement, véritablement – d'environ dix-huit millimètres – *diminué*.

Dans l'intérêt de la stricte vérité, on doit ajouter que, plus bas sur son corps transformé – dans une culotte empruntée (la bienséance nous interdit de fournir des détails plus explicites) –, quelque chose d'autre, n'en disons pas plus, rapetissa aussi.

Cela étant dit : il se révéla que l'optimisme de la revue importée était infondé, parce que quelques jours après sa publication, les journaux locaux annoncèrent l'arrestation de Billy Battuta dans un restaurant sushi, en plein New York, avec sa compagne, Mildred Mamoulian, décrite comme une actrice d'une quarantaine d'années. Il avait pris contact avec de grandes dames de la haute société, « celles qui faisaient bouger les choses », pour leur demander des sommes « très substantielles », dont il prétendait avoir besoin pour se libérer d'une secte d'adorateurs du diable. Qui a arnaqué, arnaquera : c'est sans doute ce que Mimi Mamoulian aurait décrit comme un beau coup. En pénétrant au cœur du sentiment religieux américain, suppliant qu'on le sauve – « quand on vend son âme, on ne peut pas espérer la racheter bon marché » – Billy avait encaissé, d'après les enquêteurs, « des sommes à six chiffres ». À la fin des années 80, la communauté internationale des croyants désirait *un contact direct avec le surnaturel*, et Billy, qui affirmait avoir invoqué (et par conséquent avait besoin qu'on l'en sauve) des esprits infernaux, avait trouvé le filon, surtout parce que le Diable qu'il offrait acceptait démocratiquement la dictature du Dollar Tout-Puissant. En échange de leurs gros chèques Billy offrit une vérification aux grandes dames du West Side : oui, le Diable existe; je l'ai vu de mes propres yeux – mon Dieu, c'est effrayant! – et si Lucifer existait, Gabriel aussi; si on avait vu brûler le Feu de l'Enfer, alors quelque part, au-dessus de l'arc-en-ciel, le Paradis brillait sûrement. On affirmait que Mimi Mamoulian avait joué un rôle important dans l'escroquerie, suppliant et pleurant toutes les larmes de son corps. Ils se firent prendre par imprudence, repérés au restaurant Takesushi (rigolant et plaisantant avec le chef) par une certaine Mrs Aileen Struwelpeter qui avait, l'après-midi même, donné au couple désemparé et terrifié un chèque de cinq mille dollars. Mrs Struwelpeter n'était pas sans influence dans la police new-yorkaise, et les flics arrivèrent avant que Mimi ait fini sa tempura. Ils partirent sans opposer de résistance. Sur les photos des journaux, Mimi portait ce que Chamcha crut être un manteau de vison de quarante mille dollars, et sur le visage une expression qui ne trompait personne.

Allez vous faire foutre.

Pendant longtemps, on n'entendit plus parler du film de Farishta.

C'était ainsi, ce n'était pas ainsi, alors que l'incarcération de Saladin Chamcha dans le corps d'un diable et la soupente du Shaandaar Bed and Breakfast durait depuis des semaines et des mois, il devint impossible de ne pas remarquer que son état empirait régulièrement. Ses cornes (malgré une diminution isolée, momentanée et passée inaperçue) s'étaient épaissies et allongées, se tordant en arabesques capricieuses, couronnant sa tête d'un turban d'os sombres. Une barbe longue et épaisse lui avait poussé, déconcertante dans ce visage rond et lunaire, qui n'avait jamais été très poilu auparavant; en fait, tout son corps se couvrait de poils, et à la base de son épine dorsale une queue fine avait même bourgeonné, qui s'allongeait de jour en jour et l'avait déjà obligé à abandonner le port du pantalon; à la place, il fourrait son nouveau membre dans des culottes salwar bouffantes que Anahita Sufyan avait piquées dans la collection de sous-vêtements généreusement taillés de sa mère. On imagine aisément la détresse engendrée en lui par sa métamorphose continue en une sorte de djinn en bouteille. Ses

301

goûts eux-mêmes changeaient. Toujours difficile sur la nourriture, il était effrayé de voir que son palais devenait grossier, au point que tous les aliments finirent par se ressembler, et parfois il se surprenait en train de mâchouiller sans y penser ses draps ou de vieux journaux, et il reprenait ses esprits avec un sursaut, honteux et coupable devant cette preuve supplémentaire de son éloignement de l'humanité et son rapprochement – oui – de la caprinité. Il fallait des quantités toujours croissantes de bain de bouche vert pour maintenir son haleine dans des limites acceptables. C'était trop pénible à supporter.

Sa présence dans la maison était une épine continuelle plantée dans le flanc de Hind, chez qui le regret de l'argent perdu se mêlait aux restes de sa terreur initiale, même s'il est vrai de dire que la sorcellerie de l'habitude l'avait apaisée, l'aidant à voir dans l'état de Saladin une sorte de maladie comme celle d'Elephant Man, quelque chose de dégoûtant mais qui ne faisait pas forcément peur. « Qu'il me fiche la paix et je le laisserai tranquille, disait-elle à ses filles. Et vous, enfants de mon désespoir, pourquoi passez-vous votre temps, assises là-haut, avec un malade pendant que votre jeunesse s'envole, qui peut le dire, mais dans cette Vilayet il me semble que tout ce que je savais est un mensonge, comme l'idée que les jeunes filles doivent aider leur mère, penser au mariage, s'appliquer à leurs études, et ne pas rester en compagnie de boucs, à qui, selon notre coutume, nous tranchons la gorge pour la fête de l'Aïd. »

Cependant, son mari restait attentif même après l'étrange incident qui eut lieu quand il monta dans la soupente et suggéra à Saladin que ses filles n'avaient pas forcément tort, que peut-être, comment dire, on pouvait mettre fin à la possession du corps par l'intercession d'un mollah? En entendant faire mention d'un prêtre Chamcha se cabra, leva les deux bras au-dessus de sa tête, et d'une façon mystérieuse la chambre se remplit d'une fumée épaisse et sulfureuse cependant qu'il poussait un cri aigu et haut perché avec une sorte de déchirement qui transperça les tympans de Sufyan comme une pique. La fumée se dissipa assez vite, parce que Chamcha ouvrit la fenêtre en grand et agita les bras pour chasser l'odeur, très gêné, tout en s'excusant auprès de Sufyan. « Je suis incapable de dire ce qui m'arrive – mais

302

parfois, j'ai peur d'être en train de me transformer en quelque chose, – quelque chose qu'il faut bien appeler *mauvais.* »

Sufyan, toujours gentil, s'approcha de Chamcha qui se tenait les cornes, lui caressa l'épaule et essaya comme il put de le réconforter. « On discute depuis longtemps, commença-t-il gauchement, de la question de l'instabilité de l'être. Par exemple, dans *De rerum natura*, le grand Lucrèce nous dit la chose suivante : *quodcumque suis mutatum finibus exit, continuo hoc mors est illius quod fuit ante.* Ce qui traduit, excusez ma maladresse, donne " Tout ce qui en changeant dépasse ses propres limites " – c'est-à-dire, inonde ses berges – ou, peut-être, rompt ses limites – si l'on peut dire, ne respecte pas ses propres règles, mais je pense que c'est une traduction trop libre... enfin, Lucrèce dit " cette chose, en agissant ainsi, entraîne la mort immédiate de son ancien moi ". Cependant, le doigt de l'ancien instituteur se dressa, dans *Les Métamorphoses,* le poète Ovide a un point de vue diamétralement opposé. Il déclare ainsi : " Comme la cire molle " – chauffée, vous voyez, pour cacheter des documents par exemple ou des choses comme ça – " est marquée par de nouveaux dessins Et change de forme et ne semble jamais la même, Tout en restant cependant la même, ainsi nos âmes " – vous comprenez, cher monsieur? Nos esprits! Nos essences immortelles! – " Restent toujours les mêmes, mais adoptent Dans leurs migrations des formes toujours changeantes. »

Maintenant il sautillait d'un pied sur l'autre, plein du frisson des mots anciens. « J'ai toujours préféré Ovide à Lucrèce, déclara-t-il. Votre âme, mon pauvre cher monsieur, reste la même. Ce n'est que dans sa migration qu'elle a adopté cette forme changeante actuelle.

– C'est un maigre réconfort, dit Chamcha en retrouvant une trace de son ancienne ironie. Soit j'accepte Lucrèce et j'en conclus qu'une mutation démoniaque et irréversible a lieu au plus profond de moi, soit je parie sur Ovide et je reconnais que ce qui apparaît maintenant n'est que la manifestation de ce qui se trouvait déjà là.

– J'ai mal présenté mon argumentation, s'excusa Sufyan malheureux. Je voulais simplement vous rassurer.

– Quelle consolation peut-il y avoir, répondit Chamcha

amèrement, le poids de son malheur étouffant son ironie, pour un homme dont le vieil ami et sauveur est aussi chaque nuit l'amant de sa femme, encourageant ainsi – comme vos livres anciens vous le confirmeraient sans doute – la croissance des cornes du cocu ? »

À aucun moment de la journée le vieil ami, Jumpy Joshi, ne pouvait s'empêcher de penser que, pour la première fois de sa vie aussi loin qu'il s'en souvenait, il avait perdu la volonté de conduire sa vie en accord avec ses principes moraux. Au centre sportif où il enseignait les arts martiaux à un nombre toujours plus grand d'élèves, mettant en relief l'aspect spirituel de ces disciplines pour leur plus grand amusement (« Ah, oui, Sauterelle », lui disait pour le taquiner son élève vedette, Mishal Sufyan, avec un pur accent chinois, « quand honorable cochon fasciste saute sur toi dans allée sombre, offre lui connaissance de Bouddha avant de lui balancer ton pied dans ses honorables couilles ») – il commença à manifester une telle *intensité passionnée* que ses élèves, se rendant compte qu'il exprimait une angoisse intérieure, s'inquiétèrent. Quand Mishal lui en parla à la fin d'une séance qui les laissait meurtris et haletants, une séance au cours de laquelle le professeur et la vedette s'étaient jetés l'un contre l'autre comme les plus affamés des amants, il lui retourna sa question avec un manque inhabituel de franchise. « C'est l'histoire de la paille et de la poutre », lui dit-il. Ils se tenaient près des distributeurs automatiques. Elle haussa les épaules. « D'accord, dit-elle. J'avoue, mais garde le secret ? » Il saisit son Coca : « Quel secret ? » Innocent Jumpy. Mishal lui chuchota à l'oreille : « On me baise. Ton ami : Mister Hanif Johnson, Avocat Au Barreau. »

Il fut choqué, ce qui irrita Mishal. « Allez, ce n'est pas comme si j'avais *quinze ans.* » Il protesta, faiblement « Si jamais ta mère », et à nouveau elle s'énerva. « Si tu veux savoir, dit-elle agacée, c'est pour Anahita que je me fais du souci. Elle veut tout ce que j'ai. Et elle, elle a vraiment quinze ans. » Jumpy remarqua qu'il avait renversé son gobelet en carton et qu'il y avait du Coca sur ses chaussures. « Allez crache, insista Mishal. J'ai avoué. C'est ton tour. »

Mais Jumpy n'arrivait pas à parler; il secouait toujours la tête à propos de Hanif. « Ce serait la fin de sa carrière », dit-il. Mishal le regarda de haut. « Oh, j'ai compris, dit-elle. D'après toi je ne suis pas assez bien pour lui. » Et en partant, par-dessus son épaule : « Voilà, Sauterelle. Les saints ne baisent jamais ? »

Pas si saint que ça. Il n'était pas fait pour la sainteté, pas plus que le personnage de David Carradine dans le vieux feuilleton *Kung Fu* : comme Sauterelle, comme Jumpy. Chaque jour il s'épuisait en s'efforçant de rester à l'écart de la grande maison de Notting Hill, et chaque soir il échouait devant la porte de Pamela, le pouce dans la bouche, s'arrachant les peaux autour des ongles, repoussant le chien et son sentiment de culpabilité, se dirigeant sans perdre de temps vers la chambre. Où ils se jetaient l'un sur l'autre, leur bouche cherchant les endroits qu'ils avaient choisis, ou avec lesquels ils avaient appris à commencer : tout d'abord il plaçait ses lèvres autour de la pointe de ses seins, puis elle faisait glisser les siennes vers son pouce inférieur.

Elle avait fini par aimer en lui cette capacité d'impatience, parce qu'elle était suivie d'une patience qu'elle n'avait jamais connue, la patience d'un homme qu'on n'avait jamais trouvé « attirant » et qui donc était préparé à accorder de la valeur à ce qu'on lui offrait, ou en tout cas c'est ce qu'elle avait pensé au début; puis elle apprit à apprécier sa conscience et sa sollicitude pour ses propres tensions intérieures, sa compréhension de la difficulté avec laquelle son corps souple, osseux, aux petits seins, découvrait, apprenait et enfin se soumettait à un rythme, la connaissance qu'il avait du temps. Elle aimait en lui, aussi, son dépassement de lui-même; aimait, en sachant que ce n'était pas la bonne raison, sa disponibilité à surmonter ses scrupules pour qu'ils puissent être ensemble : aimait en lui son désir qui foulait aux pieds tout ce qui avait eu de l'importance pour lui. Aimait ce désir, sans vouloir voir, dans cet amour, le début de la fin.

Quand ils approchaient de la fin, elle devenait bruyante. « Yooo ! » criait-elle, toute l'aristocratie de sa voix se concentrant dans les syllabes sans signification de son abandon. « Hou ! Hi ! *Haaaa* ! »

Elle buvait toujours beaucoup, scotch bourbon rye, une

305

bande rouge s'étalait au milieu de son visage. Sous l'influence de l'alcool son œil droit rétrécit de moitié, et, à la plus grande horreur de Jumpy, elle commença à le dégoûter. Mais pas question de parler de ses cuites : la seule fois qu'il essaya, il se retrouva dans la rue avec ses chaussures dans la main droite et son manteau sur le bras gauche. Même après cela il revint : et elle ouvrit la porte et monta l'escalier comme si de rien n'était. Les tabous de Pamela : les plaisanteries sur son ascendance, les remarques sur les cadavres de bouteilles de whisky, et toute allusion au fait que son mari défunt, l'acteur Saladin Chamcha, était toujours en vie, qu'il habitait de l'autre côté de la ville dans un bed and breakfast, sous la forme d'une créature surnaturelle.

Maintenant, Jumpy – qui, au début, la harcelait sans cesse au sujet de Saladin, lui disant de ne pas en rester là et de divorcer, que ce simulacre de veuvage était intolérable : et son argent et sa part des biens, etc? Elle n'allait quand même pas le laisser sans rien? – ne protestait plus contre son comportement déraisonnable. « J'ai son certificat de décès, lui dit-elle la seule fois où elle accepta d'en parler. Et qu'as-tu à me proposer? Un bouc, un phénomène de foire, aucun rapport avec moi. » Et cela aussi, comme ses cuites, avait commencé à se mettre entre eux. Les séances d'arts martiaux de Jumpy gagnèrent en violence tandis que ces problèmes envahissaient son esprit.

Ironiquement, tandis que Pamela refusait catégoriquement d'affronter les faits concernant la séparation d'avec son mari, elle s'était embarquée, dans son travail de relations sociales intercommunautaires, dans une enquête sur des accusations de sorcellerie chez les policiers du commissariat local. De temps en temps on disait que certains commissariats « échappaient à tout contrôle » – Notting Hill, Kentish Town, Islington – mais de la sorcellerie? Jumpy était sceptique. « Le problème avec toi, lui disait Pamela de sa voix hautaine de chasse à courre, c'est que tu crois encore que la normalité consiste à se comporter normalement. Mon Dieu : regarde ce qui se passe dans ce pays. Que quelques flics tordus se déshabillent et boivent de l'urine dans leur casque n'est pas tellement étrange. Appelle ça la franc-maçonnerie de la classe ouvrière, si tu veux. J'ai des noirs qui arrivent tous les jours, morts de peur, parlant de talismans, d'entrailles de poulet, tout. Ces salauds, ça les *amuse* : faire peur aux nègres avec leur propre ooga booga et passer quelques nuits excitantes. Invraisemblable? *Réveille-toi,* merde. » La chasse aux sorcières était une affaire de famille : depuis Matthew Hopkins jusqu'à Pamela Lovelace. Dans la voix de Pamela, parlant lors de réunions publiques, sur des radios locales, et même dans des émissions de télévision régionale, on pouvait entendre toute l'autorité et le zèle de l'ancien Grand Inquisiteur, et ce n'était qu'à cause de cette voix de Gloriana du vingtième siècle que sa campagne ne finissait pas couverte de ridicule. *Recherchons Nouveau Balai pour Chasser Sorcières.* On parlait d'enquête officielle. Mais ce qui rendait Jumpy complètement dingue, c'était le refus de Pamela d'établir un lien entre la question de la sorcellerie chez les policiers et l'affaire de son mari : parce que, après tout, la transformation de Saladin Chamcha était précisément en relation avec l'idée que la normalité n'était plus composée (si cela avait jamais existé) d'éléments banals et « normaux ». « Ça n'a rien à voir », dit-elle sèchement quand il aborda la question : impérative, se dit-il, comme n'importe quel juge impitoyable.

Quand Mishal Sufyan lui eut parlé de ses relations sexuelles illicites avec Hanif Johnson, Jumpy qui se rendait chez Pamela Chamcha dut repousser quantité de pensées racistes, du genre *si son père n'était pas blanc il ne l'aurait jamais fait;* hanif, se disait-il furieux, ce salaud immature, qui faisait sûrement des encoches sur sa queue pour compter ses conquêtes, ce Johnson qui aspirait à représenter celles de sa race et ne pouvait pas attendre qu'elles soient majeures pour les baiser!... ne voyait-il pas que Mishal avec son corps n'était qu'une, qu'une, enfant? – *Ce n'est pas vrai.* – Merde à lui, merde à lui pour (ici Jumpy se choqua lui-même) être le premier.

Jumpy qui allait chez sa maîtresse essayait de se convaincre que ses ressentiments à l'égard de Hanif, *son ami Hanif,* étaient principalement – comment dire? – *linguistiques.* Hanif avait une maîtrise parfaite des langues qui comptaient : sociologique, socialiste, langue des radicaux noirs, anti-anti-anti-raciste, démagogique, oratoire, morale : les vocabulaires du pouvoir. *Mais toi salaud tu fouilles dans mes tiroirs et tu te moques de mes stupides poèmes. Le vrai problème du langage : comment le plier, le façonner, comment faire pour qu'il soit notre liberté, comment reprendre possession de ses puits empoisonnés, comment maîtriser le fleuve des mots du temps du sang : tu n'en as pas la moindre idée.* Comme est dure la lutte, inévitable la défaite. *Personne ne m'élira jamais. Pas de base sociale, pas d'électorat : rien que la lutte averc les mots.* Mais lui, Jumpy, devait également reconnaître que sa jalousie envers Hanif prenait autant racine dans le plus grand contrôle que son ami avait des langues du désir. Mishal Sufyan était vraiment quelque chose, une beauté longiligne, tubulaire, mais il n'aurait pas su comment y faire, même s'il y avait pensé, il n'aurait jamais osé. Le langage c'est le courage : la capacité de concevoir une pensée, de la dire, et, ce faisant, de la rendre vraie.

Quand Pamela Chamcha ouvrit la porte il découvrit que ses cheveux étaient devenus d'un blanc de neige du jour au lendemain, et qu'elle avait réagi devant cette inexplicable calamité en se rasant complètement la tête qu'elle dissimulait sous un absurde turban couleur bordeaux qu'elle refusa d'enlever.

« C'est arrivé comme ça, dit-elle. On ne peut écarter la possibilité que j'ai été ensorcelée. »

Il refusa une explication de ce genre. « Ou l'idée d'une réaction, bien que tardive, à la nouvelle que ton mari est toujours en vie, même transformée. »

Au milieu de l'escalier qui conduisait à la chambre elle se retourna vers lui et, d'un geste théâtral, lui indiqua la porte du salon. « Dans cette hypothèse, dit-elle d'un air triomphant, pourquoi est-ce aussi arrivé au chien ? »

Cette nuit-là, il aurait pu lui dire qu'il voulait que ça se termine, que sa conscience ne le lui permettait plus –, il aurait pu accepter d'affronter sa colère, et vivre avec l'idée paradoxale qu'une décision pouvait être à la fois juste et immorale (parce que cruelle, unilatérale, égoïste) ; mais quand il entra dans la chambre elle lui prit le visage entre les mains, et l'observant attentivement pour voir comment il recevait la nouvelle elle avoua lui avoir menti au sujet des précautions qu'elle avait prises. Elle était enceinte. Apparemment elle était plus douée que lui pour les décisions unilatérales, et avait simplement obtenu de lui l'enfant que Saladin Chamcha n'avait pas pu lui donner. « J'en voulais un, cria-t-elle d'un air de défi, tout près de son visage. Et maintenant, je vais l'avoir. »

Son égoïsme avait pris le pas sur celui de Jumpy. Il découvrit qu'il se sentait soulagé; dispensé de la responsabilité de faire des choix moraux et d'agir en conséquence – car comment pouvait-il la quitter maintenant? –, il repoussa de telles idées et la laissa le repousser sur le lit, doucement mais avec une détermination évidente.

Que la lente et grotesque métamorphose de Saladin Chamcha fasse de lui une sorte de *mutant* de science-fiction ou de film d'horreur, une espèce de mutation hasardeuse que la sélection naturelle éliminerait bientôt – ou qu'elle le fasse évoluer vers un avatar du Maître de l'Enfer – ou vers quoi que ce soit d'autre, le fait est que (et dans le sujet qui nous préoccupe il est recommandé de procéder avec prudence, de ne pas sauter tout de suite aux conclusions, de n'avancer que d'un fait établi vers un autre, d'un petit caillou blanc vers un autre petit caillou blanc, jusqu'à ce que notre chemin de petit poucet nous ait conduits à quelques centimètres de notre destination), le fait est donc que les deux filles du Hadji Sufyan l'avaient pris sous leur aile, et s'occupaient de lui comme seules des Belles peuvent s'occuper de la Bête; et que, au fur et à mesure que le temps passait, lui-même s'attachait à elles. Pendant longtemps il avait considéré Mishal et Anahita comme inséparables, le poing et l'ombre, le coup de feu et l'écho, la plus jeune cherchant toujours à singer sa grande sœur, bagarreuse, donnant des coups de pied de karaté et des manchettes de Wing Chun dans une imitation flatteuse du comportement inflexible de Mishal. Cependant, plus récemment, il avait remarqué avec tristesse l'apparition d'une hostilité entre les sœurs. Un soir par la fenêtre de sa soupente Mishal lui montra quelques-uns des personnages de la Rue – là, un vieux Sikh devenu totalement silencieux à la suite d'une agression raciste; on disait qu'il n'avait pas parlé depuis près de sept ans et qu'auparavant il avait été un des rares juges de paix « noirs » de la ville... maintenant, cependant, il ne prononçait plus aucun jugement, et sa petite femme grincheuse l'accompagnait partout en le traitant avec un agacement méprisant. *Oh, ne faites pas attention à lui, il ne dit pas un mot, c'est un zozo;* – et là-bas, un type parfaitement ordinaire, avec une « allure de comptable » (selon les propres termes de Mishal), rentrant chez lui avec sa serviette et une boîte de bonbons; dans la Rue on savait qu'il avait la manie étrange de déplacer les meubles de son salon chaque soir pendant une demi-heure, il mettait les chaises en rang avec un couloir au milieu et faisait semblant d'être le conducteur d'un autocar en route pour le Bangladesh, une obsession à laquelle toute sa famille devait participer, *et au bout d'une demi-heure précise il se réveillait, et le reste du temps c'était le type le plus ennuyeux qu'on puisse rencontrer;* – après quelques instants, Anahita quinze ans la coupa avec dépit : « Ce qu'elle veut dire, c'est que tu n'es pas le seul mutilé, il y a plein de phénomènes de foire dans le quartier, tu n'as qu'à regarder autour de toi. »

Mishal avait pris l'habitude de parler de la Rue comme d'un champ de bataille mythologique et elle, en haut, à la fenêtre de la soupente de Chamcha, elle était l'ange narrateur et exterminateur. Par elle Chamcha apprit les fables des nouveaux Kourous et Pandavas, des racistes blancs et des groupes ou vigiles d'autodéfense noirs vedettes de ce moderne *Mahabharata,* ou, plus précisément, *Mahavilayet.* Là-haut, sous le pont du chemin de fer, le Front National se battait avec les extrémistes intrépides du Parti Socialiste des Travailleurs, « tous les dimanches de l'ouverture à la fermeture, ricanait-elle, nous laissant la corvée de nettoyer les dégâts pendant le reste de la foutue semaine ». – Au bout de cette allée il y avait les Trois de Brickhall que la police avait tabassés, puis remis en état, interrogés et embarqués; c'est en haut de cette autre rue qu'on avait assassiné le Jamaïcain, Ulysses E. Lee, et dans ce café la tache sur le tapis indiquait l'endroit où Jatinder Singh Mehta avait rendu son dernier soupir. « Ce sont les effets du thatchérisme », déclara-t-elle, tandis que Chamcha, qui n'avait plus la volonté ni les mots pour discuter avec elle, pour parler de justice et du règne de la loi, observait la colère grandissante d'Anahita. – « Plus de batailles rangées, expliqua Mishal. On met en valeur la petite entreprise et le culte de l'individu, d'accord? En d'autres termes, cinq ou six salauds de blancs nous assassinent, un seul à la fois. » Maintenant, la nuit, les groupes d'autodéfense patrouillaient dans la Rue, sur le qui-vive. « C'est notre jardin, dit Mishal en parlant de la Rue, où l'on ne pouvait pas apercevoir un brin d'herbe. Qu'ils viennent le prendre pour voir.

– Regarde-la, éclata Anahita. Une grande dame, hein? Tellement raffinée. Tu imagines ce que dirait m'man, si elle savait. » – « Si elle savait quoi, petite teigne? » – Mais Anahita ne se laissa pas impressionner : « Oh, oui, mugit-elle. Oh, oui, on sait, ne va pas croire qu'on ne sait pas. Comment elle va aux concerts de bhangra le dimanche matin et comment elle enfile ses vêtements de pute dans les toilettes – avec qui elle se trémousse et gigote dans la boîte Le Musée de Cire en croyant que je n'en ai jamais entendu parler – ce qui s'est passé à une boum où elle a filé en douce avec Mister-vous-savez-qui Sûr-de-lui – ça c'est une grande sœur », elle lui donna le coup de grâce, « elle va sûrement finir par mourir, chaipamoi, *d'ignorance* ». Ce qui voulait dire – Chamcha et Mishal comprirent que les messages publicitaires où l'on voyait des pierres tombales expressionnistes se dresser sur la terre et sur la mer lui avaient laissé dans l'esprit des slogans tronqués, aucun doute à cela – ce qui voulait dire du *sida*.

Mishal se jeta sur sa sœur, elle lui tira les cheveux – Anahita, qui avait mal, fut quand même capable de lui lancer une dernière pique. « En tout cas je ne me suis pas coupé les cheveux pour en faire une pelote à épingler, il faut être cinglé pour aimer *ça* », et les deux sœurs s'en allèrent, laissant Chamcha étonné de voir Anahita épouser totalement et brusquement les conceptions morales de sa mère sur les femmes. *Des ennuis en perspective,* conclut-il.

Des ennuis qui arrivaient : très vite.

*
* *

Quand il était seul, il sentait de plus en plus la lente pesanteur l'écraser, jusqu'à ce qu'il perde conscience, qu'il s'arrête comme un jouet mécanique qu'on n'a pas remonté, et pendant ces moments de stase qui s'achevaient toujours avant l'arrivée des visiteurs son corps émettait des bruits inquiétants, les hurlements de pédales wahwah, les craquements d'os sataniques de caisses claires. C'est pendant ces périodes que, tout doucement, il grandissait. Et la rumeur de sa présence grandissait elle aussi ; on ne peut abriter un diable dans son grenier et espérer le garder pour soi.

Comment la nouvelle filtra-t-elle (parce que les gens dans la confidence restaient bouche cousue, les Sufyan parce qu'ils avaient peur de perdre leur clientèle, les êtres temporaires parce que leur sensation d'évanescence les rendait, en ce moment, incapables d'agir – et toutes les parties concernées parce qu'elles redoutaient une descente de police, qui ne rechignait jamais à pénétrer dans de tels établissements, à renverser accidentellement quelques meubles et à écraser par inadvertance quelques bras jambes cous) : il commença à apparaître dans les rêves des gens du quartier. Les mollahs de Jamme Masjid, la synagogue Machzikel HaDath, qui avait remplacé en son temps le temple des Huguenots ; – et le Dr Uhuru Simba cette montagne d'homme affublé d'un calot africain et d'un poncho rouge-jaune-noir, celui qui avait dirigé les protestations victorieuses contre *Les Extraterrestres* et que Mishal Sufyan haïssait plus qu'aucun autre homme noir à cause de son habitude de faire taire les femmes qui s'exprimaient trop en les giflant, elle-même par exemple, en public, dans une réunion, devant témoins, mais cela n'avait pas arrêté le docteur, *il est complètement cinglé, celui-là*, dit-elle à Chamcha quand elle le lui montra, un jour, depuis la soupente, *capable de n'importe quoi ; il aurait pu me tuer, et tout ça parce que j'ai dit aux autres qu'il n'était pas africain, je l'ai connu quand il n'était que Sylvester Roberts du quartier de New Cross ; un putain de sorcier, si tu veux mon avis ;* – et Mishal elle-même, et Jumpy, et Hanif ; – et le Conducteur d'Autocar, aussi, tous rêvèrent de lui, se dressant dans la Rue comme l'Apocalypse et embrasant la ville comme du pain grillé. Et dans chacun de ces mille et un rêves lui, Saladin Chamcha, aux membres gigantesques et à la tête enturbannée de cornes, chantait, d'une voix si diaboliquement horrible et gutturale qu'il était impossible d'identifier les versets, même si les rêves se révélèrent posséder la caractéristique terrifiante d'être à suivre, comme un feuilleton, chacun s'enchaînant à celui de la nuit précédente, et ainsi de suite, nuit après nuit, jusqu'à ce que même l'Homme Silencieux, cet ancien juge de paix qui n'avait plus parlé depuis la nuit dans un restaurant indien où un jeune ivrogne lui avait mis un couteau sous le nez, le menaçant de lui trancher la gorge, et qu'il avait même commis l'injure suprême de cracher dans son assiette – jusqu'à ce que cet homme discret étonne sa femme en se dressant pendant son sommeil, tende le cou comme un pigeon, fasse claquer ses poignets l'un contre l'autre près de son oreille droite, et hurle à tue-tête une chanson, qui semblait si étrange et si pleine de parasites qu'elle ne put en comprendre un traître mot.

Très rapidement, parce qu'aujourd'hui tout va très vite, l'image du diable des rêves se répandit comme une traînée de poudre, devint populaire, pourrait-on dire, uniquement parmi ceux que Hal Valance avait désignés comme les *types légèrement colorés*. Tandis que les non-colorés des hôtels particuliers classiques rêvaient d'un ennemi sulfureux qui écrasait leurs résidences George-V parfaitement restaurées sous son talon fumant, les gens de couleur se retrouvaient en train d'acclamer pendant leur sommeil le quoi-d'autre-qu'un-noir, peut-être un peu déformé par le destin classe race histoire, tout ça, levant son gros derrière, méchant et furieux, pour botter des fesses.

Au début ces rêves restèrent quelque chose de privé, mais très vite ils pénétrèrent les heures de veille, quand les commerçants asiatiques et les fabricants de badges, sweat-shirts, affiches comprirent le pouvoir du rêve, et soudain on le retrouva partout, sur les poitrines des jeunes filles et dans les vitrines protégées par des grilles, il était un défi et un avertissement. Sympathy for the Devil [1] : un coup de fouet pour un vieux succès. Les gosses dans la Rue portaient des cornes de diable en caoutchouc, comme quelques années auparavant ils avaient porté sur la tête des boules roses et vertes qui se balançaient au bout d'un ressort, quand ils préféraient imiter les extraterrestres. Le symbole de l'Homme-Bouc, son poing levé, commença à apparaître sur les bande-roles des manifestations politiques, Sauvez les Six, Libérez

1. Chanson des Rolling Stones (Sympathie pour le diable).

les Trois, Lavez les Cent Mille Chemises; *Please to meet you*, chantaient les radios, *Hope you guess my name* [1]. Les policiers des relations intercommunautaires citaient « le culte grandissant du diable parmi les jeunes noirs et les jeunes Asiatiques » comme un « courant déplorable », et se servaient de cette « renaissance sataniste » pour contrer les allégations de Mrs Pamela Chamcha et du CRC : « Où sont les sorcières actuellement ? » « Chamcha, dit Mishal excitée, tu es un héros. Je veux dire, les gens peuvent s'identifier à toi. C'est une image que la société blanche a rejetée depuis si longtemps que nous pouvons nous l'approprier, tu vois, l'occuper, l'habiter, la revendiquer et la faire nôtre. Il est temps de passer à l'action. »

– Va-t'en, lui cria Saladin, désemparé. Ce n'est pas ce que je voulais. Ce n'était pas du tout mon intention.

– De toute façon, tu deviens trop grand pour la soupente, lui répondit Mishal blessée. Bientôt, elle ne te suffira plus. »

L'abcès allait crever.

« Enco' une vieille dame qui s'est fait couper en petits mo'ceaux, hiel soil, annonça Hanif Johnson en prenant à sa façon l'accent créole. Plus de séculité sociale poul'elle. » Anahita Sufyan, de service derrière le comptoir du café Shaandaar, heurtait les tasses et les assiettes. « Je me demande pourquoi tu fais ça, se plaignit-elle. Ça me met en boule. » Hanif l'ignora, s'assit près de Jumpy, qui murmura d'un air distrait : « Qu'est-ce qu'ils disent ? » – La paternité annoncée pesait lourd sur les épaules de Jumpy Joshi, mais Hanif lui donna une claque dans le dos. « La vieille poésie va pas fo't, camalade, dit-il avec compassion. On dirait que le fleuve de sang s'est coagulé. » Un regard de Jumpy lui fit changer de disque. « Ils disent ce qu'ils disent, répondit-il. Fais gaffe aux noirs qui patrouillent en voiture. Si elle avait été noire, vieux, ce serait " Pas de raison de soupçonner des motifs raciaux. " Je te le dis, continua-t-il, abandonnant l'accent, parfois l'agressivité qui bouillonne sous la surface de cette ville me fait vraiment peur. Ce n'est pas seulement le tueur de vieilles dames. C'est partout. Tu heurtes un type

1. « Sympathy for the Devil. »

qui lit le journal dans le métro à l'heure de pointe et tu te fais casser la gueule. J'ai l'impression que tout le monde est tellement *en colère*, y compris toi, mon vieux », dit-il pour terminer. Jumpy se leva, s'excusa, et sortit sans explication. Hanif tendit les bras, fit son sourire le plus charmeur à Anahita : « Qu'est-ce que j'ai fait ? »

Anahita lui rendit son sourire. « T'as jamais pensé, Hanif, que peut-être les gens ne t'aiment pas beaucoup ? »

Quand on apprit que le tueur de vieilles dames avait encore frappé, on commença à entendre dire de plus en plus fréquemment qu'on trouverait la solution à ces meurtres épouvantables commis par un « esprit maléfique humain » – qui invariablement disposait les organes internes de ses victimes autour de leur cadavre, un poumon à côté de chaque oreille, et le cœur, pour des raisons évidentes, sur la main – en enquêtant parmi les noirs de la ville dont le nouvel occultisme inquiétait tellement les autorités. Les détentions et les interrogatoires de « gens de couleur » s'intensifièrent en conséquence, comme les opérations coup de poing contre les établissements « suspectés d'abriter des cellules clandestines d'occultisme ». En fait, ce qui se passait, même si personne ne voulait l'admettre ni même, au début, le comprendre, c'est que tout le monde, gens de couleur métis blancs, avait considéré le personnage de rêve comme *réel*, comme un être qui a franchi la frontière, échappant aux contrôles normaux, et qui maintenant errait en liberté dans la ville. Immigré clandestin, roi bandit, criminel infâme ou héros de sa race, Saladin Chamcha commençait à être vrai. Des histoires couraient dans toute la ville : une kinésithérapeute vendit aux journaux une histoire à dormir debout, on ne la crut pas, mais *il n'y a pas de fumée sans feu,* dirent les gens ; c'était une situation précaire, et la descente au Café Shaandaar n'allait pas tarder qui ferait tout voler en éclats. Des prêtres furent impliqués, ce qui ajouta un élément instable – la relation entre le terme de *noir* et le péché de *blasphème* – au mélange. Dans sa soupente, Saladin Chamcha, lentement, grandissait.

Il choisit Lucrèce contre Ovide. L'âme inconstante, la mutation de tout, das Ich, la moindre particule. Un être qui

315

traverse la vie peut devenir autre à lui-même au point d'*être un autre,* discret, coupé de l'histoire. Parfois, il pensait à Zeeny Vakil, sur cette autre planète, Bombay, sur la rive la plus éloignée de la galaxie : Zeeny, l'éclectisme, l'hybridité! L'optimisme de ces idéaux! La certitude sur laquelle ils reposaient : la volonté, le choix! Mais, Zeeny ma chérie, la vie te tombe dessus : comme un accident. Non : elle te tombe dessus comme le résultat de ta condition. Pas le choix, mais – au mieux – un processus, et, au pire, le changeant choquant, total. La nouveauté : il en avait cherché une espèce différente, mais c'est ce qu'il avait obtenu.

L'amertume, aussi, et la haine, toutes ces choses grossières. Il entrerait dans son nouveau moi; il serait ce qu'il était devenu : bruyant, puant, hideux, énorme, grotesque, inhumain, puissant. Il avait le sentiment d'être capable de faire s'écrouler des clochers en tendant le petit doigt, avec la force qui grandissait en lui, la rage, la rage, la rage. *Les pouvoirs.*

Il cherchait une tête de Turc. Lui aussi rêvait; et dans ses rêves, une forme, un visage, s'approchait en flottant de plus en plus près, encore spectral, flou, mais un jour prochain il pourrait l'appeler par son nom.

Je suis, accepta-t-il, *ce que je suis.*

Soumission.

Sa vie dans le cocon du Shaandaar Bed and Breakfast s'écroula le soir où Hanif Johnson arriva en hurlant qu'on avait arrêté Uhuru Simba pour les meurtres des vieilles dames, et on disait qu'on allait lui faire endosser aussi l'affaire de la magie noire, il deviendrait le prêtre-vaudou baron-samedi bouc émissaire, et les représailles – passages à tabac, mises à sac, le lot habituel – avaient déjà commencé. « Fermez vos portes à clef, dit Hanif à Sufyan et à Hind. La nuit va être dure. »

Hanif se tenait au centre du café, sûr de l'effet produit par sa nouvelle, aussi quand Hind s'avança vers lui et le gifla de toutes ses forces il s'y attendait si peu qu'il s'évanouit vraiment, plus de surprise que de douleur. Il fut ranimé par Jumpy, qui lui lança un verre d'eau comme il avait vu faire au cinéma, mais Hind jetait déjà ses affaires dans la rue; des rubans de machines à écrire ainsi que des rubans rouges, pour sceller les documents légaux, qui faisaient comme des guirlandes de fête dans l'air. Anahita Sufyan, incapable de résister plus longtemps à sa jalousie démoniaque, avait parlé à Hind des relations de Mishal avec l'avocat-politique montant, et on ne pouvait plus la contenir, elle déversait toutes ses années d'humiliation, ça ne suffisait pas d'être coincée dans ce pays plein de juifs et d'étrangers qui l'avaient reléguée avec les nègres, ça ne suffisait pas d'avoir un mari mou, qui était Hadji mais ne pouvait pas s'occuper de piété dans sa propre maison, mais il fallait que cela lui arrive aussi; elle alla trouver Mishal avec un couteau de cuisine et sa fille réagit par une série de coups de pieds et de manchettes douloureuses, en autodéfense seulement, sinon Mishal aurait à coup sûr été une matricide. – Hanif revint à lui et Hadji Sufyan le regardait, faisant de petits cercles impuissants avec les mains, pleurant sans retenue, incapable de trouver une consolation dans le savoir, parce que si un voyage à La Mecque est une grande bénédiction pour la plupart des musulmans, dans son cas il se révélait comme le début d'une malédiction; – « Va, dit-il, Hanif mon ami, va-t'en » – mais Hanif ne partirait pas sans parler, *Je me suis tu pendant trop longtemps,* s'écria-t-il, *vous dites respecter la morale mais vous gagnez des fortunes sur la misère des gens de votre propre race,* alors il apparut que Hadji Sufyan ne connaissait pas les tarifs pratiqués par sa femme, qui ne lui en avait pas parlé, exigeant le secret de ses filles avec des serments terribles et irrévocables, sachant que s'il découvrait la vérité il trouverait le moyen de rendre l'argent et ils pourriraient dans la misère; – et lui, l'esprit brillant et rassurant du Café Shaandaar, perdit tout amour pour la vie. – Et Mishal entra dans le café, Oh la honte de la vie privée d'une famille étalée ainsi, comme un mauvais mélodrame, sous les yeux des consommateurs payants – en vérité la dernière buveuse de thé s'était enfuie aussi vite que le lui permettaient ses vieilles jambes. Mishal portait des sacs. « Je m'en vais aussi, déclara-t-elle. Essaie de m'arrêter. Il ne reste que onze jours. »

Quand Hind vit sa fille aînée sur le point de sortir de sa vie pour toujours, elle comprit le prix à payer pour avoir abrité le Prince des Ténèbres sous son toit. Elle supplia son mari de faire preuve de raison, de se rendre compte que sa générosité et son bon cœur les avaient conduits dans cet enfer, et si seulement ce diable, Chamcha, pouvait débarrasser les lieux, alors peut-être pourraient-ils redevenir la famille heureuse et travailleuse d'autrefois. Cependant, quand elle s'arrêta de parler, la maison au-dessus d'elle se mit à gronder et à trembler, et on entendit le bruit de quelque chose qui descendait l'escalier, un grognement et – c'est ce qu'on crut – un chant, une voix si horriblement grossière qu'il était impossible de comprendre les paroles.

En fin de compte ce fut Mishal qui alla à sa rencontre, Mishal qui tenait la main de Hanif Johnson, tandis qu'Anahita la traîtresse regardait du pied de l'escalier. Chamcha mesurait maintenant plus de deux mètres, et une fumée de deux couleurs différentes sortait de ses narines, jaune à gauche, et noire à droite. Il ne portait plus de vêtements. Les poils de son corps étaient longs et épais, sa queue se balançait rageusement, ses yeux brillaient d'un rouge pâle mais lumineux, et il avait réussi à terrifier toute la population temporaire du bed and breakfast au point qu'elle ne comprenait plus rien. Cependant Mishal n'eut pas peur de parler. « Tu vas loin comme ça ? lui demanda-t-elle. Tu crois que tu vas tenir cinq minutes dehors, avec ton allure ? » Chamcha s'arrêta, se regarda, contempla l'érection démesurée qui dépassait de son bas-ventre et haussa les épaules. « Je *passe à l'action* », lui dit-il en reprenant sa propre phrase, mais dans sa voix de lave et de tonnerre elle ne semblait plus appartenir à Mishal. « J'aimerais retrouver quelqu'un.

– Une minute, lui dit Mishal. On va mettre quelque chose au point. »

Que peut-on trouver ici, à un kilomètre du Shaandaar, là où le rythme rencontre la rue trépidante, au Club du Musée de Cire, autrefois, le Black-An-Tan ? Dans cette nuit fatale et sans lune, suivons ces silhouettes – certaines se pavanant, ornées, prêtes à bondir, d'autres, furtives, rasent les murs, timides – qui convergent de tous les coins du voisinage pour plonger, brusquement, sous terre, et franchir cette porte anonyme. Qu'y a-t-il à l'intérieur? Des lumières, des liquides, des poudres, des corps qui s'agitent, solitaires, en couples, par trois, s'avançant vers des espoirs. Mais alors, quelles sont ces autres silhouettes, obscures dans la brillance intermittente d'arc-en-ciel de *l'espace,* ces formes aux attitudes figées parmi la frénésie des danseurs? Qui sont-elles, elles ne bougent pas d'un pouce? – «Tu as l'air en forme, vigile du Musée de Cire!» Notre hôte parle : gueulard, accueillant, un disc-jockey sans pareil – le Rosewalla sautillant, son costume à paillettes brille en rythme. – Vraiment, il est exceptionnel, un albinos de deux mètres, les cheveux du rose le plus pâle, comme le blanc de ses yeux, il a des traits indéniablement indiens, le nez hautain, les longues lèvres minces, un visage de tissu *Hamza-nama.* Un Indien qui n'a jamais vu les Indes, un homme des Indes Orientales venant des Indes occidentales, un noir blanc. Une star.

Mais les silhouettes immobiles dansent entre les sœurs qui se trémoussent, sursautant et tressautant de jeunesse. Que sont-ils? – Eh bien, des statues de cire, rien de plus. – Qui sont-ils? – L'histoire. Regardez, voici Mary Seacole, qui en fit autant en Crimée qu'une dame à la lampe magique, mais, comme elle était sombre, on pouvait à peine la prendre pour la flamme de la bougie de Florence; – et là-bas! un certain Abdul Karim, aussi connu comme le Munshi, que la reine Victoria voulut promouvoir, mais qui fut rabaissé par des ministres racistes. Ils sont tous ici, dansant immobiles au Musée de Cire : le clown noir de Septime Sévère, à droite; à gauche, le barbier de George IV qui danse avec l'esclave, Grace Jones. Ukawsaw Gronniosaw, le prince africain qu'on vendit pour deux aunes de tissu, qui danse à la mode ancienne avec le fils de l'esclave Ignatius Sancho, qui devint en 1782 le premier écrivain africain à être publié en Angleterre. – Les immigrés du passé, autant les ancêtres des danseurs vivants que leur propre chair et leur propre sang, qui tournoient immobiles tandis que Rosewalla gueule accueille fait du rap sur la scène, *Je-ressens-d' l'indignation-quand-ils-parlent d'immigraiton – qu'ils-font-des-insinuations-on-n'est-pas-de-la-nation-et-j' fais-une-proclamation-sur-la-vraie-situation-de-notre-contribution-d'puis-la Rome-Occupation,* et d'une autre partie de la salle surpeuplée, baignée d'une lumière verte maléfique, des méchants à moustaches, en cire, se blotissent et grimacent : Mosley, Powell, Edward Long, tous les avatars locaux de Legree. Et maintenant un murmure s'élève du ventre du Club, il devient un seul mot, repris encore et encore : « Fais-les fondre, fondre », exigent les clients. « Fondre, fondre. »

Rosewalla démarre au signal de la foule, *Et-voici-l'heur'- divine-où-les-homm's-du-crime-vont-se-mettre-en-ligne-au- feu-d'enfer-sublime,* ensuite il se retourne vers la foule, les bras ouverts, marquant le rythme du pied, et il demande, *Qui-va-t-on-avoir-Qui-voulez-vous-voir?* On crie des noms, ils luttent, ils s'agglutinent, jusqu'à ce que l'assemblée s'unisse une nouvelle fois en chantant. Rosewalla tape dans ses mains. Le rideau s'ouvre derrière lui, révélant des assistantes vêtues de shorts et de maillots roses et brillants, elles poussent un meuble effrayant : de la taille d'un homme, avec une porte de verre, illuminé de l'intérieur – le four à micro-ondes avec Plaque Tournante, connu par les habitués du club comme : la Cuisine de l'Enfer. « Très *bien,* crie Rosewalla. Maintenant ça va chauffer. »

Les assistantes s'avancent vers le tableau des silhouettes haïes, elles fondent sur l'offrande sacrificielle de la soirée, celle qui est le plus souvent choisie, à dire vrai ; au moins trois fois par semaine. Sa permanente, ses perles, son ensemble bleu. *Maggie-maggie-maggie,* braille la foule. *Brûle-brûle-brûle.* La poupée – la *victime* – est attachée sur la Plaque Tournante. Rosewalla appuie sur l'interrupteur. Et Oh comme elle sait fondre, de l'intérieur vers l'extérieur, comme elle s'effondre pour devenir une masse informe. Bientôt elle n'est plus qu'une flaque, et la foule en extase soupire : *c'est fini.* « Aujourd'hui le feu », leur dit Rosewalla. La musique reprend la nuit.

Quand Rosewalla le disc-jokey vit ce qui grimpait caché par l'obscurité à l'arrière de son camion, que ses amis Hanif et Mishal l'avaient persuadé d'amener de l'arrière du Shaandaar, la peur de la sorcellerie remplit son cœur; mais en même temps il ressentit une excitation contradictoire en se rendant compte que le héros potentiel de ses nombreux rêves existait en chair et en os. Il se tenait de l'autre côté de

320

la rue, frissonnant sous un réverbère, et pourtant il ne faisait pas particulièrement froid, et il resta là pendant une demi-heure tandis que Mishal et Hanif lui parlaient d'un ton pressant, *il lui faut un endroit où aller, on doit penser à son avenir.* Puis il haussa les épaules, se dirigea vers le camion, et mit le moteur en route. Hanif s'assit à côté de lui à l'avant; Mishal voyagea avec Saladin, caché à l'arrière.

Il était presque quatre heures du matin quand ils couchèrent Chamcha dans la boîte de nuit vide et fermée. Rose-walla – on n'employait jamais son vrai nom, Souecoule, – avait déniché deux sacs de couchage dans la réserve, et cela suffisait. En souhaitant bonne nuit à l'être effrayant dont sa maîtresse Mishal ne semblait pas avoir peur, Hanif Johnson essaya de lui parler sérieusement, « Il faut que tu comprennes à quel point tu es important pour nous, que l'enjeu dépasse tes besoins personnels », mais Saladin le mutant se contenta de renifler, jaune et noir, et Hanif recula vivement. Quand il se retrouva seul avec les personnages de cire Chamcha réussit à nouveau à concentrer ses pensées sur le visage qui avait finalement pris forme dans son esprit, un visage radieux, auréolé par une lumière qui venait d'un point situé juste derrière sa tête, Mister Perfecto, celui qui incarnait les dieux, qui retombait toujours sur ses pieds, à qui on pardonnait toujours ses péchés, qu'on aimait, qu'on encensait, qu'on adorait... le visage qu'il essayait d'identifier dans ses rêves, Mr Gibreel Farishta, transformé en simulacre d'ange aussi sûrement que lui-même était le reflet du Diable dans le miroir.

Qui d'autre le Diable pouvait-il accuser que l'Archange, Gibreel?

La créature sur les sacs de couchage ouvrit les yeux; de la fumée sortait de ses pores. Le visage de tous les mannequins de cire était maintenant le même, le visage de Gibreel avec son implantation de cheveux et sa beauté longue mince saturnienne. La créature découvrit les dents et laissa échapper un long souffle fétide, et les mannequins fondirent et devinrent des flaques et des vêtements vides, tous, chacun. La créature se rallongea, satisfaite. Et concentra ses pensées sur son ennemi.

Puis il sentit en lui des sensations inexplicables de compression, de succion, de vide; il était secoué de douleurs terribles et oppressantes, et poussait des couinements perçants, dont personne, pas même Mishal qui se trouvait avec Hanif dans l'appartement de Rosewalla au-dessus du Club, n'osa chercher l'origine. La douleur gagnait en intensité, et la créature se débattait et se retournait sur la piste de danse, hurlant de la façon la plus pitoyable; jusqu'à, à la fin, un répit, où elle s'endormit.

Quand Mishal, Hanif et Rosewalla s'aventurèrent quelques heures plus tard dans la boîte, ils découvrirent une scène de dévastation effrayante, tables renversées, chaises cassées, et, bien sûr, tous les mannequins de cire – les bons et les mauvais – Topsy et Legree – fondus comme neige au soleil; et au centre du carnage, dormant comme un enfant, plus du tout créature mythologique, plus du tout Image d'icône avec cornes et haleine empestée, Mr Saladin Chamcha lui-même, qui avait apparemment retrouvé son ancienne forme, nu comme un nouveau-né mais de proportions et d'aspect entièrement humains, *humanisé* – peut-on arriver à une autre conclusion? – par l'effrayante concentration de sa haine.

Il ouvrit les yeux; qui étaient toujours pâles et rouges.

2

Alleluia Cone, en descendant de l'Everest, vit une ville de glace à l'ouest du Camp Numéro Six, de l'autre côté de la Bande Rocheuse, scintillant au soleil sous le massif de Cho Oyu. *Shangri-La*, pensa-t-elle un instant; pourtant, ce n'était pas la vallée verte de l'immortalité mais une métropole de gigantesques aiguilles de glace, fines, aiguës et froides. Son attention fut distraite par le Sherpa Pemba qui lui recommandait de rester concentrée, et quand elle regarda à nouveau la ville avait disparu. Elle se trouvait encore à six mille sept cents mètres, mais l'apparition de la cité impossible la ramena à travers l'espace et le temps dans le bureau de Bayswater aux vieux meubles de bois sombre et aux lourds rideaux de velours dans lequel son père Otto Cone, l'historien d'art et biographe de Picabia, lui avait parlé lors de sa quatorzième année, juste avant de mourir, du « plus dangereux mensonge dont sont nourries nos vies », qui, d'après lui, était l'idée de continuum. « Si quelqu'un essaie de te raconter un jour que notre planète, la plus belle et la plus malveillante de toutes, est d'une certaine façon homogène, qu'elle n'est composée que d'éléments réconciliables, que tout *s'additionne*, tu téléphones vite au tailleur de camisoles de force », lui conseilla-t-il, s'arrangeant pour donner l'impression d'avoir visité plus d'une planète avant d'en arriver à ses conclusions. « Le monde est incompatible, n'oublie jamais ça : gâteux. Des fantômes, des nazis, des saints, vivant tous à la même époque; à un endroit, un bonheur merveilleux, en bas de la route, l'enfer. On ne peut trouver un endroit plus fou. » Les cités de glace sur le toit du monde n'auraient pas déconcerté Otto. Comme sa femme

Alicja, la mère d'Allie, c'était un émigré polonais, un survivant d'un camp du temps de la guerre dont on ne mentionna jamais le nom pendant l'enfance d'Allie. « Il voulait faire comme s'il n'avait pas existé, raconta plus tard Alicja à sa fille. Il manquait parfois de réalisme. Mais c'était un brave homme; le meilleur que j'aie connu. » Elle avait un sourire intérieur tout en parlant, le supportant dans son souvenir comme elle n'avait pas toujours réussi à le faire pendant sa vie, parce qu'il était souvent odieux. Par exemple : il haïssait le communisme, ce qui le conduisait à des excès dans son comportement, en particulier à Noël, quand ce juif tenait absolument à célébrer avec sa famille juive et avec d'autres ce qu'il décrivait comme « un rite anglais », comme un signe de respect pour leur nouveau « pays d'accueil » – et qu'il gâchait tout (aux yeux de sa femme) en faisant irruption dans le salon où tous les invités se détendaient à la lueur d'un feu de bois, de l'arbre de Noël illuminé et du cognac, habillé en Chinois, avec des moustaches tombantes et tout, en criant : « Le père Noël est mort! Je l'ai tué! Je suis Mao : aucun cadeau pour personne. Hi! Hi! Hi! » Sur l'Everest, Allie qui se souvenait, grimaça – la grimace de sa mère se rendit-elle compte, transférée sur son visage gelé.

L'incompatibilité des éléments de la vie : dans une tente au Camp Numéro Quatre, à sept mille mètres, l'idée qui semblait être parfois le démon de son père lui apparut banale, vide de sens, d'*atmosphère,* à cause de l'altitude. « L'Everest te réduit au silence », avoua-t-elle à Gibreel Farishta dans un lit au-dessus duquel un parachute en soie formait un baldaquin d'Himalayas creux. « Quant tu redescends, plus rien ne vaut la peine d'être dit, plus rien du tout. Tu trouves que le néant t'enveloppe, comme un son. Un non-être. Évidemment, ça ne dure pas. Le monde revient bientôt. Ce qui te fait taire, je crois, c'est d'avoir contemplé le spectacle de la perfection : pourquoi parler si l'on ne peut formuler des pensées, des phrases parfaites? Tu as l'impression de trahir ce que tu as traversé. Mais ça disparaît; tu acceptes certains compromis, certaines limitations, comme nécessaires pour continuer. » Au cours de leurs premières semaines ensemble ils passèrent la plupart de leur temps au lit : l'appétit qu'ils avaient l'un de l'autre semblait inépuisable, ils faisaient l'amour six ou sept fois par jour. « Tu

324

m'as fait m'ouvrir, lui disait-elle. Toi avec tout le porc dans la bouche. C'était exactement comme si tu me parlais, comme si je pouvais lire dans tes pensées. Pas comme si, rectifia-t-elle. Je les lisais vraiment, hein? » Il approuva d'un signe de tête : c'était vrai. « Je lisais dans tes pensées et les mots justes sortaient de ma bouche, s'émerveillait-elle. Ils coulaient simplement. Banco : l'amour. Au commencement était le verbe. »

Sa mère considérait de façon fataliste la tournure des événements dans la vie d'Allie, le retour d'un amant revenu d'outre-tombe. « Je vais te dire ce que j'ai sincèrement pensé quand tu m'as annoncé la nouvelle, lui dit-elle devant la soupe et le kreplach du déjeuner chez Bloom à Whitechapel. J'ai pensé, oh mon Dieu, c'est une grande passion; ma pauvre Allie doit en passer par là, la malheureuse enfant. » La stratégie d'Alicja consistait à contrôler strictement ses émotions. C'était une femme grande et forte avec une bouche sensuelle mais, comme elle le disait, « Je n'ai jamais fait d'histoires. » Elle parlait franchement de sa passivité sexuelle avec Allie, et lui apprit qu'Otto avait eu, « Disons, d'autres penchants. Il avait une faiblesse pour la passion, mais ça le rendait toujours si malheureux que je ne pouvais rien y faire. » Elle avait été rassurée d'apprendre que les femmes que fréquentait son petit mari chauve et nerveux étaient du même « type » qu'elle, fortes et bien en chair, « sauf qu'elles étaient effrontées, aussi : elles faisaient ce qu'il voulait, elles criaient des choses pour l'exciter, en faisant semblant de toutes leurs forces; je pense qu'elles répondaient à son enthousiasme, et peut-être aussi à son carnet de chèques. Il était de la vieille école et offrait de généreux cadeaux ».

Otto avait appelé Alleluia sa « perle sans prix », et rêvait pour elle d'un grand avenir, peut-être comme pianiste concertiste ou, à défaut, comme Muse. « Franchement, ta sœur me déçoit », dit-il trois semaines avant sa mort, dans ce bureau de grands livres et de bric-à-brac de Picabia – un singe empaillé qui était, prétendait-il, la « première ébauche » des célèbres *Portrait de Cézanne, Portrait de Rembrandt, Portrait de Renoir,* de nombreux dispositifs mécaniques comprenant des stimulateurs sexuels qui lançaient de petites décharges électriques, et une première édi-

325

tion d'*Ubu Roi* de Jarry. « Elena a des désirs alors qu'elle devrait avoir des pensées. » Il avait anglicisé le nom – Yelyena en Ellaynah – tout comme il avait eu l'idée de réduire « Alleluia » en Allie et de se banaliser lui-même, de Cohen de Varsovie, en Cone. Les échos du passé le troublaient ; il ne lisait pas de littérature polonaise, tournait le dos à Herbert, à Milosz, aux « jeunes » comme Baranczak, parce que pour lui la langue avait été irrémédiablement polluée par l'histoire. « Maintenant, je suis Anglais, disait-il fièrement avec son fort accent d'Europe de l'Est. Idiot ! Veuve de Windsor ! Que dalle ! » Malgré toutes ses réticences il avait l'air assez content d'imiter un membre de l'aristocratie anglaise. Cependant, rétrospectivement, il semblait conscient de la fragilité de son personnage, il gardait les lourds rideaux fermés en permanence au cas où l'inconstance des choses lui aurait fait voir des monstres au-dehors, ou des paysages lunaires au lieu de la familière Moscow Road.

« C'était exactement un homme du melting-pot, dit Alicja en attaquant une grosse ration de tsimmis. Quand il a fait changer notre nom je lui ai dit, Otto, ce n'est pas nécessaire, nous ne sommes pas en Amérique, ici c'est Londres W-2 ; mais il voulait faire table rase, même de sa judéité, excuse-moi mais je sais. Ses bagarres avec les membres du Conseil de l'Université ! Tous très civilisés, un langage diplomatique, mais ils n'en étaient pas moins à couteaux tirés. » Après sa mort, elle en revint au nom de Cohen, à la synagogue, à la Hanoukka et à Bloom. « Plus d'imitation de la vie », dit-elle en mastiquant, et elle tendit une fourchette distraite. « Ce tableau. J'en étais folle. Lana Turner, n'est-ce pas ? Et Mahalia Jackson chantant dans une église. »

Otto Cone comme un homme de plus de soixante-dix ans sauta dans une cage d'ascenseur vide et mourut. Voilà un sujet qu'Alicja, qui parlait volontiers de la plupart des sujets tabous, refusait d'aborder : pourquoi est-ce qu'un survivant des camps continue à vivre pendant quarante ans et achève le travail des monstres ? Est-ce que le mal finit par triompher, quelle que soit la résistance qu'on lui oppose ? Laisse-t-il dans le sang une écharde de glace qui remonte jusqu'au cœur ? Ou pire : la mort d'un homme peut-elle être incompatible avec sa vie ? Allie, dont la première réaction à la mort de son père avait été la colère, jeta de telles questions à sa mère. Qui, un visage de pierre sous une capeline noire, lui répondit seulement : « Tu as hérité de son manque de retenue, ma chérie. »

Après la mort d'Otto Alicja abandonna ses vêtements et ses gestes très élégants qui avaient été ses offrandes sur l'autel de son désir d'intégration, sa tentation d'être une grande dame à la Cecil Beaton. « Ouf, avoua-t-elle à Allie, quel soulagement, ma chérie, de pouvoir enfin me laisser aller. » A présent elle coiffait ses cheveux gris en un chignon lâche, portait des robes à fleurs de supermarché, toutes identiques, ne se maquillait plus, se fit faire un dentier douloureux, plantait des légumes là où Otto tenait à avoir un jardin de fleurs comme en Angleterre (des parterres fleuris impeccables autour d'un arbre symbolique une « greffe chimère » de genêt sur du cytise) et, au lieu de dîners pleins de conversations intellectuelles, donna des déjeuners – de lourds ragoûts et au moins trois extravagants desserts – au cours desquels des poètes hongrois dissidents racontaient des histoires drôles et compliquées à des mystiques disciples de Gurdjieff, ou (si ça se passait mal) les invités restaient assis sur des coussins posés par terre, fixant d'un air morose leurs assiettes surchargées, et quelque chose qui ressemblait fort au silence absolu régnait pendant ce qui paraissait des semaines. Allie finit par se détourner de ces rituels du dimanche après-midi, boudant dans sa chambre juqu'à ce qu'elle ait l'âge de déménager, avec l'accord d'Alicja, et de quitter la voie tracée pour elle par ce père dont la trahison à sa propre survie l'avait mise dans une telle colère. Elle se tourna vers l'action; et trouva des montagnes à escalader.

Alicja Cohen, qui considérait le nouveau choix d'Allie tout à fait compréhensible, même digne d'éloges, et qui la soutenait, ne comprenait pas (elle l'avoua au café) les intentions de sa fille en ce qui concernait Gibreel Farishta, le revenant, la vedette du cinéma indien. « A t'entendre parler, ma chérie, il n'est pas fait pour toi », dit-elle, utilisant une phrase qu'elle croyait synonyme de *il n'a pas le même style que toi*, et elle aurait été horrifiée d'apprendre que la remarque semblait une insulte raciale, ou religieuse : inévitablement c'est ainsi que sa fille la comprit. « Il me convient parfaitement, répliqua vivement Allie, et elle se leva. Je n'aime pas les gens faits *pour moi*. »

Ses pieds lui faisaient mal, ils l'obligèrent à sortir du restaurant plutôt en boitant qu'en coup de vent. Elle entendit derrière elle, qui annonçait à toute la salle : « La passion. Le don de la parole; cela veut dire qu'une fille peut ânonner n'importe quelle sottise. »

*
* *

De façon incompréhensible on avait négligé certains aspects de l'éducation d'Allie. Un dimanche – peu de temps après la mort de son père elle achetait les journaux au kiosque du coin quand le vendeur lui déclara : « C'est ma dernière semaine cette semaine. Ça fait vingt-trois ans que je suis à ce coin de rue et les Pakis ont enfin réussi à me faire partir. » Elle comprit *p-a-c-h-y*, et vit le spectacle étrange de *pachy* dermes descendant pesamment Moscow Road, en écrasant les vendeurs de journaux. « C'est quoi un pachy? » demanda-t-elle bêtement et la réponse fut cinglante : « Un juif de couleur. » Pendant un certain temps elle continua à imaginer les propriétaires de la CTJ (confiserie-tabac-journaux) locale comme des *pachydermes :* des gens mis à l'écart – rendus inacceptables – à cause de la nature de leur peau. Elle raconta aussi cette histoire à Gibreel. « Oh, répondit-il, lourdement, une histoire d'éléphant. » Ce n'était pas un homme facile.

Mais il était là dans son lit, ce gros type vulgaire pour qui elle pouvait s'ouvrir comme elle ne s'était jamais ouverte auparavant; il pouvait pénétrer dans sa poitrine et caresser son cœur. Il y avait bien longtemps qu'elle n'était pas descendue aussi rapidement dans l'arène sexuelle, et jamais par le passé une liaison si prompte n'était restée aussi entièrement hors d'atteinte du regret ou du dégoût. Son silence prolongé (c'est ce qu'elle pensa jusqu'à ce qu'elle apprenne que son nom se trouvait sur la liste des passagers du *Bostan*) lui avait été particulièrement douloureux, car il laissait entendre qu'il portait sur leur rencontre un jugement différent du sien; mais s'être trompée sur son désir, sur un abandon aussi violent était sans doute tout à fait impossible. En conséquence la nouvelle de sa mort eut un double effet : d'un côté, quand elle apprit qu'il avait traversé le monde pour venir la surprendre, qu'il avait abandonné toute une vie pour en reconstruire une nouvelle avec elle, elle en ressentit du soulagement, de la joie et de la gratitude; tandis que, d'un autre côté, il y avait la profonde douleur d'être privée de lui au moment même où elle savait qu'elle avait été aimée sincèrement. Plus tard, elle se rendit compte d'une autre réaction, moins généreuse. Qu'est-ce qu'il croyait, qu'il suffisait qu'il se présente à sa porte sans un mot pour prévenir, sûr qu'elle l'attendrait les bras ouverts, avec une vie disponible, et un appartement sans aucun doute assez grand pour eux deux? C'était bien le genre de comportement qu'on pouvait attendre de la part d'un acteur de cinéma gâté qui s'imaginait que tout ce qu'il désirait devait lui tomber tout rôti dans la bouche... en bref, elle avait senti qu'on empiétait sur son intimité, ou en tout cas potentiellement. Mais elle s'était ensuite fait des reproches, repoussant ces idées dans les profondeurs auxquelles elles appartenaient, parce qu'après tout Gibreel avait payé cher pour cette impertinence, si impertinence il y avait. Un amant mort a droit au bénéfice du doute.

Puis il était là, allongé à ses pieds, inconscient dans la neige, elle le regardait le souffle coupé devant l'impossibilité de sa présence ici, se demandant, l'espace d'un instant, s'il ne s'agissait pas d'une de ces aberrations visuelles en série – elle préféra cette formulation neutre au mot *visions* plus chargé d'implications – qui n'avaient cessé de la harceler depuis qu'elle avait méprisé les bouteilles d'oxygène et conquis le Chomolungma avec la seule puissance de ses poumons. L'effort nécessaire pour le soulever, pour passer son bras autour de ses épaules et pour le transporter à moitié – plus qu'à moitié, pour dire la vérité – jusque chez elle, finit de la persuader que ce n'était pas une chimère, mais un corps de chair et de sang. Sur tout le chemin du retour ses pieds la firent souffrir, et la douleur réveilla tous les ressentiments à son égard qu'elle avait étouffés quand elle l'avait cru mort. Qu'était-elle censée faire de lui maintenant, de ce lourdaud, étalé en travers de son lit? Mon Dieu, elle avait oublié à quel point il s'étalait, comment pendant la nuit il colonisait la moitié de votre lit et prenait toutes vos couvertures. Mais d'autres sentiments aussi, réapparurent, et ce sont eux qui l'emportèrent; car il se trouvait ici, dormant sous sa protection, l'espoir abandonné : enfin, l'amour.

Il dormit presque à longueur de journées pendant une semaine, ne se réveillant que pour satisfaire ses besoins minimums de faim et d'hygiène, ne disant pratiquement rien. Il avait un sommeil agité : il se débattait dans le lit, et des mots parfois s'échappaient de ses lèvres : *Jahilia, Al-Lat, Hind.* Quand il était éveillé il semblait vouloir résister au sommeil, mais le sommeil reprenait ses droits, ses vagues le parcouraient et le submergeaient tandis que, d'un air presque pitoyable, il agitait un faible bras. Elle était incapable d'imaginer les traumastismes qui avaient pu donner naissance à un tel comportement, et, un peu inquiète, elle téléphona à sa mère. Alicja arriva pour inspecter ce Gibreel endormi, fit la moue et déclara : « Cet homme est possédé. » Elle avait plongé dans une sorte de diablerie à la Isaac Bashevis Singer, et son mysticisme ne manquait jamais d'exaspérer sa fille pragmatique et escaladeuse de montagnes. « Il faudrait peut-être lui brancher une pompe aspirante sur l'oreille, lui conseilla Alicja. C'est la sortie que préfèrent ces créatures. » Allie raccompagna immédiatement sa mère vers la porte. « Merci beaucoup, lui dit-elle. Je te tiens au courant. »

Le septième jour il s'éveilla parfaitement, écarquilla les yeux comme une poupée, et tout de suite tendit la main vers elle. La brutalité de l'approche la fit rire presque autant que son côté inattendu, mais à nouveau elle retrouva un sentiment de naturel, de justesse; elle sourit, « D'accord, c'est toi qui l'as voulu », et elle enleva son pantalon marron et souple et sa veste ample – elle détestait les vêtements qui révélaient les contours de son corps – et ce fut le début de ce marathon sexuel qui les laissa tous deux, quand finalement il s'arrêta, endoloris, heureux et épuisés.

Il lui dit : il était tombé du ciel et vivait. Elle prit une profonde respiration et le crut, à cause de la foi de son père dans la myriade de possibilités contradictoires de la vie, et, aussi, à cause de ce que lui avait appris la montange. « D'accord, dit-elle, en expirant. Je marche. Simplement n'en parle pas à ma mère, O.K. ? » L'univers était un lieu de prodiges, et seules l'habitude, l'anesthésie du quotidien, nous obscurcissaient la vue. Deux jours auparavant, elle avait lu qu'au cours de leur processus naturel de combustion, les étoiles dans le ciel transformaient le carbone en diamants. L'idée des étoiles laissant pleuvoir des diamants dans le vide : cela ressemblait, aussi, à un miracle. Si une telle chose pouvait se produire, pourquoi pas celle-ci ? Des enfants tombaient d'une fenêtre du millionième étage et rebondissaient sur le sol. Il y avait une scène là-dessus dans le film de François Truffaut *L'Argent de poche*... Elle concentra ses pensées.

« Parfois, se résolut-elle à dire, il m'arrive à moi aussi des choses merveilleuses. »

Elle lui parla de ce dont elle n'avait jamais parlé à aucun être vivant : des visions sur l'Everest, des anges et de la cité de glace. « Ce ne fut pas seulement sur l'Everest », dit-elle, et elle reprit après une hésitation. Quand elle rentra à Londres, elle alla se promener sur les quais de la Tamise pour essayer de les chasser, lui et la montagne, du plus profond d'elle-même. C'était très tôt le matin et il y avait une légère brume et la neige épaisse rendait chaque chose floue. A ce moment-là les icebergs arrivèrent.

Il y en avait dix, ils remontaient le fleuve sur une seule file régulière. Autour d'eux la brume était plus épaisse, aussi ce ne fut que quand ils se dirigèrent droit vers elle qu'elle comprit leurs formes, la représentation miniaturisée et fidèle des dix plus hautes montagnes du monde, par ordre croissant, avec sa montagne, *la* montagne, en dernier. Elle essayait de découvrir comment les icebergs avaient réussi à passer sous les ponts qui enjambaient le fleuve quand la brume s'apaisit, et, quelques instants plus tard, se dissipa entièrement, emportant les icebergs avec elle. « Mais ils étaient là, affirma-t-elle à Gibreel. Nanga Parbat, Dhaula-giri, Xixabangma Feng. » Il ne chercha pas à discuter. « Si tu le dis, alors je sais que c'était vrai. »

Un iceberg, c'est de l'eau qui fait tout ce qu'elle peut pour être de la terre; une montagne, surtout l'Himalaya, surtout l'Everest, c'est de la terre qui essaie de se métamorphoser en ciel; c'est un envol du sol, la terre qui se mue – presque – en air, et qui devient, au sens étymologique du terme, exaltée. Bien avant d'avoir rencontré la montagne, Allie avait conscience de sa présence menaçante dans son âme. Son appartement était plein d'Himalayas. Des représentations de l'Everest en liège, en plastique, en terre cuite, pierre, acrylique, brique jouant des coudes pour se trouver une place; il y en avait même une sculptée entièrement dans de la glace, un minuscule iceberg qu'elle gardait au congélateur et sortait de temps en temps pour le montrer à des amis. Pourquoi en avait-elle autant? *Parce qu'ils* – il n'y avait pas d'autre réponse possible – *étaient là*, « Regarde », dit-elle en tendant la main sans quitter le lit et en prenant, sur la table de nuit, sa dernière trouvaille, un Everest très simple en pin verni. « Un cadeau des sherpas de Namche Bazar. » Gibreel le prit, le tourna dans ses mains. Pemba le lui avait offert timidement quand ils s'étaient dit au revoir, en lui affirmant que tout le groupe des sherpas lui en faisait cadeau, même s'il semblait évident qu'il l'avait sculpté lui-même. C'était un modèle avec tous les détails, la chute de glace et la Marche de Hillary qui est le dernier grand obstacle sur la route du sommet, et il avait profondément creusé dans le bois la voie qu'ils avaient prise jusqu'en haut. Quand Gibreel le retourna il découvrit un message, griffonné dans le socle dans un anglais laborieux : *Pour Ali Bibi. Nous avoir chance. Pas recommencer.*

Ce qu'Allie ne dit pas à Gibreel c'est que l'interdiction du sherpa l'avait effrayée, la convainquant que si elle remettait jamais le pied sur la montagne-déesse, elle mourrait à coup sûr, parce qu'il n'est pas permis aux mortels de regarder plus d'une fois la figure du divin; mais la montagne était autant diabolique que transcendante, ou, plus exactement, son diabolisme et sa transcendance ne faisaient qu'un, si bien que penser à l'interdiction de Pemba lui fit ressentir si profondément son besoin qu'elle gémit comme dans une extase sexuelle ou de désespoir. « Les Himalayas, raconta-t-elle à Gibreel pour ne pas lui dire ce qu'elle avait en tête, sont des sommets émotionnels et physiques : comme l'opéra. C'est ce qui les rend si impressionnants. Rien que les plus vertigineuses des hauteurs. C'est dur de s'en débarrasser. » Allie avait une façon bien à elle de passer du concret à l'abstrait, un trope si aisément réalisé que celui qui l'écoutait se demandait si elle connaissait bien la différence entre les deux; ou très souvent, il n'était plus tellement sûr de pouvoir dire si, finalement, cette différence existait.

Allie gardait pour elle la certitude qu'elle devait apaiser la montagne ou mourir, qu'en dépit de ses pieds plats qui rendaient toute ascension sérieuse impossible elle restait contaminée par l'Everest, et qu'au plus profond de son cœur elle cachait un projet impossible, la vision fatale de Maurice Wilson, jamais réalisée à ce jour. C'est-à-dire : l'ascension en solitaire.

Ce qu'elle ne confessa pas : qu'elle avait vu Maurice Wilson depuis son retour à Londres, assis au milieu des pots de cheminée, un lutin qui faisait des signes avec des knickerbockers et un béret écossais. – Gibreel Farishta ne lui dit pas non plus qu'il avait été poursuivi par le spectre de Rekha Merchant. Malgré leur intimité physique – il y avait encore des portes fermées entre eux : chacun gardait secret un fantôme dangereux. – Et Gibreel, en entendant les autres visions d'Allie, dissimula une grande agitation derrière des mots neutres – *si tu le dis, alors je sais* –, une agitation née de cette preuve supplémentaire que le monde des rêves s'infiltrait dans celui des heures de veille, que les sceaux qui séparaient les deux étaient en train de se rompre, et qu'à n'importe quel moment les deux firmaments pouvaient se rejoindre – c'est-à-dire que la fin de toutes choses approchait. Un matin, s'éveillant d'un sommeil épuisé et sans rêves, Allie le découvrit plongé dans son exemplaire du (*Mariage du Ciel et de l'Enfer*, de Blake qu'elle n'avait pas ouvert depuis longtemps et dans lequel, quand elle était plus jeune et qu'elle ne respectait pas les livres, elle avait fait de nombreuses marques : passages soulignés, traits dans les marges, points d'exclamation, nombreux points d'interrogation. Voyant qu'elle était réveillée, il lui lut un choix de ces passages avec un sourire méchant. « Extraits des Proverbes de l'Enfer, commença-t-il. *La concupiscence du bouc est la générosité de Dieu.* » Elle rougit violemment. « Et ce qui est plus, continua-t-il, *La vieille tradition selon laquelle le monde sera consumé par le feu au bout de six mille ans est vraie, comme je l'ai appris en Enfer.* Puis, plus bas dans la page : *Ceci arrivera par un développement du plaisir des sens. Dis-moi, qui est-ce? Je l'ai trouvée entre les pages.* » Il lui tendait la photo d'une femme morte : sa sœur, Elena, enterrée ici et oubliée. Une autre droguée de visions : et une victime de l'habitude. « Nous ne parlons pas beaucoup d'elle. » Elle était à genoux sur le lit, dévêtue, ses cheveux pâles cachaient son visage. « Remets-la où tu l'as trouvée. »

Je n'ai vu aucun Dieu, je n'en ai entendu aucun, dans une perception organique finie; mais mes sens ont découvert l'infini en toute chose. Il continua à feuilleter le livre, et replaça Elena Cone près de l'image de l'Homme Régénéré, assis nu et les jambes écartées, sur une colline avec le soleil qui brillait derrière lui. *J'ai toujours trouvé que les Anges avaient la vanité de parler d'eux-mêmes comme s'ils étaient les seuls sages.* Allie leva les mains et s'en couvrit le visage. Gibreel essaya de la dérider. « Tu as écrit sur la page de garde : " Création du monde, d'après Archev. Usher 4004 AJC. Donc date approx. de l'apocalypse, ..., 1996. " Aussi, il reste du temps pour le développement du plaisir des sens. » Elle secoua la tête : arrête. Il arrêta. « Raconte-moi », dit-il en posant le livre.

＊＊＊

À vingt ans Elena avait pris Londres d'assaut. Son corps sauvage d'un mètre quatre-vingts clignant des yeux derrière une cote de mailles de Paco Rabanne. Elle avait toujours fait preuve d'une assurance étonnante, se proclamant propriétaire de la terre. La ville était le milieu qui lui convenait, elle s'y sentait comme un poisson dans l'eau. Elle était morte à vingt et un ans, noyée dans une baignoire d'eau froide, le corps bourré de drogues psychotropiques. Peut-on se noyer dans son propre élément, s'était demandé Allie, il y avait longtemps. Si les poissons peuvent se noyer dans l'eau, les êtres humains peuvent-ils étouffer dans l'air? À cette époque, à dix-huit dix-neuf ans, Allie avait envié les certitudes d'Elena. Quel était *son* élément? Dans quel tableau périodique de l'esprit pouvait-on le trouver? – Aujourd'hui, les pieds plats, vétéran de l'Himalaya, elle pleurait sa perte. Quand on a gagné l'horizon élevé il n'est pas facile de rentrer dans sa boîte, dans une île étroite, une éternité de platitude. Mais ses pieds la trahissaient et la montagne tuerait.

La mythologique Elena, la cover-girl, enveloppée dans du plastique haute couture, avait été convaincue de son immortalité. Allie, lui rendant visite dans sa *piaule* du Bout du Monde, refusait un morceau de sucre qu'on lui offrait, marmonnait quelque chose sur les ravages causés au cerveau, ne se sentant pas à la hauteur, comme toujours en compagnie d'Elena. Le visage de sa sœur, les yeux trop écartés, le menton trop pointu, l'effet étant irrésistible, la regardait d'un air

334

moqueur. « On ne manque pas de cellules cérébrales, disait Elena. Tu peux bien te passer de quelques-unes. » Sa capacité à se passer de ses cellules cérébrales était le capital d'Elena. Elle les dépendait comme de l'argent, recherchant ses propres sommets; essayant, comme on dit aujourd'hui, de planer. La mort, comme la vie, vint vers elle enrobée de sucre.

Elle avait essayé d' « arranger » la jeune Allie. « Tu es une fille superbe, pourquoi te cacher dans cette salopette? Mon Dieu, ma chérie, tu as tout ce qu'il faut ici. » Un soir elle habilla Allie, dans une tenue vert olive composée de volants et de vides qui couvraient à peine l'entrejambes caché par un body : *elle me prépare comme une friandise*, pensait Allie la puritaine, *ma propre sœur m'expose en vitrine, merci beaucoup*. Elles allèrent dans un club de jeu plein de petits hobereaux qui s'extasièrent, et Allie se sauva vite dès qu'Elena eut tourné le dos. Une semaine plus tard, honteuse d'être aussi lâche, de repousser les tentatives de sa sœur pour créer entre elles un peu d'intimité, elle se retrouva assise sur un fauteuil poire au Bout du Monde et avoua à Elena qu'elle n'était plus vierge. Sa sœur la gifla et la traita de noms anciens : poule, souillon, traînée. « Elena Cone n'a jamais permis à un homme de poser un *doigt* sur elle, hurla-t-elle, révélant sa capacité à parler d'elle à la troisième personne. Pas *l'ongle* d'un doigt. Je suis ce que je vaux, ma chérie, je sais que le mystère meurt dès qu'ils rentrent leurs zizis, j'aurais dû me douter que tu deviendrais une putain. Un salaud de communiste, j'imagine », dit-elle en se calmant. Sur ce point elle avait hérité des préjugés de son père. Contrairement à Allie, comme le savait Elena.

Elles ne s'étaient pas beaucoup revues par la suite, Elena restant jusqu'à sa mort la reine vierge de la ville – l'autopsie confirma qu'elle était *virgo intacta* – tandis qu'Allie cessait de porter des sous-vêtements, prenait des petits boulots dans de petits magazines en colère, et parce que sa sœur était intouchable elle devint touchable, chaque acte sexuel jouant le rôle d'une gifle dans le visage hostile et aux lèvres blanches de sa sœur. Trois avortements en deux ans et la connaissance tardive que sa période de pilule contraceptive l'avait placée, en ce qui concernait le cancer, dans la catégorie à plus haut risque.

Elle lut la mort de sa sœur sur un panneau d'affichage dans un kiosque, MORT D'UNE COVER-GIRL DANS UN BAIN D'ACIDE [1]. On n'est pas à l'abri des plaisanteries même quand on meurt, telle fut sa première réaction. Puis elle découvrit qu'elle était incapable de pleurer.

« Pendant des mois j'ai continué à la voir dans des magazines, dit-elle à Gibreel. À cause des délais de publication des magazines sur papier glacé. » Le cadavre d'Elena dansait dans les déserts marocains, vêtu seulement de voiles diaphanes; ou on la voyait sur la lune, dans la Mer des Ombres, nue avec seulement un casque d'astronaute et une demi-douzaine de cravates de soie autour de la poitrine et des cuisses. Allie se mit à dessiner des moustaches aux photos, à la grande indignation des marchands de journaux; elle arrachait sa sœur défunte des revues de sa non-mort de zombie et la froissait. Hantée par le fantôme périodique d'Elena, Allie réfléchit aux dangers de *planer*; quelles descentes en flammes, quels enfers macabres attendaient de tels Icare! Elle en arriva à imaginer Elena comme une âme en tourment, à croire que cette captivité dans un univers immobile de calendriers pleins de femmes nues dans lequel elle portait des bustiers noirs de plastique moulé, trois fois plus grands qu'elle; de grognements pseudo-érotiques; de messages publicitaires imprimés en travers du nombril, n'était que l'enfer personnel d'Elena. Allie commença à percevoir le cri dans les yeux de sa sœur, l'angoisse d'être prise au piège pour toujours dans ces pages de mode. Elena était torturée par des démons, consumée par des flammes, et elle ne pouvait même pas bouger... au bout d'un certain temps Allie dut éviter les boutiques dans lesquelles on pouvait voir sa sœur regardant fixement depuis les étagères. Elle perdit la possibilité d'ouvrir les magazines, et cacha toutes les photos d'Elena qu'elle possédait. « Au revoir, Yel, dit-elle au souvenir de sa sœur, employant l'ancien diminutif de leur enfance. Il faut que je te quitte. »

« Mais, en fin de compte, j'étais comme elle. » Les montagnes avaient commencé de chanter pour elle; alors elle aussi avait pris le risque de perdre des cellules cérébrales en recherchant l'exaltation. D'éminents médecins experts dans les problèmes rencontrés par les alpinistes avaient fréquem-

1. Acide : L.S.D.

336

ment démontré sans laisser place au moindre doute, que les êtres humains ne pouvaient survivre sans appareils respiratoires au-dessus de huit mille mètres. Des hémorragies irréversibles se déclareraient dans les yeux, et, le cerveau, lui aussi, se mettrait à exploser, perdant des milliards de cellules, bien trop et trop vite, ce qui créerait des lésions permanentes, suivies de près par la mort. Leurs corps aveugles resteraient conservés dans les glaces éternelles des plus hauts sommets. Mais Allie et le Sherpa Pemba montèrent et redescendirent pour tout raconter. Des cellules cérébrales en dépôt dans un coffre avaient remplacé les cellules du compte courant qu'elle avait dépensées. Et ses yeux n'avaient pas explosé. Comment les scientifiques pouvaient-ils s'être trompés? « Surtout à cause de préjugés, dit Allie, enroulée autour de Gibreel sous le parachute en soie. Comme ils n'arrivent pas à quantifier la volonté, ils ne l'incluent pas dans leurs calculs. Mais c'est la volonté qui te fait atteindre le sommet de l'Everest, la volonté et la rage, et elles peuvent faire plier n'importe quelle loi de la nature, au moins à court terme, la loi de la gravitation elle-même. Si on n'abuse pas de sa chance, en tout cas. »

Elle avait quand même gardé quelques séquelles. Elle avait souffert de pertes de mémoire inexplicables : de petites choses imprévisibles. Un jour chez le poissonnier elle avait oublié le mot *poisson*. Une autre fois elle s'était retrouvée dans la salle de bains, une brosse à dents à la main, tout à fait incapable de savoir à quoi cela servait. Et un matin, en se réveillant à côté de Gibreel endormi, elle avait été sur le point de le secouer pour lui demander, « Qui êtes-vous nom de Dieu? Qu'est-ce que vous faites dans mon lit? » – quand, juste à temps, la mémoire lui était revenue. « J'espère que c'est temporaire », lui dit-elle. Mais elle ne parlait toujours pas des apparitions du fantôme de Maurice Wilson sur les toits du quartier, qui lui faisait des signes du bras pour l'inviter.

*
**

C'était une femme compétente, impressionnante par bien des côtés : tout à fait la sportive professionnelle des années 80, cliente de l'agence géante de relations publiques Mac-

Murray, sponsorisée jusqu'aux yeux. Maintenant elle, aussi, faisait de la publicité, pour promouvoir sa propre gamme de matériel de camping et de vêtements de sport, destinés aux vacanciers et aux alpinistes amateurs plus qu'aux professionnels, pour maximaliser ce que Hal Valance aurait appelé son « univers ». C'était la « golden girl » du toit du monde, la survivante du « couple teutonique » comme Otto Cone avait affectueusement appelé ses deux filles. *À nouveau, Yel, je marche sur tes traces.* Être une femme séduisante dans une discipline dominée par, disons-le, des hommes poilus signifiait qu'elle était vendable, et son image de « reine des glaces » ne faisait pas de mal non plus. Il y avait de l'argent en jeu, et maintenant qu'elle était assez âgée pour compromettre ses anciens idéaux farouches avec seulement un haussement d'épaules et un rire, elle était prête à en gagner, prête, même, à participer à des magazines télévisés en écartant, avec des sous-entendus, les inévitables et sempiternelles questions sur la vie avec les garçons à plus de six mille mètres. De telles escapades médiatiques s'accordaient mal avec l'idée qu'elle se faisait d'elle-même et qui lui tenait toujours à cœur; l'idée qu'elle était une solitaire de nature, la femme la plus secrète, et les exigences de sa vie de femme d'affaires la déchiraient en deux. Elle eut la première dispute avec Gibreel à ce sujet, parce qu'il dit, sans prendre de gants comme d'habitude : « Je pense que c'est facile de fuir les caméras tant que tu sais qu'elles te courent après. Mais suppose qu'elles s'arrêtent? Je parie que tu ferais demi-tour pour leur courir après. » Plus tard, quand ils se furent réconciliés, elle le taquina avec sa renommée grandissante (depuis qu'elle était devenue la première blonde sexuellement attirante à avoir conquis l'Everest, on faisait beaucoup de bruit autour d'elle, elle recevait par la poste des photos de beaux mecs, ainsi que des invitations à des soirées chic et des quantités de lettres d'injures insensées) : « Moi aussi je pourrais faire du cinéma maintenant que tu es à la retraite. Qui sait? J'en ferai peut-être? » Ce à quoi il répondait, en l'étonnant par sa violence : « Il faudra me passer sur le corps. »

Malgré la volonté pragmatique d'Allie d'entrer dans les eaux troubles du réel et de nager dans le sens du courant, l'impression qu'une horrible catastrophe la guettait à chaque coin de rue ne la quittait jamais – l'héritage des morts brutales de son père et de sa sœur. Ses nerfs à fleur de peau en avaient fait une femme prudente, une vraie « boursicoteuse », comme auraient dit les copains, et tandis que des amis qu'elle admirait mouraient sur différentes montagnes sa prudence augmentait. Quand elle ne faisait pas d'alpinisme, cette prudence lui donnait l'air tendu, une sorte de nervosité ; on aurait cru une forteresse armée jusqu'aux dents qui se prépare à subir une attaque. Cela ajouta à sa réputation d'être une femme-iceberg ; les gens gardaient leurs distances, et, d'après elle, elle acceptait l'isolement comme prix de sa solitude. – Mais il y avait encore d'autres contradictions, parce que, après tout, ce n'est que tout récemment qu'elle avait jeté sa prudence par-dessus bord, quand elle avait choisi de lancer l'assaut final contre l'Everest sans bouteilles d'oxygène. « En dehors de toute autre implication, lui écrivit l'agence dans une lettre de félicitations, cela vous humanise, cela montre que vous avez un côté imprévisible, et il s'agit d'une dimension positive et nouvelle. » L'agence avait commencé à y travailler. Pendant ce temps, pensait Allie, souriant à Gibreel dans un encouragement épuisé tandis qu'il glissait vers le bas de son corps, maintenant tu es là. Presque un inconnu et tu arrives et tu t'installes. Mon Dieu, c'est moi qui t'ai porté pour te faire franchir mon seuil, mais peu importe. Je ne t'en veux pas.

Il n'était pas bien dressé. Habitué aux domestiques, il laissait tomber ses vêtements, des miettes, des sachets de thé humides n'importe où. Pire : il les *faisait* tomber exprès, là où on était obligé de les ramasser ; parfaitement, richement inconscient de ce qu'il faisait, il continuait à se prouver que lui, le pauvre garçon des rues, il n'avait plus besoin de faire le ménage autour de lui. Ce n'était pas la seule chose qui la rendait folle. Elle remplissait deux verres de vin ; il buvait le sien tout de suite et, dès qu'elle avait le dos tourné, il attrapait l'autre, puis il l'amadouait avec une phrase angélique et innocente : « Il en reste encore beaucoup, hein ? » Son comportement désagréable dans la maison. Il aimait péter. Il se plaignait – réellement se plaignait, alors qu'elle l'avait littéralement ramassé dans la neige ! – de la petitesse de l'appartement. « À chaque fois que je fais un pas je m'écrase le nez contre un mur. » Il était grossier au téléphone, *vrai-*

ment grossier, sans prendre la peine de savoir à qui il avait à faire : automatiquement, comme les vedettes de cinéma de Bombay quand, par hasard, il n'y avait aucun larbin disponible pour les protéger de telles intrusions. Après avoir essuyé une bordée d'injures, Alicja (quand elle réussit enfin à avoir sa fille au téléphone) dit à Allie : « Excuse-moi de t'en parler, ma chérie, mais à mon avis ton petit ami est un drôle d'échantillon.

– Un échantillon, maman ? » Alicja en sortit sa voix de grande dame. Elle pouvait encore faire preuve de grandeur, elle avait le don pour cela, malgré sa décision, suite à la mort d'Otto, de se déguiser en clocharde. « Un échantillon, déclara-t-elle, prenant en considération le fait que Gibreel était un produit d'importation en provenance de l'Inde, un échantillon de noix de cajou et de cacahuètes. »

Allie ne chercha pas à discuter avec sa mère, n'étant pas sûre de pouvoir continuer à vivre avec Gibreel, même s'il avait traversé la terre, même s'il était tombé du ciel. Il devenait difficile de faire des prévisions à long terme ; même le moyen terme semblait se couvrir de nuages. Pour le moment, elle se concentrait pour essayer de connaître cet homme qui avait immédiatement pris, comme un fait acquis, qu'il était le grand amour de sa vie, avec une telle absence de doutes que soit il avait raison, soit il était fou. Il y avait beaucoup de moments difficiles. Elle ignorait ce qu'il connaissait, ce qu'elle pouvait considérer comme garanti : une fois, elle essaya de faire allusion à Loujine, le joueur d'échecs de Nabokov, qui en était arrivé à la conclusion que dans la vie comme aux échecs il existait certaines combinaisons qui entraînaient inévitablement sa défaite, pour expliquer par analogie avec elle-même (bien que ce soit un peu différent) sa propre sensation de catastrophe imminente (qui n'avait pas de rapport avec la répétition des combinaisons mais avec l'impossibilité d'échapper à l'imprévisible), mais il la fixa avec un regard blessé qui lui dit qu'il n'avait jamais entendu parler de cet écrivain, encore moins de *La Défense Loujine*. En revanche, il l'étonna en lui demandant par surprise, « Pourquoi Picabia ? » Ajoutant qu'il trouvait étrange que Otto Cohen, un ancien des camps de la mort, puisse se passionner pour cet amour néo-fasciste des mécanismes, de la puissance brutale, de la déshumanisation glorifiée.

340

« Toute personne qui a passé quelque temps avec les machines, ajouta-t-il, et ma chérie, nous sommes tous dans ce cas-là, sait une fois pour toutes qu'il n'y a qu'une chose de sûre en ce qui les concerne, ordinateur ou bicyclette. Elles se détraquent. » Où as-tu découvert, commença-t-elle, et elle s'interrompit parce qu'elle n'aimait pas le ton de supériorité de sa voix, mais il lui répondit simplement. La première fois qu'il avait entendu parler de Marinetti, dit-il, il avait mal compris et avait pensé que le futurisme avait quelque chose à voir avec les marionnettes. « Des marionnettes, katapulti, à cette époque-là je voulais utiliser les techniques avancées des montreurs de marionnettes dans un film, peut-être pour représenter des démons ou d'autres créatures surnaturelles. Alors j'ai acheté un livre. » *J'ai acheté un livre* : Gibreel l'autodidacte prononça cela comme on fait une piqûre. Pour une fille née dans une famille où on révérait les livres – son père l'obligeait à embrasser chaque volume qui tombait par terre par hasard – et qui avait réagi en se conduisant mal avec eux, en arrachant les pages qu'elle voulait ou qu'elle n'aimait pas, en griffonnant dessus et en les égratignant pour leur montrer qui était le maître, l'irrespect non injurieux, de Gibreel, prenant les livres pour ce qu'ils avaient à offrir sans ressentir le besoin de les adorer ou de les détruire, était quelque chose de nouveau; et, elle le reconnut, agréable. Il lui enseignait des choses. Lui, en revanche, semblait imperméable à toute connaissance qu'elle pouvait souhaiter transmettre, comme, par exemple, l'endroit où il fallait mettre les chaussettes sales. Quand elle essaya de lui suggérer qu'il « fasse sa part » il s'enferma dans une bouderie blessée, attendant qu'elle le cajole pour retrouver sa bonne humeur. Et elle découvrit, dégoûtée, qu'elle était tout à fait disposée, pour le moment en tout cas, à le faire.

Le pire en ce qui le concernait, conclut-elle provisoirement, c'était son génie pour se croire offensé, rabaissé, attaqué. Il devint presque impossible de lui suggérer la moindre chose, même tout à fait raisonnable, même dite gentiment. « Vas-y, brasse de l'air », hurlait-il, et il se retirait sous la tente de son orgueil blessé. – Et ce qu'il y avait de plus séduisant en lui c'était la façon dont il savait instinctivement ce qu'elle voulait, comment, quand il le décidait, il pouvait devenir l'agent du secret de son cœur. En conséquence, leurs relations sexuelles étaient littéralement électriques. La première étincelle, qui avait jailli lors de leur premier baiser, n'était pas restée unique. Elle ne cessait de se produire, et parfois quand ils faisaient l'amour elle était convaincue qu'elle pouvait entendre des crépitements électriques autour d'eux; elle sentait de temps en temps ses cheveux se dresser sur sa tête. « Ça me rappelle le godemichet électrique dans le bureau de mon père, dit-elle à Gibreel et ils rirent. Suis-je l'amour de ta vie? » lui demanda-t-elle rapidement, et il lui répondit, tout aussi rapidement : « Bien sûr. »

Au début, elle reconnut que les rumeurs qui la disaient inaccessible voire frigide, avaient quelque fondement. « Après la mort de Yel, je suis devenue un peu comme elle sur ce plan. » Elle n'avait plus besoin de jeter ses amants au visage de sa sœur. « En outre cela ne me plaisait plus. À cette époque-là mes amants étaient surtout des socialistes révolutionnaires, qui se contentaient de moi en rêvant aux femmes héroïques qu'ils avaient vues au cours de leur voyage de trois semaines à Cuba. Ils ne les avaient jamais touchées, évidemment; les tenues de combat et la pureté idéologique les rendaient stupides. Ils rentraient en fredonnant " Guantanamera " et me téléphonaient. » Elle arrêta. « Je me suis dit, que les meilleurs esprits de ma génération soliloquent à propos du pouvoir sur le corps d'autres pauvres femmes, moi je m'en vais. » Elle commença à faire de l'escalade, au début elle avait l'habitude de dire, « parce que je sais qu'ils ne me suivront jamais jusque là-haut. Puis je me suis dit, merde. Je ne fais pas ça pour eux; je le fais pour moi. »

Chaque soir, pendant une heure, elle descendait et remontait l'escalier en courant jusqu'à la rue, sur la pointe des pieds, pour soigner l'affaissement de ses voûtes plantaires. Puis l'air furieux, elle s'effondrait sur un tas de coussins, il tournait autour d'elle impuissant, et finissait généralement par lui servir quelque chose de fort : un whisky irlandais, la plupart du temps. Elle s'était mise à boire sec depuis que son problème de pieds s'aggravait. (« Je vous en prie, n'en parlez à personne, lui dit au téléphone une voix surréaliste de l'agence de relations publiques. S'ils fichent le camp finito, rideau, sayonara, adieu, bonne nuit. ») Lors de leur vingt et unième nuit ensemble, alors qu'elle avait descendu cinq doubles Jameson, elle dit : « La raison pour laquelle je suis vraiment montée là-haut. Ne ris pas : pour échapper au bien et au mal. » Il ne rit pas. « À ton avis, les montagnes se situent-elles au-dessus de la morale ? » lui demanda-t-il gravement. « C'est ce que j'ai appris de la révolution, poursuivit-elle. Ceci : à un certain moment, au vingtième siècle, je ne sais pas quand au juste, on a aboli l'information ; c'est évident, c'est une partie de l'information qui a été ablie, *abolie*. Depuis nous vivons dans un conte de fées. Tu me suis ? Tout se passe comme par magie. Nous les fées n'avons pas la moindre idée de ce qui se passe. Alors comment peut-on distinguer le vrai du faux ? Nous ne savons même pas ce qui *existe*. Alors je me suis dit, soit tu te ronges les sangs à essayer de tout démêler, soit tu vas t'asseoir sur une montagne, parce que c'est là qu'est partie toute la vérité, crois-le ou non, elle s'est envolée loin de ces villes où même ce qu'on a sous les pieds est fabriqué, un mensonge, et elle s'est cachée là-haut dans l'air raréfié, là où les menteurs n'osent pas lui courir après de peur que leurs cerveaux explosent. Elle est là-haut, très bien. J'y suis allée. Tu n'as qu'à me demander. » Elle s'endormit ; il la porta dans le lit.

Quand elle avait appris la nouvelle de sa mort dans l'accident d'avion, elle s'était torturée en le réinventant : c'est-à-dire, en spéculant sur son amant perdu. C'était le premier homme avec qui elle avait couché depuis plus de cinq ans : une très longue période dans sa vie. Elle s'était détournée de sa sexualité, son instinct l'ayant avertie que si elle n'agissait pas ainsi elle pourrait s'y perdre ; que cela représentait pour elle, représenterait toujours, un sujet important, un continent obscur dont elle devait dresser la carte, et elle n'était pas prête à y aller, à être cet explorateur, à relever le tracé de ces côtes : plus maintenant, ou, peut-être, pas encore. Mais elle n'avait jamais pu se débarrasser de l'impression que son ignorance de l'Amour lui portait tort, et elle se demandait à quoi cela pouvait ressembler d'être entièrement possédée par cet archétype de djinn, le désir de l'autre, l'effacement des frontières du moi, le déboutonnage, jusqu'à ce qu'on soit ouvert de la pomme d'Adam à l'entrejambes : seulement des mots car elle ne connaissait pas la chose. S'il était venu vers moi, rêvait-elle. J'aurais pu l'apprendre, pas à pas, l'escalader jusqu'au sommet même.

343

Privée de montagnes par mes pieds à l'ossature fragile, j'aurais recherché la montagne en lui : j'aurais établi des camps de base, découvert des voies, franchi des champs de glace, des crevasses, des surplombs. Je me serais lancée à l'assaut des sommets et j'aurais vu les anges danser. Oh, mais il est mort, et au fond de la mer.

Puis elle le découvrit. – Et peut-être que lui aussi l'avait inventée, un peu, peut-être avait-il inventé quelqu'un qui valait la peine de fuir son ancienne vie pour l'aimer. – Rien de remarquable là-dedans. Cela arrive souvent; et les deux inventeurs continuent ainsi, usant leurs aspérités en se frottant l'un à l'autre, ajustant leurs inventions, moulant leur imagination sur la réalité, apprenant à vivre ensemble : ou non. Ça marche ou ça ne marche pas. Mais supposer que Gibreel Farishta et Alleluia Cone avaient pu suivre un chemin banal, c'est faire l'erreur de considérer leur relation comme ordinaire. Elle ne l'était pas; il n'y avait pas en elle la moindre touche de banalité.

Il s'agissait d'une relation avec de sérieuses lacunes.

(À table, Otto Cone faisait la leçon à sa famille ennuyée sur son dada habituel, « la ville moderne est le locus classicus des réalités incompatibles. Des vies qui n'ont aucune raison de se mêler l'une à l'autre s'assoient côte à côte dans l'autobus. Sur un passage clouté, un univers, qui cligne des yeux comme un lapin, est pris pendant un instant dans les phares d'un véhicule à moteur dans lequel il doit trouver un continuum contradictoire et entièrement étranger. Et tant qu'ils en restent là, ils marchent dans la nuit, ils se bousculent dans les stations de métro, soulèvent leur chapeau dans les couloirs d'hôtel, ce n'est pas si grave. Mais s'ils se rencontrent! C'est de l'uranium et du plutonium, chacun fait se décomposer l'autre, boum. » – « Effectivement, mon cher, disait Alicja avec ironie. Parfois, je me sens moi-même un peu incompatible. »)

Les lacunes dans la grande passion d'Alleluia Cone et de Gibreel Farishta étaient les suivantes : la peur secrète du désir secret d'Alleluia, c'est-à-dire, l'amour; – à cause de laquelle elle avait l'habitude de fuir, et même d'attaquer violemment, la personne dont elle recherchait précisément l'adoration; – et plus l'intimité était profonde, plus elle se débattait farouchement; – si bien que l'autre, rendu absolument confiant et ayant baissé toutes ses défenses, recevait toute la force du coup, et était détruit; – ce qui, en fait, arriva à Gibreel Farishta, quant après trois semaines des relations sexuelles les plus délirantes qu'aucun d'eux avait jamais connues elle lui dit sans cérémonie qu'il ferait mieux de se trouver un autre logement, et rapidement si possible, parce qu'elle, Allie, avait besoin de plus de place; – et sa possessivité et sa jalousie excessives, dont il était totalement inconscient, parce qu'il n'avait jamais considéré une femme comme un trésor qu'il fallait protéger contre des hordes de pirates qui, évidemment, ne pensaient qu'à la ravir; – et dont nous allons parler plus longuement tout de suite; – et la lacune fatale, à savoir, la prise de conscience imminente de Gibreel Farishta – ou si vous préférez *l'idée folle*, – d'après laquelle il n'était rien de moins qu'un archange sous forme humaine, et pas n'importe quel archange, mais l'Ange de la Récitation, le plus élevé (depuis la chute de Chaytan) de tous.

*

Ils avaient vécu dans un tel isolement, enveloppés dans les draps de leur désir, que sa jalousie sauvage et incontrôlable qui, comme le dit Iago, « se moque de la chair dont elle se nourrit », n'apparut pas tout de suite. Elle se manifesta tout d'abord à propos de trois dessins humoristiques, qu'Allie avait fixés au mur près de la porte d'entrée, sous un cache couleur crème et dans un cadre vieil or, qui portaient tous le même message, griffonné dans le coin inférieur droit : *Pour A., en signe d'espoir, Brunel.* Quand Gibreel remarqua ces inscriptions, il exigea une explication, pointant un doigt furieux vers les dessins, tandis que de sa main libre il serrait un drap autour de lui (il se trouvait dans cet appareil parce qu'il avait décidé que le temps était venu de faire une inspection générale des lieux, *on ne peut pas passer sa vie sur le dos, pas même sur le tien,* dit-il). Allie éclata de rire, de façon fort compréhensible. « Tu ressembles à Brutus, tu n'es que meurtre et dignité, le taquina-t-elle. Le portrait d'un homme honorable. » Il la surprit en hurlant : « Dis-moi tout de suite qui est ce salaud. »

« Tu plaisantes », dit-elle. Jack Brunel, qui travaillait dans le dessin animé, avait près de soixante ans et avait connu son père. Elle n'avait jamais manifesté le moindre intérêt à son égard, mais il avait pris l'habitude de lui faire la cour par cette méthode muette et contenue qui consistait à lui envoyer de temps à autre, un dessin.

« Pourquoi ne les as-tu pas mis à la poubelle? » beugla Gibreel. Allie, qui n'avait pas encore compris la portée de sa fureur, continua à plaisanter. Elle les avait gardés parce qu'elle les aimait bien. Le premier était un vieux dessin publié dans *Punch* dans lequel Léonard de Vinci, debout dans son atelier au milieu de ses élèves, lançait Mona Lisa comme un disque frisbee à travers la pièce. « *Souvenez-vous bien,* disait-il en légende, *un jour l'homme volera jusqu'à Padoue dans des machines semblables.* » Dans le deuxième cadre il y avait une page de *Gratin,* une bande dessinée anglaise pour enfants qui datait de la Deuxième Guerre mondiale. À cette époque où tant d'enfants étaient devenus des évacués, on avait trouvé nécessaire de leur expliquer les événements du monde des adultes par des dessins. On y trouvait une rencontre hebdomadaire entre l'équipe nationale – Gratin (un enfant effrayant portant le monocle, la queue-de-pie et le pantalon rayé d'Eton) et Bert avec une casquette et des genoux écorchés – et l'ennemi infâme, Horrible Hadolf et les Membranasis (une bande de sales brutes, et chacun avait un membre horrible, par exemple, un crochet de fer au lieu d'une main, des pieds comme des serres, des dents qui pouvaient vous sectionner le bras). L'équipe anglaise gagnait à tous les coups. Gibreel regarda d'un œil méprisant le dessin encadré. « Salaud d'*Angrez.* C'est exactement ce que vous pensez; c'est exactement ce que la guerre était pour vous. » Allie décida de ne pas parler de son père, ni de dire à Gibreel qu'un des artistes de *Gratin,* un Berlinois antinazi virulent du nom de Wolf, avait été arrêté un jour et conduit, avec les autres Allemands de Grande-Bretagne, dans un camp d'internement, et que, d'après Brunel, ses collègues n'avaient pas levé le petit doigt pour le sauver. « Le manque de cœur, avait dit Jack. La seule chose dont un dessinateur a besoin. Quel artiste aurait été Disney s'il n'avait pas eu le cœur. C'était sa lacune fatale. » Brunel dirigeait un petit studio d'animation qui s'appelait les Productions de l'Épouvantail, d'après le personnage du *Magicien d'Oz.*

Le troisième cadre contenait le dernier dessin d'un des films du grand animateur japonais Yoji Kuri, dont le cynisme très personnel incarnait parfaitement les conceptions antisentimentales de Brunel sur l'art de l'animation. Dans ce film, un homme tombait d'un gratte-ciel; le camion des pompiers se précipitait sur les lieux et s'installait sous l'homme en train de tomber. Le toit du camion s'ouvrait, libérant une énorme pique d'acier, et, dans le dessin accroché au mur d'Allie, l'homme arrivait la tête la première et la pique lui traversait le cerveau. « Dégueulasse », déclara Gibreel Farishta.

Ces cadeaux extravagants n'ayant pas donné de résultats, Brunel avait été obligé de se découvrir et de se montrer en personne. Il se présenta un soir chez Allie, à l'improviste et déjà considérablement éméché, et sortit une bouteille de rhum brun de sa serviette délabrée. À trois heures du matin il avait terminé la bouteille mais ne semblait pas vouloir partir. Allie se rendit ostensiblement dans la salle de bains pour se laver les dents, et, quand elle revint, elle trouva l'animateur tout nu au milieu du salon, exhibant un corps étonnamment bien conservé et couvert d'une épaisse et peu ordinaire toison de poils gris. Quand il la vit il ouvrit les bras et s'écria : « Prends-moi! Fais ce que tu veux! » Elle l'obligea à se rhabiller, aussi gentiment que possible, et les mit, lui et sa serviette, doucement à la porte. Il ne revint jamais.

La franchise et la gaieté avec lesquelles elle raconta l'histoire à Gibreel montraient qu'elle ne s'attendait pas à la tempête qui allait se déchaîner. Cependant, il se peut (les choses semblaient tendues entre eux ces derniers jours) que son air ingénu n'était pas aussi innocent qu'il pouvait paraître, qu'elle espérait qu'il ouvre les hostilités, afin qu'il soit responsable de ce qui allait suivre, et pas elle... quoi qu'il en soit, Gibreel s'emporta, il accusa Allie d'avoir falsifié la fin de l'histoire, il suggéra que ce pauvre Brunel attendait toujours à côté de son téléphone et qu'elle avait l'intention de l'appeler dès que lui, Farishta, aurait le dos tourné. Le délire, en somme, la jalousie du passé, la pire de toutes. Tandis que cette passion terrible s'emparait de lui, il lui inventa toute une série d'amants qu'il imaginait en train d'attendre à chaque coin de rue. Elle s'était servie de l'his-

347

toire de Brunel pour se moquer de lui, hurlait-il, c'était une provocation délibérée et cruelle. « Tu veux que les hommes se mettent à genoux devant toi, cria-t-il, ne se contrôlant absolument plus. Moi, je ne m'agenouille pas.

– Ça suffit, dit-elle. Dehors. »

Sa colère redoubla. Serrant sa toge autour de lui, il alla d'un pas résolu dans la chambre pour s'habiller, il enfila les seuls vêtements qu'il possédait, y compris le manteau à doublure rouge et le feutre gris de Don Enrique Diamond; Allie le regardait depuis la porte. « Ne crois pas que je vais revenir », gueula-t-il, sachant que sa colère suffisait à l'entraîner dehors, s'attendant à ce qu'elle se mette à l'apaiser, à lui parler doucement, à lui donner la possibilité de rester. Mais elle haussa les épaules et s'en alla, et c'est alors, au moment précis de sa plus grande fureur, que les limites de la terre éclatèrent, il entendit un bruit comme celui d'un barrage qui se rompt, et, au moment où les esprits du monde des rêves passaient par la brèche pour inonder l'univers du quotidien, Gibreel Farishta vit Dieu.

Pour l'Isaïe de Blake, Dieu n'était qu'une immanence, une indignation incorporelle; mais la vision que Gibreel eut de l'Être Suprême ne fut absolument pas abstraite. Il vit, assis sur le lit, un homme à peu près du même âge que lui, de taille moyenne, assez trapu, avec une barbe poivre et sel assez courte et soulignant la ligne des mâchoires. Ce qui le frappa le plus fut que l'apparition perdait ses cheveux, semblait avoir des pellicules et portait des lunettes. Ce n'était pas le Tout-Puissant auquel il s'était attendu. « Qui êtes-vous? demanda-t-il avec intérêt. (Alleluia Cone n'avait plus aucun intérêt pour lui maintenant, elle s'était arrêtée net en l'entendant parler tout seul, et à présent elle l'observait avec une véritable expression de panique.)

« Ooparvala, répondit l'apparition. Le Type du Dessus.

– Qui me dit que vous n'êtes pas l'Autre? demanda Gibreel, avec astuce, Neechayvala, le Mec d'en Dessous? »

À question hardie, réponse vive. Cette Déité ressemblait peut-être à un scribouillard myope. Elle n'en était pas moins capable de mobiliser tout l'appareil traditionnel de la colère divine. Des nuages s'amassèrent devant la fenêtre; le vent et le tonnerre secouèrent la pièce. Des arbres tombèrent dans le quartier. « Nous commençons à perdre patience, Gibreel Farishta. Il y a assez de temps que tu doutes de Nous. »

Gibreel inclina la tête, foudroyé par le courroux de Dieu. La verte semonce continua : « Nous ne sommes pas obligé de t'expliquer Notre nature. Nous ne résoudrons pas ici la question de savoir si Nous sommes multiforme, pluriel, représentant l'union-par-hybridation des contraires tels que *Oopar* et *Neechay*, ou si Nous sommes pur, unique, extrême. » Le lit défait sur lequel son Visiteur avait posé Son postérieur (et Gibreel remarqua que, comme du reste de Sa Personne, il en émanait une faible lumière) reçut un coup d'œil hautement désapprobateur. « C'est clair, il n'y aura plus de tergiversations. Tu voulais des signes clairs de Notre existence ? Nous t'avons envoyé la Révélation pour remplir tes rêves : dans laquelle pas seulement Notre nature, mais aussi la tienne, étaient expliquées. Mais tu l'as combattue, tu as lutté contre le sommeil même dans lequel Nous t'éveillions. Ta peur de la vérité Nous a finalement obligé à Nous exposer, avec pas mal de désagréments personnels, dans l'appartement de cette femme à une heure tardive de la nuit. Il est temps, maintenant, de te mettre au pas. T'avons-Nous retiré des cieux pour que tu rigoles avec une blonde aux pieds plats (sans doute remarquable) ? Il y a du travail à faire.

– Je suis prêt, dit Gibreel, humblement. Je partais, de toute façon.

– Allez, dit Allie Cone, Gibreel, nom de Dieu, laisse tomber. Écoute-moi : je t'aime. »

Il n'y avait plus qu'eux dans l'appartement maintenant. « Je dois partir », dit Gibreel calmement. Elle s'accrocha à son bras. « Crois-moi, tu n'as pas l'air en forme. » Il resta digne. « M'ayant congédié, ma santé n'est plus de ta juridiction. » Il s'enfuit. Alleluia, qui essayait de le suivre, ressentit une telle douleur dans les pieds qu'elle n'eut pas d'autre choix que de s'écrouler en larmes ; comme une actrice dans un film masala ; ou Rekha Merchant le jour où Gribreel la quitta définitivement. Comme, d'une certaine façon, un personnage sorti tout droit d'une histoire à laquelle elle n'aurait jamais imaginé appartenir.

*
* *

La turbulence météorologique engendrée par la colère de Dieu à l'égard de son serviteur avait cédé la place à une nuit

349

claire, chaude, éclairée par une grosse lune crémeuse. Seuls les arbres abattus témoignaient encore de la puissance de l'Être maintenant en allé. Gibreel, le feutre bien vissé sur la tête, la ceinture à billets bien attachée autour de la taille, les mains bien enfoncées dans les poches, – la main droite palpant la forme d'un livre de poche – se félicitait silencieusement de sa délivrance. Certain maintenant de son statut archangélique, il bannit de sa pensée tout remords pour sa période de doute et le remplaça par une nouvelle résolution : ramener cette métropole des impies, cette Ad ou Thamoud moderne, à la connaissance de Dieu, l'inonder des bénédictions de la Récitation, la Parole sacrée. Il sentit son ancien moi le quitter, et le renvoya avec un haussement d'épaules, mais choisit de conserver pour l'instant l'échelle humaine. Ce n'était pas le moment de grandir à en remplir le ciel d'un bord à l'autre de l'horizon – bien que cela, aussi, ne tarderait pas.

Les rues de la ville s'enroulaient autour de lui, se tordaient comme des serpents. Londres était redevenue instable, révélant sa vraie nature, capricieuse et tourmentée, l'angoisse d'une ville qui a perdu la sensation d'elle-même et qui, en conséquence, se vautrait dans l'impuissance de son égoïsme, dans son présent furieux de masques et de parodies, étouffée et écrasée par le fardeau insupportable de son passé dont elle ne se débarrassait pas, les yeux fixés dans le vide de son avenir appauvri. Il erra dans les rues cette nuit-là, et le lendemain, et la nuit suivante, et jusqu'à ce que la lumière et l'ombre n'aient plus d'importance. Il ne semblait plus avoir besoin de nourriture ni de repos, mais seulement de marcher toujours dans cette métropole torturée, à la trame maintenant entièrement transformée, les résidences des quartiers riches étant construites de peur solidifiée, les bâtiments publics de vanité et de mépris, et les maisons des pauvres de confusion et de rêves matérialistes. Quand on regardait avec des yeux d'ange on voyait des essences et non pas des surfaces, on voyait la pourriture de l'âme qui s'écaillait et bouillonnait sur la peau des passants, on voyait la générosité de certains esprits posés sur leurs épaules sous la forme d'oiseaux. Tout en parcourant la ville métamorphosée, il voyait des diables aux ailes de chauve-souris, assis au coin d'immeubles construits de mensonges et apercevait des lutins qui s'infiltraient comme des vers dans le carrelage cassé des urinoirs publics pour hommes. Comme Richalmus, ce moine allemand du XIIIᵉ siècle qui, en fermant les yeux, voyait immédiatement autour de chaque homme et de chaque femme sur la terre des nuages de minuscules démons, qui dansaient comme des poussières dans le soleil, Gibreel, aujourd'hui, aussi bien à la lumière de la lune qu'à celle du soleil, décelait partout la présence de son adversaire, son – pour redonner son sens premier à l'ancien mot *chaytan*.

Il se rappela que, bien avant le Déluge – maintenant qu'il avait repris son rôle d'archange, il retrouvait apparemment peu à peu la gamme complète de sa mémoire et de sa sagesse archangéliques – un grand nombre d'anges (les noms de Semjaza et d'Azazel lui revinrent à l'esprit) avaient été chassés du Paradis parce qu'ils avaient *désiré les filles des hommes*, qui donnèrent naissance à une race mauvaise de géants. Il commença à comprendre l'importance du danger d'où on l'avait tiré quand il s'était éloigné d'Alleluia Cone. Oh! la plus fausse des créatures! Oh! la princesse des puissances de l'air! – Quand le Prophète, que son nom soit loué, avait reçu la wahi, la Révélation pour la première fois, n'avait-il pas eu peur d'être devenu fou? – Et qui lui avait fourni la certitude rassurante dont il avait besoin? – Eh bien, Khadija, sa femme. C'est elle qui l'avait convaincu qu'il n'était pas un fou délirant mais le Messager de Dieu. – Et qu'avait fait Alleluia pour lui? *Tu n'es pas toi-même. Tu n'as pas l'air en forme.* – Oh! la porteuse de troubles, la créatrice des tourments, de l'amertume du cœur! Sirène, tentatrice, esprit maléfique sous une forme humaine! Ce corps de neige aux cheveux pâles, si pâles : comme elle obscurcissait son âme, et comme il lui avait semblé difficile, dans la faiblesse de sa chair, de résister... empêtré par elle dans la toile d'araignée d'un amour si complexe qu'il dépassait l'entendement, il avait atteint le bord même de la Chute ultime. Comme la Sur-Entité avait été bienveillante à son égard! – Maintenant il voyait que le choix était simple : l'amour infernal des filles des hommes, ou l'adoration céleste de Dieu. Il avait pu choisir le dernier; juste à temps.

Il sortit de la poche droite de son manteau le livre qui s'y trouvait depuis son départ de chez Rosa il y avait mille ans :

351

le livre de la ville qu'il était venu sauver, Londres, proprement dite, la capitale de Vilayet, étalée pour son profit dans le moindre détail, tout le bazar. Il allait racheter cette ville : Guide de Londres, de A à Z.

À un coin de rue, dans un quartier de la ville connu autrefois pour ses artistes, ses extrémistes et les hommes à la recherche de prostituées, et maintenant conquis par le monde de la publicité et les petits producteurs de cinéma, l'Archange Gibreel tomba sur une âme perdue. C'était l'âme d'un jeune homme, immense et d'une grande beauté, avec un nez aquilin et de longs cheveux noirs gominés et coiffés avec une raie au milieu ; il avait des dents en or. L'âme perdue se tenait au bord du trottoir, le dos tourné à la rue, légèrement penché en avant et serrait, dans sa main droite, quelque chose qui à l'évidence lui était cher. Il avait un comportement étonnant : tout d'abord il fixait intensément ce qu'il tenait dans la main, puis il regardait autour de lui, tournant la tête de droite à gauche, scrutant avec une concentration fébrile les visages des passants. Ne voulant pas s'approcher trop rapidement, Gibreel passa une première fois devant lui et vit que l'objet que l'âme perdue serrait dans sa main était une photo d'identité. Lors de son second passage, il s'adressa directement à l'inconnu et lui offrit son aide. L'autre le regarda d'un air soupçonneux, puis lui tendit la photo sous le nez. « Cet homme, dit-il en tapotant le portrait d'un long index. Connaissez-vous cet homme ? »

Quand Gibreel vit que, sur la photo, le regardait un jeune homme d'une grande beauté, avec un nez aquilin et de longs cheveux noirs, gominés, coiffés avec une raie au milieu, il sut que son instinct ne l'avait pas trompé, qu'ici, au coin d'une rue animée observant attentivement la foule au cas où il s'y retrouverait, se tenait une Âme à la recherche de son corps égaré, un spectre avec un besoin désespéré de son enveloppe charnelle perdue – parce que les archanges savent que l'âme ou ka ne peut pas exister (quand le cordon de lumière dorée la reliant au corps est coupé) plus d'une nuit et d'un jour. « Je peux t'aider », promit-il, et la jeune âme le

352

regarda avec une incrédulité farouche. Gibreel se pencha en avant, saisit le visage du ka entre ses mains, et l'embrassa fermement sur la bouche, car l'esprit qu'embrasse un archange retrouve, imméditament, le sens de l'orientation qu'il avait perdu, et est remis sur le vrai et droit chemin. – Cependant, l'âme perdue eut une réaction surprenante en recevant la faveur d'un baiser archangélique. « Va te faire foutre, cria-t-il, je suis peut-être désespéré, mon pote, mais pas à ce point », – après quoi, faisant preuve d'une matérialité inhabituelle pour un esprit désincarné, il donna à l'Archange du Seigneur un coup retentissant sur le nez du poing qui tenait la photo; – avec des résultats déconcertants, et sanglants.

Quand sa vue s'éclaircit à nouveau, l'âme perdue avait disparu mais là, flottant sur son tapis à quelques pieds du sol, se trouvait Rekha Merchant, qui se moqua de sa déconvenue. « Pas terrible comme début, dit-elle d'un ton moqueur. Archange mon œil. Gibreel Janab, tu es complètement fou, crois-moi. Tu as joué trop de personnages avec des ailes. A ta place je ne ferais pas confiance à ce Dieu », ajouta-t-elle d'un ton de conspirateur, et Gibreel la soupçonna de continuer à se moquer de lui. « Il l'a laissé entendre, en esquivant la réponse à ta question sur Oopar-Neechay. Cette séparation des fonctions, la lumière contre l'ombre, le mal contre le bien, est tout à fait claire dans l'Islam – *Ô, enfants d'Adam, ne laissez pas le Démon vous séduire, comme il a chassé vos parents du jardin, en leur arrachant leurs vêtements pour leur montrer leur propre honte* – mais réfléchis un peu et tu verras que c'est une fabrication assez récente. Amos, au VIIIᵉ siècle avant Jésus-Christ, demande : " Le mal existerait-il dans une ville, qui ne serait pas l'œuvre de Dieu ? " Et Jahweh, cité par Deutero-Isaïe deux siècles plus tard, remarque : " Je forme la lumière, et crée les ténèbres; je fais la paix et crée le mal; moi le Seigneur je fais toutes ces choses. " Ce n'est que dans le livre des Chroniques, à peine quatre siècles avant Jésus-Christ, qu'on utilise le mot *chaytan* pour désigner un être, et pas seulement un attribut de Dieu. » La « véritable » Rekha aurait été tout à fait incapable de tenir un tel discours, car elle venait d'une tradition polythéiste et n'avait jamais montré le moindre intérêt pour les religions comparées ou, en particulier, pour les Apocryphes. Mais Gibreel savait que la Rekha qui le poursuivait depuis sa chute du *Bostan* n'avait aucune réalité objective, psychologique ou corporelle. – Qu'était-elle alors? Il aurait été facile de l'imaginer comme un produit de son imagination – son adversaire-complice, son démon intérieur. Cela aurait expliqué sa familiarité avec les mystères. – Mais comment lui-même avait-il acquis cette connaissance? L'avait-il vraiment possédée, autrefois, et puis perdue, comme le lui disait sa mémoire? (À ce propos un petit doute le tenaillait, mais quand il essaya de fixer ses pensées sur sa « période de ténèbres », c'est-à-dire l'époque pendant laquelle il avait inexplicablement cessé de croire à sa qualité d'ange, il se retrouva confronté à une épaisse barrière de nuages, à travers laquelle, en s'efforçant de regarder en clignant des yeux, il ne décela que des ombres.) – Ou se pouvait-il que la substance qui remplissait à présent sa pensée, l'écho, pour donner un seul exemple, de la façon dont ses anges-lieutenants Ithuriel et Zephon avaient trouvé leur adversaire *accroupi comme une grenouille* près de l'oreille d'Ève dans l'Eden, employant ses ruses pour « atteindre / Les organes de son imagination, et avec eux forger / Les illusions prévues, les phantasmes et les rêves », lui ait été en fait implantée dans la tête par cette même Créature ambiguë, cette Chose du Dessus-et-du-Dessous, devant qui il s'était retrouvé dans la chambre d'Alleluia, et qui l'avait tiré de son long sommeil éveillé? – Alors Rekha, elle aussi, n'était peut-être qu'un émissaire de ce Dieu, un antagoniste divin extérieur à lui et pas une ombre intérieure, produite par son sentiment de culpabilité; quelqu'un envoyé pour lutter avec lui et refaire de lui une totalité.

Son nez, qui saignait, commençait à l'élancer douloureusement. Il n'avait jamais pu supporter la douleur. Rekha lui rit au visage : « Toujours pleurnicheur. » Chaytan avait mieux compris.

Existe-t-il quelqu'un qui aime sa douleur?
Qui, s'il trouvait un chemin, ne fuirait un enfer,
Au risque de se perdre? Tu en ferais de même, sans doute,
Et t'aventurerais hardiment
Au plus loin de la douleur, là où tu pourrais espérer échanger
Ton tourment contre le repos...

Il n'aurait pu mieux l'exprimer. Une personne se retrouvant dans un enfer ferait n'importe quoi, viol, extorsion, meurtre, suicide, n'importe quoi pour en sortir... il se tamponna le nez avec un mouchoir tandis que Rekha, toujours présente sur son tapis volant, et sentant intuitivement qu'il montait (descendait?) dans le royaume de la spéculation métaphysique, essayait de ramener les choses sur un terrain plus familier. « Tu aurais dû rester avec moi, déclara-t-elle. Tu aurais pu m'aimer pour de bon. Je savais aimer. Tout le monde n'en a pas la capacité; moi si. Pas à la façon de cette blonde pulpeuse et égoïste qui se demandait secrètement si elle allait avoir un enfant et qui ne t'en parlait même pas. Pas comme ton Dieu, non plus; pas comme au bon vieux temps, quand de telles Personnes s'occupaient correctement des autres. »

Plusieurs points méritaient d'être contestés. « Tu étais mariée, répondit-il. Les roulements à billes. J'étais le supplément au menu. D'autre part, moi qui ai attendu si longtemps de Lui qu'Il Se manifeste, je ne dirai pas de mal de Lui à posteriori, après son apparition en personne. Pour finir, à quoi riment tous ces enfantillages? J'ai l'impression que tu ferais n'importe quoi.

– Tu ne sais pas ce qu'est l'enfer, rétorqua-t-elle, abandonnant son masque imperturbable. Mais mon pote, tu vas le connaître. Si tu me l'avais demandé, j'aurais balancé ce raseur de roulements de billes en cinq sets, mais tu n'as rien dit. Maintenant je vais te retrouver là-bas : à l'hôtel Neechayvala.

– Tu n'aurais jamais quitté tes enfants, insista-t-il. Les pauvres, tu les as même poussés les premiers avant de sauter. » Cela la mit hors d'elle. « Tais-toi! Comment oses-tu! Je vais te faire cuire à petit feu! Je vais te faire frire le cœur pour le manger en tartine! – Et en ce qui concerne ta Blanche-Neige, elle pense qu'un enfant n'appartient qu'à la mère, parce que les hommes vont et viennent alors que la femme reste toujours là, hein? Excuse-moi de te le rappeler, mais tu n'es que la semence et elle est le jardin. Qui demande à la graine la permission de la planter? Qu'est-ce que tu en sais, pauvre petit mec de Bombay qui te mêles des idées modernes des femmes.

« – Et toi, répondit-il violemment. Est-ce que tu as, par exemple, demandé l'autorisation du papaji avant de jeter ses gosses du haut du toit? »

Elle disparut dans une fumée jaune et furieuse, avec un bruit d'explosion qui le fit sursauter et fit tomber le chapeau de sa tête (il atterrit sens dessus dessous sur le trottoir, à ses pieds). Elle produisit, également, un effet olfactif d'une telle puissance nauséabonde qu'il eut un haut-le-cœur et vomit. Mais rien ne sortit : parce qu'il était totalement vide de tout aliment et boisson, n'ayant rien pris depuis plusieurs jours. Ah, l'immortalité, pensa-t-il : ah, la noble libération de la tyrannie du corps. Il remarqua deux individus qui l'observaient d'un air bizarre, l'un à l'apparence brutale, vêtu de cuir clouté, avec une coupe de cheveux à l'Iroquois multicolore et le zigzag d'un éclair peint sur le nez, l'autre, une femme gentille, d'âge moyen, avec un fichu sur la tête. Très bien : profite de l'instant. « Repentez-vous, cria-t-il passionnément. Car je suis l'Archange du Seigneur.

– Pauvre bougre », dit l'Iroquois et il jeta une pièce dans le chapeau de Farishta. Il s'en alla; cependant, la petite dame gentille et pétillante de malice, se pencha confidentiellement vers Gibreel et lui glissa un prospectus. « Cela vous intéressera. » Il l'identifia immédiatement comme un tract raciste demandant le « rapatriement » des citoyens noirs du pays. Il en conclut qu'elle l'avait pris pour un ange blanc. Et il apprit avec étonnement que les anges n'échappaient pas à cette classification. « Réfléchissez-y », dit la femme, prenant son silence pour une hésitation – et elle se mit à parler très fort en articulant de façon exagérée, ce qui révéla qu'elle ne le prenait pas pour un véritable ange anglais, mais une sorte d'ange levantin, peut-être, chypriote ou grec, ce qui exigeait sa voix-pour-handicapés. « S'ils envahissaient l'endroit d'où vous venez, vous n'aimeriez pas *ça*! »

Le nez meurtri, ridiculisé par des fantômes, recevant une aumône au lieu d'adoration, exposé aux bas-fonds dans lesquels avaient sombré les habitants de cette ville et où se manifestait l'intransigeance du mal, Gibreel n'en fut que

356

plus déterminé à commencer à faire le bien, à entreprendre la grande œuvre consistant à repousser les frontières du territoire de l'adversaire. Le guide dans sa poche était son plan directeur. Il sauverait la ville, rue par rue, depuis Hockley Farm dans le coin nord-ouest du plan jusqu'à Chance Wood au sud-est; ensuite, peut-être fêterait-il la conclusion de ses travaux par une partie de golf sur le green bien nommé situé à la limite extrême de la carte : Wildernesse, le Désert.

Et quelque part sur le chemin l'adversaire lui-même l'attendait. Chaytan, Iblis, ou quel que soit le nom qu'il ait adopté – et ce nom Gibreel l'avait sur le bout de la langue – tout comme le visage de l'adversaire, corné et malveillant, n'était pas encore visible... mais il prendrait forme suffisamment tôt, et le nom lui reviendrait, Gibreel en était sûr, car ses pouvoirs ne s'accroissaient-ils pas chaque jour, n'était-ce pas lui qui, rendu à sa gloire ancienne, précipiterait, une fois encore, son adversaire dans l'Abîme des Ténèbres? – Ce nom : quel était-il? Ch-quelque chose? Chou Ché Chin Cho. Qu'importe. Chaque chose en son temps.

Mais la ville dans sa corruption refusait de se soumettre à la domination des cartographes, elle changeait de forme à volonté et sans prévenir, empêchant Gibreel d'entreprendre sa quête de la façon systématique qu'il aurait préférée. Parfois il tournait à l'angle d'une longue arcade construite de chair humaine et recouverte de peau qui saignait quand on la grattait, et se retrouvait dans un terrain vague non marqué sur le plan, entouré d'immeubles familiers, le dôme de Christopher Wren, la tour des Télécom qui ressemblait à une bougie d'automobile, s'effritant dans le vent comme des châteaux de sable. Il traversait en trébuchant des jardins publics ahurissants et anonymes et ressortait dans les rues surpeuplées du West End, sur lesquelles, à la consternation des automobilistes, de l'acide avait commencé à tomber du ciel goutte à goutte, creusant d'énormes trous à la surface des rues. Dans ce pandémonium de mirages il entendait souvent des rires : la ville se moquait de son impuissance, attendant qu'il reconnaisse sa défaite, que ce qui existait ici se situait au-delà de ses pouvoirs de compréhension, sans parler de ses pouvoirs de transformation. Il hurlait des injures à son adversaire toujours sans visage, demandait à la Déité un signe supplémentaire, craignait que ses forces ne soient, en vérité, jamais à la hauteur de la tâche. En bref, il devenait le plus misérable et le plus loqueteux des archanges, avec ses vêtements crasseux, ses cheveux sales et graisseux, son menton couvert de touffes de poils incontrôlables. C'est dans cette piètre condition qu'il arriva au métro des Anges.

Ce devait être très tôt le matin, parce que tandis qu'il regardait, les employés vinrent ouvrir et replier les grilles métalliques. Il les suivit, traînant les pieds, la tête basse, les mains au fond de ses poches (il avait perdu le plan des rues depuis longtemps); et levant enfin les yeux, il se retrouva devant un visage prêt à fondre en larmes.

« Bonjour », hasarda-t-il, et la jeune femme du guichet répondit amèrement : « Qu'est-ce qu'il y a de bon là-dedans, je voudrais le savoir », et ses larmes jaillirent, rondes, dodues et nombreuses. « Allons, allons, mon enfant », dit-il, et elle lui lança un regard incrédule. « Vous n'êtes pas prêtre », dit-elle. Il lui répondit, hésitant : « Je suis l'Ange, Gibreel. » Elle se mit à rire aussi soudainement qu'elle avait pleuré. « Les seuls anges qu'on voit dans le coin sont ceux qui se balancent aux réverbères à Noël. Les illuminations. Mais le conseil municipal les pend par le cou. » Cela ne le découragea pas. « Je suis Gibreel », répéta-t-il, la fixant droit dans les yeux. « Récite. » Et, à son plus grand étonnement, *J'allive pas à cloile que j' fais ça, que j' me confie à un clocha'd, j' suis pas comme ça, vous savez*, commença à dire la vendeuse de tickets.

Elle s'appelait Orphia Phillips, vingt ans, ses deux parents vivants et à charge, surtout maintenant que Hyacinth son imbécile de sœur avait perdu son emploi de kinésithérapeute en « faisant des bêtises ». Le jeune homme, parce que bien sûr il y en avait un, s'appelait Uriah Moseley. Récemment on avait installé dans la station deux nouveaux ascenseurs étincelants et Orphia et Uriah en étaient les liftiers. Aux heures de pointe, quand les deux ascenseurs fonctionnaient, ils n'avaient pas le temps de se parler; mais le reste de la journée, il n'y avait qu'un ascenseur en service. Orphia s'installait à l'endroit où l'on ramasse les tickets pas loin de la cage de l'ascenseur, et Uri s'avançait pour rester le plus longtemps possible avec elle, adossé contre la porte et se curant les dents avec le cure-dents en argent que son arrière-grand-père avait emprunté à un planteur d'autrefois. C'était l'amour. « Mais c'est plus folt que moi, gémit Orphia à Gibreel. J'ai toujours été trop plessée. » Un après-midi, pendant un creux, elle quitta son poste et se planta devant lui, adossé et se curant les dents, et voyant son regard il rangea son cure-dents. Ensuite il alla au travail d'un pas sautillant; elle aussi était au paradis chaque jour en descendant dans les entrailles de la terre. Leurs baisers devinrent plus longs et plus passionnés. Parfois elle ne se détachait pas de lui quand on sonnait pour l'ascenseur; Uriah était obligé de la repousser en criant, « Du calme, ma petite, le public ». Uriah avait la vocation de son travail. Il lui parlait de sa fierté à porter l'uniforme, de sa satisfaction à être dans le service public, à consacrer sa vie à la société. Elle le trouvait un peu pompeux, et voulait lui dire, « Uri, mon vieux, tu n'es qu'un galçon d'ascenseur », mais se rendant compte intuitivement qu'une telle franchise ne serait pas bien reçue, elle tenait sa langue à problèmes, ou, plutôt, l'enfonçait dans la bouche d'Uriah.

Leurs étreintes souterraines devinrent des guerres. Maintenant il essayait de s'enfuir, en rajustant sa veste, tandis qu'elle lui mordillait l'oreille et glissait la main dans son pantalon. « T'es folle », disait-il, mais elle, continuant, lui demandait : « Alo's? Tu es vexé? »

Évidemment, ils se firent prendre : une petite dame avec un fichu et du tweed déposa une plainte. Ils eurent la chance de garder leur emploi. Elle fut « interdite de vol » privée d'ascenseur, et enfermée derrière le guichet. Pire, la beauté de la station, Rochelle Watkins, prit sa place. « Je sais c' qui se passe, cria-t-elle en colère. Je vois l'expression de Lochelle quand elle monte, qu'elle allange ses cheveux, tout ça. » Uriah, ces jours-ci, évitait le regard d'Orphia.

« J' comprends pas comment vous m'avez fait laconter toute mon affaire, conclut-elle, incertaine. Z'êtes pas un ange. Ça c'est sûr. » Mais elle était incapable, malgré tous ses efforts, de quitter son regard paralysant. Il lui dit : « Je sais ce qu'il y a dans ton cœur. »

Il passa la main sous la vitre du guichet et prit sa main

consentante. – Oui, c'était cela, il se sentait rempli par la force des désirs d'Orphia, qui le rendait capable de les lui retransmettre pour agir, lui permettant de dire et de faire ce dont elle avait le plus profondément besoin; c'est de cela dont il se souvenait, cette capacité de se joindre à celui à qui il apparaissait, de telle sorte que ce qui suivait était le produit de leur union. Enfin, se dit-il, mes fonctions archangéliques reviennent. – Derrière le guichet, l'employée Orphia Phillips ferma les yeux, son corps s'affaissa dans sa chaise, lentement et pesamment, et ses lèvres remuèrent. – Et les lèvres de Gibreel remuèrent à l'unisson. – Voilà. Ça y était.

À ce moment-là le chef de station, un petit homme coléreux avec neuf longs cheveux, pris derrière l'oreille, collés en travers de sa calvitie, jaillit comme un coucou par la petite porte. « À quoi jouez-vous ? cria-t-il à Gibreel. Fichez-moi le camp avant que j'appelle la police. » Gibreel resta sur place. Le chef de station vit Orphia sortir de sa transe et se mettre à hurler. « Toi, Phillips. Jamais vu ça. N'importe quoi en pantalon, mais ça c'est ridicule. De toute ma vie. Et roupillant sur son boulot, quelle idée. » Orphia se leva, enfila son imperméable, ramassa son parapluie pliable, sortit de derrière le guichet. « Abandon de poste en service. Revenez immédiatement, sinon c'est votre emploi. » Orphia se dirigea vers l'escalier en colimaçon et descendit dans les profondeurs. Privé de son employée, le chef de station se retourna vers Gibreel. « Allez, dit-il. Fiche le camp. Retourne ramper dans ton trou.

– J'attends, répondit Gibreel avec dignité, l'ascenseur. »

Quand elle arriva en bas, Orphia Phillips aperçut Uriah Moseley adossé près du point de ramassage des tickets, comme à son habitude, et Rochelle Watkins qui minaudait ravie. Mais Orphia sut ce qu'elle devait faire. « Tu l'as laissée toucher ton cule-dents, Uri ? demanda-t-elle. Je suis sûle qu'elle aimelait le teni' en main. »

Tous deux se redressèrent, piqués au vif. Uriah se mit à parler haut : « Ne sois pas si vulgaire », mais le regard d'Orphia l'arrêta net. Puis il s'avança vers elle, comme en rêve, en laissant tomber Rochelle. « C'est bien, Uri, dit-elle doucement sans le quitter des yeux un seul instant. Viens maintenant. Viens voil maman. » *Maintenant recule vers l'ascenseur, tu n'as qu'à l'aspirer vers toi, et après on monte*

360

et on s'en va. – Mais quelque chose n'allait pas. Il ne marchait plus. Rochelle Watkins se tenait à côté de lui, bien trop près, et il s'arrêta. « Dis-lui, Uriah, déclara Rochelle. Sa magie débile ne marche pas ici. » Uriah mit le bras autour de Rochelle Watkins. Ce n'est pas ce dont avait rêvé Orphia, ce dont elle avait été sûre et certaine, après que Gibreel lui eut pris la main, simplement, comme s'ils étaient *destinés l'un à l'autre*; bizarre, pensa-t-elle; que lui arrivait-il? Elle s'avança. – « Retire-la, Uriah, cria Rochelle. E' m' bousille mon uniforme et tout. » – Puis Uriah, tenant par les poignets l'employée du guichet qui se débattait, lui annonçait la nouvelle : « J'y ai demandé d' se marier! » – Sur ses paroles toute volonté de se battre quitta Orphia. Ses nattes avec des perles cessèrent de s'agiter et de cliqueter. « Alors tu n'as pas la parole, Orphia Phillips, continua Uriah en haletant un peu. Et comme dit la dame, magie pas changer rien. » Orphia, haletant elle aussi, les vêtements en désordre, se laissa tomber par terre le dos collé au mur courbe. Le bruit d'un train arriva jusqu'à eux; les fiancés se précipitèrent à leur poste, remirent de l'ordre dans leurs vêtements en laissant Orphia où elle était. « Ma petite, lui lança Uriah Moseley en guise d'adieu, t'es monstrueuse. » Rochelle Watkins envoya un baiser à Uriah; lui, appuyé contre l'ascenseur, se mit à se curer les dents. « De la cuisine de chez nous, lui promit Rochelle. Et pas de surprises. »

« Salopa'd », cria Orphia Phillips à Gibreel après avoir remonté les deux cent quarante-sept marches de l'escalier en colimaçon de sa défaite. « Saleté de diable de clocha'd. Qui t'a demandé de m' bousiller ma vie? »

Même l'auréole s'est éteinte, comme une ampoule cassée, et je ne sais pas où se trouve la boutique. Gibreel, assis sur un banc dans un petit square près de la station, méditait sur la vanité de ses efforts. Et découvrit que des blasphèmes remontaient à la surface : si le dabba était mal marqué et envoyé au mauvais destinataire, pouvait-on en accuser le dabbawalla? Si les effets spéciaux – la transparence, etc. – ne marchaient pas, et que la silhouette du type qui volait était soulignée d'une frange bleue, comment en accuser l'acteur?

Delamêmefaçon, si son angélité était insuffisante, à qui la faute, s'il vous plaît ? La sienne, personnellement, ou celle de quelque autre Personnage ? – Des enfants jouaient dans le jardin de ses doutes, parmi les nuages de moucherons et les rosiers et le désespoir. Un deux trois soleil, ghostbuster, chat. Ellehoeenne Déèreheuesse, Londres. La chute des anges, se dit Gibreel, n'était pas du même tonneau que la Chute de la Femme et de l'Homme. Dans le cas des humains, il s'agissait de morale. Du fruit de l'arbre de la connaissance du bien et du mal dont ils ne devaient pas manger, et qu'ils mangèrent quand même. La femme tout d'abord, et, sur sa suggestion, l'homme, acquirent les modèles éthiques verboten, parfumés à la pomme : le serpent leur apporta un système de valeurs. Leur permettant, entre autres choses, de porter un jugement sur la Déité Elle-même, rendant possibles en temps voulu toutes les questions maladroites : pourquoi le mal ? Pourquoi la souffrance ? Pourquoi la mort ? – Alors, dehors ! Il ne voulait pas que Ses jolies petites créatures s'élèvent au-dessus de leur statut. – Des enfants lui riaient au nez : *quelque chose de bizaaarre dans le coin.* Armés de fusils à laser, ils faisaient semblant de le zapper comme un petit fantôme de rien du tout. *Revenez par ici,* ordonna une femme sur son quant-à-soi, blanche, aux cheveux roux, avec une large bande de taches de rousseur en travers du visage ; elle avait une voix dégoûtée. *Vous m'avez entendu ? Tout de suite !* – Alors que la chute des anges n'était qu'une simple question de pouvoir : le travail banal de la police céleste, châtiment pour rébellion, bien sévère « pour encourager les autres [1] ». – Comme cette Déité avait confiance en Elle, Elle Qui ne voulait pas que Ses plus belles créatures fassent la différence entre le bien et le mal ; et Qui régnait par la terreur, exigeant une soumission totale de tous Ses associés même les plus proches, envoyant tous les dissidents dans Ses Sibéries de feu, les goulags de l'Enfer... il se reprit. C'étaient là des pensées sataniques, mises dans sa tête par Iblis-Belzebuth-Chaytan. Si l'Entité le punissait toujours pour son précédent manque de foi, ce n'était pas le moyen d'obtenir la rémission de sa faute. Il devait simplement continuer jusqu'à ce que, purifié, il sente qu'on lui avait rendu toute sa puis-

1. En français dans le texte. *(N.d.T.)*

sance. Se vidant l'esprit, il resta assis dans les ombres qui se rassemblaient et observa les enfants (un peu plus loin maintenant) qui jouaient. *Dans-le-ciel-bleu-qui-est-là-pas-toi pas-parce-que-tu-es-sale pas-parce-que-tu-es-propre,* et là, il en était sûr, un des garçons de onze ans, sérieux, avec de grands yeux, le regarda fixement : *ma-mère-dit-que-tu-es-la-reine-des-tantes.*

Rekha Merchant se matérialisa, toute bijoux et parure. « Les bachchas font des comptines vulgaires à ton sujet, Ange du Seigneur, lui lança-t-elle. Même cette petite vendeuse de tickets, là-bas, n'est pas impressionnée. Ça ne marche toujours pas, baba, à mon avis. »

*
* *

Cependant, pour une fois, l'esprit de Rekha Merchant la suicidée n'était pas venu seulement pour se moquer. À son grand étonnement elle déclara qu'elle était responsable de ses nombreuses tribulations : « Tu crois que ta Chose est la seule qui dirige ? cria-t-elle. Eh bien, mon chéri, laisse-moi éclairer ta lanterne. » En entendant son anglais de Bombay au ton je-sais-tout il eut une soudaine nostalgie pour sa ville perdue, mais elle n'attendit pas qu'il se reprenne. « Souviens-toi que je suis morte par amour pour toi, saligaud ; cela me donne des droits. En particulier, me venger sur toi, en te gâchant totalement la vie. Un homme doit souffrir d'avoir fait sauter sa maîtresse ; tu ne crois pas ? C'est la règle, de toute façon. Car depuis longtemps, je t'ai mis sens dessus dessous ; maintenant, j'en ai marre ! N'oublie pas comme je pardonnais facilement ! Ça te plaisait, hein ? Aussi je suis venue te dire qu'un compromis est toujours possible. Tu veux en discuter, ou tu préfères continuer à te perdre dans cette folie, en devenant non pas un ange mais un vrai clodo, une plaisanterie stupide ? »

Gibreel demanda : « Quel compromis ?

– Quoi d'autre ? répliqua-t-elle, avec de nouvelles façons, toute douceur, une lueur dans le regard. Mon farishta, une toute petite chose. »

Si seulement il disait qu'il l'aimait :

Si seulement il le lui disait, et, une fois par semaine, quand elle viendrait coucher avec lui, s'il le lui montrait :

Si une nuit de son choix ce pouvait être comme pendant les absences de l'homme aux roulements à billes parti en voyage d'affaires :

« Alors je mettrai fin aux folies de cette ville, avec lesquelles je te persécute; et tu ne seras plus possédé par cette notion démente de changer, de *racheter* cette ville comme quelque chose laissé au mont-de-piété; tout sera calme-calme; tu pourras même vivre avec ta poule au visage pâle et être la plus grande vedette de cinéma du monde; comment pourrais-je être jalouse Gibreel, quand je suis déjà morte, je ne veux pas que tu dises que je suis aussi importante qu'elle, non, un amour de second rang me suffira, un amour en supplément au menu; les rôles sont renversés. Allons, Gibreel, rien que trois-petits-mots, qu'en dis-tu? »

Laisse-moi réfléchir.

Ce n'est pas comme si je te demandais de faire quelque chose de nouveau, quelque chose que tu n'as jamais accepté, jamais fait, jamais permis. Coucher avec un fantôme n'est pas une chose si terrible. Et avec la vieille Mrs Diamond – dans le hangar à bateaux, cette nuit-là? Un sacré spectacle, tu ne crois pas? Qui avait fait la mise en scène de ce *tamasha*? Écoute : je peux prendre la forme que tu préfères; c'est un des avantages de ma condition. Tu la veux encore, la mémé de l'âge de pierre dans le hangar à bateaux? Hé, hop. Tu veux le reflet exact de ton garçon manqué escaladeuse de montagnes, de ton glaçon transpirant? Abracadabri, abracadabra. Qui crois-tu qui t'attendait après la mort de la vieille dame? »

Pendant toute la nuit il marcha dans les rues de la ville, inchangées, banales, comme rendues à l'hégémonie des lois naturelles; tandis que Rekha – flottant devant lui sur son tapis comme une actrice sur une scène, juste à hauteur de tête – lui donnait la sérénade avec les plus douces chansons d'amour, s'accompagnant sur un vieil harmonium plaqué d'ivoire, lui chantant depuis les gazals de Faiz Ahmed Faiz jusqu'aux meilleures musiques de vieux films, comme l'air de défi chanté par la danseuse Anarkali devant le Grand Moghol Akbar dans le film classique des années cinquante *Mughal-e-Azam* – dans lequel elle déclare et clame son amour impossible, interdit pour le Prince, Salim – « Pyaar kiya to darna kya? » – C'est-à-dire, à peu près, *pourquoi avoir peur de l'amour?* et Gibreel, qu'elle avait abordé dans le jardin de son doute, sentait que la musique attachait des fils à son cœur et l'attirait vers elle, parce que ce qu'elle demandait n'était, comme elle le disait, qu'une petite chose, après tout.

Il atteignit le fleuve; et un autre banc, des chameaux en fer forgé soutenant des lattes de bois, sous l'Aiguillle de Cléopatre. Il s'assit et ferma les yeux. Rekha chantait Faiz :

> *Ne me demande pas, mon amour,*
> *cet amour qui s'en est allé...*
> *Comme tu es belle encore, mon amour,*
> *mais je suis désemparé;*
> *car le monde a d'autres chagrins que l'amour,*
> *et d'autres plaisirs à aimer.*
> *Ne me demande pas, mon amour,*
> *cet amour qui s'en est allé.*

Gibreel vit un homme derrière ses paupières closes : pas Faiz, mais un autre poète, loin de sa verte jeunesse, une sorte de type décrépit. – Oui, c'est ça son nom : Baal. Que faisait-il ici? Qu'avait-il à lui dire? – Parce qu'il essayait certainement de dire quelque chose; sa voix, épaisse et pâteuse, rendait la compréhension difficile... *À toute nouvelle idée, Mahound, on doit poser deux questions. On pose la première quand l'idée est faible : QUEL GENRE D'IDÉE ES-TU? Es-tu du genre à faire des compromis, des arrangements, à t'accommoder de la société, à te chercher un coin, à survivre; ou es-tu le genre de notion conne, agressive, têtue, bornée qui préférerait se briser plutôt que de plier dans le vent! – Le genre qui, quatre-vingt-dix-neuf fois sur cent, sera presque certainement réduit en petits morceaux; mais qui, la centième fois, changera le monde.*

« Quelle est la deuxième question? » demanda Gibreel à haute voix.

Réponds d'abord à la première.

*
**

Gibreel ouvrit les yeux à l'aube et trouva Rekha incapable de chanter, réduite au silence par des espoirs et des incertitudes. Il lui parla sans détour. « C'est une ruse. Il n'y a de Dieu que Dieu. Tu n'es ni l'Entité ni Son adversaire, rien qu'une brume, une cacophonie. Pas de compromis; je ne passe pas d'accords avec des grenouilles. » À ce moment-là, il vit les émeraudes et les brocarts tomber du corps de Rekha, puis sa chair, jusqu'à ce qu'il ne reste plus que son squelette qui, lui aussi, s'effrita à son tour; à la fin, il y eut un cri perçant, pitoyable, tandis que ce qui restait de Rekha s'envolait dans le soleil avec la fureur d'un vaincu.

Et ne revint pas : sauf à – ou presque à – la fin.

Convaincu qu'il avait passé une épreuve, Gibreel se rendit compte qu'on lui avait ôté un grand poids des épaules; ses esprits s'allégeaient de minute en minute, et, quand le soleil apparut dans le ciel, il délirait littéralement de joie. Maintenant cela pouvait vraiment commencer : la tyrannie de ses ennemis, de Rekha et d'Alleluia Cone et de toutes les femmes qui voulaient le lier dans les chaînes du désir et des chansons, était finie à jamais; maintenant il sentait la lumière qui émanait, de nouveau, du point invisible situé juste derrière sa tête; et son poids, lui aussi, commençait à diminuer. – Oui, il perdait les derniers vestiges de son humanité, le don de voler lui était rendu, et il devint éthéré, tissé d'air illuminé. – En cet instant, il n'avait qu'un pas à faire pour quitter ce parapet noirci et s'envoler au-dessus du vieux fleuve gris; – ou sauter de n'importe quel pont et ne plus jamais toucher la terre. Alors : c'était le moment de montrer un grand spectacle à la ville, car en apercevant l'Archange Gibreel debout dans toute sa majesté à l'occident de l'horizon, baigné par les rayons du soleil levant, alors ses habitants auraient certainement grand peur et se repentiraient de leurs péchés.

Il se mit à faire grandir son être.

Quel étonnement, alors, de voir tous ces conducteurs filer sur les quais – c'était une heure de pointe – sans qu'aucun ne lève les yeux dans sa direction, ni ne le reconnaisse! En vérité c'était un peuple qui ne savait plus voir. Et parce que la relation entre les hommes et les anges est une relation ambiguë – dans laquelle les anges, ou mala'ikah, sont à la fois les contrôleurs de la nature et les intermédiaires entre la Déité et l'espèce humaine; mais en même temps, comme le dit clairement le Coran, *nous avons dit aux anges, soyez sou-*

mis à la volonté d'Adam, le problème étant de symboliser la capacité de l'homme à maîtriser, à travers sa connaissance, les forces de la nature représentées par les anges – le malak Gibreel ignoré et furieux n'y pouvait pas grand-chose. Les archanges ne pouvaient parler que quand les hommes choisissaient d'écouter. Quelle bande d'abrutis! Tout au début n'avait-il pas mis en garde la Sur-Entité à propos de ce ramassis de criminels et de malfaiteurs? « Vas-tu placer sur terre des êtres qui font faire le mal et répandre le sang? » avait-il demandé, et l'Être, comme d'habitude, avait seulement répondu qu'il savait ce qu'il faisait. Eh bien, les voilà, les maîtres de la terre, entassés comme des sardines dans des boîtes avec des roues et aveugles comme des taupes, leurs têtes pleines de malice et leurs journaux pleins de sang.

C'était vraiment incroyable. Un être céleste apparaissait, tout de radiance, de lumière et de bonté, plus grand que Big Ben, capable d'enjamber la Tamise, et ces petites fourmis restaient immergées dans les émissions de radio et les querelles avec les autres automobilistes. « Je suis Gibreel », hurla-t-il d'une voix qui fit trembler les immeubles sur les bords du fleuve : personne ne le remarqua. Personne ne sortit en courant de ces bâtiments ébranlés pour fuir le tremblement de terre. Aveugles, sourds et endormis.

Il décida de forcer la décision.

Le flot de la circulation passait près de lui. Il prit une puissante respiration, leva un pied gigantesque, et s'avança face aux voitures.

Gibreel Farishta revint à la porte d'Allie, sérieusement contusionné, avec de nombreuses écorchures sur les bras et le visage, et ramené sur terre par un minuscule gentleman luisant avec un fort bégaiement qui se présenta avec quelque difficulté comme le producteur de cinéma S. S. Sisodia, « connu sous le nom de Whiwhisky paparce que j'ai un pepetit faible; mamadame, ma cacacarte. » (Quand ils se connurent mieux, Sisodia faisait mourir Allie de rire en remontant la jambe droite de son pantalon au-dessus du genou et en déclarant, tandis qu'il tenait sur son mollet ses lunettes à grosses montures d'homme de cinéma : « Autoto

367

poportrait. » Il ne voyait bien que de loin : « Je n'ai papas besoin d'aide pour voir les fifilms mais la vie réelle est vraiment trotrop proche. ») C'est la limousine que louait Sisodia qui renversa Gibreel, un accident tourné au ralenti heureusement, à cause des embouteillages; l'acteur se retrouva sur le capot, prononçant la plus ancienne réplique du cinéma : *Où suis-je*, et Sisodia, apercevant les traits légendaires du demi-dieu disparu écrasés contre le pare-brise de la limousine, eut envie de répondre : *Tutu tu es revenu à tata place : sur lélé sur l'écran.* – « Rien de caca de cassé, dit Sisodia à Allie. Un mimi miracle. Il a mama marché juste dede devant la woiwoi woiture. »

Ainsi tu es revenu, dit silencieusement Allie pour accueillir Gibreel. *On dirait que c'est toujours ici que tu atterris après tes chutes.*

« On m'appelle aussi Whisky-Sisodia, dit le producteur de films revenu à la question de ses sobriquets. Poupou pour des raisons d'huhu d'humour. C'est mon poipoi poison préféré.

– C'est très gentil d'avoir ramené Gibreel, dit Allie. Permettez-nous de vous offir un verre, proposa-t-elle avec un peu de retard.

– D'accord! D'accord! Sisodia battit des mains. Pour moi, pour toutout tout le cinéma hihi hindi, c'est un jour à mama à marquer d'une pierre blanche. »

« Tu ne connais peut-être pas l'histoire du schizophrène paranoïaque qui se prenait pour l'empereur Napoléon Bonaparte et qui accepta de se soumettre au détecteur de mensonge? » Alicja Cohen, mangeant des quenelles de poisson avec appétit, secouait une des fourchettes de chez Bloom sous le nez de sa fille. « La question qu'on lui posa : êtes-vous Napoléon? Et la réponse qu'il fournit avec, sans aucun doute, beaucoup de malice : *Non*. Et ils regardèrent la machine, qui indiquait avec toute la perspicacité de la science moderne que le fou mentait. » A nouveau Blake, pensa Allie. *Puis j'ai demandé : la conviction profonde qu'une chose est ainsi, la rend-elle ainsi? Il* – c'est-à-dire Isaïe – *répondit. Tous les poètes le croient. Et aux époques*

d'imagination cette intime conviction déplaçait des montagnes; mais beaucoup sont incapables de la moindre conviction. « Tu m'écoutes, mademoiselle? Je parle sérieusement. Ce type qui est dans ton lit : il n'a pas besoin de tes attentions nocturnes – excuse-moi, je vais te parler clairement, il le faut – mais, pour être franche, d'un cabanon.

– Ça te plairait de le faire, hein, rétorqua Allie. Tu jetterais la clef. Peut-être lui ferais-tu même un petit électrochoc. Pour lui brûler les démons qu'il a dans le cerveau : c'est curieux de voir que nos préjugés ne changent jamais.

– Hum, marmonna Alicja en prenant son expression la plus vague et la plus innocente afin de mettre sa fille hors d'elle. Ça ne lui ferait pas de mal. Oui, peut-être un petit voltage, un petit coup de jus...

– Ce dont il a besoin, maman, c'est de ce qu'il a. Une surveillance médicale, beaucoup de repos, et quelque chose que tu as peut-être oublié. » Elle s'arrêta brusquement, la langue paralysée, et d'une voix tout à fait différente, les yeux fixés sur sa salade intacte, elle prononça le dernier mot. « L'amour.

– Ah, la puissance de l'amour, dit Alicja en caressant la main (qui se retira aussitôt) de sa fille. Non, ce n'est pas ce que j'ai oublié, Alleluia. C'est simplement ce que tu découvres pour la première fois de ta si belle vie. Et sur qui jettes-tu ton dévolu? » Elle attaqua à nouveau. « Sur un demeuré! avec une case de vide! Mr araignées-dans-le-plafond! Je veux dire, *anges*, ma chérie, je n'ai jamais entendu ça. Les hommes réclament toujours des privilèges particuliers, mais celui-là mérite le pompon.

– Maman... » commença Allie, mais Alicja avait à nouveau changé de ton, et cette fois, quand elle parla, Allie n'entendit pas les mots, mais la douleur qu'ils révélaient et dissimulaient à la fois, la douleur d'une femme sur qui l'histoire s'était abattue de façon brutale, qui avait déjà perdu un mari et vu une de ses filles la précéder dans ce qu'elle avait appelé une fois, avec un humour noir inoubliable (elle devait avoir lu les pages sportives d'un journal et rencontré l'expression par hasard) un *bain matinal*. « Allie, ma chérie, dit Alicja Cohen, il va falloir qu'on prenne bien soin de toi. »

Une des raisons pour lesquelles Allie pouvait déceler cette

angoisse-panique sur le visage de sa mère, c'était qu'elle avait récemment observé la même combinaison sur les traits de Gibreel Farishta. Quand Sisodia l'eut rendu à ses soins, il devint évident que Gibreel avait été ébranlé jusqu'aux tréfonds de lui-même, il avait l'air égaré, des yeux exorbités et injectés de sang, qui lui déchiraient le cœur. Il affrontait sa maladie mentale avec courage, refusant de la minimiser ou de lui donner un faux nom, mais le fait de l'avoir reconnue l'avait, de façon tout à fait compréhensible, effrayé. Ce n'était plus le parvenu exubérant (en tout cas, pour l'instant) pour qui elle avait conçu sa « grande passion », et, dans cette nouvelle incarnation vulnérable, elle l'aima encore plus. Elle était déterminée à lui faire retrouver sa santé mentale, à tenir bon; à attendre que la tempête passe, et à conquérir le sommet. Et, actuellement, c'était le plus docile et le plus malléable des patients, quelque peu drogué à cause des très nombreux médicaments que lui avaient donnés les spécialistes du Maudsley Hospital, il dormait de longues heures, et entre-temps, lui obéissait en tout, sans un murmure de protestation. Quand il était bien éveillé, il lui racontait en détail tout l'arrière-plan de sa maladie : l'étrange feuilleton des rêves, et avant l'effondrement presque fatal en Inde. « Je n'ai plus peur de dormir, lui dit-il. Parce que ce qui m'est arrrivé pendant mes heures d'éveil est bien pire. » Le plus grand effroi de Gibreel rappelait à Allie la terreur de Charles II, après la Restauration, de « repartir en voyage à nouveau » : « Je donnerais n'importe quoi pour savoir que cela n'arrivera plus jamais », lui dit-il, doux comme un agneau.

Existe-t-il quelqu'un qui aime sa douleur? « Ça n'arrivera plus, le rassurait-elle. Tu ne peux être mieux qu'ici. » Il la pressait de questions à propos de l'argent, et, quand elle essayait de détourner ses questions, insistait pour qu'elle prenne le montant des frais psychiatriques sur la petite fortune qui se trouvait dans sa ceinture. Il avait toujours le moral bien bas. « Ce que tu dis n'a pas d'importance, marmonnait-il en réponse à son optimisme. La folie est là en moi et ça m'effraie de penser que ça peut sortir n'importe quand, maintenant, et qu'*il* peut reprendre les choses en main. » Il avait commencé à désigner son moi « possédé », son « ange », comme une autre personne : avec la formule de Beckett, *Pas moi. Lui.* Son Mister Hyde personnel. Allie tentait de s'opposer à de telles descriptions. « Ce n'est pas *lui*, c'est toi, et quand tu vas bien, ce n'est plus toi. »

Cela ne marchait pas. Pendant un moment, cependant, on eut l'impression que le traitement donnait de bons résultats. Gibreel semblait plus calme, il paraissait se contrôler mieux; le feuilleton des rêves continuait – la nuit, il disait toujours des versets en arabe, une langue qu'il ne connaissait pas : *til kal-gharaniq al-' ula wa inna shafa' ata-hunna la-turtaja*, par exemple, ce qui signifiait (Allie, réveillée par sa voix, nota les mots phonétiquement et se rendit à la mosquée de Brickhall avec son morceau de papier, où, quand elle récita son texte, les cheveux d'un mollah se dressèrent sur sa tête sous son turban) : « C'est l'intercession des femmes exaltées qui est désirée » – mais il semblait capable de penser à ces spectacles nocturnes comme séparés de lui, ce qui donnait à Allie et aux psychiatres de Maudsley le sentiment que Gibreel reconstruisait lentement le mur entre les rêves et la réalité, et qu'il était sur le chemin de la guérison; alors qu'en fait, comme cela apparut par la suite, cette séparation était en relation directe, était le même phénomène, que la coupure du sentiment de lui-même en deux entités, dont il cherchait héroïquement à supprimer l'une d'elles, mais, qu'en même temps, en la définissant comme un autre lui-même, il préservait, entretenait, et renforçait secrètement.

Quant à Allie, elle perdit, pendant un certain temps, l'impression irritante et *fausse* d'être coincée dans un milieu trompeur, un récit étranger; soignant Gibreel, investissant son cerveau, comme elle le lui disait, en se battant pour le récupérer et pouvoir reprendre la grande lutte passionnante de leur amour – parce qu'ils se querelleraient sans aucun doute jusqu'à la fin de leurs jours, se disait-elle avec indulgence, ils seraient deux petits vieux se frappant faiblement avec des journaux roulés, assis sur les vérandas des soirs de leur vie – elle se sentait chaque jour plus intimement liée à lui; enracinée, si l'on peut dire, dans sa terre. Il y avait déjà quelque temps que Maurice Wilson, assis au milieu des pots de cheminée, l'appelait vers sa mort.

*

Mr « Whisky » Sisodia, ce genou à lunettes luisant et plein de charme, devint un visiteur régulier – trois ou quatre fois

371

par semaine – pendant la convalescence de Gibreel, et il arrivait invariablement avec des boîtes pleines de bonnes choses à manger. Pendant sa « période d'ange », Gibreel avait littéralement failli mourir de faim, et les médecins pensaient que ses hallucinations étaient dues en grande partie à ce jeûne. « Alors maintenant on va le gaga gaver », disait Sisodia en tapant dans ses mains, et quand l'estomac du malade put le supporter, « Whisky » le bourra de mets délicats : soupe chinoise au maïs et au poulet, bhel-puri de Bombay en provenance du nouveau restaurant chic portant le nom inopportun de « Paga Khana » dont la « Nourriture Folle » (mais on aurait pu également traduire le nom par *Maison de Fous*) était devenue assez réputée, en particulier parmi les jeunes Anglais d'origine asiatique, et qui rivalisait avec le café Shaandaar, premier de liste pendant longtemps, où Sisodia, ne voulant pas montrer de préférence injuste, achetait également des plats – des douceurs, des samosas, des beignets de poulet – pour un Gibreel de plus en plus vorace. Il apportait, aussi, des plats préparés de sa propre main, des curries au poisson, des raitas, des sivayyan, du khir, et distribuait, en même temps que les plats, des histoires dans lesquelles il laissait négligemment tomber des noms de célébrités : comment Pavarotti avait adoré le lassi de Whisky, et oh! ce pauvre James Mason était fou de ses crevettes aux épices. Il évoquait Vanessa, Amitabh, Dustin, Sridevi, Christopher Reeve. « Une susu superstar doit toujours connaître les gougou goûts de ses pépairs, de ses pairs. » Allie apprit par Gibreel que Sisodia était lui-même une sorte de légende. Homme le plus fuyant et le plus beau parleur du cinéma, il avait produit une série de films « de qualité » avec des budgets microscopiques, vivant depuis plus de vingt ans sur le charme et l'esbroufe. Ceux qui travaillaient sur les projets de Sisodia avaient les plus grandes difficultés à être payés, mais curieusement ne semblaient pas s'en faire. Une fois il avait calmé une rébellion – inévitablement, pour une question de salaires – en embarquant l'équipe entière à un grand pique-nique dans l'un des plus fabuleux palais de maharajah des Indes, un endroit qui d'habitude était interdit à tous, sauf l'élite de haute naissance, les Gwalior et Jaipur et Kashmir. Personne ne sut comment il s'y était pris, mais la plupart des membres de cette équipe signèrent pour travailler sur d'autres projets de Sisodia, la question du salaire étant enterrée sous la grandeur du geste. « Et si on a besoin de lui, il est toujours là, ajouta Gibreel. Quand Charulata, une merveilleuse danseuse et actrice, qu'il employait souvent, eut besoin d'un traitement contre le cancer, brusquement des années de salaire non payées sont arrivées du jour au lendemain. »

En ce moment, grâce à une série de succès inattendus adaptés d'anciennes fables elles-mêmes tirées du *Katha-Sarit-Sagar* – l' « Océan des Courants du Récit », plus long que les Mille et Une Nuits et aussi merveilleux – Sisodia ne travaillait plus exclusivement depuis son petit bureau sur la Terrasse de l'Argent à Bombay, mais possédait des appartements à Londres et à New York, et rangeait ses Oscars dans les toilettes. On racontait qu'il avait, dans son portefeuille, la photo d'un producteur de kung-fu basé à Hong Kong, Run Run Shaw, son héros supposé, dont il était tout à fait incapable de prononcer le nom. « Parfois il dit quatre Run, parfois six, dit Gibreel à Allie, contente de le voir rire. Mais je n'en jurerais pas. Ce n'est qu'une rumeur répandue par la presse. »

Allie était reconnaissante de la gentillesse de Sisodia. Le célèbre producteur semblait avoir un temps illimité à sa disposition, tandis que l'emploi du temps d'Allie était archiplein. Elle avait signé un contrat de promotion avec une immense chaîne de surgelés dont le publicitaire, Mr Hal Valance, raconta à Allie pendant un petit déjeuner hyperénergétique – pamplemousse, toast sans beurre, déca, au prix du Ritz – que son *profil*, « unissant les paramètres positifs (pour notre client) de " froideur " et de " fraîcheur " est parfait. Parfois des vedettes finissent comme des vampires, détournant l'attention de sur la marque, vous comprenez, mais ici je sens une vraie synergie ». Alors maintenant elle devait couper des rubans à des inaugurations de centre de surgelés, et assister à des conférences de vente, et poser pour des photos publicitaires avec des bacs de crème glacée; et il y avait en plus les réunions régulières avec les stylistes et les fabricants de sa ligne personnelle de vêtements et d'équipements de loisirs; et, bien sûr, son programme de gymnastique. Elle s'était inscrite au cours hautement recommandé d'arts martiaux de Mr Joshi, au centre sportif local, et continuait, aussi, à obliger ses jambes à courir huit kilomètres par jour, autour du quartier, malgré la douleur de ses plantes-de-pied-sur-verre-pilé. « Papa pas de problème », lui lançait Sisodia avec un geste gai. Je vais rere rester ici jusqu'à votre retour. Être avec Gigi Gibreel est pour moi un pipi privilège. » Elle le laissait régaler Farishta de ses anecdotes inépuisables, de ses opinions et de ses papotages, et quand elle revenait il continuait avec la même énergie. Elle finit par identifier plusieurs thèmes majeurs dans ses récits; tout d'abord, l'ensemble sur l'Ennui Avec Les Anglais. « L'ennui avec les Angang Anglais, c'est que leur hishis histoire s'est passée outremer, alors ils ne savent papa pas ce qu'elle signifie. » – « Le sese secret d'un dîner à Londres, c'est d'être plu-plus nombreux que les Angang Anglais. Si nous sommes pluplu plus nombreux alors ils se tiennent bien; sinon, il y a des problèmes. » – « Allez voir la Chamcham la Chambre des Horreurs et vous comcom vous comprendrez ce quiqui qui ne va pas avec les Anglais. Ils sont vraiment comme ça, des caca des cadavres dans des bains de sang, des barbiers fous, etc. etc. etera. Leurs joujou journaux sont pleins de perversions sexuelles et de mort. Mais ils disent au monmon monde entier qu'ils sont réservés, didi dignes et ainsi de suite, et nous sommes assez stustu stupides pour les croire. » Gibreel écoutait cette collection de préjugés avec ce qui semblait un total assentiment, et Allie en était profondément irritée. Ces généralisations étaient-elles vraiment tout ce qu'ils voyaient en Angleterre? « Non, concéda Sisodia avec un sourire effronté. Mais ça fait dudu du bien de sortir tout ça. »

Quand les médecins du Maudsley Hospital purent réduire considérablement les doses de Gibreel, Sisodia était à demeure à son chevet, une sorte de cousin non officiel, excentrique, amusant et paresseux, si bien que quand il déclencha son piège Gibreel et Allie furent pris complètement par surprise.

Il était entré en contact avec des collègues de Bombay : les sept producteurs que Gibreel avait mis dans le pétrin en montant dans le vol 420 d'Air India *Bostan*. « Ils sont tou-

tou tous fous de joie de vous savoir en vie, apprit-il à Gibreel. Mamal malheureusement, il se popo pose une question de rupture de concon de contrat. » Plusieurs autres parties pensaient aussi poursuivre Farishta ressuscité pour pas mal d'argent, en particulier une starlette du nom de Bouton Billimoria, qui se plaignait d'un manque à gagner et de préjudices professionnels. « Ça peut monmon monter jusqu'à dix millions de rourou de roupies », dit Sisodia, l'air lugubre. Allie se mit en colère. « C'est vous qui avez mis le feu au poudre, dit-elle. J'aurais dû m'en douter : c'était trop beau pour être vrai. »

Sisodia s'agita : « Merde merde merde. »

« Il y a une dame », l'avertit Gibreel, encore un peu drogué ; mais Sisodia fit tournoyer les bras, ce qui indiquait qu'il essayait de faire passer des mots entre ses dents surexcitées. Enfin : « J'essaie de lili limiter les dégâts. Mon intention. Pas trahison, devez papa pas croire sassa ça. »

À entendre Sisodia, personne à Bombay ne voulait vraiment poursuivre Gibreel en justice, personne ne voulait tuer la poule aux œufs d'or. Toutes les parties reconnaissaient qu'on ne pouvait pas ressusciter les vieux projets : les acteurs, les réalisateurs, les membres clefs de l'équipe, même les studios de sonorisation étaient engagés ailleurs. En outre, tous reconnaissaient que le retour d'outre-tombe de Gibreel avait une plus grande valeur commerciale qu'aucun de tous les projets tombés à l'eau ; le problème était de savoir comment l'utiliser au mieux, à l'avantage de tous ceux qui étaient concernés. Son atterrissage à Londres suggérait aussi la possibilité de relations internationales, peut-être des financements d'outre-mer, l'utilisation de lieux de tournage non indiens, la participation de vedettes « de l'étranger », etc. : en somme, il était temps pour Gibreel de sortir de sa retraite et d'affronter à nouveau les caméras. « Vous n'avez papa pas le choix, expliqua Sisodia à Gibreel, qui se redressa dans le lit pour essayer d'y voir clair. Si vous refusez, ils se mobiliseront *en bloc* contre vous, et votre fofo fortune n'y suffira pas. Banqueroute, pipi prison, liquidé. »

Sisodia s'était arrangé pour se donner le beau rôle : les partenaires principaux lui avaient accordé les pleins pouvoirs dans l'affaire et il avait monté un coup. Billy Battuta, l'homme d'affaires basé en Angleterre, avait très envie

375

d'investir à la fois des livres sterling et des « roupies bloquées », les profits impossibles à rapatrier réalisés par plusieurs distributeurs de films anglais dans le sous-continent indien, que Battuta avait rachetés contre du liquide dans des monnaies convertibles à 37 % en dessous du cours. Tous les producteurs indiens y participeraient, et pour s'assurer de son silence, on avait offert à Miss Bouton Billimoria une participation avec deux numéros de danse. Le tournage serait réparti sur trois continents – l'Europe, l'Inde, l'Afrique du Nord. Gibreel gardait son nom au-dessus du titre, et trois pour cent des bénéfices nets des producteurs... « Dix, l'interrompit Gibreel, ou deux des bénéfices bruts. » Manifestement, son esprit s'éclaircissait. Sisodia ne bougea pas un cil. « Dix contre deux, accepta-t-il. La campagne publicitaire sera la suisui suivante...

– Mais quel est le projet? » demanda Allie Cone. Le sourire de Mr « Whisky » Sisodia s'étala d'une oreille à l'autre. « Chère mama madame, dit-il. Il va jouer l'archange, Gibreel. »

Il s'agissait d'une série de films, à la fois historiques et contemporains, chacun consacré à un événement de la longue et glorieuse carrière de l'ange : une trilogie, au moins. « Laissez-moi deviner, dit Allie, se moquant du petit moghol luisant. *Gibreel à Jahilia, Gibreel rencontre l'Imam, Gibreel et la fille aux papillons.* » Sisodia ne fut absolument pas gêné, mais approuva avec fierté. « Les histoires, la première mouture des scénarios, les caca castings sont déjà bien avancés. » C'en était trop pour Allie. « Ça pue », dit-elle en colère, et il recula, le genou tremblant et conciliateur, tandis qu'elle le poursuivait, jusqu'à ce qu'elle se mette à courir après lui à travers l'appartement, se cognant aux meubles, en claquant les portes. « Vous exploitez sa maladie, cela n'a rien à voir avec ses besoins actuels, et vous manifestez un mépris total à l'égard de ce que lui souhaite. Il est à la retraite; vous ne pouvez pas respecter ça? Il ne veut pas être une vedette. Et est-ce que vous pouvez rester immobile un moment. Je ne vais pas vous manger. »

Il cessa de courir, mais garda un canapé prudent entre

eux. « C'est imp imp imp, cria-t-il la langue paralysée par l'angoisse. Est-ce que la lulu la lune peut prendre sa retraite? Aussi, excusez-moi, il y a sept sign-sign-sign. *Signatures*. Qui l'engagent entièrement. A moins que vous ne décidiez de l'envoyer dans un papapa. » Il abandonna, couvert de sueur.

« *Dans un quoi?*

– Un Pagal Khana. Un asile. Ce serait une autre soso solution. »

Allie leva un encrier de cuivre en forme de Mont Everest pour le lancer. « Vous êtes un vrai putois », commença-t-elle, mais à ce moment-là Gibreel debout dans la porte, encore un peu pâle, décharné, les yeux creux, dit : « Alleluia, j'en ai peut-être envie. J'ai peut-être envie de me remettre au travail. »

*

« Gibreel sahib! Quel plaisir. Une étoile est née à nouveau. » Billy Battuta surprenait : ce n'était plus le requin des chroniques mondaines aux cheveux gominés et aux doigts chargés de bagues, il était vêtu sobrement avec un blazer à boutons de cuivre et un blue-jean, et au lieu de l'air avantageux qu'attendait Allie il avait une sorte de retenue agréable presque déférente. Il s'était laissé pousser une petite barbiche qui lui donnait une ressemblance avec l'image du Christ sur le Saint Suaire de Turin. En les accueillant tous les trois (Sisodia les avait pris dans sa limousine, et le chauffeur, Nigel, à la mode de St Lucia, raconta à Gibreel pendant tout le trajet comment ses réflexes éclairs avaient sauvé la vie de nombreux piétons ou leur avaient épargné des blessures graves, en ponctuant ses souvenirs de conversations téléphoniques au cours desquelles on discutait de mystérieuses affaires impliquant des sommes d'argent faramineuses), Billy avait chaleureusement serré la main d'Allie, et ensuite il s'était jeté sur Gibreel et l'avait enlacé avec une joie sincère et contagieuse. Sa compagne Mimi Mamoulian était moins décontractée. « Tout est arrangé, annonça-t-elle. Fruits, starlettes, paparazzi, magazines télévisés, rumeurs, petits scandales : tout ce qu'exige une star internationale. Fleurs, gardes du corps, contrats de plusieurs millions. Faites comme chez vous. »

C'était l'idée majeure, se dit Allie. Elle avait abandonné son opposition initiale au projet dans l'intérêt de Gibreel, qui, à son tour, avait convaincu les médecins de l'accepter, estimant que son retour dans son milieu familier – *rentrant chez lui*, en quelque sorte – pourrait lui être profitable. Et le scénario inspiré par Sisodia qui avait plagié le récit des rêves entendus au chevet de Gibreel pouvait être considéré comme une coïncidence heureuse : car une fois que ces histoires seraient clairement situées dans le monde artificiel et fabriqué du cinéma, Gibreel pourrait plus facilement les considérer en tant qu'illusions. Par conséquent, le mur de Berlin entre le rêve et l'état de veille pourrait être reconstruit plus rapidement. En dernier, cela valait le coup d'essayer.

Les choses (étant ce qu'elles sont) ne marchèrent pas exactement comme prévu. Allie n'apprécia pas la façon dont Sisodia, Battuta et Mimi envahirent la vie de Gibreel, s'appropriant sa garde-robe et son emploi du temps, et le faisant déménager de chez elle, déclarant que le moment pour une « liaison permanente » n'était pas venu, « au niveau de l'image ». Après un passage au Ritz, on attribua à la star trois pièces de l'appartement caverneux et chic de Sisodia, dans un ensemble d'hôtels particuliers à Grosvenor Square, avec des sols de marbre art-déco et des murs laqués. L'acceptation passive de ces changements par Gibreel fut pour Allie, ce qui la mit le plus hors d'elle, et elle commença à comprendre l'importance du pas qu'il avait franchi quand il abandonna ce qui était en définitive une seconde nature, pour venir la chercher. Maintenant qu'il replongeait dans cet univers de gardes du corps armés et de femmes de chambres ricanantes avec des plateaux de petits déjeuners, allait-il la plaquer de façon aussi dramatique qu'il était entré dans sa vie ? Avait-elle aidé à mettre au point une migration inverse qui la laisserait sur le sable ? Dans les journaux, les magazines, à la télévision, on voyait Gibreel avec différentes femmes au bras, souriant béatement. Elle détestait ça, mais il refusait de s'en rendre compte. Il lui demandait : « Pourquoi t'inquiéter ? », sans la prendre au sérieux et il s'enfonçait dans un canapé de cuir de la taille d'une petite camionnette. « Ce ne sont que des photos : le travail, c'est tout. »

Le pire : *il* devint jaloux. Au fur et à mesure qu'il abandonnait ses médicaments et que son travail (comme celui d'Allie), commençait à les séparer, il était, de nouveau, possédé par cette suspicion irrationnelle et incontrôlable qui avait entraîné cette dispute ridicule à propos des dessins de Brunel. A chaque fois qu'ils se rencontraient, il la mettait à la question et l'interrogeait minutieusement : où était-elle allée, qui avait-elle vu, qu'avait-il fait, l'avait-elle dragué? Elle avait l'impression d'étouffer. Sa maladie mentale, les nouvelles influences dans sa vie, et maintenant, chaque nuit, ces interrogatoires : c'était comme si sa vraie vie, celle qu'elle voulait, celle pour laquelle elle s'accrochait et se battait, était de plus en plus profondément enfouie sous cette avalanche de malentendus. *Et mes besoins à moi,* voulait-elle crier, *quand vais-je pouvoir en décider?* Poussée à bout, en dernier ressort, elle demanda conseil à sa mère. Dans l'ancien bureau de son père de la maison de Moscow Road – qu'Alicja avait conservé dans l'état où l'aimait Otto, sauf que maintenant elle ouvrait les rideaux pour laisser passer le peu de lumière que l'Angleterre pouvait proposer, et qu'elle disposait des vases de fleurs aux points stratégiques – Alicja n'offrit d'abord qu'un peu de sagesse désabusée. « Alors les projets vitaux d'une femme sont étouffés par ceux d'un homme, dit-elle, non sans gentillesse. Bienvenue dans le deuxième sexe. Tu ne sais pas ce que c'est de voir les choses t'échapper. » Et Allie avoua : elle voulait le quitter, mais ne le pouvait pas. Pas seulement parce qu'elle se sentait coupable d'abandonner une personne gravement malade; aussi à cause de sa « grande passion », à cause de ce mot qui lui paralysait toujours la langue quand elle essayait de le prononcer. « Tu veux son enfant », dit Alicja en mettant le doigt sur le point sensible. Tout d'abord Allie s'enflamma : « Je veux *mon* enfant », puis elle s'arrêta net, se moucha, secoua la tête sans rien dire, au bord des larmes.

« Tu n'es pas un peu folle », dit Alicja pour la consoler. Depuis combien de temps ne s'étaient-elles pas tenues ainsi dans les bras l'une de l'autre? Trop longtemps. Et ce serait peut-être la dernière fois... Alicja serra sa fille contre elle et dit : « Sèche tes larmes. Voici maintenant la bonne nouvelle. Ta vie est peut-être en morceaux mais ta vieille mère va mieux. »

379

Il y avait un Américain, professeur d'université, un certain Boniek, un ponte des manipulations génétiques. « Ne t'énerve pas, ma chérie, tu n'y connais rien, ce n'est pas Frankenstein, il y a beaucoup d'applications positives », dit Alicja avec une nervosité manifeste, et, Allie, surmontant sa surprise et son propre malheur aux yeux rougis, éclata d'un rire irrépressible et libérateur; sa mère se joignit à elle. « A ton âge, dit Allie en pleurant, tu devrais avoir honte. – Eh bien non, répliqua la future Mrs Boniek. Un professeur, et à Stanford, en Californie, alors il apporte aussi le soleil. J'ai l'intention de passer beaucoup d'heures à travailler mon bronzage. »

*
**

Quand elle découvrit (un rapport trouvé par hasard dans le tiroir d'un bureau du palazzo Sisodia) que Gibreel la faisait suivre, Allie décida, enfin, de rompre. Elle griffonna un mot – *Ça me tue* –, le glissa dans le rapport, qu'elle plaça sur le bureau; puis s'en alla sans dire au revoir. Gibreel ne lui téléphona jamais. A ce moment-là, il répétait son grand retour public dans le dernier d'une série de spectacles de chants et de danses à succès avec les stars du cinéma indien et était mis en scène par l'une des compagnies de Billy Battuta à Earls Court. Ce serait la surprise non annoncée, le clou de la soirée, et il répétait avec la troupe des danseurs depuis des semaines : il se réhabituait également à chanter sur une musique en play-back. Des hommes des services de promotion de Battuta faisaient soigneusement circuler des rumeurs sur l'identité de l'Homme Mystère, sur l'Étoile Sombre, et on commanda à l'agence Valance une série de « messages publicitaires » pour la radio et une campagne d'affiches de 4 sur 3. L'arrivée de Gibreel sur la scène de Earls Court – il devait descendre des cintres entouré de nuages en carton et de fumée – était le moment fort de la partie anglaise de son retour dans l'univers des stars; prochaine escale, Bombay. Abandonné, comme il disait, par Alleluia Cone, il « refusa de ramper » une nouvelle fois; et se plongea dans le travail.

La deuxième chose qui ne marcha pas comme prévu fut l'arrestation de Battuta à New York pour son histoire satanique. En lisant la nouvelle dans le journal, Allie ravala sa fierté et téléphona à Gibreel à la salle de répétition pour l'avertir de ne pas fréquenter des criminels patentés de ce genre. « Battuta est un truand, insista-t-elle. Tout était du spectacle, de la frime. Il voulait s'assurer que ça marcherait avec les douairières de Manhattan, et il a fait un essai avec nous. Cette barbiche! Et un blazer d'université, mon Dieu : comment avons-nous pu nous laisser prendre? » Mais Gibreel resta froid et distant; elle l'avait plaqué, et il n'avait pas besoin des conseils des déserteurs. En outre, Sisodia et l'équipe de promotion de Battuta lui avaient assuré – il les avait cuisinés – que les problèmes de Billy ne changeaient en rien le gala du soir (il s'appelait Filmmela) parce que les accords financiers étaient solides, l'argent des cachets et des garanties avait déjà été versé, toutes les stars habitant à Bombay l'avaient confirmé, et elles participeraient au spectacle comme prévu, promit Sisodia. Le spespe le spectacle doit continuer. »

La troisième chose qui ne marcha pas se trouvait en Gibreel.

La détermination de Sisodia à laisser les gens dans le doute à propos de cette Étoile Sombre impliquait que Gibreel passe par l'entrée des artistes vêtu d'un burqa. Ainsi même son sexe resterait un mystère. On lui donna la plus grande loge – avec une étoile noire à cinq branches collée sur la porte – et le producteur à lunettes en forme de genou l'enferma sans cérémonie. Dans la loge il trouva son costume d'ange, y compris un truc qui, attaché autour du front, faisait luire des ampoules derrière lui, créant l'illusion d'une auréole; et une télévision en circuit fermé, qui lui permettait de suivre le spectacle – Mithun et Kimi faisant des cabrioles pour ce public de « disco diwané »; Jayapradha et Rekha (aucun rapport : la superstar, pas un produit de l'imagination sur un tapis) se soumettant royalement à des interviews en direct, dans lesquelles Jaya donnait son point de vue sur la polygamie tandis que Rekha s'imaginait d'autres vies – « Si je n'étais pas née en Inde, j'aurais été peintre à Paris »; des numéros virils de Vinod et Dharmendra; Sridevi mouillant son sari – jusqu'à ce qu'il soit l'heure pour lui de s'installer dans un « chariot » fixé à un treuil au-dessus de la scène. Quand la salle fut pleine, Sisosia l'appela sur un téléphone sans fil – « Il y a toutes sortes de gens », triompha-t-il, et offrit à Gibreel sa technique d'analyse des foules : on reconnaissait les Pakistanais parce qu'ils étaient trop bien habillés, les Indiens parce qu'ils ne l'étaient pas assez, et les Bangladeshis parce qu'ils s'habillaient mal, « tout ce vivi violet et ce rose et ce dodo doré qu'ils aiment » – téléphone qui sinon resta silencieux ; et, enfin, une énorme boîte enveloppée de papier cadeau, un petit présent de la part de son producteur attentionné, qui contenait Miss Bouton Billimoria, arborant une expression séduisante et des quantités de rubans dorés. Le cinéma était arrivé.

L'impression étrange commença à se manifester – c'est-à-dire *revint* – alors qu'il attendait de descendre dans le « chariot ». Il se vit se déplaçant sur une route sur laquelle, d'un instant à l'autre, on lui offrirait un choix, un choix – la pensée se formula seule dans sa tête, sans son aide – entre deux réalités, ce monde et un autre qui se trouvait là, visible mais inaperçu. Il se sentait lent, lourd, éloigné de sa propre conscience, et se rendit compte qu'il n'avait pas la moindre idée du chemin qu'il choisirait, dans quel monde il entrerait. Les médecins avaient eu tort, il s'en apercevait maintenant, de le soigner pour schizophrénie ; le clivage ne se trouvait pas en lui mais dans l'univers. Quand le chariot entama sa descente vers l'immense raz de marée de la clameur qui avait commencé à s'enfler sous lui, il répéta sa première réplique – *Mon nom est Gibreel Farishta, et je suis de retour* – et l'entendit en quelque sorte en stéréo, car cette réplique, elle aussi, appartenait à deux mondes, avec une signification différente dans chacun d'eux ; – et il arriva dans la lumière, il leva haut les bras, il revenait couronné de nuages, – et la foule le reconnut, et ses camarades de scène aussi ; le public se leva, chaque homme, chaque femme et chaque enfant de la salle, avançant vers la scène, impossibles à arrêter, telle une mer. – Le premier qui arriva jusqu'à lui eut le temps de crier *Vous vous souvenez de moi, Gibreel? Avec mes six*

orteils? Maslama, monsieur : John Maslama. J'ai gardé votre présence parmi nous secrète; mais en vérité, j'ai annoncé la venue du Seigneur, je vous ai précédé, une voix criant dans le désert, les boiteux marcheront et les terrains accidentés seront aplanis – mais on l'écarta, et les gardes du corps entourèrent Gibreel, *on ne peut plus les contrôler, c'est une putain d'émeute, il faut que* – mais il ne voulait pas partir, parce qu'il avait vu que dans la foule la moitié au moins des spectateurs portaient d'étranges couvre-chefs, des cornes de caoutchouc qui les faisaient ressembler à des démons, comme les emblèmes de défi des membres d'une secte, – et à l'instant où il vit le signe de l'adversaire il sentit qu'il arrivait au croisement des chemins de l'univers et il prit à gauche.

D'après la version officielle, la seule acceptée par la presse, Gibreel Farishta fut enlevé de la zone dangereuse par le chariot monté sur treuil qui l'avait descendu, et dont il n'avait pas eu le temps de sortir; et il lui avait donc été facile de s'échapper, depuis l'endroit isolé et loin des regards au-dessus de la mêlée. Cette version fut assez solide pour résister à la « révélation » dans la *Voix* de l'adjoint au chef du plateau, chargé du treuil, qui ne l'avait pas, je répète, ne l'avait pas remis en marche après la descente; – en fait, le chariot était resté en bas pendant toute la durée de l'émeute des fans de cinéma en extase; – et on donna d'importantes sommes d'argent aux machinistes pour les persuader de participer à l'histoire inventée de toutes pièces qui, puisqu'il s'agissait d'une fiction, était assez réaliste pour que les lecteurs de journaux y croient. Cependant, la rumeur selon laquelle Gibreel Farishta s'était carrément élevé de la scène d'Earls Court en lévitation et avait disparu purement et simplement, par ses propres moyens, se répandit rapidement dans la population asiatique de la ville, et fut renforcée par le témoignage de nombreuses personnes disant avoir vu une auréole émaner d'un point situé juste derrière sa tête. Dans les jours qui suivirent la seconde disparition de Gibreel Farishta, les marchands ambulants de Brickhall, Wembley et Brixton, vendirent autant d'auréoles (les cercles fluorescents verts avaient le plus de succès) que de bandeaux sur lesquels était fixée une paire de cornes en caoutchouc.

Il planait très haut au-dessus de Londres! – Ha ha, ils ne pouvaient plus l'atteindre maintenant, les diables qui s'étaient jetés sur lui dans ce pandémonium! – Il regarda la ville et vit les Anglais. Le problème avec les Anglais c'est qu'ils étaient anglais : froids comme des poissons! – À vivre sous l'eau la plupart du temps, avec des jours sombres comme la nuit! – Très bien : il était là maintenant, le Grand Transformateur, et cette fois les choses allaient changer – les lois de la nature sont les lois de sa transformation, et il était bien la personne destinée à les utiliser! – Oui, en effet : cette fois, la clarté.

Il allait leur montrer – oui! – sa *puissance*. – Ces Anglais impuissants! – Pensaient-ils que leur histoire ne reviendrait pas les hanter? – « L'indigène est un opprimé dont le rêve permanent est de devenir le persécuteur » (Fanon). Les Anglaises ne le retenaient plus; la conspiration était découverte! – C'en était fini des brumes. Il allait renouveler cette terre. Il était l'Archange, Gibreel. – *Et je suis de retour!*

Le visage de l'adversaire lui apparut à nouveau, se précisant, se clarifiant. Lunaire, avec une moue sardonique : mais le nom lui échappait... *tcha*, comme thé? *Shah*, un roi? Ou comme une (royale? un thé dansant?) danse : *Shatchacha*. – Il l'avait presque. – Et la nature de l'adversaire : haine de soi, construction d'un faux moi, autodestruction. De nouveau Fanon : « Ainsi l'individu, – *l'indigène* de Fanon – accepte la désintégration ordonnée par Dieu, s'incline devant le colonisateur et les siens, et par une sorte de nouvel équilibre intérieur acquiert un calme de pierre. » – *Je vais lui en donner du calme de pierre!* – L'indigène et le colonisateur, l'ancien conflit, qui se continuait dans ces rues détrempées, en inversant les rôles. – Il se rendait compte maintenant qu'il était lié pour toujours à son adversaire, les bras serrés autour du corps de l'autre, bouche à bouche, tête-bêche, comme lors de leur chute sur la terre : quand ils l'avaient *colonisée*. – Les choses continuent comme elles ont commencé. – Oui, il s'approchait. – Chichi? Sasa? *Mon autre, mon amour...*

... Non! – Il flottait au-dessus des jardins publics et criait, effrayant les oiseaux. – Assez de ces ambiguïtés d'inspiration anglaise, de ces confusions biblico-sataniques! – La clarté, la clarté, à tout prix la clarté! – Ce Chaytan n'était pas un ange déchu. – Oubliez ces fictions du-fils-du-matin; ce n'était pas un bon garçon devenu mauvais, mais le mal à l'état pur. La vérité, c'est qu'il ne s'agissait pas du tout d'un ange! « Il faisait partie des djinns et avait péché. » – Coran 18, 50, c'était aussi clair que le jour. – Comme cette version était limpide! Pratique, terre-à-terre, compréhensible! – Iblis/Chaytan représentant les ténèbres, et Gibreel la lumière. – Assez de sensiblerie : *liés, serrés l'un contre l'autre, l'amour.* Localiser et détruire : c'était tout.

... Oh, la plus sournoise, la plus diabolique des villes! – Dans laquelle une telle opposition nue et impérative était noyée sous un crachin de grisaille infinie. – Comme il avait eu raison, par exemple, de bannir ses doutes satanico-bibliques, – à propos du refus de Dieu d'accepter des dissensions parmi ses lieutenants, – Iblis/Chaytan n'étant pas un ange, la Divinité n'avait pas eu besoin de réprimer des dissidents angéliques; – et à propos du fruit défendu, et du refus de Dieu de laisser le choix moral à ses créatures; – parce que nulle part dans la Récitation ne se trouvait cet Arbre appelé (comme dans la Bible) la racine de la connaissance du bien et du mal. *C'était tout simplement un autre Arbre!* Chaytan, tentant le couple édénique, l'appela seulement « l'Arbre d'Immortalité » – et comme c'était un menteur, la vérité (par inversion) était que le fruit défendu (on ne spécifiait pas les pommes) pendait à l'Arbre de Mort, pas moins, la faucheuse d'âmes humaines. – Que restait-il aujourd'hui de ce Dieu craignant la Morale. – Où se trouvait-Il? – Seulement en bas, dans les cœurs anglais. – Que lui, Gibreel, était venu transformer.

Abracadabra!

Un tour de passe-passe!

Mais par où commencerait-il? – Bon, le problème avec les Anglais était leur :

Leur :

En un mot, déclara Gibreel solennellement, *leur météorologie.*

Flottant sur un nuage, Gibreel pensa que le flou moral des Anglais venait de la météorologie. « Quand il ne fait pas plus chaud le jour que la nuit, raisonna-t-il, quand la lumière n'est pas plus claire que l'obscurité, quand la terre n'est pas plus sèche que la mer, alors il est évident que les gens perdent le pouvoir de faire des distinctions, et commencent à tout considérer – partis politiques partenaires sexuels croyances religieuses – comme du pareil-au-même, rien-à-choisir, à-prendre-ou-à-laisser. Quelle folie! Car la vérité est extrême, elle est *ainsi* et pas *autrement, c'*est *lui* et pas *elle*; il faut prendre parti, ne pas rester spectateur. En bref, la vérité est *engagée*. Ville, cria-t-il, et sa voix roula sur la métropole comme le tonnerre, Je vais te tropicaliser. »

Gibreel énuméra les bénéfices de la métamorphose de Londres en ville tropicale qu'il proposait : le renforcement de la morale, l'institution d'une sieste nationale, le développement de comportements expansifs et hauts en couleur parmi le peuple, une musique populaire de plus grande qualité, de nouvelles variétés d'oiseaux sur les arbres (aras, paons, cacatoès), de nouvelles espèces d'arbres sous les oiseaux (cocotiers, tamariniers, banians barbus). Amélioration de la vie dans les rues, des fleurs aux couleurs extravagantes (magenta, vermillon, vert fluo), des singes-araignées dans les chênes. Un nouveau marché pour des systèmes d'air conditionné, des ventilateurs, des insecticides anti-moustiques en bombe ou à brûler. Une industrie de la fibre de coco et du coprah. Nouvel attrait de Londres comme centre de conférences, etc.; meilleurs joueurs de cricket; importance accrue du contrôle de la balle chez les footballeurs professionnels, le « travail à haut rendement », traditionnel et sans âme affiché par les Anglais, rendu obsolète par la chaleur. Ferveur religieuse, agitation politique, regain d'intérêt à l'égard de l'intelligentsia. Fin de la froideur britannique; interdiction définitive des bouillottes, remplacées, au cours des nuits fétides, par des rapports amoureux lents et à l'odeur forte. Apparition de nouvelles valeurs sociales : tout d'abord les amis qui débarquent les uns chez les autres sans prévenir, fermeture des maisons de retraite, importance des grandes familles. Nourriture plus épicée; utilisation d'eau et de papier hygiénique dans les toilettes anglaises; joie de courir tout habillé sous les premières pluies de la mousson.

Désavantages : choléra, typhoïde, maladie du légionnaire, cafards, poussière, bruit, une culture de l'excès.

Debout sur l'horizon, étendant les bras à remplir le ciel, Gibreel s'écria : « Let it be, qu'il en soit ainsi. »

Trois choses arrivèrent, très vite.

Tout d'abord, au moment où les forces élémentaires étonnamment colossales du processus de transformation sortaient de sa chair (car n'en était-il pas *l'incarnation*?), il fut temporairement envahi par une lourdeur giratoire et chaude, un bouillonnement soporifique (pas du tout désagréable) qui lui fit fermer les yeux un seul instant.

Ensuite, au moment où il fermait les yeux, le visage corné et caprin de Mr Saladin Chamcha apparut, sur l'écran de son esprit, aussi précis et net que possible; accompagné, comme en sous-titre, par le nom de l'adversaire.

Enfin, Gibreel Farishta ouvrit les yeux et se retrouva effondré, encore une fois, devant la porte d'Alleluia Cone, lui demandant pardon, pleurant *oh, mon Dieu, c'est arrivé, c'est vraiment encore arrivé.*

✱✱✱

Elle le mit au lit; il s'enfuit dans le sommeil, plongeant la tête la première, loin de Londres proprement dit, vers Jahilia, parce que la vraie terreur avait traversé le mur brisé de la frontière, et le traquait pendant ses heures d'éveil.

« L'instinct du pigeon voyageur : un fou qui en cherche un autre, dit Alicja quand sa fille lui téléphona. Tu devrais mettre un signal, une espèce de bipbip. » Comme d'habitude, elle dissimulait son inquiétude derrière des railleries. Elle lui dit enfin : « Cette fois-ci, Alleluia, fais preuve d'un peu de bon sens, d'accord? Cette fois-ci l'asile.

— On verra, maman. En ce moment il dort.

— Il ne va plus s'éveiller? protesta Alicja puis elle se maîtrisa. D'accord, je sais, c'est ta vie. Écoute, tu as vu le temps qu'il fait? Ils disent que ça pourrait durer des mois : je l'ai entendu à la télévision, " anti-cyclone bloqué ", pluie sur Moscou, tandis qu'ici il y a une vague de chaleur tropicale. J'ai appelé Boniek à Stanford et je lui ai dit : maintenant nous avons aussi un climat à Londres. »

VI

Retour à Jahilia

Quand Baal le poète vit une larme couleur de sang perler au coin de l'œil gauche de la statue d'Al-Lat dans la maison de la Pierre Noire, il comprit que le Prophète Mahound était sur le chemin du retour à Jahilia après un exil d'un quart de siècle. Il rota violemment – une affliction de l'âge, cela, une vulgarité qui semblait correspondre à l'épaississement général dû aux ans, un épaississement de la langue aussi bien que du corps, une lente coagulation du sang, qui avait transformé Baal à cinquante ans en un personnage bien loin du Baal jeune et vif de sa jeunesse. Parfois il avait l'impression que l'air lui-même s'était épaissi, qu'il lui résistait, et que même une courte promenade pouvait le laisser haletant, avec une douleur dans le bras et des palpitations dans la poitrine... et Mahound devait avoir changé, lui aussi, revenant au faîte de sa splendeur et de son pouvoir au lieu qu'il avait fui les mains vides, sans même une femme. Mahound à soixante-cinq ans. Nos noms se rencontrent, se séparent et se rencontrent à nouveau, pensa Baal, mais les gens qui correspondent aux noms ne restent pas les mêmes. Il quitta Al-Lat pour sortir dans le grand soleil, et entendit derrière lui un petit ricanement. Il se tourna, pesamment; personne. L'ourlet d'une robe s'évanouissant au coin d'une rue. Ces derniers jours, Baal décrépit faisait souvent ricaner les inconnus dans la rue. « Salaud ! » hurla-t-il à pleine voix, scandalisant les autres fidèles dans la Maison. Baal, le poète miteux, qui se conduit encore mal. Il haussa les épaules et partit chez lui.

La ville de Jahilia n'était plus construite de sable. C'est-à-dire que le passage des années, la sorcellerie des vents du désert, la lune pétrifiante, l'oubli du peuple et l'inévitabilité du progrès avaient endurci la ville, si bien qu'elle avait perdu son ancienne qualité de mirage changeant et provisoire, un mirage dans lequel les hommes pouvaient vivre, pour devenir un lieu prosaïque, quotidien et (comme les poètes) pauvre. Mahound avait maintenant le bras long; son pouvoir avait encerclé Jahilia, il avait tari le sang qui lui donnait la vie, les pèlerins et les caravanes. Aujourd'hui, les foires de Jahilia étaient pitoyables à voir.

Le Maître lui-même avait l'air élimé, les cheveux blancs pleins de trous comme ses dents. Ses concubines mouraient de vieillesse, et il n'avait plus l'énergie – ou le besoin, comme le murmuraient les rumeurs dans les ruelles sans suite de la ville – de les remplacer. Certains jours il oubliait de se raser, ce qui ajoutait à son air de délabrement et de défaite. Seule Hind était toujours la même.

Elle avait toujours la réputation de l'ensorceleuse, qui pouvait jeter une maladie si on ne s'inclinait pas sur le passage de sa litière, une sorcière qui avait le pouvoir de transformer les hommes en serpents du désert quand elle en avait assez d'eux, et de les attraper par la queue et de les faire cuire avec leur peau pour son dîner. Maintenant qu'elle avait atteint soixante ans, sa capacité extraordinaire si surnaturelle à ne pas vieillir renforçait la légende de sa nécromancie. Tandis que tout ce qui l'entourait durcissait dans la stagnation, que les anciennes bandes des Requins prenaient de l'âge et restaient accroupis au coin des rues à jouer aux cartes et aux dés, tandis que les vieilles sorcières aux cordelettes nouées et les contorsionnistes mouraient de faim dans les caniveaux, tandis que toute une génération grandissait avec un conservatisme et une adoration totale du monde matériel nés de la connaissance qu'elle avait de la probabilité du chômage et de la pénurie, tandis que la grande ville perdait le sens d'elle-même et que le culte des morts lui aussi perdait sa popularité au grand soulagement des chameaux de Jahilia, dont on comprenait aisément le peu d'empressement à être abandonnés les jarrets coupés sur des tombes humaines... en somme, tandis que Jahilia déclinait, Hind restait sans rides, le corps aussi ferme que celui d'une jeune femme, les cheveux aussi noirs que les plumes d'un corbeau, les yeux aussi brillants que des couteaux, le port dédaigneux et la voix ne supportant toujours pas la moindre opposition. Hind, et non Simbel, régnait, aujourd'hui, sur la ville; ou du moins le croyait-elle avec certitude.

Tandis que le Maître devenait mou et boursouflé avec l'âge, Hind se mit à adresser une suite d'épîtres de remontrances et d'exhortations ou *bulles,* aux habitants de la ville. On les affichait dans toutes les rues. C'est ainsi que Hind et pas Abu Simbel devint pour les Jahiliens l'incarnation de la cité, son avatar vivant, parce qu'ils trouvaient dans sa permanence physique et dans la détermination inflexible de ses proclamations une description d'eux-mêmes bien plus agréable que l'image qu'ils voyaient dans le miroir du visage ruiné de Simbel. Les affiches de Hind avaient plus d'influence que les vers des poètes. Elle possédait toujours la même voracité sexuelle, et avait couché avec chaque écrivain de la ville (bien qu'elle eût interdit depuis longtemps son lit à Baal); aujourd'hui elle avait épuisé et rejeté les écrivains, et elle était déchaînée. Aussi bien avec l'épée qu'avec la plume. C'était la Hind, qui avait rejoint l'armée de Jahilia déguisée en homme, utilisant la sorcellerie pour écarter les lances et les épées, recherchant l'assassin de son frère dans la tempête de la guerre. Hind, qui avait massacré l'oncle du Prophète, et mangé le cœur et le foie du vieil Hamza.

Qui pouvait lui résister? A cause de sa jeunesse éternelle qui était aussi la leur; à cause de sa férocité qui leur donnait l'illusion d'être invincibles; et à cause de ses bulles, qui étaient autant de refus du temps, de l'histoire, de la vieillesse, qui chantaient la magnificience non ternie de la ville et défiaient les ordures et la décrépitude des rues, qui insistaient sur la grandeur, sur la prééminence, sur l'immortalité, sur le statut du peuple de Jahilia comme protecteur du divin... à cause de ses écrits les gens lui pardonnaient sa licence, ils refusaient de croire aux histoires qui disaient que Hind recevait pour son anniversaire son poids en émeraudes, ils faisaient semblant d'ignorer les rumeurs d'orgies, ils riaient quand on parlait des dimensions de sa garde-robe, des cinq cent quatre-vingt-une chemises de nuit en feuilles d'or et des quatre cent vingt paires de pantoufles couvertes de rubis. Les citoyens de Jahilia se traînaient dans les rues de plus en plus dangereuses, dans lesquelles on tuait communément pour quelques sous, dans lesquelles on violait et massacrait rituellement les vieilles femmes, dans lesquelles les Manticorps, la police personnelle de Hind, écrasaient brutalement les émeutes de la faim; et malgré les preuves que leur fournissaient leurs yeux, leurs estomacs et leurs portefeuilles, ils croyaient ce que Hind leur chuchotait à l'oreille : Rule, Jahilia, gloire du monde.

Pas tous, bien sûr. Pas Baal, par exemple. Qui s'était détourné des choses publiques et écrivait des poèmes d'amour malheureux.

En mâchonnant un radis noir, il arriva chez lui et passa sous la voûte sale dans le mur fissuré. Il y avait une petite cour qui sentait l'urine et qui était jonchée de plumes, d'épluchures de légumes, de sang. Aucun signe de vie humaine : seulement des mouches, des ombres, la peur. Aujourd'hui il était nécessaire de se tenir sur ses gardes. Une secte de hashashin meurtriers rôdait dans la ville. On conseillait aux riches de s'approcher de chez eux par l'autre côté de la rue afin de s'assurer qu'on ne surveillait pas leur maison; quand la voie était libre ils se précipitaient vers la porte et la refermaient derrière eux avant qu'un criminel tapi dans l'ombre entre de force. Baal ne s'occupait pas de ce genre de précautions. Il avait été riche autrefois, mais il y avait vingt-cinq ans. Maintenant on ne demandait plus de satires – la peur générale de Mahound avait ruiné le marché de l'insulte et de l'esprit. Et le déclin du culte des morts avait entraîné la chute des commandes d'épitaphes et d'odes triomphales de vengeance. Les temps étaient durs.

En rêvant aux banquets d'autrefois, Baal monta un escalier branlant pour atteindre sa petite chambre. Que pouvait-on lui voler? Il ne valait pas le couteau pour le tuer. Il ouvrit la porte, commença à entrer, quand une poussée l'envoya culbuter et s'écraser le nez contre le mur. « Ne me tuez pas, cria-t-il à l'aveuglette. Oh, mon Dieu, ne me tuez pas, ayez pitié, oh! »

L'autre main ferma la porte. Baal savait qu'il avait beau crier ils resteraient seuls, coupés du monde dans cette pièce indifférente. Personne ne viendrait; lui-même, en entendant les cris de son voisin, aurait poussé son lit contre sa porte.

L'intrus avait le visage entièrement dissimulé par un capuchon. Baal essuya son nez saignant, à genoux, tremblant sans pouvoir se contrôler. « Je n'ai pas d'argent,

lait le tuer parce qu'il n'était plus à la... ~~des~~
anciennes œuvres? Toujours tremblant, il essaya la fausse
modestie. « Rencontrer un écrivain est, en général, déce-
vant », dit-il. L'autre ignora sa remarque. « Mahound
arrive », dit-il.

Cette constatation faite simplement remplit Baal de la
plus profonde terreur. « Quel rapport avec moi? cria-t-il.
Que veut-il? Ça fait bien longtemps – une vie – plus qu'une
vie. Que veut-il? Tu viens de sa part, c'est lui qui t'envoie?

– Sa mémoire est aussi longue que son visage, dit l'intrus
en repoussant sa capuche. Non, je ne suis pas son messager.
Toi et moi, nous avons quelque chose en commun. Nous
avons tous les deux peur de lui.

– Je te connais, dit Baal.

– Oui.

– Ta façon de parler. Tu es étranger.

– " Une révolution de porteurs d'eau, d'immigrés et
d'esclaves ", cita l'inconnu. Tes propres mots.

– Tu es l'immigré, se souvint Baal. Le Persan. Salai-
man. » Le Persan fit son sourire tordu. « Salman, rectifia-
t-il. Pas sage, mais calme.

– Tu étais un de ses plus proches, dit Baal, perplexe.

– Plus on est près du prestidigitateur, dit amèrement Salman, plus on voit aisément le truc. »

règle sur la main à utiliser pour se nettoyer le derrière. Comme si aucun aspect de l'existence humaine n'était laissé sans règlement, libre. La révélation – la *récitation* – indiquait aux fidèles la quantité de nourriture à manger, la profondeur du sommeil, et les positions sexuelles qui avaient reçu l'autorisation divine, et ils apprirent ainsi que la sodomie et la position du missionnaire étaient approuvées par l'Archange, tandis que la loi interdisait toutes les positions où la femme était au-dessus. Gibreel dressa en plus la liste des sujets de conversation permis et interdits, et indiqua les parties du corps qu'on ne pouvait pas gratter quelle que soit la démangeaison. Il interdit la consommation de crevettes, ces bizarres créatures venant d'un autre monde – qu'aucun fidèle n'avait jamais vues, et exigea qu'on tue les animaux lentement, en les saignant, pour que les hommes en vivant entièrement le spectacle de la mort des bêtes arrivent à une compréhension de la signification de leur existence, car ce n'est qu'au moment de la mort que les êtres vivants comprennent que la vie a été réelle, et non une sorte de rêve. Et Gibreel l'Archange précisa les conditions dans lesquelles on devait enterrer un homme, et comment on devait diviser ses biens, à tel point que Salman le Persan commença à se demander de quel genre de Dieu il s'agissait, pour ressembler tellement à un homme d'affaires. C'est alors qu'il eut l'idée qui détr... foi, car il se souvint que, bien sûr, Mah...

Mahound sur un sujet quelconque, de la possibilité de voyager dans l'espace à la permanence de l'Enfer, l'ange arrivait avec une réponse, et il soutenait toujours Mahound, déclarant qu'il ne faisait pas l'ombre d'un doute qu'aucun homme ne pourrait jamais marcher sur la lune, et se montrant aussi catégorique sur la nature transitoire de la damnation : même les plus mauvais des pécheurs seraient finalement purifiés par le feu de l'Enfer et trouveraient le chemin des jardins parfumés, Gulistan et Bostan. Tout aurait été différent, se plaignit Salman à Baal, si Mahound avait adopté ses positions après avoir reçu les révélations de Gibreel; mais non, il établissait la loi et l'ange la confirmait après coup; alors je me suis mis à sentir une mauvaise odeur, et j'ai pensé, cette odeur doit être celle de ces créatures impures, mythiques et légendaires, comment s'appellent-elles déjà, des crevettes.

L'odeur de poisson se mit à obséder Salman, le plus cultivé des intimes de Mahound en raison du système éducatif de grande qualité offert par la Perse. À cause de ses connaissances Salman devint le scribe officiel de Mahound, et la tâche de rédiger ces règlements qui proliféraient sans fin lui échut. Toutes ces révélations qui tombaient à pic, dit-il à Baal, et plus je faisais ce travail plus il y en avait. – Mais, pendant un certain temps, il dut mettre ses soupçons en veilleuse, car les armées de Jahilia marchèrent sur Yathrib, déterminées à écraser les mouches qui agaçaient leurs caravanes de chameaux et perturbaient les affaires. Ce qui suivit est bien connu, inutile de le répéter, dit Salman, mais sa fierté jaillit de lui et l'obligea à raconter à Baal comment il avait personnellement sauvé Yathrib d'une destruction certaine, comment il avait préservé le cou de Mahound avec l'idée d'un fossé. Salman avait persuadé le Prophète de creuser une énorme tranchée autour de l'oasis dépourvu de murailles, une tranchée trop large pour que même les fabuleux chevaux arabes de la célèbre cavalerie de Jahilia puissent la franchir en sautant. Un fossé : avec des piques aiguisées au fond. Quand les Jahiliens virent ces ignobles terrassements si peu dignes de gentilshommes leur sens de la chevalerie et de l'honneur les obligea à se comporter comme si le fossé n'avait pas été creusé, et à y conduire leurs chevaux, à pleine vitesse. La fleur de l'armée de Jahilia, humaine et équine, finit empalée sur les pieux pointus de la ruse de Salman le Persan, on peut faire confiance à un immigré pour ne pas jouer le jeu. – Et après la défaite de Jahilia? Salman se plaignit auprès de Baal: On aurait pu croire que j'allais devenir un héros, je ne suis pas vaniteux mais où furent les honneurs publics, où fut la reconnaissance de Mahound, pourquoi l'Archange ne parla-t-il pas de *moi* dans ses communiqués? Rien, pas un mot, c'était comme si les fidèles considéraient, également, mon fossé comme un sale tour, une chose extravagante, déshonorante, injuste; comme si leur virilité avait été atteinte par la chose, comme si j'avais blessé leur orgueil en sauvant leur peau. Je me suis tu et je n'ai rien dit, mais après cela, je peux te le dire, j'ai perdu beaucoup d'amis, les gens détestent qu'on leur fasse du bien.

Malgré le fossé de Yathrib, les fidèles perdirent beaucoup d'hommes dans la guerre contre Jahilia. Au cours de leurs sorties, ils perdirent autant de vies qu'ils en prirent. Et après la fin de la guerre, d'un seul coup, l'Archange Gibreel donna instruction aux survivants d'épouser les veuves, de crainte qu'en se remariant à l'extérieur elles soient perdues pour la Soumission. Oh, quel ange pratique, dit Salman à Baal en ricanant. Il avait sorti une bouteille de vin de palme des plis de sa cape et les deux hommes buvaient dans la maigre lumière. Salman devenait de plus en plus bavard au fur et à mesure que le liquide jaune descendait dans la bouteille; Baal ne se souvenait pas d'avoir entendu quelqu'un se lancer dans une telle tempête. Oh, ces révélations terre-à-terre, s'écria Salman, on nous a même dit que ça ne faisait rien si l'on était déjà marié, on pouvait même aller jusqu'à quatre mariages si on en avait les moyens, alors tu imagines, les gars étaient d'accord.

Ce qui mit fin définitivement aux rapports entre Salman et Mahound: la question des femmes; et des Versets Sataniques. Écoute, ce ne sont pas des ragots, confia Salman complètement ivre, mais après la mort de sa femme Mahound ne fut pas un ange, si tu vois ce que je veux dire. Mais à Yathrib il a trouvé à qui parler. Les femmes de là-bas: en un an elles lui ont rendu la barbe à moitié blanche. Le problème avec notre Prophète, mon cher Baal, c'est qu'il n'aimait pas que ses femmes lui répondent, il aimait les

398

mères et les filles, pense à sa première femme et à Ayesha : trop vieille et trop jeune, ses deux amours. Il n'aimait pas ceux qui étaient de taille à se mesurer avec lui. Mais à Yathrib les femmes sont différentes, tu n'as pas idée, ici à Jahilia vous avez l'habitude de commander vos femmes, mais là-bas elles ne se laissent pas faire. Quand un homme se marie il va vivre dans la famille de sa femme! Imagine! Incroyable, hein? Et tout au long du mariage la femme garde sa propre tente. Si elle veut se débarrasser de son mari elle tourne sa tente dans l'autre sens, et quand le mari vient la voir il rencontre du tissu là où se trouvait la porte, et c'est tout, il est renvoyé, divorcé, et on n'y peut rien. Alors, nos filles commençaient à s'habituer à ce genre de choses, en se mettant on ne sait quel genre d'idées dans la tête, et tout d'un coup, boum, voilà le livre des règlements, l'ange se met à débiter des règles sur ce que les femmes ne doivent pas faire, il les oblige à reprendre les attitudes dociles que préfère le Prophète, dociles ou maternelles, elles doivent marcher à trois pas derrière ou rester sagement à la maison à bavarder. Les femmes de Yathrib riaient des fidèles, je le jure, mais cet homme est un magicien, personne n'a pu résister à son charme; les femmes fidèles ont obéi à ses ordres. Elles se Soumirent : après tout, il leur offrait le Paradis.

« Quoi qu'il en soit, dit Salman arrivant au fond de la bouteille, finalement j'ai décidé de le mettre à l'épreuve. »

Une nuit le scribe persan fit un rêve dans lequel il se trouvait à côté de Mahound dans la grotte du Prophète sur le Mont Cone. Tout d'abord Salman prit cela pour une rêverie nostalgique du bon vieux temps à Jahilia, puis il fut frappé de voir dans le rêve les choses par les yeux de l'archange, et à ce moment-là l'incident des Versets Sataniques lui revint avec autant de force à l'esprit que si cela avait eu lieu la veille. « Peut-être n'ai-je pas rêvé de moi-même en tant que Gibreel, raconta Salman. Peut-être étais-je Chaytan. » Quand il se rendit compte de cette possibilité il eut une idée diabolique. A partir de ce jour-là, quand il était assis aux pieds du Prophète et qu'il écrivait des règles des règles et encore des règles, il commença, subrepticement, à changer des choses.

« D'abord de petites choses. Si Mahound récitait un verset

dans lequel Dieu était décrit comme *celui-qui-entend-tout,
celui-qui-sait-tout*, j'écrivais, *celui-qui-sait-tout, celui-qui-est-
toute-sagesse*. Et voilà le problème : Mahound ne remarqua
pas les modifications. Ainsi, j'étais vraiment en train
d'écrire le Livre, ou de le réécrire, de toute façon en train de
souiller la parole de Dieu avec mon propre langage profane.
Mais, juste ciel, si on ne pouvait pas distinguer mes pauvres
paroles de la Révélation par le propre Messager de Dieu,
qu'est-ce que ça signifiait? Qu'est-ce que cela voulait dire à
propos de la nature de la poésie divine? Écoute, je te jure,
j'en ai été ébranlé jusqu'au plus profond de mon âme. C'est
une chose d'être un petit malin avec des demi-soupçons sur
une affaire pas nette, mais c'en est une autre de découvrir
qu'on a raison. Écoute : j'ai changé de vie pour cet homme.
J'ai quitté mon pays, j'ai traversé le monde, je me suis installé parmi des gens qui me considéraient comme une
espèce de limace étrangère parce que je leur avais sauvé la
vie, qui n'ont jamais apprécié ce que j'avais, mais
qu'importe. En vérité, ce que j'attendais quand j'ai fait la
première petite modification, *celui-qui-est-tout-sagesse* à la
place de *celui-qui-entend-tout* ce que je *voulais* – c'était le
relire au Prophète, et qu'il me dise, Que t'arrive-t-il, Salman,
tu deviens sourd? Et j'aurais dit, Ouille, oh, mon Dieu, une
petite erreur, comment ai-je pu, et j'aurais corrigé. Mais il ne
s'est rien passé; et maintenant j'écrivais la Révélation et personne ne le remarquait, et je n'avais pas le courage de
l'avouer. J'étais mort de peur, je peux te le dire. Aussi :
j'étais plus triste que jamais. Alors il fallait que je continue.
Je me suis dit, il n'a peut-être pas fait attention une fois, tout
le monde peut faire une erreur. Alors, la fois suivante, j'ai
changé une chose plus importante. Il a dit *Chrétien*, j'ai écrit
Juif. Il allait le remarquer, sûrement; comment aurait-il pu
ne pas le voir? Mais quand je lui ai lu le chapitre il a hoché
la tête et m'a remercié poliment, et j'ai quitté la tente les
larmes aux yeux. Après j'ai su que mes jours à Yathrib
étaient comptés; mais j'étais obligé de continuer. Il le fallait.
Aucune amertume n'est plus grande que celle d'un homme
qui découvre qu'il a cru à un fantôme. Je tomberais, je le
savais, mais il tomberait avec moi. Et j'ai poursuivi mon
action diabolique, en changeant des versets, jusqu'au jour
où je lui ai lu mon texte et où je l'ai vu faire la grimace et

secouer la tête comme s'il voulait s'éclaircir les idées, et puis il a approuvé en hochant lentement la tête, mais avec un léger doute. J'ai su que j'avais atteint la limite, et que la prochaine fois que je rewriterais le Livre il comprendrait tout. Cette nuit-là je suis resté éveillé, je tenais son destin et le mien entre mes mains. Si je me laissais aller à être détruit je le détruirais aussi. Au cours de cette nuit terrible, j'ai dû choisir si je préférais la mort avec la vengeance ou la vie sans rien. Comme tu le vois, j'ai choisi : la vie. Avant l'aube j'ai quitté Yathrib sur mon chameau, et je suis revenu à Jahilia, connaissant mille aventures que je ne prendrai pas la peine de te raconter. Et maintenant Mahound arrive en triomphateur; et, en fin de compte, je vais perdre la vie. Maintenant son pouvoir est devenu trop grand pour que je puisse le défaire. »

Baal lui demanda : « Pourquoi es-tu si sûr qu'il va te tuer ? »

Salman le Persan répondit : « C'est sa Parole contre la mienne. »

Quand Salman eut glissé dans un sommeil profond, allongé sur le sol, Baal resta couché sur sa paillasse qui le grattait, et sentit le cercle d'acier de la douleur lui serrer le front, les palpitations de son cœur le mettre en garde. Souvent il éprouvait une telle lassitude à l'égard de sa vie qu'il en arrivait à souhaiter de ne pas vieillir, mais, comme le disait Salman, rêver d'une chose est bien différent de l'affronter. Depuis pas mal de temps il avait conscience que le monde se refermait sur lui. Il ne pouvait prétendre que ses yeux étaient comme ils le devaient, et que leur faiblesse ne rendait pas sa vie plus sombre, plus difficile à saisir. Tout ce flou et ce manque de précision : pas étonnant que sa poésie soit partie à vau-l'eau. Il ne pouvait plus faire confiance à ses oreilles. A ce rythme il serait bientôt coupé de tout par la perte de ses sens... mais il n'en aurait peut-être jamais l'occasion. Mahound arrivait. Peut-être n'embrasserait-il plus jamais de femme. Mahound, Mahound. Pourquoi ce moulin à paroles est-il venu me voir, pensa-t-il en colère. Qu'ai-je à voir avec sa trahison ? Tout le monde sait pourquoi j'ai écrit

401

ces satires, il y a longtemps; il le sait. Comment le Maître me menaça et me malmena. On ne peut me tenir pour responsable. Et de toute façon : qui est-il, cet enfant prodigue fringant et ricanant, Baal à la langue aiguisée? Je ne le reconnais plus. Regardez-moi : lourd, lent, myope, bientôt sourd. Qui pourrais-je menacer? Personne. Il secoua Salman : réveille-toi, je ne veux pas être associé à toi, tu vas m'attirer des ennuis.

Le Persan continua à ronfler, le dos appuyé au mur et les jambes écartées sur le sol, la tête pendant sur le côté comme celle d'une poupée; Baal, tenaillé par son mal de tête, se laissa retomber sur son lit. Comment étaient ses vers, se demanda-t-il? *De quel genre d'idée* il ne s'en souvenait même pas correctement, putain, *semble aujourd'hui la Soumission,* oui, quelque chose comme ça, pas étonnant après tout ce temps *une idée qui se sauve* c'était la fin de toute façon. Mahound, à toute nouvelle idée on pose deux questions. Quand elle est faible : fera-t-elle un compromis? On connaît la réponse à cette question-là. Et maintenant, Mahound, de retour à Jahilia, c'est l'heure de la seconde question : Comment te conduis-tu quand tu gagnes? Quand tes ennemis sont à ta merci et que ton pouvoir est absolu : alors? Nous avons tous changé : tous sauf Hind. Qui, d'après ce saoulard, ressemble plus à une femme de Yathrib que de Jahilia. Pas étonnant que ça n'ait pas marché entre vous deux : elle n'a voulu être ni ta mère ni ta fille.

Tout en sombrant dans le sommeil, Baal fit le bilan de son inutilité, de son art raté. A présent qu'il avait renoncé à toute estrade publique, ses vers déploraient la perte : de la jeunesse, de la beauté, de l'amour, de la santé, de l'innocence, d'un but, de l'énergie, de la certitude, de l'espoir. La perte du savoir. La perte de l'argent. La perte de Hind. Des silhouettes s'éloignaient de lui dans ses odes, et plus il les appelait avec passion plus vite elles s'éloignaient. Le paysage de sa poésie était toujours le désert, les dunes changeantes avec les plumes de sable blanc qui s'envolaient sur leur crête. Des montagnes douces, des voyages inachevés, les tentes fugitives. Comment faire la carte d'un pays auquel le vent donne une nouvelle forme chaque jour? De telles questions rendaient son langage trop abstrait, ses images trop fuyantes, sa métrique trop inconstante. Cela le conduisait à créer des chimères, des impossibilités à tête de lion, à corps de bouc, à queue de serpent, dont les formes se sentaient obligées de changer à l'instant même où elles étaient créées, et la langue démotique se frayait un chemin dans des lignes d'une pureté classique et des images d'amour étaient continuellement dégradées par l'intrusion d'éléments de farce. Personne n'aime ça, pensa-t-il pour la mille et unième fois, et en arrivant sur les rives du sommeil il conclut, avec un certain soulagement : Personne ne se souvient de moi. L'oubli c'est la sécurité. Puis son cœur sauta un battement et il se réveilla en sursaut, effrayé transi de froid. Mahound, je vais peut-être te voler ta vengeance. Il ne dormit pas de la nuit et écouta les vagues déferlantes des ronflements de Salman.

* * *

Gibreel rêva de feux de camp :

Une nuit, une silhouette célèbre et inattendue marche entre les feux de camp de l'armée de Mahound. Peut-être à cause de l'obscurité – ou peut-être à cause de l'improbabilité de sa présence ici – il semble que le Maître de Jahilia a retrouvé, à ce moment ultime de son pouvoir, un peu de la force de sa jeunesse. Il est venu seul ; et Khalid le porteur d'eau de jadis et Bibal l'ancien esclave le conduisent dans les quartiers de Mahound.

Ensuite, Gibreel rêva du retour du Maître chez lui :

Des rumeurs courent la ville et une foule s'est rassemblée devant sa maison. Au bout de quelque temps on peut entendre clairement la voix coléreuse de Hind. Puis elle apparaît sur un balcon élevé et demande à la foule de mettre son mari en morceaux. Le Maître apparaît près d'elle ; sa femme aimante lui donne des gifles sonores et humiliantes sur les deux joues. Hind vient de découvrir qu'en dépit de tous ses efforts elle n'a pas pu empêcher le Maître d'accepter que la ville se rende à Mahound.

Bien plus : Abu Simbel a embrassé la foi.

Dans sa défaite Simbel a perdu beaucoup de sa fragilité. Il laisse Hind le frapper, puis parle calmement à la foule. Il dit : Mahound a promis que tous ceux qui se trouvent à l'intérieur des murs du Maître seront épargnés. « Alors venez tous, et amenez aussi vos familles. »

Hind parle au nom de la foule en colère. « Vieil imbécile. Combien de citoyens peuvent tenir dans une seule maison, même celle-ci? Tu as passé un marché pour sauver ta tête. Qu'ils te mettent en pièces et te donnent à manger aux fourmis. »

Le Maître reste calme. « Mahound a aussi promis que tous ceux qu'on trouverait chez eux, la porte fermée, auraient la vie sauve. Si vous ne voulez pas venir dans ma maison alors allez dans la vôtre; et attendez. »

Une troisième fois sa femme essaie de dresser la foule contre lui; c'est une scène au balcon de haine et non d'amour. Elle crie, il ne peut y avoir de compromis avec Mahound, on ne peut lui faire confiance, le peuple doit répudier Abu Simbel et se préparer à combattre, jusqu'au dernier homme, jusqu'à la dernière femme. Elle-même est prête à se battre à leurs côtés et à mourir pour la liberté de Jahilia. « Allez-vous vous prosterner devant ce faux prophète, ce Dajjal? Quel acte honorable peut-on attendre d'un homme qui s'apprête à lever les armes contre la cité de sa naissance? Quel compromis peut-on espérer de celui qui est inflexible, quelle pitié de celui qui est impitoyable? Nous sommes les puissants de Jahilia, et nos déesses, glorieuses dans la bataille, l'emporteront. » Elle leur ordonne de combattre au nom d'Al-Lat. Mais le peuple commence à s'en aller.

Le mari et la femme sont debout sur le balcon, et le peuple les voit distinctement. Pendant si longtemps la ville les a utilisés comme miroirs; et parce que, dernièrement, les habitants de Jahilia ont préféré les images de Hind au Maître grisonnant, ils sont maintenant profondément ébranlés. Un peuple qui est resté convaincu de sa grandeur et de son invulnérabilité, qui a choisi de croire à un tel mythe malgré toutes les preuves du contraire, est un peuple en proie à une sorte de sommeil, ou de folie. Maintenant le Maître les a réveillés; ils restent là, désorientés, se frottant les yeux, incapables d'y croire au début – si nous sommes si puissants, comment se fait-il que nous soyons tombés si vite, si totalement? – puis ils commencent à y croire, et cela leur montre que leur confiance n'était bâtie que sur des nuages, sur la passion des proclamations de Hind et sur rien d'autre. Ils abandonnent Hind, et, avec elle, l'espoir. Plongés

404

dans la désolation, les gens de Jahilia rentrent chez eux et ferment leur porte à clef.

Elle crie, supplie, défait ses cheveux. « Venez à la Maison de la Pierre Noire! Venez faire des sacrifices à Lat! » Mais ils sont partis. Et Hind et le Maître restent seuls sur leur balcon, tandis que sur Jahilia un grand silence s'abat, un calme immense s'installe, et Hind s'adosse au mur de son palais et ferme les yeux.

C'est la fin. Le Maître murmure doucement : « Peu d'entre nous ont autant de raisons d'avoir peur de Mahound que toi. Si tu manges les entrailles de l'oncle préféré d'un homme, crues, sans même y ajouter du sel ou de l'ail, ne sois pas étonnée s'il te traite, à son tour, comme de la viande. » Puis il la quitte, et descend dans les rues que même les chiens ont désertées, pour ouvrir les portes de la ville.

Gibreel rêva d'un temple :

Près des portes ouvertes de Jahilia se dressait le temple d'Uzza. Et Mahound parla à Khalid, celui qui avait été autrefois porteur d'eau et qui aujourd'hui portait des poids plus importants : « Va et nettoie cet endroit. » Alors Khalid avec un groupe d'hommes s'abattit sur le temple, car Mahound répugnait à entrer dans une ville où de telles abominations se dressaient près des portes.

Quand le gardien du temple, qui appartenait à la tribu du Requin, vit s'avancer Khalid à la tête d'une grande foule de guerriers, il tira son épée et se rendit devant l'idole de la déesse. Après avoir dit ses dernières prières il pendit son épée autour de son cou, et déclara, « Si tu es une déesse véritable, Uzza, défends-toi et ton serviteur contre la venue de Mahound. » Puis Khalid entra dans le temple, et comme la déesse ne bougeait pas le gardien dit, « Maintenant, en vérité, je reconnais que le Dieu de Mahound est le vrai Dieu, et que cette pierre n'est que pierre. » Puis Khalid détruisit le temple et l'idole et revint voir Mahound dans sa tente. Et le Prophète demanda : « Qu'as-tu vu? » Khalid écarta les bras. « Rien », dit-il. « Alors tu ne l'as pas détruite, elle, cria le Prophète. « Retourne achever ton travail. » Alors Khalid revint au temple ruiné, et là une femme énorme, toute noire à part sa longue langue rouge, se précipita vers

405

lui, nue de la tête aux pieds, ses cheveux noirs lui tombant jusqu'aux chevilles. Quand elle fut près de Khalid, elle s'arrêta, et récita de sa voix terrible de soufre et de feu infernal : « As-tu entendu parler de Lat, de Manat et d'Uzza, la Troisième, l'Autre? Ce sont les Oiseaux Exaltés... » Mais Khalid l'interrompit, disant, « Uzza, ce sont les versets du Diable, et tu es la fille du Diable, une créature qui n'est pas à adorer, mais à nier. » Alors il tira son épée et l'abattit.

Et il revint voir Mahound dans sa tente et lui dit ce qu'il avait vu. Et le Prophète dit, « Maintenant nous pouvons entrer dans Jahilia », et ils se levèrent, et entrèrent dans la ville, et la prirent au Nom du Plus Grand, le Destructeur d'Hommes.

Combien d'idoles dans la Maison de la Pierre Noire? Ne l'oubliez pas : trois cent soixante. Dieu-soleil, aigle, arc-en-ciel. Le colosse de Hubal. Trois cent soixante attendent Mahound, sachant qu'elles ne seront pas épargnées. Et elles ne le seront pas : mais ne perdons pas de temps. Des statues tombent; la pierre se brise; ce qui doit être fait est fait.

Mahound, après avoir nettoyé la Maison, dresse sa tente sur l'ancien champ de foire. Le peuple s'assemble autour de la tente, embrassant la foi victorieuse. La Soumission de Jahilia : ceci aussi est inévitable, et il n'est pas nécessaire de s'y attarder.

Tandis que les habitants de Jahilia s'inclinent devant lui, marmonnant les phrases salvatrices, *Il n'y a de Dieu qu'Al-Lah*, Mahound chuchote quelque chose à Khalid. Quelqu'un n'est pas venu s'agenouiller devant lui; quelqu'un qu'il attend depuis longtemps. « Salman, le Prophète veut savoir. L'a-t-on trouvé?

– Pas encore. Il se cache, mais cela ne saurait tarder. »

Ils sont distraits un instant. Une femme voilée s'agenouille devant lui, embrasse ses pieds. « Arrête, lui enjoint-il. On ne doit adorer que Dieu. » Mais quels baisers! Orteil après orteil, articulation après articulation, la femme lèche, embrasse, suce. Et Mahound, agacé, répète : « Arrête. Ceci est incorrect. » Cependant, à présent, la femme s'occupe de la plante de ses pieds, serrant le talon dans le creux de ses mains... dans sa gêne, il lui donne un coup de pied qui l'atteint à la gorge. Elle tombe, tousse, puis se prosterne devant lui, et dit fermement : « Il n'y a de Dieu qu'Al-Lah, et Mahound est son Prophète. » Mahound se calme, s'excuse, tend la main. « Il ne te sera fait aucun mal, lui assure-t-il. Tous ceux qui se Soumettent sont épargnés. » Mais il ressent une gêne étrange en lui, et maintenant il comprend pourquoi, il comprend la colère, l'ironie amère dans l'adoration excessive, sensuelle, débordante de cette femme pour ses pieds. La femme jette son voile : Hind.

« La femme d'Abu Simbel », déclare-t-elle distinctement, et le silence se fait. « Hind, dit Mahound. Je n'ai pas oublié. »

Mais, après un long moment, il fait un signe de la tête. « Tu t'es Soumise. Et tu es bienvenue sous mes tentes. »

Le lendemain, parmi le flot des conversions, on traîne Salman le Persan devant le Prophète. Khalid, le tenant par une oreille, lui posant un poignard sur la gorge, amène l'immigré reniflant et gémissant devant le takht. « Je l'ai trouvé où, avec une putain, bien sûr, qui l'insultait parce qu'il n'avait pas d'argent pour la payer. Il pue l'alcool. »

« Salman Farsi », le Prophète commence à prononcer la sentence de mort, mais le prisonnier se met à hurler le qalmah : « La ilaha ilallah ! La ilaha ! »

Mahound secoue la tête. « Salman, on ne peut pardonner ton blasphème. Tu croyais que je ne m'en apercevrais pas ? Dresser tes mots contre les Mots de Dieu. »

Scribe, creuseur de fossés, condamné : incapable de trouver la plus petite trace de dignité, il pleurniche geint supplie se frappe la poitrine s'abaisse se repent. Khalid dit : « Ce bruit est insupportable, Messager. Ne puis-je lui couper la tête ? » Et le bruit augmente nettement. Salman jure une loyauté renouvelée, supplie encore, et puis, avec une lueur d'espoir désespérée, fait une offre. « Je peux te montrer où se trouvent tes vrais ennemis. » Il gagne quelques secondes. Le Prophète se penche. Khalid redresse la tête de Salman agenouillé en la tirant par les cheveux : « Quels ennemis ? » Et Salman dit un nom. Mahound s'enfonce profondément dans ses coussins et la mémoire lui revient.

« Baal, dit-il, et il répète le nom deux fois : Baal, Baal. »

A la grande déception de Khalid, Salman le Persan n'est pas condamné à mort. Bilal intercède en sa faveur, et le Prophète, l'esprit ailleurs, accepte : oui, oui, laisse vivre ce pauvre diable. Oh, la générosité de la Soumission! On a épargné Hind; et Salman; et on n'a enfoncé aucune porte dans tout Jahilia, on n'a pas traîné un seul vieil ennemi dans la poussière pour lui trancher le cou comme celui d'un poulet. Voici la réponse de Mahound à la deuxième question : *Que se passe-t-il quand on gagne?* Mais un nom hante Mahound, saute autour de lui, jeune, vif, tendant un long doigt à l'ongle peint, il chante des vers dont la cruauté et l'éclat renforcent le mal qu'ils causent. Cette nuit, quand les suppliants sont partis, Khalid demande à Mahound : « Tu penses toujours à lui? » Le Messager acquiesce d'un signe de tête, mais refuse de parler. Khalid dit : « J'ai obligé Salman à me conduire dans sa chambre, un taudis, mais il n'y est pas, il se cache. » Il acquiesce à nouveau, mais ne parle pas. Khalid insiste : « Tu veux que je le déniche? Ce ne sera pas difficile. Que veux-tu faire de lui? Ceci? Ceci? » Khalid se passe le doigt sur la gorge et puis, d'un coup sec, se l'enfonce dans le nombril. Mahound perd patience. « Tu es un imbécile, » crie-t-il à l'ancien porteur d'eau qui est maintenant son chef d'état-major. « Ne peux-tu jamais trouver une solution sans mon aide? »

Khalid s'incline et part. Mahound s'endort : son vieux don, sa façon de faire face à la mauvaise humeur.

Mais Khalid, le général de Mahound, ne put retrouver Baal. Malgré des recherches porte à porte, des proclamations, des fouilles minutieuses, il était impossible de mettre la main sur le poète. Et les lèvres de Mahound restaient closes, refusaient de s'écarter pour laisser passer un souhait. Finalement, et non sans irritation, Khalid abandonna les recherches. « Que ce salaud montre le nez une seule fois, n'importe quand, jura-t-il dans la tente de douceurs et d'ombres du Prophète. Je le découperai si finement qu'on pourra voir à travers chaque tranche. »

Khalid avait l'impression que Mahound semblait déçu;

mais dans la faible lumière de la tente il était difficile d'en être sûr.

*_**

Jahilia s'installa dans sa nouvelle vie : l'appel à la prière cinq fois par jour, pas d'alcool, les femmes enfermées. Hind elle-même se retira dans ses appartements... mais où se trouvait Baal?

Gibreel rêva d'un rideau :

Le Rideau, *Hijab*, était le nom du plus célèbre bordel de Jahilia, un énorme palais de palmiers dans des cours où l'eau chantait, entourées de chambres qui s'imbriquaient en une mosaïque étonnante, traversée d'un labyrinthe de couloirs décorés exprès pour se ressembler, chacun portant les mêmes invocations calligraphiques à l'Amour, chacun recouvert de tapis identiques, chacun avec une grande urne de pierre posée contre un mur. Aucun des clients du Rideau ne pouvait trouver son chemin, sans aide, ni dans les appartements de sa courtisane préférée, ni pour retrouver la direction de la rue. De cette façon les filles étaient protégées des hôtes indésirables et l'entreprise était sûre d'être payée avant le départ des clients. D'énormes eunuques circassiens, habillés de façon ridicule comme les génies de la lampe, accompagnaient les visiteurs à destination et retour, parfois à l'aide d'une pelote de ficelle. C'était un univers mou et sans fenêtres, fait de draperies, dirigé par l'antique et anonyme Madame du Rideau dont les déclarations gutturales proférées depuis sa chaise cachée par des voiles noirs avaient acquis, au cours des années, quelque chose de l'oracle. Ni ses employés ni ses clients ne pouvaient désobéir à la voix sibylline qui, d'une certaine façon, était l'antithèse profane des déclarations sacrées de Mahound proférées dans une tente plus large et plus facilement pénétrable, plantée pas loin de là. Aussi quand Baal, le poète ridé, se prosterna devant elle et lui demanda son aide, sa décision de le cacher et de lui sauver la vie, comme un acte de nostalgie pour le jeune homme beau, plein de vie et malin qu'il avait été autrefois, fut immédiatement acceptée; et quand les gardes de Khalid arrivèrent pour fouiller les lieux les eunuques les emmenèrent dans un voyage étourdissant à travers ces cata-

409

combes de contradictions et de routes irréconciliables, jusqu'à ce que leurs têtes de soldats se mettent à tourner, et après avoir regardé à l'intérieur de trente-neuf urnes de pierre et n'y avoir trouvé que des pommades et des cornichons, ils s'en allèrent en jurant grossièrement, sans jamais soupçonner qu'il y avait un quarantième couloir où on ne les avait pas conduits, une quarantième urne dans laquelle était caché, tel un voleur, le poète, tremblant et mouillant son froc, qu'ils recherchaient.

Après cela, Madame demanda aux eunuques de teindre la peau et les cheveux du poète jusqu'à ce qu'ils soient bleu sombre, et de l'habiller avec le pantalon et le turban d'un djinn, puis elle lui donna l'ordre de suivre un programme de musculation, de crainte que sa mauvaise condition physique n'éveille des soupçons.

Le séjour de Baal « derrière Le Rideau » ne le priva absolument pas d'informations sur ce qui se passait au-dehors; bien au contraire, en fait, car au cours de ses devoirs d'eunuque il montait la garde devant les chambres de plaisir et entendait les bavardages des clients. L'indiscrétion absolue de leurs langues, suscitée par le joyeux abandon des caresses des putains et par la certitude qu'avaient les clients que leurs secrets seraient gardés, fournissait au poète indiscret, bien que myope et un peu dur d'oreille, une meilleure vision de l'actualité que celle qu'il aurait pu avoir s'il avait été libre d'errer dans les rues récemment puritaines de la ville. La surdité était parfois un problème; elle signifiait qu'il y avait des lacunes dans ses informations, car très souvent les clients baissaient la voix et chuchotaient; mais cela diminuait les éléments salaces de ses indiscrétions, puisqu'il n'était pas capable d'entendre les murmures qui accompagnaient la fornication, sauf, bien sûr, au moment où les clients en extase ou les travailleuses qui faisaient semblant élevaient la voix et criaient de joie vraie ou feinte.

Ce que Baal apprit au Rideau :

D'Ibrahim, le boucher mécontent, il apprit que malgré la récente interdiction de la viande de porc les convertis superficiels de Jahilia faisaient la queue à la porte de derrière pour acheter la viande défendue en secret, « les ventes augmentent », murmurait-il en montant son élue, « les prix du porc au marché noir sont élevés; mais putain, ces nouvelles lois ont rendu mon travail pénible. Ce n'est pas facile de tuer un porc en secret, sans faire de bruit », et là-dessus il se mettait lui-même à couiner, pour des raisons, on peut le présumer, de plaisir plutôt que de douleur. – Et l'épicier, Musa, confessa à une autre horizontale du Rideau que les vieilles habitudes étaient dures à abandonner, et quand il était sûr que personne ne l'écoutait, il disait encore une ou deux prières « à ma préférée de toujours, Manat, et parfois, qu'y faire, à Al-Lat aussi; il n'y a rien de mieux que des déesses femmes, elles ont des attributs que les mecs ne peuvent égaler », sur quoi lui aussi se jetait avec force sur les imitations terrestres de ces attributs. Alors, Baal, éteint et teint, apprit dans son amertume qu'aucun empire n'est absolu, aucune victoire complète. Et, lentement, commencèrent les critiques de Mahound.

Baal avait commencé à changer. La nouvelle de la destruction du grand temple d'Al-Lat à Taif, qui parvint à son oreille ponctuée par les grognements d'Ibrahim, le baiseur de cochons clandestin, le plongea dans une profonde tristesse, parce que même à la belle époque de son jeune cynisme, son amour pour la déesse avait été sincère, peut-être sa seule émotion sincère, et sa chute lui révélait le vide d'une vie dans laquelle il n'avait ressenti d'amour véritable que pour une masse de pierre qui ne pouvait même pas se défendre. Quand la première douleur se fut atténuée, Baal se persuada que la chute d'Al-Lat annonçait sa fin prochaine. Il perdit ce sentiment étrange de sécurité que la vie au Rideau lui avait brièvement inspiré; mais il est intéressant de constater que la conscience retrouvée de son impermanence, le fait que sa découverte certaine entraînerait sa mort non moins certaine, ne l'effraya pas. Après toute une vie vouée à la lâcheté il découvrait à sa grande surprise que l'approche de la mort le rendait vraiment capable de goûter les douceurs de la vie, et il s'étonnait du paradoxe qui consistait à ouvrir les yeux à une telle vérité dans cette maison de mensonges coûteux. Et quelle était la vérité? Al-Lat était morte – n'avait jamais vécu – mais ça ne faisait pas de Mahound un prophète. En somme, Baal avait atteint l'état d'absence de

411

divinité. Il commença, en trébuchant, à dépasser l'idée des dieux et des chefs et des lois, et à se rendre compte que sa propre histoire était tellement mêlée à celle de Mahound qu'une importante résolution devenait nécessaire. Que, selon toute probabilité, cette résolution entraînerait sa mort ne le choquait ni ne le préoccupait outre mesure; et quand Musa l'épicier grommela un jour à propos des douze femmes du Prophète, *une loi pour lui, une autre pour nous*, Baal comprit la forme que devrait prendre sa confrontation finale avec la Soumission.

Les filles du Rideau – ce n'était que par convention qu'on les appelait des « filles », car la plus âgée avait une cinquantaine bien sonnée, alors que la plus jeune, à quinze ans, avait plus d'expérience que beaucoup de femmes de cinquante ans – s'étaient attachées à ce Baal qui traînait les pieds et, en fait, cela leur plaisait tellement d'avoir parmi elles un eunuque qui n'en était pas un qu'après leurs heures de travail elles l'aguichaient délicieusement, vautrant leurs corps devant lui, mettant leurs seins entre ses lèvres, entourant sa taille de leurs jambes, s'embrassant passionnément à quelques centimètres de son visage, jusqu'à ce que l'écrivain au teint de cendre soit désespérément excité; sur ce elles riaient de sa raideur et se moquaient de lui jusqu'à ce qu'il rougisse et débande en tremblant; ou, très rarement, et alors qu'il avait abandonné tout espoir, elles déléguaient l'une d'entre elles pour satisfaire, gratuitement, la luxure qu'elles avaient éveillée. De cette façon, tel un taureau myope, clignant des yeux et apprivoisé, le poète passait ses journées, la tête posée sur les genoux des femmes, pensant à la mort et à la vengeance, incapable de dire s'il était le plus heureux ou le plus misérable des hommes.

Ce fut au cours d'une de ces séances de jeu à la fin d'une journée de travail, alors que les filles étaient seules avec leurs eunuques et leur vin, que Baal entendit la plus jeune parler de son client, l'épicier, Musa. « Celui-là! disait-elle. Il a une dent contre les femmes du Prophète. Il est tellement agacé par elles qu'il s'excite rien qu'à prononcer leur nom. Il me dit que, personnellement, je suis l'image crachée d'Ayesha elle-même, et c'est la préférée du Gros Bonnet, comme tout le monde le sait. Voilà. »

La courtisane de cinquante ans plaça son mot. « Écoute,

ces jours-ci, les hommes ne parlent que des femmes de ce harem. Ce n'est pas étonnant que Mahound les ait séquestrées, mais cela n'a fait qu'aggraver les choses. Les gens se font plus d'idées sur ce qu'ils ne peuvent pas voir. »

En particulier dans cette ville, pensa Baal; surtout dans notre Jahilia aux mœurs lascives, où, jusqu'à l'arrivée de Mahound avec son livre de la loi, les femmes s'habillaient de façon voyante, et où on ne parlait que de baise et d'argent, d'argent et de sexe, et on ne faisait pas que d'en parler.

Il dit à la plus jeune putain : « Pourquoi ne fais-tu pas semblant pour lui?

– Pour qui?

– Musa. Si Ayesha l'excite tellement, pourquoi ne deviens-tu pas son Ayesha personnelle et privée?

– Mon Dieu, dit la fille. S'ils t'entendaient dire ça, ils te feraient frire les couilles au beurre. »

Combien de femmes? Douze, et une vieille dame, morte depuis longtemps. Combien de putains derrière Le Rideau? Douze à nouveau; et, secrète sur son trône tendu de noir, l'antique Madame, qui défiait toujours la mort. Là où il n'y a pas de croyance il n'y a pas de blasphème. Baal fit part de son idée à la Madame; elle résolut les problèmes de sa voix de grenouille enrouée. « C'est très dangereux, dit-elle, mais ça peut être bon pour les affaires, on avancera avec précaution; mais on avancera. »

La fille de quinze ans chuchota quelque chose à l'oreille de l'épicier. Tout à coup une lumière brilla dans ses yeux. « Dis-moi tout, supplia-t-il. Ton enfance, tes jouets préférés, les chevaux de Salomon et le reste, dis-moi comment tu jouais du tambourin et quand le Prophète est venu te regarder. » Elle le lui raconta, et il lui demanda de lui raconter son dépucelage à l'âge de douze ans, et elle le lui raconta, et ensuite il paya le double du tarif normal, parce que « j'ai passé le meilleur moment de ma vie ». « Il va falloir faire attention avec les cardiaques », dit la Madame à Baal.

*.

Quand la nouvelle se répandit dans Jahilia que chaque putain du Rideau s'était approprié l'identité d'une des femmes de Mahound, l'excitation clandestine des mâles de la cité fut intense; cependant, ils avaient si peur d'être découverts, à la fois parce qu'ils perdraient sûrement la vie si Mahound ou ses lieutenants découvraient qu'ils avaient été impliqués dans des actes à ce point irrévérencieux, et parce qu'ils désiraient que le nouveau service du Rideau soit maintenu, que le secret fut caché aux autorités. A cette époque Mahound était reparti à Yathrib avec ses femmes, préférant la fraîcheur de l'oasis du nord à la chaleur de Jahilia. Il avait laissé la ville à la garde du général Khalid, à qui on pouvait facilement dissimuler les choses. Pendant un certain temps Mahound avait pensé demander à Khalid de fermer tous les bordels de la ville, mais Abu Simbel l'avait mis en garde contre un acte aussi brutal. « Les gens de Jahilia sont des convertis récents, lui fit-il remarquer. Allez-y doucement. » Mahound, le plus pragmatique des Prophètes, avait accepté une période de transition. Alors, en l'absence du Prophète, les hommes de Jahilia se ruèrent au Rideau qui augmenta son chiffre d'affaires de trois cents pour cent. Pour des raisons évidentes il n'était pas recommandé de faire la queue dans la rue, alors, très souvent, une file d'hommes s'enroulait dans la cour située au cœur du bordel, tournant autour de la Fontaine d'Amour exactement comme les pèlerins qui, pour d'autres raisons, tournaient autour de la Pierre Noire. Tous les clients du Rideau recevaient un masque à l'entrée, et Baal, regardant le cercle de silhouettes masquées du haut d'un balcon, était satisfait. Il existe plus d'une façon de refuser de se Soumettre.

Dans les mois qui suivirent, le personnel du Rideau s'enthousiasma pour sa nouvelle tâche. La putain de quinze ans « Ayesha » était la plus populaire parmi le public payant, exactement comme son homonyme l'était avec Mahound, et comme l'Ayesha qui vivait chastement dans son appartement du harem de la grande mosquée de Yathrib, cette Ayesha de Jahilia commença à devenir jalouse de son statut prééminent de Préférée. Cela lui déplaisait fortement qu'une de ses « sœurs » semble recevoir plus de visiteurs ou touche des pourboires d'une générosité exceptionnelle. La putain, la plus âgée et la plus grosse, qui avait pris le nom de « Sawdah », racontait à ses visiteurs – et il y en avait des quantités, beaucoup d'hommes de Jahilia recherchant ses charmes maternels et aussi sa reconnaissance – comment Mahound les avait épousées, elle et Ayesha, le même jour, alors qu'Ayesha n'était qu'une enfant. « En nous deux, disait-elle en excitant terriblement les hommes, il retrouvait les deux moitiés de sa première femme morte : l'enfant, et la mère. » La putain « Hafsah » devint aussi colérique que son homonyme, et tandis que les douze entraient dans l'esprit de leur rôle, les alliances au bordel devinrent le miroir des cliques politiques de la mosquée de Yathrib; « Ayesha » et « Hafsah », par exemple, s'engagèrent en permanence dans des rivalités mesquines contre les deux putains les plus hautaines, que les autres avaient toujours trouvées un peu prétentieuses et qui avaient choisi les identités les plus aristocratiques, devenant « Umm Salamah la Makhzumite » et, la plus hautaine de toutes, « Ramlah », dont l'homonyme, la onzième femme de Mahound, était la fille d'Abu Simbel et de Hind. Et il y avait une « Zainab bint Jahsh », et une « Juwairiyah », qui portait le nom de l'épouse capturée lors d'une expédition militaire, et une « Rehana la Juive », une « Safia » et une « Mainunah », et, la plus érotique de toutes les putains, qui connaissait des trucs qu'elle refusait d'apprendre à sa concurrente « Ayesha » : la fascinante Égyptienne, « Marie la Copte ». La plus étrange de toutes était la putain qui avait pris le nom de « Zainab bint Khuzaimah » en sachant que cette épouse de Mahound venait de mourir. La nécrophilie de ses amants, qui lui interdisaient tout mouvement, était l'un des aspects les plus déplaisants du nouveau régime au Rideau. Mais les affaires étaient les affaires et ceci, aussi, était un besoin auquel répondaient les courtisanes.

Vers la fin de la première année les douze étaient devenues si expertes dans leur rôle que leur personnalité précédente commença à s'estomper. Baal, plus myope et plus sourd chaque mois, voyait les formes des filles qui passaient près de lui, leurs contours devenaient flous, leurs images se dédoublaient, comme des ombres qui se superposent à des ombres. Les filles commencèrent également à nourrir de nouvelles idées sur Baal. A cette époque la coutume voulait qu'une putain, quand elle entrait dans la profession, prenne le genre de mari qui ne lui causerait jamais de problèmes – une montagne, peut-être, ou une fontaine, ou un buisson – et ainsi elle pouvait adopter, pour la forme, le titre de femme mariée. Au Rideau, la règle voulait que toutes les filles épousent la Fontaine d'Amour de la cour centrale, mais une sorte de révolution couvait, et le jour vint où les prostituées allèrent ensemble trouver la Madame pour lui annoncer que maintenant qu'elles avaient commencé à se considérer comme les femmes du Prophète elles exigeaient un époux de plus haut rang qu'une sorte de pierre qui crachait de l'eau, ce qui, après tout, était presque de l'idolâtrie; et pour lui dire qu'elles avaient décidé de devenir toutes les épouses du rabâcheur, Baal. Tout d'abord la Madame essaya de les faire changer d'avis, mais quand elle vit que les filles ne plaisantaient pas elle accepta, et leur demanda de lui envoyer l'écrivain. Avec force ricanements et coups de coude les douze courtisanes escortèrent le poète aux pieds traînants dans la salle du trône. Quand Baal apprit le plan, son cœur se mit à battre de façon si irrégulière qu'il perdit l'équilibre et tomba, et dans sa frayeur « Ayesha » cria : « Oh, mon Dieu, nous allons devenir ses veuves avant même d'avoir été ses épouses. »

Mais il guérit : son cœur retrouva son calme. Et, n'ayant pas le choix, il accepta les douze propositions. La Madame les maria tous elle-même, et dans ce repaire de la dégénérescence, cette anti-mosquée, ce labyrinthe de la profanation, Baal devint l'époux des femmes de l'ancien homme d'affaires, Mahound.

Puis ses épouses lui firent clairement comprendre qu'elles attendaient qu'il remplisse ses devoirs conjugaux avec chacune d'elles, et elles mirent au point un système de rotation grâce auquel il pouvait passer successivement une journée avec chacune d'elles (au Rideau, le jour et la nuit étaient inversés, la nuit était réservée au travail et le jour au repos). Dès qu'il se fut embarqué dans cet ardu programme elles convoquèrent une réunion au cours de laquelle elles lui dirent qu'il devait commencer à se comporter un peu plus comme le « vrai » mari, c'est-à-dire Mahound. « Pourquoi ne pas changer de nom comme nous ? » demanda « Hafsah » au mauvais caractère, mais Baal refusa d'aller jusque-là. « Il n'y a peut-être pas de quoi en être fier, dit-il, mais c'est mon nom. En outre, je ne travaille pas avec les clients ici. Les affaires ne justifient en rien ce changement. » « Très bien, quoi qu'il en soit, dit la voluptueuse Marie la Copte en haussant les épaules, que tu portes son nom ou pas, nous voulons que tu agisses comme lui. »

Baal commença à protester, « Je n'y connais pas grand-chose », mais « Ayesha », qui était vraiment la plus séduisante de toutes, ou en tout cas c'est ce qu'il ressentait depuis peu, fit une moue délicieuse. « Honnêtement, mon époux, dit-elle d'une voix cajoleuse, ce n'est pas si dur. Nous voulons simplement que tu, tu sais. Que tu sois le patron. »

Il apparut que les putains du Rideau étaient les femmes les plus démodées et les plus conventionnelles de Jahilia. Leur travail, qui aurait pu si facilement les rendre cyniques et désabusées (et, bien sûr, elles pouvaient nourrir de féroces pensées au sujet de leurs visiteurs), en avait fait au contraire des rêveuses. Coupées du monde extérieur, elles avaient inventé une « vie ordinaire » imaginaire dans laquelle elles ne désiraient rien d'autre qu'être les compagnes obéissantes, et oui – soumises d'un homme sage, affectionné et fort. C'est-à-dire : les années passées à exécuter les caprices des hommes avaient finalement corrompu leurs rêves, et au plus profond de leur cœur elles voulaient devenir le plus ancien caprice des hommes. Le piment supplémentaire qui consistait à mimer la vie du Prophète les avait toutes mises dans un état de grande excitation, et Baal stupéfié découvrit ce que signifiait avoir douze femmes qui luttaient pour obtenir ses faveurs, le bénéfice de son sourire, tandis qu'elles lui lavaient les pieds et les séchaient avec leurs cheveux, tandis qu'elles oignaient son corps et dansaient pour lui, et de mille façons jouaient ce mariage de rêve qu'elles n'avaient jamais vraiment imaginé pouvoir vivre.

C'était irrésistible. Il commença à avoir suffisamment confiance pour leur donner des ordres, pour décider entre elles, pour les punir quand il était en colère. Une fois, parce que leurs querelles l'avaient irrité, il les répudia toutes pendant un mois. Quand il alla voir « Ayesha » au bout de vingt-neuf nuits elle le taquina en lui disant qu'il n'avait pas été capable de tenir. « Ce mois n'avait que vingt-neuf jours », répondit-il. Une fois, il fut surpris avec « Marie la Copte » par « Hafsah », dans les appartements d' « Hafsah », et cela le jour d' « Ayesha ». Il supplia « Hafsah » de ne rien dire à « Ayesha », dont il était tombé amoureux ; mais elle le lui dit quand même et ensuite Baal dut rester éloigné longtemps de « Marie » à la peau claire et aux cheveux bouclés. En un mot, il était victime des séductions du fait d'être devenu le miroir secret et profane de Mahound ; et il avait recommencé à écrire.

La poésie qui lui venait maintenant était la plus douce qu'il ait jamais composée. Parfois quand il se trouvait avec Ayesha il sentait une lenteur l'envahir, une lourdeur, et il devait s'allonger. « C'est étrange, lui disait-il. C'est comme si je me voyais debout à côté de moi. Et, celui qui est debout, je peux le faire parler ; alors je me lève et je note ses vers. » Les femmes de Baal admiraient beaucoup ses lenteurs artistiques. Un jour, fatigué, il s'assoupit dans un fauteuil dans la chambre de « Umm Salamah la Makhzumite ». Quand il s'éveilla, quelques heures plus tard, son corps lui faisait mal, ses épaules et son cou étaient noués, et il réprimanda Umm Salamah : « Pourquoi ne m'as-tu pas réveillé ? » Elle répondit : « J'avais peur, au cas où des vers te seraient venus. » Il secoua la tête. « Ne t'inquiète pas pour ça. La seule femme en compagnie de laquelle me viennent des vers, c'est " Ayesha ", pas toi. »

Deux ans et un jour après que Baal eut commencé sa nouvelle vie au Rideau, un des clients d'Ayesha le reconnut malgré sa peau teinte, son pantalon et ses exercices de musculation. Baal se tenait à la porte de la chambre d'Ayesha quand le client en sortit, tendit le doigt vers lui et cria : « Ainsi, c'est ici que tu es ! » Ayesha arriva en courant, les yeux enflammés par la peur. Mais Baal dit, « Ça va. Il ne causera pas de problèmes. » Il invita Salman le Persan dans ses appartements et déboucha une bouteille de vin fait de grappes non écrasées que les habitants de Jahilia avaient commencé à fabriquer quand ils avaient découvert que ce n'était pas interdit dans ce qu'ils appelaient irrespectueusement le Livre de la Règle.

« Je suis venu parce que je vais finalement quitter cette ville infernale, dit Salman, et je voulais encore m'accorder un moment de plaisir après toutes ces années de merde. » Quand Bilal eut intercédé en sa faveur au nom de leur ancienne amitié, l'immigré avait trouvé du travail comme écrivain public, installé dans la position du tailleur, sur le côté de la rue principale dans le quartier des affaires. Le soleil avait bruni son cynisme et son désespoir. « Les gens écrivent pour dire des mensonges, expliqua-t-il en buvant rapidement. Aussi, un menteur professionnel gagne bien sa vie. Mes lettres d'amour et ma correspondance d'affaires ont la réputation d'être les meilleures de la ville à cause de mes dons pour inventer de beaux mensonges qui ne s'écartent que très peu des faits. Et en deux ans, j'ai suffisamment économisé pour rentrer chez moi. Chez moi! Mon vieux pays! Je pars demain, et ce n'est pas trop tôt! »

Au fur et à mesure que la bouteille se vidait Salman se mit à parler, ainsi que Baal le savait, de la source de tous ses malheurs, le Messager et son message. Il raconta à Baal une querelle entre Mahound et Ayesha, rapportant la rumeur comme s'il s'agissait d'un fait indiscutable. « Le fait que son mari veuille tant d'autres femmes lui faisait mal au ventre, dit-il. Il parlait de la nécessité, des alliances politiques, et ainsi de suite, mais elle n'était pas dupe. Qui peut la blâmer? Finalement il entra dans – quoi d'autre? – une de ses transes, et en ressortit avec un message de l'archange. Gibreel avait récité des versets lui apportant un total soutien divin. La permission de Dieu lui-même de baiser autant de femmes qu'il le voulait. Alors : que pouvait dire la pauvre Ayesha contre les versets de Dieu? Tu sais ce qu'elle a dit? Ceci: " Ton Dieu arrive bien vite quand tu as besoin afin d'arranger les choses à ta convenance ". Eh bien! S'il ne s'était pas agi d'Ayesha, qui sait ce qu'il aurait fait, mais personne d'autre n'aurait osé. » Baal le laissa parler sans l'interrompre. Les aspects sexuels de la Soumission préoccupaient beaucoup le Persan : « C'est malsain, déclara-t-il. Toute cette ségrégation des deux sexes. Il ne peut rien en sortir de bon. »

Au bout d'un moment Baal se mit à le contredire, et Salman fut étonné de voir que le poète prenait le parti de Mahound : « Tu peux comprendre son point de vue, argua

Baal. Si des familles lui proposent des épouses et s'il les refuse il se crée des ennemis – en outre, c'est un homme différent et on peut imaginer facilement que des dérogations soient justifiées –, et en ce qui concerne le fait de les enfermer, quel déshonneur s'il arrivait quelque chose à l'une d'entre elles! Écoute, si tu vivais ici, tu ne pourrais pas penser qu'un peu moins de liberté sexuelle peut être une mauvaise chose – pour le peuple, j'entends.

– Tu as perdu la tête, lui dit Salman carrément. Il y a trop longtemps que tu n'as pas vu le soleil. Ou c'est peut-être ce costume qui te fait parler comme un clown. »

À ce moment-là, Baal, passablement ivre, lui répondit vertement, mais Salman leva une main tremblante. « Veux pas m' battre, affirma-t-il. Laisse-moi te dire queq' chose. La meilleure histoire de la ville. Hou la la! Et c'est en rapport avec ch'que ch'que tu dis. »

L'histoire de Salman : Ayesha et le Prophète étaient allés en expédition dans un village lointain, et sur le chemin du retour à Yathrib, avec toute leur suite, ils avaient campé pour la nuit dans les dunes. Ils avaient levé le camp dans l'obscurité avant l'aube. Au dernier moment, à cause d'un appel pressant de la nature, Ayesha dut s'isoler derrière une dune. Pendant son absence les porteurs de sa litière soulevèrent son palanquin et s'en allèrent. C'était une femme légère, et, ne sentant pas de différence de poids dans le lourd palanquin, ils crurent qu'elle s'y trouvait. Ayesha revint après s'être soulagée et se retrouva seule, et qui sait ce qui aurait pu lui arriver si un jeune homme, un certain Safwan, n'était pas passé par hasard sur son chameau... Safwan ramena Ayesha saine et sauve à Yathrib; et les langues commencèrent à jaser, surtout dans le harem, où les adversaires d'Ayesha saisissaient toujours la moindre occasion pour affaiblir son pouvoir. Les deux jeunes gens avaient voyagé seuls dans le désert pendant plusieurs heures, et on laissait entendre, de plus en plus lourdement, que Safwan était un jeune homme plein de panache, et, après tout, le Prophète était bien plus âgé que la jeune femme, et dans ces conditions n'avait-elle pas pu être attirée par quelqu'un de son âge? « Un vrai scandale, commenta Salman, heureux.

– Que va faire Mahound? voulut savoir Baal.

– Oh, il l'a déjà fait, répondit Salman. Toujours le même.

420

Il a vu son chouchou, l'archange, et il a informé tout le monde que Gibreel avait pardonné à Ayesha. » Salman ouvrit grand les bras avec une résignation profane. « Et cette fois-ci, monsieur, la dame ne s'est pas plainte que les versets tombent au moment propice. »

.

Salman le Persan s'en alla le lendemain matin dans une caravane en partance pour le nord. Quand il quitta Baal au Rideau, il le prit dans ses bras, l'embrassa sur les deux joues et dit : « Tu as peut-être raison. Il vaut peut-être mieux rester à l'abri du soleil. Pourvu que ça dure. » Baal répondit : « J'espère que tu retrouveras ta maison, et quelque chose à y aimer. » Le visage de Salman perdit toute expression. Il ouvrit la bouche, la referma, et s'en alla.

« Ayesha », vint chez Baal pour se rassurer. « Il ne va pas dévoiler le pot aux roses quand il aura trop bu ? demanda-t-elle en caressant les cheveux de Baal. Il boit beaucoup de vin. »

Baal dit : « Rien ne sera jamais plus comme avant. » La visite de Salman l'avait tiré d'un rêve dans lequel il s'était laissé lentement couler pendant toutes ces années au Rideau, et il ne pouvait plus se rendormir.

« Mais si, insista Ayesha. Mais si. Tu verras. »

Baal secoua la tête et fit la seule remarque prophétique de toute sa vie. « Il va se passer quelque chose de grand, prédit-il. Un homme ne peut pas toujours se cacher derrière des jupes. »

Le lendemain, de retour à Jahilia, Mahound envoya des soldats informer la Madame du Rideau que la période de transition venait de s'achever. On fermait les bordels, la mesure prenait effet immédiatement. Ça suffisait. De derrière ses voiles, la Madame demanda aux soldats de se retirer pendant une heure au nom de la bienséance afin de permettre à ses hôtes de partir, et l'officier de la brigade des mœurs manquait à ce point d'expérience qu'il accepta. La Madame envoya ses eunuques informer les filles et escorter les clients par la porte de service. « Présentez-leur nos excuses pour l'interruption, ordonna-t-elle aux eunuques, et dites-leur qu'en raison des circonstances on ne les fera pas payer. »

Ce furent ses dernières paroles. Quand les filles apeurées, parlant toutes en même temps, se réunirent dans la salle du trône pour voir si le pire était effectivement vrai, elle ne répondit pas à leurs questions terrifiées, sommes-nous au chômage, comment allons-nous manger, va-t-on nous mettre en prison, qu'allons-nous devenir –, jusqu'à ce qu' « Ayesha » prenne son courage à deux mains et fasse ce qu'aucune d'elles n'aurait jamais osé faire. Quand elle tira les tentures noires elles virent une femme morte qui pouvait avoir cinquante ou cent vingt-cinq ans, qui ne mesurait pas plus d'un mètre, qui ressemblait à une grosse poupée, tapie dans les coussins d'un fauteuil en rotin, et qui serrait dans sa main une fiole de poison vide.

« Maintenant que vous avez commencé, dit Baal en entrant dans la pièce, vous feriez aussi bien d'enlever tous les rideaux. Ce n'est plus la peine d'empêcher le soleil d'entrer. »

Le jeune officier de la brigade des mœurs, Umar, se laissa aller à un accès de mauvaise humeur quand il découvrit le suicide de la tenancière. « Si on ne peut pas pendre la patronne, on va se contenter des travailleuses », cria-t-il, et il ordonna à ses hommes d'arrêter les « poules », une tâche dont les hommes s'acquittèrent avec zèle. Les femmes firent beaucoup de bruit et donnèrent des coups de pieds, mais les eunuques regardaient sans bouger un muscle parce qu'Umar leur avait dit : « Ils veulent traîner les cons en justice, mais je n'ai pas d'instructions à votre sujet. Alors, si vous ne voulez pas perdre votre tête comme vous avez perdu vos couilles, ne vous en mêlez pas. » Les eunuques ne défendirent pas les femmes du Rideau tandis que les soldats les jetaient de force par terre; et parmi les eunuques se trouvait Baal, à la peau teintée et poète. Juste avant que le plus jeune « con » ou « fente » soit bâillonné, elle hurla : « Époux, pour l'amour de Dieu, aide-nous si tu es un homme. » Cela amusa le capitaine de la brigade des mœurs. « Lequel d'entre vous est son mari? demanda-t-il, en regardant attentivement chaque visage enturbanné. Allez, avouez. Qu'est-ce que ça fait de voir tout le monde aller avec sa femme? »

Baal fixait l'infini afin d'éviter le regard furieux d' « Ayesha » et les yeux étroits d'Umar. L'officier s'arrêta devant lui : « C'est toi ?

— Monsieur, comprenez, ce n'est qu'une façon de parler, mentit Baal. Elles aiment bien plaisanter, les filles. Elles nous appellent leurs maris parce que nous... nous... »

Sans prévenir, Umar l'attrapa par les couilles et serra. « Parce que vous ne pouvez pas en être, dit-il, des maris, hein. Pas mal. »

Quand la douleur s'atténua, Baal vit que les femmes étaient parties. En s'en allant, Umar donna un conseil aux eunuques. « Fichez le camp, suggéra-t-il. Demain j'aurai peut-être des ordres vous concernant. On n'a pas souvent de la chance deux jours de suite. »

Quand on eut emmené les filles du Rideau, les eunuques s'assirent et pleurèrent sans pouvoir s'arrêter autour de la Fontaine d'Amour. Mais Baal, rempli de honte, ne pleurait pas.

* * *

Gibreel rêva de la mort de Baal :

Peu de temps après leur arrestation, les douze putains se rendirent compte qu'elles s'étaient tellement habituées à leurs nouveaux noms qu'elles ne se souvenaient plus des anciens. Elles étaient trop effrayées pour donner leur titre d'emprunt à leurs geôliers, si bien qu'elles ne donnèrent aucun nom du tout. Après beaucoup de cris et pas mal de menaces, les geôliers abandonnèrent et les inscrivirent sous des numéros, Rideau n° 1, Rideau n° 2, et ainsi de suite. Leurs anciens clients, terrifiés par les conséquences s'ils laissaient échapper le secret de ce qu'avaient fait les putains, restèrent eux aussi silencieux, et ainsi il aurait été tout à fait possible que personne ne découvre la vérité si le poète Baal ne s'était mis à afficher ses poèmes sur les murs de la prison de la ville.

Deux jours après les arrestations, la prison était bondée de putains et de maquereaux, dont le nombre avait considérablement augmenté au cours des deux années où la Soumission avait introduit la séparation des sexes à Jahilia. Il arriva que de nombreux hommes de la ville étaient prêts à affronter les railleries de la racaille, sans parler des poursuites possibles dues aux nouvelles lois sur l'immoralité, afin de chanter la sérénade sous les fenêtres de ces femmes peintes qu'ils avaient appris à aimer. A l'intérieur les femmes restaient indifférentes à ces marques d'amour, et ne prodiguaient aucun encouragement à ces soupirants derrière leurs grilles. Cependant, le troisième jour, apparut parmi ces amoureux transis un type particulièrement pitoyable, avec turban et culotte, dont la peau sombre commençait à s'en aller par plaques. De nombreux passants ricanèrent en le voyant, mais quand il se mit à chanter ses vers les ricanements cessèrent. Les gens de Jahilia avaient toujours été des amateurs de poésie, et la beauté des odes chantées par ce curieux type les arrêta net. Baal chantait ses poèmes d'amour, et la douleur qu'ils contenaient faisait taire les autres versificateurs, qui laissaient Baal parler pour eux. Aux fenêtres de la prison, on put voir pour la première fois le visage des putains enfermées, attirées là par la magie de ses vers. Quand il eut fini son récital il s'avança pour clouer son poème sur le mur. Les gardes aux portes, les yeux baignés de larmes, n'essayèrent pas de l'arrêter.

Par la suite, l'homme étrange revint chaque soir réciter un nouveau poème, et chaque jour les vers étaient plus beaux que les précédents. C'est peut-être cet excès de beauté qui empêcha qu'on remarque, avant le douzième soir, quand il termina son douzième et ultime poème, que chacun d'eux était dédié à une femme différente, et que les noms des douze « épouses » étaient les mêmes que ceux d'un autre groupe de douze.

Mais le douzième jour on le remarqua, et la foule immense qui avait pris l'habitude d'écouter Baal changea brusquement d'humeur. L'indignation remplaça l'exaltation, et des hommes en colère entourèrent Baal pour connaître les raisons de ses insultes détournées et tarabiscotées. À ce moment-là Baal ôta son absurde turban. « Je suis Baal, déclara-t-il. Je ne reconnais aucune juridiction autre que celle de ma muse; ou, pour être plus précis, celle de mes douze muses. »

Les gardes s'emparèrent de lui.

Le général, Khalid, voulait qu'on exécute Baal sur-le-champ, mais Mahound demanda que le poète soit jugé immédiatement après les putains. Aussi quand les douze femmes de Baal, qui avaient divorcé d'une pierre pour l'épouser, eurent été condamnées à mort par lapidation pour les punir de l'immoralité de leurs vies, Baal se retrouva face à face avec le Prophète, le miroir face à son image, les ténèbres face à la lumière. Khalid, assis à la droite de Mahound, offrit à Baal une dernière occasion d'expliquer ses actes infâmes. Le poète raconta l'histoire de son séjour au Rideau, dans le langage le plus simple, en ne dissimulant rien, même pas sa lâcheté finale, car tout ce qu'il avait fait depuis n'avait été qu'une tentative pour réparer. Mais alors une chose inhabituelle se passa. La foule, qui se pressait dans la tente du jugement, sachant qu'après tout il s'agissait du célèbre poète satiriste Baal, au temps de sa splendeur propriétaire de la langue la plus acérée et de l'esprit le plus mordant de Jahilia, commença (malgré tous ses efforts pour s'en empêcher) à rire. Plus Baal décrivait honnêtement et simplement ses mariages avec les douze « femmes du Prophète », plus grande devenait l'hilarité horrifiée du public. À la fin de son intervention les braves gens de Jahilia pleu-raient littéralement de rire, incapables de se retenir même quand les soldats armés de fouets et de cimeterres les mena-cèrent de mort.

« Je ne plaisante pas! hurla Baal à la foule qui conspua cria se frappa les cuisses en guise de réponse. Ce n'est pas une blague! » Ha ha ha. Jusqu'à ce qu'enfin le silence revienne; le Prophète s'était levé.

« Autrefois, tu ridiculisais la Récitation, dit Mahound dans le calme revenu. À cette époque, ces gens riaient aussi de tes moqueries. Aujourd'hui tu es revenu déshonorer ma maison, et il semble qu'une fois encore tu aies réussi à faire sortir du peuple ce qu'il y a de pire. »

Baal dit, « J'ai fini. Fais ce que tu veux. »

Aussi on le condamna à avoir la tête tranchée dans l'heure, et quand les soldats l'emmenèrent brutalement hors de la tente vers le lieu de l'exécution, Baal cria par-dessus son épaule : « Les putains et les écrivains, Mahound. Nous sommes ceux à qui tu ne peux pardonner. »

Mahound répondit, « Les écrivains et les putains. Je ne vois aucune différence. »

425

∗∗

Il était une fois une femme qui ne changeait pas.

Après la trahison d'Abu Simbel qui avait donné Jahilia à Mahound sur un plateau et remplacé l'idée de la grandeur de la cité par la réalité de la grandeur de Mahound, Hind suça des orteils, récita le La-ilaha, puis se retira dans une haute tour dans son palais, où l'atteignit la nouvelle de la destruction du temple d'Al-Lat à Taif, ainsi que de toutes les statues de la déesse qui s'y trouvaient. Elle s'enferma dans sa chambre de la tour avec une collection de livres anciens manuscrits, qu'aucun autre être humain de Jahilia ne pouvait déchiffrer; et elle resta là pendant deux ans et deux mois, étudiant ses textes mystérieux en secret, demandant que chaque jour on pose devant sa porte une assiette de nourriture simple et qu'en même temps on lui vide son pot. Elle ne vit aucun être vivant pendant deux ans et deux mois. Puis, à l'aube, elle entra dans la chambre de son mari parée de ses plus beaux atours, avec des bijoux brillants aux poignets, aux chevilles, aux orteils, aux oreilles et à la gorge. « Réveille-toi, lui ordonna-t-elle en ouvrant brusquement les rideaux. C'est un jour de fête. » Il s'aperçut qu'elle n'avait pas vieilli d'un jour depuis qu'il l'avait vue pour la dernière fois; elle paraissait même plus jeune, si cela était possible, ce qui ajoutait foi aux rumeurs qui laissaient entendre qu'avec sa sorcellerie elle avait convaincu le temps de faire marche arrière pour elle, dans les limites de sa chambre de la tour. « Qu'avons-nous à fêter? » demanda l'ancien Maître de Jahilia en crachant du sang comme tous les matins. Hind répondit : « Je ne suis peut-être pas capable de renverser le cours de l'histoire, mais, au moins, la vengeance est douce. »

Dans l'heure qui suivit on apprit que le Prophète, Mahound, était atteint d'une maladie fatale, qu'il restait couché dans le lit d'Ayesha et que sa tête battait comme remplie de démons. Hind continua à préparer calmement un banquet et envoya des serviteurs à tous les coins de la ville pour prévenir les invités. Mais bien sûr personne ne voulut participer à une fête ce jour-là. Le soir, Hind, assise seule dans la grande salle de sa maison, parmi les assiettes

426

d'or et les verres de cristal de sa vengeance, mangea un simple couscous, entourée de plats miroitants, fumants et parfumés. Abu Simbel avait refusé de se joindre à elle, traitant son repas d'obscénité. « Tu as mangé le cœur de son oncle, cria Simbel, et maintenant tu voudrais manger le sien. » Elle lui rit au visage. Quand les domestiques commencèrent à pleurer, elle les renvoya aussi, et resta dans sa joie solitaire tandis que les chandeliers projetaient d'étranges ombres sur son visage absolu et inflexible.

Gibreel rêva de la mort de Mahound :

Car quand la tête du Messager commença à le faire souffrir comme jamais auparavant, il sut que le temps était venu où on lui offrirait le Choix :

Car aucun Prophète ne peut mourir sans avoir vu le Paradis, et qu'on lui ait demandé de choisir entre ce monde et l'autre :

Ainsi, tandis qu'il reposait, la tête sur les genoux de sa bien-aimée Ayesha, il ferma les yeux, et la vie sembla se séparer de lui; mais – après quelque temps – il revint :

Et il dit à Ayesha, « On m'a offert et j'ai fait mon Choix, et j'ai choisi le royaume de Dieu. »

Alors elle pleura, sachant qu'il parlait de sa mort; puis les yeux de Mahound se détournèrent d'elle, et semblèrent se fixer sur une autre silhouette dans la chambre, et pourtant quand elle, Ayesha, tourna la tête pour regarder elle ne vit qu'une lampe, brûlant sur un support :

« Qui est là? criait-il. Est-ce Toi, Azraeel? »

Mais Ayesha entendit une terrible et douce voix, qui était une voix de femme, répondre : « Non, Messager d'Al-Lah, ce n'est pas Azraeel. »

Et la lampe s'éteignit; et dans l'obscurité Mahound demanda : « Es-tu la cause de cette maladie, ô Al-Lat? »

Et elle dit : « C'est ma vengeance sur toi, et je suis satisfaite. Demande-leur qu'ils tranchent les jarrets d'un chameau et qu'ils le laissent sur ta tombe. »

Puis elle s'en alla, et la lampe qu'on avait soufflée s'alluma à nouveau avec une grande lumière douce, et le Messager murmura, « Pourtant, je te remercie, Al-Lat, pour ce présent. »

427

Il mourut peu de temps après. Ayesha se rendit dans la chambre d'à côté, où les autres femmes et les disciples attendaient le cœur lourd, et ils commencèrent à se lamenter violemment.

Mais Ayesha s'essuya les yeux et dit : « S'il en est ici qui adoraient le Messager, qu'ils s'affligent, car Mahound est mort; mais s'il en est ici qui adorent Dieu, qu'ils se réjouissent, car Il est vivant. »

Ce fut la fin du rêve.

VII

L'ange Azraeel

1

Tout s'est réduit à l'amour, se dit Saladin Chamcha dans sa tanière : l'amour, l'oiseau rebelle du libret de Meilhac et Halévy de *Carmen* un des spécimens rares qu'il avait réunis à sa belle époque dans la Volière Allégorique, et qui comprenait parmi ses métaphores ailées la Douceur (de la jeunesse), le Jaune (plus chanceux que moi), l'Oiseau du Temps qu'on ne peut qualifier – d'Omar Khayyam–FitzGerald (qui a si peu à voler, et voilà! il est sur l'Aile), et l'Obscène; ce dernier venant d'une lettre écrite par Henry James, Sir, à ses fils... « Tout homme qui a atteint ne serait-ce que son adolescence intellectuelle commence à soupçonner que la vie n'est pas une farce; que ce n'est même pas une comédie de bon ton; qu'au contraire elle fleurit et fructifie sur les abîmes tragiques et profonds du dénuement essentiel dans lequel plongent les racines du sujet. L'héritage naturel de quiconque est capable de vie spirituelle est une forêt vierge dans laquelle hurle le loup et jacasse l'oiseau obscène de la nuit. » Prenez *ça*, les enfants. – Et, dans une vitrine d'exposition en verre, séparée mais proche, de l'imagination du jeune et heureux Chamcha, voletait un captif venu d'une musique de hit-parade pour minettes, le Papillon Volage, qui partageait *l'amour* avec *l'oiseau rebelle*.

L'amour, un domaine dans lequel quiconque, désireux de connaître un ensemble d'expériences humaines (opposées aux expériences de l'androïde robotique skinnérien) ne peut se permettre de ne pas pénétrer, que ça l'épuise, sans aucun doute, et très probablement que ça le liquide. On vous avertit même à l'avance. « L'amour est enfant de Bohême », chante Carmen, elle-même Idée personnifiée de la Bien-

Aimée, son modèle parfait, éternel et divin, «et si tu m'aimes, prends garde à toi». On ne peut être plus loyal. Pour sa part, Saladin en son temps avait aimé largement, et maintenant (c'est ce qu'il avait fini par croire) il subissait la vengeance de l'Amour s'abattant sur l'amant insensé. Parmi toutes les choses de l'esprit, il avait aimé par-dessus tout la culture protéenne et inépuisable des peuples de langue anglaise; il avait dit, lorsqu'il faisait la cour à Pamela, qu'*Othello,* «cette seule pièce», valait toute la production de n'importe quel autre dramaturge dans n'importe quelle autre langue, et bien qu'il ait eu conscience de l'hyperbole, il ne pensait pas exagérer beaucoup. (Évidemment, Pamela faisait d'incessants efforts pour trahir sa classe et sa race, et, comme de bien entendu, se disait horrifiée, elle mettait Othello et Shylock dans le même sac et s'en servait pour taper sur ce raciste de Shakespeare.) Il s'était démené, comme avant lui l'écrivain bengali, Nirad Chaudhuri – mais sans ce besoin de faire preuve d'esprit colonial et impie pour qu'on le considère comme un enfant terrible – afin d'être digne du défi que représentait la phrase *Civis Britannicus sum.* L'Empire n'existait plus, mais il savait toujours que «tout ce qui était bon et vivant en lui» avait été «fait, façonné et accéléré» par sa rencontre avec cet îlot de sensibilité entouré par le bon sens de la mer froide. – Parmi les choses matérielles, il avait donné son amour à cette ville, Londres, la préférant à la ville de sa naissance ou à n'importe quelle autre; il avait avancé lentement vers elle, furtivement, avec une joie toujours plus grande, se figeant comme une statue quand elle regardait dans sa direction, rêvant d'être celui qui la posséderait et ainsi, dans un sens, de *devenir* elle, comme, dans le jeu de un, deux, trois, soleil, l'enfant qui touche celui qui y *est* prend l'identité espérée; comme aussi dans le mythe du Rameau d'Or. Londres, dont la nature de conglomérat était le reflet de la sienne, sa réticence aussi; ses gargouilles, les bruits de pas fantomatiques de Romains dans ses rues, le cri des oies migratrices qui s'en vont. Son hospitalité – oui! – malgré les lois sur l'immigration, et son expérience récente, il insistait sur cette vérité : un accueil imparfait, d'accord, capable de racisme, mais une chose vraie, cependant, comme l'attestait l'existence dans un quartier sud de Londres d'un café où on ne pouvait entendre parler que l'ukrainien, ainsi que la réunion annuelle, à Wembley, à deux pas du grand stade entouré des souvenirs de l'Empire – Avenue de l'Empire, Piscine de l'Empire – de plus d'une centaine de délégués, tous originaires d'un petit village de Goa. – « Nous, les Londoniens, nous pouvons être fiers de notre hospitalité », dit-il un jour à Pamela, et elle, ricanant, l'emmena voir le film de Buster Keaton, dans lequel le comédien, arrivant au bout d'une ligne de chemin de fer absurde, reçoit un accueil délirant. A cette époque, de telles oppositions les amusaient, et leurs disputes violentes se terminaient au lit... Il ramena ses pensées vagabondes sur la métropole. Sa longue histoire – se répétait-il obstinément – comme terre d'asile, un rôle qu'elle maintenait malgré l'ingratitude rebelle des enfants de réfugiés; et sans le discours complaisant de l'accueil-pour-tous d'une « nation d'immigrés » de l'autre côté de l'océan, bien loin d'avoir les bras ouverts. Est-ce que les États-Unis, avec leur Commission McCarthy, auraient permis à Ho Chi Minh de faire la cuisine dans leurs hôtels? Qu'aurait eu à dire la loi Mc Carran-Walter contre les communistes, à un Karl Marx d'aujourd'hui, se tenant à leur porte, la barbe buissonneuse, attendant de franchir la frontière? Oh! Londres! Stupide serait l'âme qui ne préférerait pas Londres et ses splendeurs surannées, ses doutes nouveaux, aux violentes certitudes de cette Nouvelle Rome transatlantique dont le gigantisme architectural nazi a employé l'oppression de sa taille immense pour que les hommes s'y sentent comme des vers grouillants... Londres qui, malgré des excroissances telles la tour de Natwest – un emblème commercial élevé à la troisième dimension – préservait l'échelle humaine. *Viva! Zindabad!*

Pamela avait toujours eu un regard critique sur de telles descriptions dithyrambiques. « Ce sont des valeurs de musée, avait-elle l'habitude de lui dire. Sanctifiées, accrochées dans des cadres dorés sur des murs honorifiques. » Elle n'avait jamais de temps à perdre pour ce qui durait. Il faut tout changer! Il faut tout casser! Il disait : « Si tu réussissais, dans une ou deux générations, les gens comme toi ne pourraient plus vivre. » Elle aimait cette vision de sa propre obsolescence. Si elle finissait comme le dodo – une relique empaillée, *Traître à sa classe, années 1980* – elle disait que

433

cela apporterait une amélioration dans le monde. Il la suppliait de changer d'avis, mais à ce moment-là ils s'étaient déjà enlacés : ce qui était sûrement une amélioration, aussi s'avouait-il vaincu.

(Une année, le gouvernement avait instauré un droit d'entrée dans les musées, et des groupes d'amoureux de l'art en colère avaient bloqué l'entrée des temples de la culture. En voyant cela, Chamcha avait voulu protester et organiser une contre-manifestation à lui tout seul. Est-ce qu'ils ne se rendaient pas compte de la *valeur* de ce qui se trouvait à l'intérieur? Ils se détruisaient les poumons avec des cigarettes dont un seul paquet valait plus cher que le prix d'entrée contre lequel ils protestaient; ce qu'ils montraient au monde, c'était seulement le peu de valeur qu'ils accordaient à leur héritage culturel... Pamela mit le hola. « Comment oses-tu », lui dit-elle. Elle partageait l'opinion à la mode selon laquelle les musées avaient *trop de valeur* pour qu'on en fasse payer l'entrée. Aussi : « Comment oses-tu », et à sa grande surprise il n'osa pas. Il n'avait pas l'intention de dire ce qu'il aurait semblé vouloir dire. Il voulait dire que, peut-être, dans de bonnes circonstances, il aurait donné sa *vie* pour ce qui se trouvait dans ces musées. Aussi, il ne pouvait pas prendre au sérieux ces objections contre quelques pence. Cependant, il comprenait parfaitement qu'il s'agissait d'une position peu claire et mal défendue.)

– *Et, parmi tous les êtres humains, Pamela, je t'aimais.* –

Culture, ville, épouse; et un quatrième et dernier amour, dont il n'avait parlé à personne : l'amour d'un rêve. Autrefois le rêve revenait environ une fois par mois; un rêve simple, situé dans un jardin public, dans une allée bordée de grands ormes, dont les branches recourbées transformaient l'allée en un tunnel de verdure dans lequel le ciel et la lumière du soleil tombaient goutte à goutte, ici ou là, à travers les parfaites imperfections du dais de feuilles. Dans cet isolement sylvestre, Saladin se voyait, accompagné d'un petit garçon d'environ cinq ans, à qui il apprenait à faire de la bicyclette. Le garçon, tanguant au début de façon inquiétante, faisait des efforts héroïques pour retrouver et garder son équilibre, avec la férocité de celui qui veut que son père soit fier de lui. Le Chamcha du rêve courait derrière son fils imaginaire et maintenait la bicyclette droite en tenant le porte-bagage au-dessus de la roue arrière. Puis il le lâchait et le garçon (qui ne savait qu'on ne le tenait plus) continuait : l'équilibre venait comme le don de voler, et tous deux descendaient l'avenue, Chamcha en courant, le garçon en pédalant de plus en plus fort. « Ça y est! » criait Saladin réjoui, et l'enfant, aussi heureux, lui répondait : « Regarde-moi! Regarde comme j'ai appris vite! Tu n'es pas content de moi? Tu n'es pas content? » C'était un rêve pour pleurer; parce que, lorsqu'il s'éveillait, il n'y avait ni bicyclette ni enfant.

« Que vas-tu faire maintenant? lui demanda Mishal au milieu du Musée de Cire dévasté, et il répondit, trop légèrement : « Moi? Je crois que je vais revenir à la vie. » Plus facile à dire qu'à faire; après tout, c'était la vie qui avait récompensé son amour d'un enfant de rêve par une absence d'enfance; son amour d'une femme, par son éloignement et sa fécondation par son vieil ami de collège; son amour d'une ville, en le jetant vers elle depuis des hauteurs himalayennes; et son amour d'une civilisation, en l'ensorcelant, en l'humiliant, en le rompant de coups. Pas entièrement rompu, se rappela-t-il, il était à nouveau entier, et il y avait, aussi, l'exemple de Niccolo Machiavel (un méchant, son nom, comme celui de Mahomet–Mahon-Mahound, un synonyme du mal; alors qu'en fait ses fermes convictions républicaines lui avaient valu le supplice de la roue auquel il avait survécu, était-ce trois tours? – de toute façon suffisamment pour que la plupart des hommes avouent le viol de leur grand-mère, ou n'importe quoi, simplement pour éloigner la douleur; – pourtant il n'avait rien avoué, n'ayant commis aucun crime en servant la république de Florence, cette trop brève interruption du pouvoir des Médicis); si Niccolo avait pu supporter une telle épreuve et vivre pour écrire cette parodie amère, peut-être sardonique de la littérature fourbe, miroir–des–princes, tellement en vogue à l'époque, *Il Principe* suivi du magistral *Discorsi*, alors lui, Chamcha, ne pouvait sûrement pas se permettre le luxe de la défaite. Alors, c'était la résurrection; fais rouler cette pierre de devant l'entrée sombre de la grotte, et au diable les problèmes légaux.

Mishal, Hanif Johnson et Rosewalla – aux yeux de qui les métamorphoses de Chamcha avaient fait de l'acteur un héros, par lequel la magie des effets spéciaux des films fantastiques *(Labyrinthe, Légende, Donald le Canard)* savait pénétré la réalité – conduisirent Saladin chez Pamela dans le camion DJ; mais, cette fois, il se tassa dans la cabine avec les trois autres. C'était le début de l'après-midi; Jumpy serait encore au centre sportif. « Bonne chance », lui dit Mishal en l'embrassant, et Rosewalla lui demanda s'ils devaient l'attendre. « Non, merci, répondit Saladin. Quand on est tombé du ciel, qu'on a été abandonné par son ami, qu'on a subi les brutalités de la police, qu'on a été transformé en bouc, qu'on a perdu son travail et sa femme, qu'on a appris le pouvoir de la haine et retrouvé son apparence humaine, que reste-t-il à faire sinon, comme vous le diriez sans aucun doute, exiger ses droits? » Il leur fit au revoir de la main. « Bon courage », dit Mishal, et ils s'en allèrent. Au coin de la rue les gamins habituels, avec qui il n'avait jamais entretenu de bonnes relations, faisaient rebondir un ballon contre un réverbère. L'un d'eux, un lourdaud de neuf ou dix ans, à l'air mauvais et aux petits yeux de cochon, tendit vers Chamcha une télécommande vidéo imaginaire et cria : « Accéléré avant. » Il appartenait à une génération qui croyait qu'on pouvait sauter les passages ennuyeux, gênants, désagréables de la vie, en passant d'un moment fort de l'action au suivant, grâce à une télécommande comme avec un magnétoscope. *Bienvenue chez toi*, pensa Saladin, et il sonna à la porte.

Quand elle le vit, Pamela porta vraiment les mains à sa gorge. « Je pensais que les gens ne faisaient plus ça, dit-il. Plus depuis *Docteur Folamour*. Sa grossesse ne se voyait pas encore; il lui posa une question, et elle rougit, mais confirma que tout se passait bien. « Jusqu'ici. » Évidemment, elle ne savait plus où elle en était; l'offre d'un café dans la cuisine arriva quelques instants trop tard (elle en était toujours au whisky, et buvait sec malgré le bébé); Chamcha sentit qu'il venait de perdre un point (à une époque, il avait été un lecteur passionné des amusants petits livres de Stephen Potter). Pamela sentait clairement qu'elle aurait dû être celle qui se trouvait dans la mauvaise position. C'était elle qui avait voulu rompre le mariage, qui l'avait renié au moins trois fois; mais il se sentait aussi maladroit et aussi décontenancé qu'elle, et ils avaient l'air de lutter pour savoir qui porterait le bonnet d'âne. La raison de la déconfiture de Chamcha –

et, souvenons-nous, il n'était pas arrivé avec cet air emprunté, mais d'une humeur joyeuse et pugnace – c'était qu'il avait compris, en voyant Pamela, avec son éclat trop brillant, son visage comme un masque de sainte derrière lequel on ne savait trop quels vers se régalaient sur de la viande pourrissante (la violence des images qui jaillissaient de son inconscient l'inquiétait), sa tête rasée sous son turban absurde, son haleine empestant le whisky, et cette chose dure qui s'était nichée dans les petites rides autour de sa bouche, il avait compris qu'il ne l'aimait tout simplement plus, et ne souhaitait pas qu'elle revienne même si (ce qui semblait improbable mais pas inconcevable) elle le voulait. A l'instant où il en prit conscience il commença, sans savoir pourquoi, à se sentir coupable, et la conversation tourna à son désavantage. Le chien à poils blancs grognait contre lui. Il se souvint qu'il n'avait jamais vraiment aimé les animaux.

« Je suppose, elle s'adressait à son verre, assise devant la table ancienne en pin dans la cuisine spacieuse, que ce que j'ai fait est impardonnable, huh ? »

Ce petit américanisme *huh* était nouveau : encore un de ses innombrables coups contre son éducation ? Ou l'avait-elle attrapé comme une maladie, de Jumpy ou de l'un de ses petits copains branchés ? (A nouveau cette violence maussade : repousse-la. Maintenant qu'il n'avait plus envie d'elle, ce n'était absolument plus à propos.) « Je ne sais pas ce que je suis capable de pardonner, dit-il. Cette réponse particulière échappe à mon contrôle; et je saurai en temps voulu si ça marche ou non. Alors disons que, pour l'instant, le jury est absent. » Elle n'aima pas cela, elle voulait qu'il désamorce la situation pour qu'ils puissent déguster leur putain de café. Pamela avait toujours fait un café abominable : mais ce n'était plus son problème. « Je reviens ici, dit-il. La maison est grande et il y a beaucoup de place. Je vais prendre la tanière, et les pièces de l'étage en dessous, y compris la salle de bains d'amis, comme ça je serai tout à fait indépendant. Je propose de n'utiliser la cuisine que très rarement. Je prends comme fait acquis, puisqu'on n'a jamais retrouvé mon corps, qu'au point de vue légal je suis toujours considéré comme disparu, et que tu n'es pas allée à l'état civil me faire rayer des registres. Ça ne prendra pas

437

trop longtemps pour me ressusciter, une fois que j'aurai prévenu Bentine, Milligan et Sellers. » (Respectivement, leur avocat, leur comptable et l'agent de Chamcha.) Pamela écoutait sans rien dire, dans une position qui informait Chamcha qu'elle ne ferait pas de contre-propositions, qu'elle accepterait tout ce qu'il voulait : elle essayait de se racheter avec le langage du corps. « Ensuite, conclut-il, nous vendrons tout et tu auras ton divorce. » Il sortit précipitamment, avant d'être pris de tremblements, et atteignit la tanière juste avant la crise. En bas, Pamela devait être en train de pleurer; il n'avait jamais pleuré facilement, mais il était champion des tremblements. Et maintenant il y avait aussi son cœur : boum badaboum doudoudoum.

Pour renaître, il faut d'abord mourir.

Seul, il se souvint brusquement que Pamela et lui s'étaient disputés, comme ils se disputaient sur tout, à propos d'une nouvelle qu'ils avaient lue tous les deux, dont le thème était précisément la nature de l'impardonnable. Le titre et l'auteur lui échappaient, mais il se souvenait parfaitement de l'histoire. Un homme et une femme avaient été des amis intimes (jamais des amants) pendant toute leur vie d'adulte. Le jour du vingt et unième anniversaire de l'homme (à l'époque ils étaient pauvres tous les deux) la femme lui avait offert, en guise de plaisanterie, le vase bon marché le plus clinquant qu'elle avait pu trouver, avec des couleurs voyantes qui voulaient imiter la gaieté vénitienne. Vingt ans plus tard, alors que tous les deux avaient réussi et grisonnaient, elle lui rendit visite et ils se querellèrent à propos de son comportement à l'égard d'un ami commun. Au cours de la dispute le regard de la femme tomba sur l'ancien vase, qui trônait sur la cheminée du salon, et, sans s'arrêter de parler, elle le jeta par terre, où il se brisa en mille morceaux. Il lui reparla jamais plus; quand elle mourut, un demi-siècle plus tard, il refusa d'aller la voir sur son lit de mort ou d'assister à son enterrement, malgré les personnes qui vinrent l'informer qu'elle le réclamait. « Dites-lui, leur répondit-il, qu'elle n'a jamais su la valeur que j'accordais à ce qu'elle a brisé. » Les émissaires discutèrent, supplièrent, s'énervèrent. Si elle ignorait la signification qu'il attribuait à ce bibelot, comment en toute justice pouvait-il lui en tenir rigueur? Et, au cours des années, n'avait-elle pas tenté de nombreuses fois de s'excuser et de se faire pardonner? Et elle était mourante, nom de Dieu; ce malentendu ancien et enfantin ne pouvait-il être enfin oublié? Ils avaient perdu l'amitié de toute une vie; ne pouvaient-ils au moins se dire adieu? « Non », dit l'homme qui ne pardonnait pas. « Vraiment à cause du vase? Ou cachez-vous une autre raison, plus sombre? » – « C'est le vase, répondit-il, le vase et rien d'autre. » Pamela trouva l'homme mesquin et cruel, mais, même à l'époque, Chamcha avait aimé l'intimité curieuse, l'intériorité inexplicable de l'affaire. « Personne ne peut juger d'une lésion intérieure, avait-il dit, d'après la taille de la blessure superficielle, du trou. »

Sum lacrimae rerum, comme aurait dit Sufyan, l'ancien instituteur, et, dans les jours qui suivirent, Saladin eut de très nombreuses occasions de contempler les larmes contenues dans les choses. Au début il resta à peu près immobile dans sa tanière, laissant celle-ci revenir autour de lui à son rythme, attendant qu'elle retrouve quelque chose de son ancienne solidité rassurante, qu'elle redevienne comme avant la transformation de l'univers. Il regardait beaucoup la télévision d'un œil, en sautant d'une chaîne à l'autre, car lui aussi appartenait à la culture actuelle de la télécommande comme le gosse porcin du coin de la rue; lui aussi pouvait comprendre, ou au moins avoir l'illusion de comprendre, le monstre vidéo composite qu'il faisait naître en appuyant sur un bouton... quel rouleau compresseur cette télécommande, le lit de Procuste du XXe siècle; il découpait le lourd en tranches fines et aplatissait le léger jusqu'à ce que toutes les émissions, publicités, meurtres, jeux télévisés, les mille et une joies et terreurs du réel et de l'imaginaire, aient acquis un poids égal; – et tandis que le Procuste original, citoyen de ce qu'on pourrait appeler une culture « bien en main », avait besoin d'exercer son cerveau et ses muscles, lui, Chamcha, pouvait s'allonger dans son fauteuil inclinable Parker-Knoll et laisser ses doigts découper les tranches fines. En flânant d'une chaîne à l'autre, il avait l'impression que l'étrange lucarne était remplie de monstres : il y avait des mutants – « Les Corniauds » – dans l'émission *Dr Qui*, de bizarres créatures qui semblaient être le produit d'un croisement avec différentes machines industrielles : moissonneuses-batteuses, ramasseuses, treuils à vapeur, marteaux-piqueurs, scies, et dont les cruels grands prêtres s'appelaient *Mutilasiatics*; la télévision pour enfants ne semblait peuplée que de robots humanoïdes et de créatures aux corps en métamorphose, tandis que les programmes pour adultes offraient un défilé continuel d'humains difformes, effets secondaires des récentes innovations de la médecine moderne et de la guerre. Un hôpital de Guyana avait apparemment préservé le corps d'un triton adulte, nageoire et écailles comprises. La lycanthropie se développait dans les Highlands d'Écosse. On discutait sérieusement de la possibilité génétique de centaures. On montrait une opération de changement de sexe. – Cela lui rappela un poème détestable que Jumpy Joshi avait hésité à lui montrer au Shaandaar B and B. Son titre, « Je chante le corps éclectique », était tout à fait représentatif de l'ensemble. – Mais après tout ce type avait un corps complet, pensa Saladin avec amertume. Il avait fait un bébé à Pamela sans aucun problème : pas de gènes cassés sur ses putains de chromosomes... il se vit dans une rediffusion d'un « classique » des *Extraterrestres*. (Dans cette culture d'accéléré avant, on pouvait atteindre le statut de classique en six mois; parfois du jour au lendemain.) Ces heures de télévision ne firent que dégrader un peu plus l'idée qu'il se faisait du normal, de la qualité moyenne de la réalité; mais des forces contradictoires étaient à l'œuvre.

Dans *Le Monde des jardiniers* il vit comment obtenir ce qu'on appelait une « chimère » (le nom même, comme par hasard, de ce qui avait été l'orgueil du jardin d'Otto Cone); et bien que son inattention l'ait empêché de retenir les noms des deux arbres qu'on avait greffés – mûrier? cytise? genêt? – en entendant le nom de l'arbre il se redressa et le nota. Il était là, palpable, une chimère avec des racines, bien planté et poussant vigoureusement dans un lopin de terre anglaise : un arbre, pensa-t-il, capable de prendre la place métaphorique de celui que son père avait abattu dans le jardin lointain d'un autre monde incompatible. Si un tel arbre pouvait exister, alors lui aussi le pouvait; lui aussi pouvait être cohérent, enfoncer ses racines, survivre. Parmi toutes les images télévisuelles de tragédies hybrides – l'inutilité des tritons, les échecs de la chirurgie esthétique, l'art moderne aussi vide que l'espéranto, la Coca-colonisation de la planète – on lui avait fait un cadeau. Cela suffisait. Il éteignit la télévision.

Son animosité à l'égard de Gibreel diminua progressivement. Et les cornes, les sabots, etc., ne semblaient plus vouloir se manifester. Il avait l'impression que la guérison était en bonne voie. Effectivement, au fur et à mesure que les jours passaient, non seulement Gibreel mais tout ce qui lui était arrivé récemment et qui était inconciliable avec la banalité de la vie quotidienne, semblait maintenant hors de propos, comme les plus obstinés des cauchemars quand on s'est lavé le visage, brossé les dents et qu'on a bu quelque chose de chaud et de fort. Il commença à sortir dans le monde extérieur – pour rencontrer ces conseillers professionnels, avocat comptable agent, que Pamela appelait les « Truands », et, assis dans la stabilité de ces bureaux garnis de boiseries, de livres et de registres, où des miracles n'auraient jamais pu se produire, il se mit à parler de sa « dépression », – « le traumatisme de l'accident » – et ainsi de suite, expliquant sa disparition comme s'il n'était jamais tombé du ciel en chantant « Rule Britannia », tandis que Gibreel hurlait un air du film *Shree 420*. Il fit de véritables efforts pour reprendre son ancienne vie, délicate et sensible, s'obligeant à aller aux concerts, dans les galeries et au théâtre, et s'il réagissait un peu mollement – si malgré ces tentatives il ne réussissait pas à rentrer chez lui dans l'état d'exaltation qu'il attendait de tout art supérieur – alors il essayait de se persuader que le frisson allait bientôt revenir; il avait vécu « un sale moment », et avait besoin d'un petit peu de temps.

Dans sa tanière, assis dans le fauteuil Parker-Knoll, entouré de ses objets familiers – des pierrots en porcelaine, un miroir en forme de cœur, un Eros tenant le globe d'une lampe ancienne –, il se félicitait d'avoir été le genre de personne incapable de haïr très longtemps. Après tout, peut-être que l'amour durait plus longtemps que la haine; même si l'amour changeait, son ombre, ou quelque forme durable, persistait. Par exemple, maintenant, il était sûr de n'éprouver à l'égard de Pamela que des sentiments altruistes et affectueux. La haine n'était peut-être qu'une empreinte digi-

441

tale sur le verre lisse de l'âme sensible; une simple tache de graisse, qui disparaissait si on n'y touchait pas. Gibreel? Pouah! Il était oublié; il n'existait plus. Voilà; abandonner l'animosité, c'était devenir libre.

L'optimisme de Saladin augmentait, mais les problèmes administratifs qui accompagnaient son retour à la vie étaient des obstacles plus difficiles à franchir qu'il ne l'aurait cru. Les banques prenaient leur temps pour débloquer son compte; il devait emprunter de l'argent à Pamela. Et il n'était pas facile de retrouver du travail. Son agent, Charlie Sellers, lui expliqua au téléphone : « Les clients deviennent bizarres. Ils se mettent à parler de zombies, ils se sentent immondes : comme s'ils pillaient une tombe. » Charlie, qui à cinquante ans avait toujours l'air d'une jeune écervelée de l'aristocratie provinciale, donnait l'impression de partager le point de vue des clients. « Attends que ça passe, lui conseilla-t-elle. Ils vont revenir. Après tout, tu n'es pas Dracula, nom de Dieu. » Merci, Charlie.

Oui : sa haine obsessionnelle pour Gibreel, son rêve de vengeance cruelle et adaptée – il s'agissait de choses du passé, d'aspects de la réalité incompatibles avec son désir passionné de réintégrer une vie ordinaire. L'imagerie séditieuse et déconstructive de la télévision elle-même ne pouvait l'en détourner. Ce qu'il rejetait, c'était un portrait de Gibreel et de lui-même, *monstrueux*. Monstrueux, effectivement : l'idée la plus absurde. Il y avait de vrais monstres par le monde – les dictateurs qui tuaient à grande échelle, les violeurs d'enfants. L'assassin des vieilles dames. (Il devait reconnaître malgré son ancienne estime pour la police que l'arrestation d'Uhuru Simba semblait trop belle.) Il suffisait d'ouvrir les journaux à scandale, n'importe quel jour de la semaine, pour découvrir des homosexuels irlandais fous emplissant de terre la bouche de bébés. Naturellement, Pamela pensait que les traiter de « monstres » était – quoi? – *s'ériger en juge*; la compassion, disait-elle, exigeait qu'on les considère comme des victimes de l'époque. La compassion, répondit-il, voulait qu'on considère ceux qu'ils avaient tués comme les victimes. « On ne peut pas discuter avec toi, avait-elle dit de sa voix la plus aristocratique. Tu raisonnes vraiment comme dans un débat d'université. »

Et d'autres monstres aussi, non moins réels que les

442

démons des journaux à scandale : l'argent, le pouvoir, le sexe, la mort, l'amour. Les anges et les diables – qui avait besoin d'eux? « Pourquoi des démons quand l'homme lui-même est un démon? » demandait depuis son grenier de Tishevitz, le « dernier démon » du prix Nobel Singer? Ce à quoi le sens de l'équilibre de Chamcha, son vieux réflexe, il-y-a-du-pour-et-du-contre, souhaitait ajouter : « Et pourquoi des anges, alors que l'homme est aussi angélique? » (Si ce n'était pas vrai, comment expliquer, par exemple, les dessins de Léonard? Mozart était-il Belzébuth en perruque poudrée?) – Mais, il fallait avouer que, et c'était le point de départ de son raisonnement, les conditions de l'époque n'exigeaient aucune explication diabolique.

Je ne dirai rien. Ne me demandez pas d'expliquer les choses d'une façon ou d'une autre; nous sommes bien loin du temps des révélations. Les règles de la Création sont assez claires : on met des choses en route, on les fait comme ceci ou comme cela, et on les laisse suivre leur chemin. Où est le plaisir si on intervient toujours pour donner des indices, changer les règles, truquer les combats? Eh bien, je me suis suffisamment contrôlé jusqu'ici et je n'ai pas l'intention de gâcher les choses maintenant. N'allez pas croire que je n'ai pas eu envie d'y mettre mon grain de sel; très souvent. Et je l'ai fait une fois, c'est vrai. Je me suis assis sur le lit d'Alleluia Cone et j'ai parlé à la superstar, Gibreel. *Ooparvala ou Neechayvala,* voulait-il savoir, et je ne l'ai pas éclairé; je n'ai certainement pas non plus l'intention de vendre la mèche à Chamcha, complètement perdu.

Je m'en vais. L'homme va dormir.

Son optimisme renaissant, fragile, et encore faillible, était plus dur à soutenir la nuit; parce que la nuit on niait plus difficilement l'autre monde de cornes et de sabots. L'histoire des deux femmes commençait aussi à hanter ses rêves. La première – il avait du mal à se l'avouer – n'était autre que la femme-enfant du Shaandaar, sa loyale alliée à cette époque de cauchemar qu'il essayait aujourd'hui de dissimuler derrière des banalités et des brumes, l'aficionada des arts martiaux, la maîtresse de Hanif Johnson, Mishal Sufyan.

La seconde – qu'il avait laissée à Bombay avec le couteau de son départ toujours enfoncé dans le cœur, et qui devait toujours le croire mort – était Zeeny Vakil.

Quand il apprit le retour de Saladin Chamcha sous une forme humaine, pour réoccuper les étages supérieurs de la maison de Notting Hill, la nervosité de Jumpy Joshi fit peur à voir, et mit Pamela en colère, bien plus qu'elle ne l'aurait cru. La première nuit – elle décida de ne rien lui dire jusqu'à ce qu'ils soient bien en sécurité au lit – en apprenant la nouvelle, il fit un bond d'au moins un mètre et resta debout sur la moquette bleu pâle, complètement nu et tremblant, le pouce dans la bouche.

« Reviens ici et arrête de faire l'imbécile », lui ordonna-t-elle, mais il secoua vivement la tête, et retira son pouce le temps de bafouiller : « Mais s'il est *ici*! Dans cette *maison*! Comment puis-*je*...? » Puis il attrapa ses vêtements en paquet et s'enfuit; elle entendit des bruits et des coups, ce qui lui fit penser que ses chaussures, sans doute accompagnées de Jumpy lui-même, étaient tombées dans l'escalier. « Tant mieux, lui cria-t-elle. Lâche, casse-toi le cou. »

Cependant, quelques instants plus tard, Saladin reçut la visite de sa femme séparée de corps, la tête nue et le visage violet, qui lui dit entre ses dents et d'une voix pâteuse : « J. J. est dans la rue. Cet imbécile dit qu'il ne peut pas rentrer si tu ne donnes pas ton accord. » Elle avait bu, comme d'habitude. Chamcha, très étonné, cracha plus ou moins : « Et toi, tu as envie qu'il vienne? » Ce que Pamela interpréta comme un couteau qu'on retourne dans la plaie. Prenant une teinte d'un violet encore plus foncé, elle secoua la tête avec une teinte d'un violet encore plus foncé, elle secoua la tête avec une férocité humiliée. *Oui.*

Ainsi lors de sa première nuit à la maison, Saladin Chamcha sortit dans la rue – « He, Hombre! Tu es *vraiment* remis! » Jumpy l'accueillit terrorisé, faisant comme s'il allait lui donner une claque dans la paume pour cacher sa peur –

444

et persuada l'amant de sa femme de partager son lit. Puis il remonta chez lui, parce que l'humiliation de Jumpy l'empêchait d'entrer tant que Chamcha se trouvait sur son chemin.

« Quel homme! pleura Jumpy auprès de Pamela. C'est un *prince, un saint*!

— Si tu ne la fermes pas, l'avertit Pamela au bord de l'apoplexie, je lance ce putain de chien sur toi. »

**

***

Jumpy continua à trouver la présence de Chamcha dérangeante, le considérant (ou c'est ce qui apparaissait dans son comportement) comme une ombre menaçante qu'il fallait toujours apaiser. Quand il préparait un repas pour Pamela (à sa grande surprise et pour son plus grand soulagement, il s'était révélé un cuisinier Mughlai) il insistait pour qu'ils demandent à Chamcha s'il voulait se joindre à eux, et, quand Saladin refusait, il lui montait un plateau, expliquant à Pamela que faire autrement serait mal élevé et provocateur. « Regarde ce qu'il permet sous son propre toit! C'est un *géant*; la moindre chose c'est de se conduire correctement avec lui. » Pamela, sentant la colère monter en elle, devait supporter de tels actes et les sermons qui les accompagnaient. « Je ne t'aurais jamais cru aussi conventionnel », grommelait-elle, et Jumpy répondait : « C'est une simple question de respect. »

Au nom du respect, Jumpy apportait à Chamcha des tasses de thé, les journaux et le courrier; en arrivant dans la grande maison, il ne manquait jamais d'aller lui rendre une visite d'une vingtaine de minutes, d'après lui le temps minimum exigé par la politesse, tandis que, trois étages en dessous, Pamela patientait et avalait en vitesse du bourbon. Il apportait des petits cadeaux à Saladin, des offrandes propitiatoires : des livres, de vieux programmes de théâtre, des masques. Quand Pamela essaya d'y mettre le hola, il s'opposa à elle avec une passion innocente mais obstinée : « On ne peut pas se comporter comme s'il était invisible. Il est là, non? Alors on doit l'intégrer dans notre vie. » Pamela répondit aigrement : « Pourquoi ne lui demandes-tu pas de venir nous rejoindre au lit? » A quoi, Jumpy répondit sérieusement : « Je ne pensais pas que tu serais d'accord. »

Malgré son incapacité à se détendre et à accepter la présence de Chamcha en haut, Jumpy Joshi se sentait d'une certaine façon plus à l'aise d'avoir reçu la bénédiction de son prédécesseur. Capable de réconcilier les impératifs de l'amour et de l'amitié, il retrouva le moral, et l'idée de la paternité commença à faire son chemin en lui. Une nuit il rêva et, le lendemain, il en pleura de bonheur et d'anticipation : un rêve simple, dans lequel il courait dans une avenue recouverte par les arbres, aidant un petit garçon à faire de la bicyclette. « Tu n'es pas content de moi? criait dans sa joie le petit garçon. Regarde. Tu n'es pas content de moi? »

*
* *

Pamela et Jumpy participaient tous deux à la campagne de protestation contre l'arrestation du Dr Uhuru Simba, le soi-disant Tueur de Vieilles Dames. Jumpy alla également en discuter avec Saladin. « L'affaire est montée de toutes pièces, basée sur des preuves indirectes et des insinuations. Hanif estime qu'on pourrait passer avec un camion dans les trous du dossier d'accusation. C'est de la malveillance pure et simple; la seule question c'est de savoir jusqu'où ils oseront aller. Ils vont l'inculper c'est sûr. Il y aura peut-être même des témoins qui diront l'avoir vu égorger les vieilles dames. Cela dépend de la condamnation qu'on veut lui infliger. Je devrais dire, de la sévère condamnation ; c'est quelqu'un qui parlait fort depuis déjà pas mal de temps. » Chamcha recommanda la prudence. Se souvenant de la répugnance de Mishal Sufyan à l'égard de Simba, il fit remarquer : « Ce type a – c'est ce qu'on dit – une réputation de violence envers les femmes... » Jumpy tendit les paumes. « Sur le plan personnel, reconnut-il, ce mec est une vraie ordure. Mais ça ne signifie pas qu'il a éventré des vieilles dames; il ne faut pas être un ange pour être innocent. Sauf, bien sûr, un Noir. » Chamcha ne releva pas. « Mais en réalité ce n'est pas personnel, c'est politique, dit Jumpy en insistant, et il ajouta en se levant pour partir, Hum, il y a un meeting demain. Pamela et moi nous devons y aller; s'il te plaît, je veux dire, si ça t'intéresse, c'est-à-dire, viens avec nous si tu veux. »

« Tu lui as demandé de venir avec nous ? » Pamela n'en croyait pas ses oreilles. Elle avait commencé à avoir des nausées presque tout le temps, et la nouvelle n'arrangeait pas les choses. « Tu as vraiment fait ça sans m'en parler ? » Jumpy avait l'air abattu. « De toute façon c'est sans importance, dit-elle en arrêtant de le harceler. *Il* n'ira jamais dans un truc comme *ça.* »

Cependant, le lendemain matin, Saladin arriva dans l'entrée, vêtu d'un costume marron très chic, d'un manteau en poils de chameau au col de soie, et d'un feutre brun assez élégant. « Où vas-tu ? » lui demanda Pamela qui portait son turban, un blouson de cuir des surplus militaires et un pantalon de jogging qui laissait deviner le ballonnement de son ventre. « A ces conneries de courses à Ascot ? » « J'ai cru comprendre que j'étais invité à un meeting », répondit Saladin de sa voix la moins agressive, et Pamela explosa : « Tu devrais faire attention, l'avertit-elle. Avec ton air tu vas te faire agresser, putain. »

Qu'est-ce qui l'attirait dans l'autre monde, dans cette métropole souterraine dont il avait si longtemps nié l'existence ? – Quoi, ou plutôt qui, l'obligea par sa simple existence à émerger de sa tanière-cocon dans laquelle il retrouvait – ou c'est ce qu'il croyait – son ancien moi, et à plonger de nouveau dans les eaux périlleuses (parce que non cadastrées) du monde et de lui-même ? « Je vais pouvoir caser le meeting avant mon cours de karaté », avait dit Jumpy Joshi à Saladin. – Où attendait son élève vedette : la longue fille aux cheveux arc-en-ciel, qui, ajouta Jumpy, venait d'avoir dix-huit ans. – Ne sachant pas que Jumpy souffrait, lui aussi, des mêmes désirs illicites, Saladin traversa la ville pour se rapprocher de Mishal Sufyan.

Il s'attendait à une petite réunion, dans une arrière-salle, pleine de types à l'air soupçonneux regardant et parlant comme des clones de Malcolm X (Chamcha se souvint d'avoir ri à une plaisanterie à la télévision – « C'est l'histoire d'un Noir qui s'est fait appeler Mr X. et qui a porté plainte contre le journal télévisé pour diffamation » – ce qui avait provoqué une des pires querelles de son mariage), et peut-être aussi quelques femmes au visage coléreux; il avait imaginé beaucoup de poings dressés et de certitudes morales. Il trouva en fait une grande salle, dans la Maison des Amis de Brickhall, archibondée avec toute sorte de gens – des femmes, grosses et vieilles, des écoliers en uniforme, des rastas et des garçons de restaurant, des employés du petit supermarché chinois de Plassey Street, des hommes sobrement vêtus et des jeunes gens farfelus, blancs et noirs; l'humeur de la foule n'était pas du tout le genre d'hystérie évangélique qu'il avait imaginée; le public restait calme, inquiet, et voulait savoir ce qu'on pouvait faire. Une jeune femme noire qui se tenait près de lui contempla ses vêtements d'un œil amusé; il la regarda lui aussi, et elle rit : « D'accord, excusez-moi, je ne voulais pas être impolie. » Elle portait un badge rond et bombé, dont le message changeait quand on bougeait. Sous un angle, on pouvait lire *Uhuru pour le Simba*; sous un autre, *Liberté pour le Lion*. « C'est à cause de la signification du nom qu'il s'est choisi, expliqua-t-elle inutilement. En africain. » Quelle langue? voulut savoir Saladin. Elle hausa les épaules, et se retourna pour écouter les orateurs. C'était en « africain » : d'après son accent, elle était née à Lewisham ou à Deptford ou à New Cross, et ça lui suffisait... Pamela lui souffla à l'oreille : « Je vois que tu as finalement trouvé quelqu'un devant qui tu peux te sentir supérieur. » Elle pouvait le lire comme un livre ouvert.

Une femme minuscule qui avait plus de soixante-dix ans fut amenée sur la scène depuis l'autre bout de la salle par un homme maigre et nerveux, qui, et cela rassura presque Chamcha, ressemblait à un leader américain du Black Power, le jeune Stokely Carmichael, en fait – il portait les mêmes lunettes au regard intense – et qui jouait un peu le rôle d'animateur. C'est le frère cadet du Dr Simba, Walcott Roberts, et la petite dame, leur mère, Antoinette. « Dieu seul sait comment un type aussi grand que Simba a pu sortir d'elle », chuchota Jumpy, et Pamela en colère fronça les sourcils, en solidarité avec toutes les femmes enceintes, passées et présentes. Mais Antoinette Roberts parla, d'une voix

assez forte pour remplir la salle par la seule force de ses poumons. Elle voulut parler de la comparution de son fils
devant le tribunal, pour la procédure d'inculpation, et elle se
révéla une vraie comédienne. Elle avait ce que Chamcha
considérait être une voix cultivée; avec l'accent de
quelqu'un qui avait appris la diction anglaise en écoutant le
service international de la BBC, mais dedans il y avait du
gospel et des sermons sur les flammes de l'enfer. « Mon fils a
occupé le banc des accusés, dit-elle à la salle silencieuse. Seigneur, il a occupé *tout* le banc des accusés. Sylvester – vous
me pardonnerez d'utiliser le nom que je lui ai donné, je n'ai
pas l'intention de rabaisser le nom de guerre qu'il s'est
choisi, mais c'est une habitude enracinée en moi – Sylvester,
il a jailli de ce banc d'accusés comme Léviathan a jailli des
vagues. Je veux que vous sachiez comment il a parlé : il a
parlé fort, il a parlé distinctement. Il a parlé en regardant
l'adversaire droit dans les yeux, et est-ce que le procureur a
pu lui faire baisser les yeux? Jamais, au grand jamais. Et je
veux que vous sachiez ce qu'il a dit : " Je suis ici, a déclaré
mon fils, parce que j'ai choisi d'occuper le rôle ancien et
honorable du Nègre arrogant. Je suis ici parce que je n'ai pas
accepté d'avoir l'air raisonnable. Je suis ici à cause de mon
ingratitude. " C'était un colosse parmi les nains. " Ne vous y
trompez pas, a-t-il dit au tribunal, nous sommes ici pour
changer des choses. Je reconnais que nous changerons nous-
mêmes; originaires d'Afrique, des Caraïbes, de l'Inde, du
Pakistan, du Bengladesh, de Chypre, de Chine, nous
sommes différents de ce que nous aurions été si nous
n'avions pas traversé les océans, si nos mères et nos pères
n'avaient pas traversé les cieux à la recherche de travail et
de dignité et d'une vie meilleure pour leurs enfants. Nous
avons été refaçonnés : mais je dis que nous sommes ceux
qui refaçonnerons cette société, nous la refaçonnerons du
bas vers le haut. Nous serons les bûcherons du bois mort et
les jardiniers des temps nouveaux. Voici venu notre tour. "
Je veux que vous réfléchissiez à ce que mon fils, Sylvester
Roberts, le Dr Uhuru Simba, a dit dans ce lieu de justice.
Pensez-y pendant que nous déciderons de ce qu'il convient
de faire. »

Son fils Walcott l'aida à descendre de la scène sous les
acclamations et les chants; elle faisait des signes de tête, avec

449

dignité, dans la direction du bruit. Suivirent des discours moins charismatiques. Hanif Johnson, l'avocat de Simba, fit une série de propositions – la salle du tribunal doit être pleine, ceux qui dispensent la justice doivent savoir qu'on les observe; on doit manifester en permanence devant le palais de justice, et organiser un système de rotation; il faut réunir de l'argent. Chamcha murmura à Jumpy : « Personne ne parle de ses agressions sexuelles du passé. » Jumpy haussa les épaules. « Quelques-unes des femmes qu'il a agressées se trouvent ici. Mishal par exemple, là-bas regarde dans le coin près de la scène. Mais ce n'est ni le moment ni l'endroit. On pourrait qualifier la folie de Simba de problème de famille. Ce que nous avons ici, c'est un problème avec l'Homme. » En d'autres circonstances, Saladin aurait eu beaucoup de choses à dire pour répondre à cette affirmation. – Il aurait objecté, au moins, qu'on ne pouvait écarter aussi facilement son passé de violence alors qu'on l'accusait de meurtre. – Et il n'aimait pas non plus l'utilisation de termes américains comme « l'Homme », dans cette situation britannique très différente, où il n'y avait pas d'histoire de l'esclavage; cela ressemblait à une tentative pour emprunter l'éclat d'autres luttes plus dangereuses, ce qu'il ressentait également dans la décision des organisateurs de ponctuer les discours avec des chants hautement significatifs comme *We Shall Overcome* [1] et même, nom de Dieu, *Nkosi Sikelel' iAfrika* [2]. Comme si toutes les causes étaient les mêmes, toutes les histoires interchangeables. – Mais il n'en dit rien, car la tête commençait à lui tourner et ses sens chaviraient, parce qu'il venait d'avoir, pour la première fois de sa vie, une prémonition de sa mort.

– Hanif Johnson terminait son discours. *Comme l'a écrit le Dr Simba, la nouveauté pénétrera dans cette société par des actions collectives, et non individuelles.* Il cita ce que Chamcha reconnut comme une des phrases préférée de Camus. *Le passage du discours à l'action morale,* disait Hanif, *porte un nom : devenir humain.* – Et maintenant une jeune et jolie Asiatique britannique, le nez légèrement-trop-gros et une voix vulgaire aux accents de blues, se lançait dans une chanson de Bob Dylan, *I Pity the Poor Immigrant,*

1. Chant pour le Mouvement des droits civiques aux États-Unis.
2. Hymne national de l'Afrique du Sud antiapartheid.

Je plains le pauvre immigré. Encore une note fausse et importée, ceci : en vérité la chanson semblait un peu hostile à l'égard des immigrés, malgré certains vers qui touchaient des cordes sensibles, sur les illusions de l'immigré se brisant comme du verre, sur l'obligation dans laquelle il se trouvait de « construire sa ville avec du sang ». Jumpy, qui avait tenté de redéfinir en vers l'ancienne image raciste des fleuves de sang, apprécierait. – Saladin éprouvait et pensait toutes ces choses comme de très loin. – Que s'était-il passé? Ceci : quand Jumpy Joshi indiqua la présence de Mishal Sufyan à la Maison des Amis, Saladin Chamcha, en regardant dans sa direction, vit une flamme brûlante au milieu de son front; et, au même moment, sentit le battement, et l'ombre glaciale, d'une paire d'ailes gigantesques. – Il éprouva le genre de flou qu'on associe à une double vision, en ayant l'impression de regarder dans deux mondes à la fois; l'un d'eux était la salle de réunion bien éclairée, interdiction-de-fumer, mais l'autre était le monde des fantômes, dans lequel Azraeel, l'ange exterminateur, fonçait sur lui, et dans lequel des flammes menaçantes pouvaient brûler sur le front d'une jeune fille. – *Elle est la mort pour moi, voilà ce que ça signifie,* pensa Chamcha dans l'un de ces deux mondes, tandis que dans l'autre il se disait de ne pas se comporter comme un imbécile; la salle était pleine de gens portant des badges tribaux ridicules, devenus tellement à la mode dernièrement, des auréoles de néon vert, des cornes de diable à la peinture fluorescente; Mishal portait sans doute un bijou en toc de l'ère spatiale. – Mais son autre moi revint à la charge, *elle t'est interdite,* disait-il, *tout ne nous est pas permis. Le monde est limité; nos espoirs font déborder le vase.* – Et son cœur se mit de la partie, badaboum, boumba dadaboum.

Maintenant il se trouvait dehors, Jumpy s'affairait autour de lui et Pamela elle-même semblait s'inquiéter. « C'est moi qui ai le ballon, dit-elle avec un reste d'affection bourrue. Qu'est-ce qui te prend de t'évanouir? » Jumpy insista : « Tu devrais venir à mon cours; rester assis tranquillement, et je te raccompagnerais après. » Mais Pamela voulait savoir s'il avait besoin d'un médecin. *Non, non, je vais aller avec Jumpy, tout se passera bien. Il faisait une chaleur à crever dans la salle. Manque d'air. J'ai des vêtements trop chauds. C'est idiot. Pas grave.*

451

Il y avait un ancien cinéma à côté de la Maison des Amis, et il était adossé contre une affiche collée au mur. Il s'agissait du film *Méphisto*, l'histoire d'un acteur séduit par une collaboration avec le nazisme. Sur l'affiche, l'acteur – interprété par la vedette allemande Klaus Maria Brandauer – était habillée en Méphistophélès, le visage blanc, le corps couvert de noir, les bras levés. Il y avait des vers de *Faust* au-dessus de sa tête :

– *Qui es-tu alors ?*

– *Une part de ce pouvoir, qu'on ne comprend pas, Qui veut toujours le Mal, et fait toujours le Bien.*

Au centre sportif : il pouvait à peine s'obliger à regarder dans la direction de Mishal. (Elle aussi avait quitté le meeting pour arriver à l'heure au cours.) – Elle lui manifesta une attention particulière, *tu es revenu, je parie que c'est pour me voir, c'est gentil,* pourtant il put à peine proférer un mot et encore moins lui demander *portais-tu quelque chose de lumineux au milieu du,* parce qu'elle ne portait plus rien, elle donnait des coups de pieds et assouplissait son long corps, resplendissante dans son collant noir. – Jusqu'au moment où, ressentant sa froideur, elle battit en retraite, embarrassée et blessée.

« Notre autre vedette n'est pas venue aujourd'hui », dit Jumpy à Saladin pendant une pause dans les exercices. Miss Alleluia Cone, celle qui a fait l'ascension de l'Everest. Je voulais vous présenter. Elle connaît, je veux dire, apparemment elle vit avec Gibreel. Gibreel Farishta, l'acteur, ton co-rescapé de l'accident. »

Les choses se referment sur moi. Gibreel se rapprochait de lui, comme l'Inde quand, s'étant séparée du protocontinent du Gondawanaland, elle commença à flotter vers Laurasie. (Il reconnut d'un air absent que son esprit produisait d'étranges associations.) Quand ils entreraient en collision, la violence du choc ferait jaillir des Himalayas. – Qu'est-ce qu'une montagne ? Un obstacle ; une transcendance ; surtout, un *effet*.

« Où vas-tu ? lui cria Jumpy. Je pensais que j'allais te raccompagner. Ça va ? »

Ça va. J'ai besoin de marcher, c'est tout.

« D'accord, mais seulement si tu en es sûr. »

Sûr. Va-t'en vite, sans croiser le regard attristé de Mishal.

... Dans la rue. Marche vite, sors de ce mauvais endroit, ce monde souterrain. — Mon Dieu : pas d'issue. Voici une vitrine, une boutique où l'on vend des instruments de musique, trompettes saxophones hautbois, comment s'appelle-t-elle? — Bons Vents, et dans la vitrine il y a un prospectus mal imprimé. Il annonce le retour imminent de, c'est ça, l'Archange Gibreel. Il revient pour sauver la terre. Marche. Marche vite.

... Appelle ce taxi. (Ses vêtements inspirent du respect au chauffeur.) *Montez monsieur est-ce que la radio vous dérange? Un chercheur pris dans ce détournement d'avion et qui a perdu la moitié de sa langue. Un Américain. On lui a reconstitué, dit-il, avec de la chair prélevée sur son derrière, pardonnez ma franchise. Ça ne me plairait pas beaucoup d'avoir un morceau de fesse dans la bouche mais le pauvre bougre n'avait pas le choix, n'est-ce pas? Un type curieux. Il a de drôles d'idées.*

A la radio, Eugene Dumsday parlait des chaînons manquants dans l'histoire des fossiles, avec sa nouvelle langue de fesse. *Le Diable a essayé de me faire taire mais le Seigneur et les techniques de chirurgie américaine ont eu le dessus.* Ces chaînons manquants constituaient le principal atout commercial des créationnistes : si la sélection naturelle était vraie, où se trouvaient toutes les mutations dues au hasard et abandonnées en route? Où se trouvaient les enfants-monstres, les bébés difformes de l'évolution? Les fossiles restaient silencieux. Pas de chevaux à trois pattes. *Inutile de discuter avec ces vieux gâteux,* dit le chauffeur. *Je ne crois pas en Dieu, moi-même.* Inutile, reconnut une petite partie de Chamcha. Inutile de dire que « l'histoire des fossiles » n'était pas un classeur parfaitement rangé. Et que la théorie de l'évolution avait fait du chemin depuis Darwin. On affirmait maintenant que les changements majeurs dans les espèces ne s'étaient pas produits de façon aveugle et accidentelle comme on l'avait envisagé au début mais par bonds radicaux. L'histoire de la vie n'était pas un processus bafouillant — comme celui de la bourgeoisie très anglaise — ainsi que le voulait la pensée victorienne, mais une chose violente faite de transformations spectaculaires et accumulées : dans l'ancienne formulation, plus une révolution qu'une évolution. – J'en ai assez entendu, dit le chauffeur. Eugene Dumsday disparut de l'éther pour être remplacé par une musique disco. *Ave atque vale.*

Ce jour-là, Saladin Chamcha comprit qu'il avait vécu dans un état de paix factice, que le changement en lui était irréversible. Un nouveau monde ténébreux s'était ouvert à lui (ou : en lui) quand il était tombé du ciel; il avait beau essayer de reconstituer assidûment son ancienne existence, il voyait maintenant qu'il s'agissait de quelque chose qu'on ne pouvait défaire. Il avait l'impression que, devant lui, une route arrivait à la croisée des chemins, s'en allant à gauche et à droite. Il ferma les yeux, s'appuya au dossier et choisit le chemin de gauche.

2

La température continua à monter; et quand la vague de chaleur atteignit son maximum, et y resta si longtemps que la ville tout entière, ses édifices, ses voies fluviales et ses habitants, s'approchèrent dangereusement de leur point d'ébullition, – alors Mr Billy Battuta et sa compagne Mimi Mamoulian, récemment revenus dans la métropole après un séjour comme hôtes du système pénitentiaire new-yorkais, annoncèrent leur « grand bal des débutantes ». Les relations d'affaires new-yorkaises de Billy s'étaient arrangées pour que son procès passe devant un juge bien disposé; son charme personnel avait persuadé toutes ses riches « cibles », à qui il avait extorqué de généreuses sommes pour racheter son âme au Diable, (y compris Mrs Struwelpeter), d'adresser au juge une requête en sa faveur, dans laquelle les douai-rières exprimaient leur conviction que Mr Battuta s'était sincèrement repenti, et demandaient, compte tenu de son engagement à se consacrer dorénavant à une brillante car-rière de chef d'entreprise, (dont l'utilité sociale en termes de création de richesses et d'emplois, suggéraient-elles, devait être prise en considération par la cour comme circonstance atténuante), et de son autre engagement à entreprendre un traitement psychiatrique pour l'aider à surmonter sa fai-blesse envers les aventures criminelles – que, l'honorable juge lui inflige une peine moins sévère qu'une condamna-tion à la prison, « le but d'une telle incarcération, qui était de l'empêcher de recommencer, serait plus sûrement atteint », selon l'opinion de ces dames, « par un jugement plus chrétien ». Mimi, considérée comme une subalterne aveuglée par l'amour, fut condamnée avec sursis; Billy fut

455

expulsé avec une forte amende, mais même cela fut considérablement adouci, parce que le juge accéda à la requête de l'avocat de Billy qui souhaitait qu'on autorise son client à quitter volontairement le pays sans avoir sur son passeport le stigmate d'un ordre d'expulsion, ce qui aurait causé du tort à ses nombreux intérêts financiers. Vingt-quatre heures après le jugement, Billy et Mimi, de retour à Londres, se payaient du bon temps au Crockford, et envoyaient des cartons d'invitation très chic pour ce qui s'annonçait comme *la* soirée de cette saison bizarrement caniculaire. Un de ces cartons se fraya un chemin, avec l'aide de Mr S.S. Sisodia, jusque chez Alleluia Cone et Gibreel Farishta; un autre arriva, un peu tardivement, à la tanière de Saladin Chamcha, glissé sous la porte par l'attentif Jumpy. (Mimi avait téléphoné à Pamela pour l'inviter, ajoutant, avec sa franchise habituelle : « Tu as une idée de l'endroit où se trouve ton fameux mari? – Ce à quoi Pamela répondit, avec une maladresse tout anglaise, *oui, heu, mais*. En moins d'une demi-heure, ce qui était fort peu, Mimi lui tira les vers du nez, et conclut triomphalement : « On dirait que ta vie s'améliore, Pam. Amène les deux; amène n'importe qui. Ça va être un vrai cirque. »

Le lieu choisi pour la fête était un autre de ces inexplicables triomphes de Sisodia : il obtint l'immense plateau des studios Shepperton, apparemment gratuitement, et les invités purent donc se divertir dans l'énorme reconstitution du Londres dickensien qui s'y trouvait. Une adaptation musicale du dernier roman du grand écrivain, rebaptisé *Ami!* avec scénario et livret du célèbre génie du théâtre musical, Mr Jeremy Bentham, avait connu un succès fantastique dans le West End et à Broadway, malgré la nature macabre de quelques-unes de ses scènes; maintenant, évidemment, *Les Potes*, comme on disait dans le métier, recevaient l'honneur d'une production cinématographique à gros budget. « Les relations pupu publiques, dit Sisodia à Gibreel au téléphone, pensent qu'un tel événement cucu *culturel,* plein de vedettes popo populaires, sera excellent pour la caca la campagne publicitaire. »

La grande nuit arriva : une nuit d'une chaleur épouvantable.

***

Shepperton! – Pamela et Jumpy sont déjà là, portés par les ailes de la MG de Pamela, quand Chamcha, ayant dédaigné leur compagnie, arrive dans une des voitures mises à la disposition des invités, préférant pour une raison quelconque, se faire conduire plutôt que de conduire. – *Et quelqu'un d'autre, aussi, – celui avec qui Saladin est tombé à terre, – est venu; il erre à l'intérieur. – Chamcha entre dans l'arène; et est stupéfait. – On a transformé – non, condensé, –* Londres pour les impératifs du film. – Voici la famille Stuquétoc de la rue Contreplaqué, des gens à la bonne odeur de propre, installée de façon choquante à côté du quartier chic de Portman Square, et dans un coin sombre des Petitpois. – Pire encore : regardez le tas d'ordures de Boffin's Bower, théoriquement dans le voisinage d'Holloway, et qui, dans cette métropole en raccourci, menace les appartements de Fascination Emplumets d'Albany, au cœur même de la ville! – Mais les invités n'ont pas envie de grogner; la ville recréée, même réorganisée, est à vous couper le souffle; en particulier dans cette partie de l'immense studio où serpente le fleuve, avec ses brumes et le bateau du Père Hexam, la Tamise à marée basse, coulant entre deux ponts, un de fer, un de pierre. – Sur les quais pavés on entend les pas joyeux des invités; et là résonnent des pas tristes, brumeux, avec un bruit menaçant. Un brouillard à couper au couteau, créé par la neige carbonique, s'élève sur le décor.

Les grands du monde, des mannequins, des vedettes de cinéma, des gros bonnets des affaires, une brochette de membres de second plan de la famille royale, des hommes politiques utiles et autres racailles, transpirent et se mêlent dans ces rues de contrefaçon avec des quantités d'hommes et de femmes aussi luisants de sueur que les « vrais » invités et aussi faux que la ville : des figurants en costume d'époque, ainsi qu'une sélection des comédiens principaux du film. Chamcha, qui prend conscience au moment où il l'aperçoit que cette rencontre a été le seul but du voyage, – un fait qu'il a réussi jusqu'ici à se cacher à lui-même, – voit Gibreel dans la foule de plus en plus en délire.

Oui : là-bas, sur le pont de Londres, Celui Qui Est En

457

Pierre, sans aucun doute possible, Gibreel! – et c'est sûrement son Alleluia Cone, sa Reine des Glaces! – Quelle expression distante, comme il penche sur la gauche; et comme elle semble folle de lui – comme tout le monde l'adore : parce qu'il est avec les plus grands de la soirée, Battuta à sa gauche, Sisodia à droite d'Allie, et tout autour une foule de visages qu'on reconnaîtrait du Pérou à Tombouctou! – Chamcha lutte contre la foule, qui devient de plus en plus dense en s'approchant du pont; – mais il est décidé – Gibreel, il veut atteindre Gibreel! – quand, sur un claquement de cymbales, éclate une musique violente, un des airs immortels de Mr Bentham, un air à bisser, et la foule s'écarte comme la mer Rouge devant les enfants d'Israël. – Chamcha, perdant l'équilibre, recule, est écrasé par la foule qui s'ouvre contre une fausse construction à colombages – quoi d'autre? – Le Magasin d'Antiquités; et, pour se mettre à l'abri, il entre, tandis qu'une foule énorme de femmes plantureuses en charlottes et chemisiers de dentelle, accompagnées par une surabondance de gentlemen en chapeau haut-de-forme, s'amusent bruyamment sur les quais, en chantant aussi fort qu'ils le peuvent.

> *Quel genre de type est notre Ami Commun?*
> *Quelles sont ses intentions?*
> *Est-ce quelqu'un sur qui l'on peut compter?*
> *etc. etc. etc.*

« C'est drôle, dit une voix de femme derrière lui, mais quand on jouait le spectacle au Théâtre C., il y a eu une épidémie de lubricité dans la distribution; je n'ai jamais vu quelque chose de semblable. Les gens rataient leurs entrées parce qu'ils baisaient en coulisse. »

Il remarque que celle qui parle est jeune, petite, rondelette, pas laide du tout, moite à cause de la chaleur, rouge à cause du vin, et manifestement en proie à la même fièvre libidineuse que celle dont elle parle. – Il y a peu de lumière dans la « pièce », mais il aperçoit une étincelle dans ses yeux. « Nous avons le temps, dit-elle du ton le plus naturel. Quand ils auront fini, il y aura le solo de Mr Petitpois. » Puis, parodiant avec habileté la posture de l'agent d'assurances maritimes, elle se lance dans sa propre version des numéros musicaux de Petitpois.

458

Copieuse est Notre Langue,
Bien Difficile pour les Étrangers;
Privilégiée est Notre Nation,
Bénie, et à l'Abri des Dangers.

Maintenant, dans un chant parlé rex-harrisonien, elle s'adresse à un Étranger invisible. « Et que Pensez-Vous De Londres ? – " Aynormayment riche ? " – Nous disons, Enormously. Nos adverbes Anglais ne se terminent Pas en Ment. – Et Trouvez-Vous, Monsieur, Beaucoup de Preuves de notre Personnalité Britannique dans les Rues de la Métropole du Monde, London, Londres, London ? – Je dirais, ajoute-t-elle, toujours à la manière de Petitpois, qu'il y a chez l'Anglais une combinaison de qualités, une modestie, une indépendance, une responsabiltié, en repos, qu'on chercherait en vain parmi les Nations de la Terre. »
Tout en disant ces répliques, la créature s'est approchée de Chamcha ; – tout en déboutonnant son chemisier ; – et lui, mangouste devant son cobra, reste là, pétrifié ; tandis qu'elle, exhibant – un sein droit bien fait, et le lui offrant, lui fait remarquer qu'elle y a dessiné – tel un acte de fierté civique, – rien de moins que le plan de Londres, au feutre rouge, avec le fleuve en bleu. La métropole le réclame ; – mais lui, poussant un cri absolument dickensien, sort en jouant des coudes du Magasin d'Antiquités, dans la folie de la rue.
Gibreel regarde droit vers lui, du haut du pont de Londres ; leurs regards – ou c'est ce que croit Chamcha – se rencontrent. Oui : Gibreel lève et agite un bras peu enthousiaste.

**

Ce qui suit est une tragédie. – Ou du moins l'écho d'une tragédie, l'original étant inaccessible à l'homme et à la femme modernes, ou c'est ce qu'on dit. – Une comédie burlesque pour notre époque décadente et imitative, dans laquelle des clowns rejouent ce qu'ont d'abord accompli des héros et des rois. – Bon, alors, très bien. – La question qu'on pose reste toujours aussi vaste : c'est-à-dire la nature du mal, comment il naît, pourquoi il grandit, comment il s'empare de l'âme humaine aux multiples facettes. Ou disons : l'énigme de Iago.

Il n'est pas rare que des exégètes de la littérature théâtrale, vaincus par le personnage, attribuent ses actes à la « malignité gratuite ». Le mal est le mal et fera le mal, c'est tout ; le poison du serpent est sa définition même. – Eh bien, de tels haussements d'épaules ne feront pas l'affaire ici. Mon Chamcha n'est peut-être pas un Vieillard de Venise, mon Allie une Desdémone étouffée, Farishta n'est peut-être pas à la hauteur du Maure, mais au moins, ils seront revêtus des explications que permettra ma compréhension. – Et alors, maintenant, Gibreel salue de la main ; Chamcha s'approche ; le rideau se lève sur une scène qui s'assombrit.

Observons tout d'abord comment ce Saladin est isolé ; sa seule compagne volontaire est une inconnue ivre au sein cadastré, il se débat seul dans cette foule qui s'ouvre et dans laquelle chacun semble être (et n'est pas) l'ami des autres ; – tandis que, sur le pont de Londres, harcelé par ses admirateurs, au centre même de la foule, se tient Farishta ;

et, ensuite, apprécions l'effet produit sur Chamcha, qui aimait l'Angleterre sous la forme de sa femme anglaise perdue, de la présence dorée, pâle et glaciale d'Alleluia Cone à côté de Farishta ; il attrape un verre sur le plateau d'un serveur qui passe, avale vite le vin, en prend un autre ; et semble voir, dans la lointaine Allie, l'immensité de sa perte ;

et de bien d'autres façons également, Gibreel devient vite la somme des échecs de Saladin ; – là-bas, avec lui, en ce moment même, il y a une autre traîtresse, un mouton habillé en agnelle, la cinquantaine passée et battant des cils comme une fille de dix-huit ans, il y a l'agent de Chamcha, la redoutable Charlie Sellers : – *lui* tu ne le comparerais pas à un vampire de Transylvanie, n'est-ce pas Charlie, s'écrie en lui-même l'observateur en colère ; – et il attrape un autre verre ; – et voit, au fond, son propre anonymat, la célébrité aussi grande de l'autre, et l'énorme injustice de cette division ;

en particulier – se dit-il amèrement – parce que Gibreel, le conquérant de Londres, ne peut voir aucune valeur dans le monde qui tombe en ce moment à ses pieds! - ce salaud se moque toujours de l'endroit, Londres, Vilayet, les Anglais, Spoono, quelle bande de poissons froids, je te jure; - Chamcha, en s'avançant inexorablement vers lui à travers la foule, croit voir, *maintenant,* le même ricanement moqueur sur le visage de Farishta, ce mépris d'un Petitpois inversé, pour qui tout ce qui est anglais mérite dérision et non éloges; - Ô Dieu, quelle cruauté, que lui, Saladin, dont le but et la croisade consistaient à faire cette ville sienne, soit obligé de la voir s'agenouiller devant son rival dédaigneux! - alors ceci aussi : Chamcha désire être à la place de Farishta tandis que sa propre place n'a strictement aucun intérêt pour Gibreel.

Qu'est-ce qui est impardonnable?

Chamcha, contemplant le visage de Farishta pour la première fois depuis leur séparation tumutueuse dans l'entrée de Rosa Diamond, voyant le vide étrange dans les yeux de l'autre, se souvient avec une force irrésistible du vide précédent, Gibreel debout dans l'escalier, ne bougeant pas le petit doigt, tandis que lui, Chamcha, corné et captif, était embarqué dans la nuit; et sent le retour de la haine, sent qu'elle le remplit de la tête aux pieds de bile fraîche et verte, *ne t'occupe pas des excuses*, crie-t-elle, *au diable les circonstances atténuantes et ce-qu'il-aurait-pu-faire; on ne pardonne pas l'impardonnable. On ne peut juger la lésion intérieure d'après la taille du trou.*

Alors : Gibreel Farishta, jugé par Chamcha, passe un plus mauvais quart d'heure que Mimi et Billy à New York, et il est reconnu coupable, à perpétuité, de la Chose Inexcusable. De laquelle ce qui suit, suit. - Mais on peut se permettre de s'interroger sur la nature véritable de cette offense Ultime et Inexpliable. - Cela est-il, cela peut-il être, simplement son silence dans l'escalier de Rosa Diamond? - Ou y a-t-il des ressentiments plus profonds, des griefs pour lesquels cette soi-disant Cause Première n'est, en vérité, qu'un substitut, un masque? - Car ne sont-ils pas des frères ennemis, ces deux-là, chacun étant l'ombre de l'autre? - l'un cherchant à se transformer dans l'étranger qu'il admire, l'autre préférant avec mépris transformer les autres; l'un misérable, qui semble toujours puni pour des crimes qu'il n'a pas commis, l'autre, considéré comme angélique par chacun et par tous, le genre d'homme qui s'en tire toujours. - On peut décrire

Chamcha comme quelque chose moins grand que nature; mais le bruyant et vulgaire Gibreel est, sans problème, plus grand que nature, une disparité qui peut facilement inspirer des désirs néo-procustéens à Chamcha : s'étirer lui-même en réduisant Farishta à la taille voulue. Qu'est-ce qui est impardonnable?

Quoi d'autre que la nudité tremblante d'être *entièrement connu* par une personne à qui on ne peut pas se fier? – Et Gibreel n'a-t-il pas vu Chamcha dans des circonstances – détournement, chute, arrestation – où se révélaient totalement les secrets du moi?

Bon, alors. – On s'approche? Pourrait-on même dire qu'il s'agit de deux *genres* de moi fondamentalement différents? Ne pourrait-on pas accepter que Gibreel, malgré son nom de scène et ses apparitions; et en dépit des slogans sur la renaissance, les nouveaux départs, les métamorphoses; – a voulu rester, en grande partie, *continu* –c'est-à-dire réuni à, et venant de, son passé; – qu'il n'a choisi ni la maladie presque fatale ni la chute transformatrice; qu'en vérité il craint pardessus tout les états de changement dans lesquels ses rêves s'infiltrent et envahissent son moi éveillé, faisant de lui ce Gibreel angélique qu'il n'a absolument pas envie d'être; – ainsi il reste un moi que, pour nos besoins actuels, nous pouvons décrire comme « vrai »... tandis que Saladin Chamcha est une créature de discontinuités *choisies,* une réinvention *volontaire;* sa révolte *préférée* contre l'histoire le rend, dans la langue que nous avons choisie, « faux »? Et ne pourrait-on pas dire que c'est cette fausseté du moi qui, chez Chamcha, permet une fausseté bien pire et bien plus profonde – appelons cela « le mal » – et que c'est la vérité, la porte, que sa chute lui a ouverte? – Tandis que, pour rester dans la logique de notre terminologie, nous pouvons considérer Gibreel comme « bon » grâce à son *désir de rester,* malgré toutes les vicissitudes, fondamentalement, un homme non traduit.

– Mais, et deux fois mais : ceci a l'air dangereux, n'est-ce pas, comme un sophisme intentionnaliste? – De telles distinctions, fondées comme il se doit sur une idée du moi (idéalement) homogène, non hybride, « pur », une notion totalement illusoire! – ne peut pas, ne doit pas, suffire. Non! Disons plutôt une chose encore plus difficile : que le mal n'est peut-être pas aussi près de la surface qu'on aimerait le croire. – Qu'en fait, nous tombons *naturellement vers lui,* c'est-à-dire *pas contre notre nature.* Et que Saladin Chamcha voulait détruire Gibreel Farishta parce que, en fin de compte, c'était très facile à faire; le véritable attrait du mal étant la facilité séduisante avec laquelle on peut s'élancer sur sa route. (Et, disons-le pour conclure, l'impossibilité finale d'un retour.)

Cependant, Saladin Chamcha, s'en tient à quelque chose de plus simple. « Ce fut sa trahison chez Rosa Diamond; son silence, rien d'autre. »

Il pose le pied sur le pont de Londres factice. Tout près d'un stand de marionnettes à rayures rouges et blanches, Mr Punch – donnant un coup à Judy – l'interpelle : *C'est comme ça qu'il faut faire!* Ensuite, Gibreel lui aussi le salue, l'enthousiasme de ses paroles est démenti par l'épuisement incongru de sa voix : « Spoono, c'est toi. Vieux diable. Te voilà, grandeur nature. Viens ici, Salad baba, mon vieux. »

Ce qui arriva :

Au moment où Saladin Chamcha fut assez près d'Allie Cone pour être paralysé, et quelque peu refroidi, par ses yeux, il sentit son animosité renaissante à l'égard de Gibreel s'étendre à elle, avec son regard va-te-faire-voir réfrigérant, son air de connaître intimement le grand mystère secret de l'univers; ainsi que ce dont il penserait par la suite que c'était un *désert*, une chose dure et désolée, antisociale, indépendante, une essence. Pourquoi cela l'agaça-t-il tellement? Pourquoi, avant même qu'elle ouvre la bouche, l'avait-il classée dans le camp de l'ennemi?

Peut-être parce qu'il la désirait; et désirait encore plus ce qu'il considérait comme sa certitude intérieure; puisque cela lui manquait, il en avait envie, et cherchait même à porter atteinte à ce qu'il enviait. Si l'amour est le désir de ressembler à (et même de devenir) l'objet aimé, puis haï, alors il faut dire que la haine peut être engendrée par la même ambition, qui ne peut être satisfaite.

Ce qui arriva : Chamcha inventa une Allie, et devint l'adversaire de sa fiction... il ne manifesta rien. Il sourit, serra les mains, était enchanté de la rencontrer; et prit Gibreel dans ses bras. *Je le suis pour atteindre mon but.* Allie, ne soupçonnant rien, s'excusa. Ils devaient avoir beaucoup de choses à se raconter, dit-elle; elle promit de revenir vite et s'en alla; elle partit, comme elle le disait, en exploration. Il remarqua qu'elle boitillait pendant quelques pas; puis elle marqua une pause, et s'éloigna à grandes enjambées. La douleur faisait partie des choses qu'il ignorait à son sujet.

Sans savoir que le Gibreel debout à ses côtés, l'œil lointain et saluant superficiellement, étant sous haute surveillance médicale; – ou qu'il était obligé de prendre, quotidiennement, certains médicaments qui lui engourdissaient les sens, à cause d'une possibilité très réelle de rechute dans cette maladie qui n'était plus anonyme, c'est-à-dire la schizophrénie paranoïaque; – ou que, sur l'insistance intransigeante d'Allie, on l'avait tenu longtemps à l'écart du monde du cinéma dont elle commençait à se méfier fortement, depuis la dernière crise de Gibreel; – ou qu'elle s'était violemment opposée à leur présence à la soirée Battuta-Mamoulian, n'acceptant qu'après une scène terrible au cours de laquelle Gibreel avait hurlé qu'on ne le retiendrait plus prisonnier, et qu'il était déterminé à faire un effort particulier pour réintégrer sa « vraie vie »; ou que la tâche consistant à soigner un amant perturbé, capable de voir dans le réfrigérateur de petits esprits accrochés la tête en bas comme des chauves-souris, avait rongé Allie comme une chemise usée jusqu'à la trame, en l'obligeant à tenir les rôles d'infirmière, de bouc émissaire et de béquille – la forçant, en somme, à agir contre sa propre nature complexe et troublée; – sans savoir rien de tout cela, ne comprenant pas que le Gibreel qu'il regardait, et croyait voir, Gibreel l'incarnation de toute la bonne fortune dont Chamcha, hanté par les Furies, manquait manifestement, était autant une création de son imagination et une fiction que l'Allie inventée-détestée, cette blonde ravageuse classique ou femme fatale invoquée par son imagination envieuse, tourmentée et orestienne, – Saladin dans son ignorance trouva néanmoins, par le plus grand des hasards, la faille dans l'armure (reconnaissons-le, quelque peu chimérique) de Gibreel, et comprit comment son Autre haï pouvait être rapidement vaincu.

La question banale de Gibreel lui en donna l'occasion. Limité par les sédatifs à de petits bavardages, il demanda vaguement : « Et, dis-moi, comment va la petite dame ? » Sur ce, Chamcha, la langue déliée par l'alcool, cria : « Comment ? En cloque. Enceinte. Grosse de ce putain d'enfant. » Gibreel endormi ne fut pas sensible à la violence de la réponse, il sourit l'air absent et posa le bras sur les épaules de Saladin. « Shabash, mubarak, dit-il en offrant ses félicitations. Spoono ! Du travail rapide.

– Félicite son amant, enragea Saladin. Mon vieil ami, Jumpy Joshy. Ça, je le reconnais, c'est un homme. Il paraît que les femmes en sont folles. Dieu seul sait pourquoi. Elles veulent des putains d'enfants de lui et elles ne lui demandent même pas la permission.

– Qui par exemple ? » cria Gibreel, faisant se retourner des têtes, et Chamcha recula surpris. « Qui ? Qui ? Qui ? » pépiait-il, ce qui déclencha des ricanements ivres. Saladin Chamcha rit lui aussi : mais sans plaisir. « Je vais te dire qui, par exemple. Ma femme par exemple. Ce n'est pas une dame, monsieur Farishta, Gibreel. Pamela, mon épouse non-dame. »

A ce moment précis, par un coup de hasard – alors que Saladin éméché ignorait totalement l'effet de ses paroles sur Gibreel – pour qui les deux images se réunirent de façon explosive, la première étant son souvenir soudain de Rekha Merchant sur un tapis volant le prévenant du vœu secret d'Allie d'avoir un enfant sans en informer le père, *qui demande à la graine la permission de la planter*, et la seconde image étant la vision du corps du professeur d'arts martiaux uni, jambes en l'air, dans l'acte de chair avec la même Miss Alleluia Cone –, la silhouette de Jumpy Joshi traversait quelque peu agitée « le Pont de Southwark » – cherchant, en fait, Pamela, dont il avait été séparé par le mouvement de la foule dickensienne et chantante qui avait repoussé Saladin vers les seins métropolitains de la jeune femme dans le Magasin d'Antiquités. « Quand on parle du diable, dit Saladin en tendant le doigt, on en voit la queue. » Il se retourna vers Gibreel : mais Gibreel était parti.

Allie Cone revint, en colère, affolée. « Où est-il ? Doux Jésus ! Je ne peux pas le laisser pendant une putain de *seconde ?* Vous ne pouviez pas garder vos cons d'yeux sur lui ?

465

– Pourquoi, que se passe-t-il? » Mais Allie avait déjà plongé dans la foule, et quand Chamcha vit Gibreel traverser « le Pont de Southwark », elle ne pouvait plus l'entendre.
– Et voici Pamela, qui demandait : « As-tu vu Jumpy? » Et il tendit le doigt. « Par là », et elle aussi disparut sans dire un mot; et maintenant on voyait Jumpy traverser « le Pont de Southwark » dans l'autre sens, ses cheveux bouclés plus fous que jamais, ses épaules en porte-manteau portant le manteau qu'il avait refusé d'enlever, les yeux fureteurs, le pouce plongeant vers sa bouche; – et, un peu plus tard, Gibreel se dirigeait sur ce simulacre du pont Qui Est En Fer, dans la même direction que Jumpy.

En somme, les événements commençaient à friser le burlesque; mais quand, quelques minutes plus tard, l'acteur jouant le rôle de « Gaffer Hexam », qui surveillait cette portion de Tamise dickensienne à la recherche de cadavres flottants, pour les soulager de leurs objets de valeur avant de les donner à la police, – descendit rapidement en ramant le fleuve du studio avec ses cheveux en désordre grisonnants et hérissés comme l'exigeait le rôle, la farce se termina immédiatement; car ici, dans ce bateau de mauvaise réputation gisait le corps inanimé de Jumpy Joshi dans son manteau imbibé d'eau. « Assommé », cria le batelier, montrant l'énorme bosse à l'arrière du crâne de Jumpy, « et étant tombé dans l'eau évanoui, c'est un miracle qu'il ne se soit pas noyé ».

Une semaine plus tard, en réponse à un coup de téléphone passionné d'Allie Cone qui avait retrouvé sa trace par Sisodia, Battuta et finalement Mimi, et qui semblait avoir pas mal dégelé, Saladin Chamcha se retrouva sur le siège avant d'un break Citroën couleur argent de trois ans que la future Alicja Boniek avait offert à sa fille avant de partir pour un séjour prolongé en Californie. Allie l'avait retrouvé à la gare de Carlisle, lui renouvelant ses excuses téléphoniques – « Je n'avais pas le droit de vous parler comme ça; vous ne saviez rien, je veux dire, au sujet de son, eh bien, heureusement personne n'a été témoin de l'agression, et tout le monde s'est tu, mais ce pauvre homme, un coup de rame derrière la tête, c'est désolant; venons-en au fait, des amis qui sont partis nous ont laissé leur maison dans le nord, j'ai pensé qu'il valait mieux s'éloigner des êtres humains, et, eh bien, il vous demande; vous pouvez vraiment l'aider, je crois, et pour être franche, j'ai besoin d'aide moi-même », qui laissèrent Saladin peu informé mais dévoré de curiosité – et maintenant l'Écosse fuyait derrière les vitres de la Citroën à une vitesse inquiétante : on voyait le Mur d'Hadrien, l'abri des amants de Gretna Green, et l'intérieur vers les Southern Uplands; Ecclefechan, Lockerbie, Beattock, Elvanfoot. Chamcha avait tendance à considérer les lieux non urbains comme le fin fond de l'espace interstellaire, et les voyages qu'on pouvait y faire aussi périlleux : car tomber en panne dans un tel vide signifiait qu'on mourrait seul et abandonné. Il avait remarqué avec inquiétude qu'un des phares était cassé, que la jauge d'essence était dans le rouge (il découvrit qu'elle était cassée, elle aussi), que la nuit tombait, et qu'Allie conduisait sur la A74 comme sur le circuit de Silverstone un jour de grand soleil. « Il ne peut pas aller loin sans moyen de transport, mais on ne sait jamais, expliqua-t-elle, mécontente. Il y a trois jours, il a volé les clefs de la voiture et on l'a retrouvé sur une bretelle de l'autoroute M6, dans le sens inverse, déclamant sur la damnation. *Préparez-vous à la vengeance du Seigneur*, a-t-il dit aux flics, *car j'appellerai bientôt mon lieutenant, Azraeel.* Ils ont tout noté dans leur petit calepin. » Chamcha, le cœur encore rempli d'un désir de vengeance, feignit la compassion et l'étonnement. « Et Jumpy? » demanda-t-il. Allie lâcha le volant et tendit les mains dans un geste de résignation, tandis que la voiture tanguait de façon terrifiante sur la route sinueuse. « Les médecins disent que sa jalousie possessive pourrait appartenir à la même chose; en tout cas, elle peut déclencher sa folie, comme un détonateur. »

Elle était heureuse d'avoir l'occasion de parler; et Chamcha lui prêtait une oreille attentive. Si elle lui faisait confiance, c'était parce que Gibreel en faisait autant; il n'avait pas l'intention de détruire cette confiance. *Une fois il m'a trahi; maintenant, je vais le laisser se fier à moi, pendant un certain temps.* C'était un marionnettiste débutant; il fallait étudier les ficelles, pour découvrir comment les choses étaient liées... Allie dit : « Je ne peux pas m'en empêcher. D'une façon incompréhensible je me sens coupable à son égard. Notre vie ensemble ne marche pas et c'est de ma faute. Ça énerve ma mère quand je parle comme ça. » Alicja, prête à prendre l'avion pour l'ouest, gronda sa fille à l'aéroport. « Je ne comprends pas d'où tu tires ces idées », cria-t-elle parmi les gens à sacs à dos, à serviettes et parmi les mamans asiatiques en larmes. « On pourrait dire aussi que la vie de ton père ne s'est pas passée comme prévu. Mais doit-on pour autant l'accuser des camps ? Étudie l'histoire, Alleluia. Dans ce siècle, l'histoire a cessé de faire attention aux anciennes orientations psychologiques de la réalité. Je veux dire, de nos jours, ce n'est plus le caractère qui définit la destinée. Le destin c'est l'économie. Le destin c'est l'idéologie. Le destin ce sont les bombes. Est-ce qu'une famine, une chambre à gaz, une grenade s'occupent de la façon dont tu mènes ta vie ? Une crise arrive, la mort arrive, et ton moi individuel et pathétique n'a rien à y voir, il ne fait qu'en subir les effets. Ton Gibreel : c'est peut-être sous cette forme que tu rencontres l'histoire. » Sans prévenir, elle avait recommencé à s'habiller dans le grand style que préférait Otto Cone, et s'exprimait maintenant, semblait-il de la façon qui convenait aux grandes capelines noires et aux tailleurs à dentelles. « Amuse-toi bien en Californie, maman », dit Allie acerbe. « Une de nous est heureuse, dit Alicja. Pourquoi pas moi ? » et avant que sa fille ait pu répondre, elle se précipita vers la porte réservée aux passagers, brandissant son passeport, sa carte d'embarquement, son billet, et se dirigea vers les bouteilles détaxées d'*Opium* et de gin Gordon vendues sous une enseigne lumineuse qui disait DITES BONJOUR AUX BONNES AFFAIRES.

Dans les derniers rayons du jour, la route contourna des collines sans arbres et couvertes de bruyère. Il y avait longtemps, dans un autre pays, un autre crépuscule, Chamcha avait contourné d'autres collines et était arrivé devant les vestiges de Persépolis. Mais, maintenant, il se dirigeait vers une ruine humaine ; non pas comme un admirateur, mais peut-être même (parce que la décision de faire le mal n'est jamais prise jusqu'à l'instant même de l'acte ; on a toujours la possibilité de se retirer) comme un vandale. Pour griffonner son nom dans la chair de Gibreel : *Saladin ait venu issi.* « Pourquoi rester avec lui ? » demanda-t-il à Allie, et à son grand étonnement elle rougit. « Pourquoi ne vous épargnez-vous pas cette douleur?

– Je ne vous connais pas du tout », commença-t-elle, puis elle s'arrêta et fit un choix. « Je ne suis pas fière de la réponse, mais c'est la vérité, dit-elle. C'est le sexe. C'est incroyable ensemble, parfait, je n'ai jamais rien connu de pareil. Des amants de rêve. Il semble tout simplement, *savoir*. *Me* connaître. » Elle se tut; la nuit cachait son visage. L'amertume de Chamcha jaillit de nouveau. Des amants de rêve l'entouraient; lui, sans rêves, ne pouvait qu'observer. Il grinça les dents de colère; et se mordit la langue, sans l'avoir fait exprès.

Gibreel et Allie s'étaient réfugiés à Durisdeer, un village si petit qu'il n'y avait même pas de café, et ils habitaient un temple protestant désaffecté, converti – ce terme presque religieux sembla bizarre à Chamcha – par un architecte, ami d'Allie, qui avait fait fortune en métamorphosant ainsi le sacré en profane. Saladin trouva l'endroit lugubre malgré les murs blancs, la lumière tamisée et les moquettes à long poil. Il y avait des pierres tombales dans le jardin. Chamcha se dit que ce n'était pas ce qu'il aurait choisi en premier comme retraite pour un homme souffrant de l'illusion paranoïaque de se croire le chef des archanges de Dieu. Le temple se tenait un peu à l'écart de la douzaine d'autres maisons construites de pierres et de tuiles qui composaient la communauté : isolé même dans cet isolement. Gibreel attendait à la porte, une ombre devant l'entrée éclairée, quand la voiture arriva. « Vous voilà, cria-t-il. C'est trop beau. Bienvenue en prison! »

Les médicaments rendaient Gibreel maladroit. Alors qu'ils étaient assis autour de la table de cuisine en pin sous la lampe à rhéostat monte-et-baisse adaptée au décor, il renversa deux fois sa tasse de café (il montrait ostensiblement qu'il ne buvait plus; Allie versa deux grands scotch pour tenir compagnie à Chamcha), il jura et trébucha dans la cuisine à la recherche de torchons en papier pour essuyer. « Quand j'en ai marre d'être comme ça, je réduis les doses sans rien lui dire, confessa-t-il. Et la merde recommence. Je te jure, Spoono, je ne supporte pas la putain d'idée que ça ne va jamais s'arrêter, que je n'ai le choix qu'entre les médicaments et la bête dans la tête. Je ne le supporte vraiment pas.

469

Je te jure, vieux, si je pensais que c'était ça, alors, chef, je ne sais pas, je, je ne sais pas quoi.

– Ta gueule », dit doucement Allie. Mais il hurla : « Spoono, je l'ai même frappée, tu te rends compte? Putain d'enfer. Un jour j'ai cru que c'était une espèce de démon rakshasa et je lui suis rentré dedans. Est-ce que tu connais la force, la force de la folie?

– Heureusement pour moi, j'ai suivi – ouille – les cours d'auto-défense. » Allie sourit. « Il exagère pour sauver la face. A vrai dire c'est lui qui s'est écrasé la tête par terre » – « Juste ici », reconnut Gibreel honteux. Le sol de la cuisine était recouvert de grandes dalles. « Ça fait mal », hasarda Chamcha. « Tu l'as dit, rugit Gibreel, curieusement gai à présent. Assommé net. »

L'intérieur du temple avait été divisé en deux parties, un salon sur deux niveaux (dans le jargon de l'argent immobilier un « double volume » – l'ancienne salle du culte – et une moitié plus conventionnelle, avec en bas une cuisine et une buanderie et en haut des chambres et une salle de bains. Incapable de dormir sans savoir pourquoi, à minuit, Chamcha errait dans la grande (et froide : la vague de chaleur continuait peut-être dans le sud de l'Angleterre, mais ici il n'y avait la moindre ride, et le climat restait automnal et frais) salle de séjour et parmi les voix fantomatiques des pasteurs morts tandis que Gibreel et Allie faisaient bruyamment l'amour. *Comme Pamela.* Il essaya de penser à Mishal, à Zeeny Vakil, mais ça ne marcha pas. Il s'enfonça les doigts dans les oreilles, luttant contre les effets sonores de la copulation de Farishta et d'Alleluia Cone.

Il se dit que, depuis le début, leur union était à haut risque : tout d'abord, l'abandon dramatique de la carrière de Gibreel qui avait traversé la terre précipitamment, et maintenant la détermination inflexible d'Allie d'*aller jusqu'au bout*, de vaincre en lui cette divinité angélique et folle et de restaurer l'humanité qu'elle aimait. Pas de compromis pour eux; ils risquaient tout. Tandis que lui, Saladin, se disait content de vivre sous le même toit que sa femme et son petit amant. Quelle était la meilleure façon? Il se souvint que le capitaine Achab s'était noyé; et le plus souple, Ishmael, avait survécu.

***

Le lendemain matin, Gibreel proposa l'ascension du « sommet » local. Mais Allie refusa, pourtant Chamcha se rendait parfaitement compte que son retour à la campagne la faisait rayonner de joie. « Putain de nénette aux pieds plats, jura Gibreel affectueusement. Allons, Salad. Nous, les foutus citadins, on va lui montrer, à cette championne qui a conquis l'Everest, comment on grimpe. Quelle connerie de vie à l'envers, vieux. C'est nous qui escaladons les montagnes pendant qu'elle reste là, à passer des coups de fil pour ses affaires. » Les pensées de Saladin se précipitaient : à présent, il comprenait l'étrange boitillement aux studios Shepperton; il comprenait aussi que ce refuge isolé ne pouvait être que temporaire – qu'Allie, en venant ici, sacrifiait sa propre vie, et ne pourrait pas continuer indéfiniment. Que devait-il faire? Quelque chose? Rien? – S'il y avait une revanche à prendre, quand et comment? « Enfile ces bottes, lui ordonna Gibreel. Tu crois que la pluie va t'attendre toute la journée? »

Elle n'attendit pas. Au moment où ils atteignaient le tumulus de pierres du sommet que Gibreel avait choisi d'escalader, ils furent enveloppés par une petite pluie fine. « Jolie vue, hein? dit Gibreel haletant. Regarde : elle est là, en bas, trônant comme le Grand Panjandrum. » Il indiqua le temple. Chamcha, le cœur battant, se sentait bête. Il devait avoir l'air de quelqu'un qui souffre d'un problème de cœur. Mais où était la gloire de mourir d'une crise cardiaque sur ce sommet de rien, pour rien, sous la pluie? Puis Gibreel sortit ses jumelles et commença à observer la vallée. On pouvait à peine voir des silhouettes qui bougeaient – deux ou trois hommes et des chiens, quelques moutons, pas plus. Gibreel suivit les hommes à la jumelle. « Maintenant que nous sommes seuls, dit-il brusquement, je peux te donner la vraie raison pour laquelle nous sommes venus dans ce putain de trou. C'est à cause d'elle. Oui, oui; ne te laisse pas prendre par mon numéro! C'est sa putain de beauté. Les hommes, Spoono; ils la poursuivent comme des putains de mouches, je te jure! Je les vois bavants et voraces. Ce n'est pas juste. C'est quelqu'un de très secret, la personne la plus secrète du monde. Nous devons la protéger de leur luxure. »

471

Ce discours prit Saladin à l'improviste. Pauvre bougre, pensa-t-il, tu perds la boule à la vitesse grand V. Et, juste après, une deuxième phrase apparut dans sa tête comme par magie : *Ne crois pas que ça signifie que je vais te laisser aller.*

[*]

Sur le chemin du retour vers la gare de Carlisle, Chamcha parla de la dépopulation des campagnes. « Il n'y a pas de travail, dit Allie. Alors c'est vide. Gibreel dit qu'il ne peut pas s'habituer à l'idée que tout cet espace signifie la pauvreté : il dit que ça ressemble à l'abondance après les foules indiennes. – Et ton travail? demanda Chamcha. Qu'est-ce qu'il se passe? » Elle lui sourit, sa façade de vierge des glaces avait disparu depuis longtemps. « Tu es gentil de me le demander. Je n'arrête pas de me dire, un jour ma vie sera au milieu, à la première place. Ou, eh bien, même s'il me semble difficile d'utiliser la première personne du pluriel : notre vie. C'est mieux, non?

– Ne te laisse pas couper du monde, lui conseilla Saladin. De Jumpy, de vos mondes, n'importe. » C'est à ce moment qu'on peut dire que sa campagne démarra vraiment; quand il fit le premier pas sur le chemin facile et séduisant qui ne menait qu'à un seul endroit. « Tu as raison, dit Allie. Mon dieu, si seulement il savait. Son précieux Sisodia par exemple : il ne s'intéresse pas seulement aux starlettes de deux mètres, même s'il les adore. – Il t'a draguée », devina Chamcha; et, au même moment, il rangea cette information pour utilisation ultérieure éventuelle. « Il est totalement dépourvu de scrupules, dit Allie en riant. C'était sous le nez de Gibreel. Mais il ne s'est pas froissé du refus : il s'est juste incliné en disant, *dédésolé*, et voilà. Tu imagines si je l'avais raconté à Gibreel? »

À la gare, Chamcha souhaita bonne chance à Allie. « Nous devons aller à Londres pour quelques semaines, dit-elle par la fenêtre de la voiture. J'ai des réunions. Vous pourrez peut-être vous voir, toi et Gibreel; ça lui a vraiment fait du bien.

– Appelle quand tu veux. » Il la salua de la main, et regarda la Citroën jusqu'à ce qu'elle disparaisse.

Qu'Allie Cone, la troisième pointe de ce triangle de fictions – car Gibreel et Allie ne s'étaient-ils pas réunis en ima-
ginant, dans une grande mesure, à partir de leurs besoins
personnels, une « Allie » et un « Gibreel » dont chacun
pourrait tomber amoureux; et Chamcha ne leur imposait-il
pas les exigences de son cœur troublé et déçu? – soit l'agent
involontaire et innocent de la vengeance de Chamcha
devint de plus en plus clair à l'auteur de l'intrigue lui-même,
Saladin, quand il découvrit que Gibreel, avec qui il avait
prévu de passer un après-midi équatorial à Londres, ne
demandait pas mieux que lui décrire avec les détails les plus
embarrassants l'extase charnelle de partager le lit d'Allie.
Quel genre de personnes étaient-ce, se demanda Saladin
dégoûté, qui prenaient plaisir à infliger aux non-participants
les détails de leur intimité? Tandis que Gibreel (avec une
sorte de zèle) décrivait les positions, les morsures d'amour,
les vocabulaires secrets du désir, ils se promenaient dans le
parc de Brickhall au milieu des écolières et des enfants en
patin à roulettes et des pères lançant des boomerangs et des
frisbees à leurs fils méprisants, et se frayaient un chemin
parmi la chair horizontale et brûlante des secrétaires; et
Gibreel interrompit son évocation érotique pour ajouter,
délirant, que « parfois je regarde ces gens roses et au lieu de
peau, Spoono, je vois de la viande pourrie; je sens la putré-
faction, ici », il tapa fiévreusement sur ses narines, comme
s'il révélait un mystère, « dans mon *nez* ». Puis il revint à
l'intérieur des cuisses d'Allie, à ses yeux brouillés, à la vallée
parfaite de ses reins, aux petits cris qu'elle aimait pousser.
C'était un homme en danger, sur le point de craquer. L'énergie farouche, la minutie maniaque de ses descriptions indiquaient à Chamcha qu'il avait encore diminué ses doses,
qu'il roulait vers le paroxysme d'une crise, cette excitation
fébrile qui d'une certaine façon était comme une ivresse
aveugle (d'après Allie), c'est-à-dire que Gibreel ne se souvenait pas de ce qu'il avait dit ou fait quand, comme c'était
inévitable, il revenait sur terre. – Et les descriptions continuèrent, la longueur inhabituelle de la pointe de ses seins,
son aversion pour une interférence quelconque avec son

nombril, la sensibilité de ses doigts de pieds. Chamcha se dit que, folie ou pas, tout ce discours sexuel révélait (parce qu'il avait aussi entendu Allie dans la Citroën) la *faiblesse* de leur soi-disant «grande passion» – un terme qu'Allie n'employait qu'en plaisantant à moitié – parce que, dans une phrase, il n'y avait rien à dire de bon à son sujet; il n'avait tout bonnement rien à dire sur aucun autre aspect de leur union. – Cependant, en même temps, tout cela l'excitait. Il commença à se voir debout devant la fenêtre d'Allie, alors qu'elle se tenait là, nue comme une actrice sur un écran, et les mains d'un homme la caressaient de milliers de façons, l'amenant de plus en plus près de l'extase; il finit par se voir comme deux mains, il pouvait presque sentir sa fraîcheur, ses réponses, presque entendre ses cris. – Il se maîtrisa. Son désir le dégoûta. Elle était inaccessible; c'était du voyeurisme pur et simple, et il n'allait pas y succomber. – Mais le désir qu'avaient éveillé les révélations de Gibreel ne voulut pas partir.

Chamcha se souvenait que l'obsession sexuelle de Gibreel avait rendu les choses plus faciles. «C'est certainement une femme très attirante», murmura-t-il pour tâter le terrain, et il reçut en retour un long regard furieux. Puis Gibreel voulant montrer qu'il se contrôlait mit le bras sur les épaules de Saladin et cria : «Mes excuses, Spoono, j'ai mauvais caractère dès qu'il s'agit d'elle. Mais toi et moi! Nous sommes bhai-bhai! Nous avons traversé le pire et nous en sommes sortis souriants; j'en ai assez de ce petit jardin public de rien. Allons en ville. »

Il y a le moment qui précède le mal; puis le moment du; puis le moment après, quand on a fait le premier pas, et chaque enjambée devient plus facile. «Ça me va, répondit Chamcha. Je suis content de te voir en forme. »

Un garçon de six ou sept ans passa près d'eux sur un vélo tout terrain. Chamcha tourna la tête pour le suivre des yeux, vit qu'il avançait facilement dans une avenue recouverte de grands arbres à travers lesquels le soleil brûlant réussissait à dégoutter par endroits. Le choc de découvrir le décor de son rêve désorienta brièvement Chamcha; et lui laissa un mauvais goût dans la bouche : le goût aigre de ce qui aurait-pu-être. Gibreel appela un taxi; et indiqua Trafalgar Square.

Oh, il était de bien bonne humeur ce jour-là, dénigrant

474

Londres et les Anglais avec son ancienne verve. Là où Chamcha voyait une grandeur passée et séduisante, Gibreel voyait un naufrage, une ville-Crusoé, abandonnée sur l'île de son passé, et essayant, avec l'aide d'un sous-prolétariat Vendredi, de maintenir les apparences. Sous le regard des lions de pierre il chassa les pigeons en criant : « Je te jure, Spoono, chez nous ces gros tas ne tiendraient pas un jour; ramenons-en un pour dîner. » L'âme anglicisée de Chamcha se ratatinait de honte. Plus tard, à Covent Garden, il décrivit à Gibreel le déménagement de l'ancien marché de fruits et légumes à Nine Elms. Les autorités, inquiétées par les rats, avaient bloqué les égouts et en avaient tué des milliers; mais des centaines survécurent. « Ce jour-là, les rats affamés ont envahi les trottoirs, dit-il. Tout le long du Strand et sur waterloo Bridge, dans et devant les magasins, cherchant désespérément de quoi manger. » Gibreel renifla. « Maintenant je suis sûr que c'est un navire en train de couler », criat-il, et Chamcha se sentit furieux de lui avoir offert un nouveau prétexte. « Même les putains de rats se tirent. » Et, après une pause : « Ce dont ils avaient besoin, c'était d'un joueur de flûte, non ? Pour les conduire à la mort avec une chanson. »

Quand il n'insulta plus les Anglais ou qu'il ne décrivit plus le corps d'Allie depuis la racine des cheveux jusqu'au doux triangle « du dieu de l'amour, le putain de yoni », il sembla vouloir faire des listes : il voulut savoir quels étaient les dix livres préférés de Spoono; les films, les actrices de cinéma, les plats. Chamcha lui fournit des réponses conventionnelles et cosmopolites. Ses films préférés comprenaient *Potemkine, Citizen Kane, Otto e Mezzo, Les Sept Samourais, Alphaville, L'Ange exterminateur.* « On t'a fait un lavage de cerveau, se moqua Gibreel. Toute cette camelote d'art et d'essai occidental. » Ses dix films préférés venaient de « chez nous » et étaient agressivement populaires. *Mère Inde, Mr Inde, Shree Charsawbees* : pas de Ray, pas de Mrinal Sen, pas d'Aravindan ni de Ghatak. « Tu as la tête tellement farcie, conseilla-t-il à Saladin, que tu as oublié tout ce qui vaut la peine d'être connu. »

Son excitation montante, sa détermination volubile à transformer le monde en un paquet de hit-parades, son pas déterminé – ils avaient dû faire trente-cinq kilomètres au bout de leurs pérégrinations – laissèrent penser à Chamcha qu'il ne fallait plus grand-chose à présent pour le pousser par-dessus bord. *Il semble que je me sois révélé, moi aussi, comme un arnaqueur, Mimi. L'art de l'assassin consiste à attirer la victime près de lui; c'est plus facile de la poignarder.* « Je commence à avoir faim, déclara Gibreel impérieusement. Emmène-moi dans un de tes dix meilleurs restaurants. »

Dans le taxi, Gibreel taquina Chamcha, qui ne lui avait pas donné leur destination. « Un petit restaurant français, hein ? Ou japonais, avec du poisson cru et des poulpes. Mon Dieu, pourquoi est-ce que je te fais confiance ? »

Ils arrivèrent au Café Shaandaar.

Jumpy n'était pas là.

Et, apparemment, Mishal Sufyan ne s'était pas raccommodée avec sa mère; Mishal et Hanif étaient absents, et l'accueil qu'Anahita et sa mère réservèrent à Chamcha n'avait rien de chaleureux. Seul Hadji Sufyan se montra accueillant : « Venez, venez, asseyez-vous. Vous avez l'air en forme. » Le café était étrangement vide, et même la présence de Gibreel ne réussit pas à créer le moindre remous. Chamcha mit quelques secondes à comprendre ce qui se passait; puis il vit quatre jeunes Blancs assis autour d'une table dans un coin, cherchant la bagarre.

Le jeune serveur bengali (que Hind avait dû engager après le départ de sa fille aînée) vint prendre leur commande – aubergines sikhs kababs, riz – tout en regardant avec colère dans la direction des quatre trouble-fête, qui, comme Saladin s'en rendit compte, étaient saouls. Le serveur, Amin, semblait aussi agacé par Sufyan que par les ivrognes. « Il n'aurait jamais dû les laisser s'asseoir, murmura-t-il à Chamcha et à Gibreel. Maintenant, je suis obligé de les servir. C'est facile pour le seth, il n'est pas en première ligne. »

Il servit les ivrognes en même temps que Chamcha et Gibreel. Quand ils commencèrent à se plaindre de la cuisine, l'ambiance du restaurant devint tendue. Ils finirent par se lever. « On va pas manger cette merde, bande de cons, cria le chef, un petit type maigrichon aux cheveux châtain

476

avec un visage pâle et décharné et des boutons. C'est de la *merde.* Allez vous faire foutre, bande de cons. » Ses trois compagnons quittèrent le restaurant en ricanant et en jurant. Le chef s'attarda un instant. « Ça vous plaît cette bouffe? cria-t-il à Chamcha et à Gibreel. C'est de la putain de merde. C'est ça que vous mangez chez vous, hein? Cons. » Gibreel avait une expression qui disait haut et fort : alors voilà ce que sont devenus les Britanniques, cette grande nation de conquérants. Il ne répondit pas. Le petit voyou à face de rat s'approcha. « Je t'ai posé une question, merde, dit-il. J'ai dit : est-ce que ça te plaît cette putain de *bouffe de merde*? » Et Saladin Chamcha, peut-être agacé de voir que le voyou, qu'il avait envie de tuer, ne s'adressait pas à Gibreel de face – mais dans le dos comme les lâches – lui répondit : « Ça nous plairait, si tu n'étais pas là. » Face de-rat, chancelant sur ses jambes, assimila cette information; puis fit une chose assez étonnante. Il prit une profonde respiration et se redressa du haut de ses un mètre soixante-cinq; puis se pencha en avant et cracha violemment et copieusement sur toute la nourriture.

« Baba, si ce restaurant est sur ta liste des dix préférés, dit Gibreel dans le taxi du retour, ne m'emmène pas dans les endroits que tu aimes moins.

– " Minnamin, Gut mag alkan, Pern dirstan ", répondit Chamcha. Ça signifie, " Mon chéri, Dieu crée la faim, le Diable la soif. " Nabokov.

– Encore lui, se plaignit Gibreel. Quelle langue de merde?

– Il l'a inventée. C'est ce que Zemblan, la nourrice de Kindote, lui disait quand il était enfant. Dans *Feu pâle.*

– *Perndirstan,* répéta Farishta. On dirait un pays : l'Enfer peut-être. J'abandonne, de toute façon. Comment lire un homme qui écrit dans un baragouin de sa propre invention? »

Ils étaient presque arrivés à l'appartement d'Allie qui donnait sur le parc de Brickhall. « Après deux mariages malheureux, dit Chamcha d'un air absent, comme s'il poursuivait un raisonnement profond, Strinberg a épousé Harriet Bosse, une célèbre et belle actrice de vingt ans. Dans *Le Songe,* elle avait été un merveilleux Puck. Il a aussi écrit pour elle : le rôle d'Eleanora dans *Pâques.* Un " ange de la paix ". Les jeunes gens étaient fous d'elle, et Strinberg, eh bien, il devint si jaloux qu'il en perdit l'esprit. Il essaya de la garder enfermée, loin du regard des hommes. Elle voulut voyager; il lui offrit des livres de voyage. C'était comme la vieille chanson de Cliff Richard : *Je vais l'enfermer dans une malle / pour qu'aucun mâle / ne puisse me la voler.* »

Farishta, la tête lourde, montra d'un signe, qu'il avait compris. Il était tombé dans une sorte de rêverie. « Que s'est-il passé? » demanda-t-il quand ils furent à destination. « Elle le quitta, déclara innocemment Chamcha. Elle dit qu'elle n'arrivait pas à le considérer comme appartenant à l'espèce humaine. »

En revenant de la station de métro, Alleluia Cone lut la lettre délirante de joie que sa mère lui avait envoyée de Stanford, en Californie. « Si l'on te dit que le bonheur est inaccessible, écrivit Alicja de la main gauche avec de grandes lettres rondes et penchées en arrière, aie la gentillesse de les diriger vers moi. J'éclairerai leur lanterne. Je l'ai rencontré deux fois, tout d'abord avec ton père, comme tu le sais, et maintenant avec cet homme costaud et gentil, dont le visage a exactement la même couleur que les oranges qui poussent partout dans la région. La satisfaction, Allie. Mieux que le plaisir. Essaie, ça te plaira. » Quand elle leva les yeux, Allie vit le fantôme de Maurice Wilson assis en haut d'un hêtre pourpre, vêtu de laine comme d'habitude – béret, pull jacquard, Pringle, pantalon de golf – trop habillé pour la chaleur. « Je n'ai pas le temps », lui dit-elle, et il haussa les épaules. *J'attendrai.* Elle avait encore mal aux pieds. Elle serra les dents et continua.

Saladin Chamcha, caché derrière le hêtre pourpre sur lequel le fantôme de Maurice Wilson surveillait la marche douloureuse d'Allie, vit Gibreel Farishta jaillir de l'immeuble où il attendait impatiemment son retour; Chamcha remarqua qu'il avait les yeux rouges et qu'il délirait. Les démons de la jalousie étaient assis sur ses épaules, et il hurlait toujours la même rengaine, oùmerde quimerde quoimerde necroispasquejevaisgober commentosestugarcegarcegarcegarce. Il semblait que Strinberg avait réussi là où Jumpy (parce qu'absent) avait échoué.

Dans les hautes branches, l'observateur disparut; l'autre, avec un hochement de tête satisfait, s'éloigna dans l'avenue sous l'ombre des grands arbres.

*
* *

Les appels téléphoniques qu'ils reçurent, tout d'abord à Londres et ensuite à l'adresse éloignée à Dumfries et Galloway, à la fois Allie et Gibreel, n'étaient pas très nombreux; mais on ne pourrait pas dire qu'ils étaient peu nombreux. Il n'y avait pas trop de voix pour qu'ils soient plausibles; mais il y en avait bien assez. Il ne s'agissait pas d'appels brefs, comme ceux qui halètent dans l'appareil et autres utilisateurs abusifs du réseau téléphonique, mais en revanche ils ne duraient jamais assez longtemps pour que la police, qui écoutait, puisse remonter à la source. Et tout cet épisode répugnant ne dura pas très longtemps – quelque trois semaines et demie, après quoi les correspondants s'arrêtèrent définitivement; mais on pourrait également dire que cela dura exactement le temps requis pour que, c'est-à-dire jusqu'à ce que Gibreel Farishta soit conduit à faire à Allie Cone ce qu'il avait précédemment fait à Saladin – à savoir, la Chose Impardonnable.

On doit dire que personne, ni Allie, ni Gibreel, ni les professionnels de la table d'écoute qu'ils avaient engagés, ne soupçonna jamais que c'était l'œuvre d'un seul homme; mais pour Saladin Chamcha, autrefois connu (même si c'était seulement dans quelques cercles spécialisés) comme l'Home aux Mille Voix, une telle supercherie était une chose simple, sans effort et sans risque. En gros (parmi ses mille et une voix) il ne dut en choisir que trente-neuf.

Quand Allie répondait, elle entendait des hommes inconnus lui murmurer des secrets intimes à l'oreille, des étrangers qui connaissaient les petits coins de sa peau bien cachés, des êtres sans visage qui donnaient des preuves d'avoir appris, par l'expérience, ses préférences parmi les milliers de formes de l'amour; et quand on commença à essayer de découvrir l'origine des appels son humiliation augmenta, parce que maintenant elle ne pouvait simplement plus raccrocher mais devait écouter, le visage en feu et des frissons dans le dos, en tentant même (sans y réussir) de prolonger la communication.

Gibreel lui aussi en avait sa part : des aristocrates byroniens superbes, se vantant d'avoir « conquis l'Everest », des gamins insolents, les voix doucereuses d'amis-qui-lui-voulaient-du-bien, mêlées à des avertissements et à de la pseudo-compassion *conseil d'ami, comme tu es bête, tu ne sais pas encore ce qu'elle, n'importe quoi en pantalon, pauvre imbécile, crois-en un copain.* Mais une voix se distinguait des autres, la voix sentimentale et haut perchée d'un poète, une des premières voix que Gibreel entendit et celle qui l'agaçait le plus : une voix qui ne parlait qu'en vers de mirliton d'une naïveté contenue, une innocence même, qui contrastaient tellement avec la vulgarité masturbatoire de la plupart des autres correspondants, que Gibreel la considéra bientôt comme la plus menaçante de toutes.

> *J'aime le thé et le café*
> *J'aime ce qu'avec moi tu fais*

Dites-lui ça, se pâmait la voix, et on raccrochait. Un autre jour, la voix revint avec ce refrain :

> *J'aime le pain, j'aime les frites*
> *Tu es vraiment ma favorite.*

Auriez-vous l'amabilité de lui transmettre aussi ce message? Il y avait quelque chose de démoniaque, conclut Gibreel, quelque chose de profondément immoral à cacher la corruption sous ces bouts rimés de cartes de vœux.

> *Pomme rosée tarte au citron*
> *De ma chérie voici le nom*

A... l... l... Gibreel, écœuré et effrayé, raccrochait violemment en tremblant. Le versificateur cessa d'appeler pendant quelque temps; mais Gibreel attendait sa voix, en craignant sa réapparition, ayant peut-être accepté, à un niveau plus profond que la conscience, que ce mal infernal et enfantin l'achève pour de bon.

***

Oh! mais comme tout cela était facile! Avec quelle aisance le mal s'installait dans ses cordes vocales souples, infiniment flexibles, ces ficelles de marionnettiste! Avec quelle assurance le mal parcourait les fils du réseau téléphonique, avec autant d'équilibre qu'un fil-de-fériste aux pieds nus; avec quelle confiance il entrait en présence de ses victimes, aussi certain de ses effets qu'un bel homme vêtu d'un costume parfaitement coupé! Et avec quelle prudence il attendait son heure, lançant toutes les voix sauf celle qui donnerait le coup de grâce – parce que Saladin, lui aussi, avait compris la puissance particulière des vers de mirliton – des voix profondes et des voix criardes, lentes, rapides, tristes et gaies, agressives et timides. Une par une, elles tombaient dans l'oreille de Gibreel, affaiblissant son emprise sur la réalité, l'attirant peu à peu dans leur toile d'araignée trompeuse, jusqu'à ce que petit à petit les femmes obscènes qu'elles fabriquaient commencent à enrober la femme réelle d'une pellicule visqueuse et verte, et que, malgré ses protestations, Gibreel s'éloigne d'elle; et les petits versets sataniques qui l'avaient rendu fou revinrent.

***

Bleu est le ciel, rouges les fleurs
Le sucre n'a pas ta douceur

Dites-le-lui. Il revint, innocent comme toujours, faisant naître des tourbillons de papillons dans l'estomac noué de Gibreel. Ensuite les rimes plurent. Elles pouvaient être salaces comme des vers de cour de récréation :

Quand elle va voir son papa
Ell' n'en porte pas ell' n'en porte pas
Quand elle va voir sa maman
Ell' n'en porte pas de sous-vêtements;

ou, une fois ou deux, sur un rythme de majorettes.

481

Ouah! Ouah! Ouah!
En avant un deux trois
Alleluyi! Alleluya!
Ouah! Ouah! Ouah!

Et à la fin, alors qu'ils étaient revenus à Londres, et qu'Allie était partie à une inauguration d'un magasin de surgelés à Hounslow, les derniers vers.

Pomme de reinette et pomme d'api
Et la voilà dans mon p'tit lit.

Salut, ducon.
Tonalité.

*
* *

Alleluia Cone revint pour découvrir que Gibreel était parti, et dans le silence de son appartement, elle décida que cette fois elle ne le reprendrait pas, quel que soit son état pitoyable ou quelles soient ses cajoleries quand il reviendrait ramper devant elle, mendiant son pardon et son amour; parce qu'avant de partir il avait laissé éclater sa terrible vengeance contre elle, il avait écrasé chacun des Himalayas qu'elle avait réunis depuis des années, il avait laissé fondre l'Everest qu'elle gardait dans son congélateur, arraché et déchiré en petits morceaux le parachute des sommets qui se dressait au-dessus de son lit, et il avait haché (en se servant de la hachette qu'elle rangeait avec l'extincteur dans le placard à balais) le souvenir inestimable de sa conquête du Chomolungma en bois sculpté que lui avait offert Pemba, le sherpa, comme avertissement et comme cadeau. *Pour Ali Bibi. Nous avoir chance. Pas recommencer.*
Elle ouvrit les fenêtres en grand et hurla des injures au parc innocent en bas. « Crève lentement! Brûle en enfer! »
Puis, en pleurs, elle téléphona à Saladin Chamcha pour lui annoncer la mauvaise nouvelle.

*
* *

Mr John Maslama, propriétaire de la boîte de nuit Le Musée de Cire, de la maison de disques du même nom, et de

« Bons Vents », le magasin légendaire où l'on pouvait se procurer les meilleurs instruments à vent de Londres – clarinettes, saxophones, trombones – dans lesquels on pouvait souffler, était un homme très occupé, et qui mit sur le compte de l'intervention de la Providence Divine le fait heureux d'avoir été présent dans le magasin de trompettes quand l'Archange de Dieu entra avec le tonnerre et les éclairs posés comme des lauriers sur son front noble. Étant un homme d'affaires pratique, Mr Maslama avait caché à ses employés ses activités extraprofessionnelles en tant que principal messager du retour de l'Être Céleste et Semi-Divin, ne collant d'affiches dans ses vitrines que lorsqu'il était sûr que personne ne pouvait le voir, négligeant de signer les annonces publicitaires qu'il faisait paraître dans les journaux et les magazines à ses frais, qui proclamaient la Gloire Imminente de la Venue du Seigneur. Il publiait des communiqués par l'intermédiaire de l'agence Valance, en exigeant que son anonymat soit soigneusement préservé. « Notre client est en position de déclarer », annonçaient de façon sibylline ces communiqués – qui jouirent, pendant quelque temps, d'une certaine popularité amusée parmi les journalistes de Fleet Street, – « qu'il a vu de ses yeux la Gloire dont on parle ci-dessus. Gibreel est parmi nous en ce moment, quelque part au cœur de Londres – probablement à Camdem, Brickhall, Tower Hamlets ou Hackney – et il apparaîtra bientôt, peut-être dans quelques jours ou quelques semaines. » – Tout cela restait obscur pour les trois vendeurs, grands et alanguis, du magasin « Bons Vents » (Maslama refusait d'y employer des vendeuses; « ma devise, aimait-il répéter, c'est : personne ne fait confiance à une femme pour le conseiller sur sa trompette »); c'est pourquoi aucun ne voulut en croire ses yeux quand leur employeur impitoyable subit un changement de personnalité total, et se précipita vers cet inconnu farouche, mal rasé, comme s'il s'agissait de Dieu le Tout-Puissant – avec ses chaussures en cuir verni bicolore, son costume d'Armani et sa coiffure à la Robert de Niro au-dessus de sourcils abondants, Maslama n'avait pas l'air d'un type qui rampait, mais c'était exactement ce qu'il *faisait*, sur son putain de *ventre*, écartant ses employés, *je servirai monsieur moi-même*, s'inclinant jusqu'à terre, marchant à reculons, qui l'aurait cru? – Quoi qu'il en soit, l'inconnu avait une *ceinture à billets* sous sa chemise et se mit à sortir des quantités de grosses coupures; il montra une trompette sur une haute étagère, *celle-là*, comme ça, en la regardant à peine, et Mr Maslama monta à l'échelle *pronto, j'y-vais-j'ai-dit-que-j'y-allais*, et maintenant le plus étonnant de l'affaire, il essaya de refuser l'argent, Maslama!, c'était des non, non *monsieur* c'est gratuit *monsieur*, mais l'inconnu paya quand même, et il enfonça les billets dans la poche de Maslama comme un *porteur*, il fallait voir ça, et à la fin le client se retourne vers tout le magasin et hurle, *Je suis la main droite de Dieu.* – Je vous jure, vous n'allez pas me croire, c'était le putain de Jugement Dernier. – Après ça Maslama était dans un état second, complètement secoué, il est vraiment tombé sur ses vrais genoux. – Puis l'inconnu leva la trompette au-dessus de sa tête et cria *Je nomme cette trompette Azraeel, la Trompette de la Dernière Chance, l'Exterminateur des Hommes!* – et on restait là, je vous le dis, comme des pierres, parce que tout autour de la tête de ce putain de fou, bon à enfermer, il y avait une *lueur* claire, vous comprenez?, qui sortait comme ça, comme d'un point derrière sa tête.

Une auréole.

Vous pouvez dire ce que voulez, répétèrent ensuite les trois vendeurs à qui voulait les écouter, *vous pouvez dire ce que voulez, mais nous avons vu ce que nous avons vu.*

3

La mort en garde à vue du Dr Uhuru Simba, précédemment Sylvester Roberts, fut décrite par le porte-parole de la police de Brickhall, un certain inspecteur Stephen Kinch, comme « un cas sur un million ». Apparement, le Dr Simba avait eu un cauchemar si terrifiant qu'il s'était mis à pousser des hurlements dans son sommeil, ce qui avait attiré immédiatement l'attention des deux fonctionnaires de service. Ces messieurs se précipitèrent vers sa cellule et arrivèrent à temps pour voir la forme toujours endormie de l'homme gigantesque être littéralement soulevée de sa couchette sous l'influence maligne du rêve et retomber sur le sol. Les deux fonctionnaires de police entendirent un craquement violent; c'était le bruit du cou du Dr Uhuru Simba qui se brisait. La mort avait été instantanée.

La minuscule mère du mort, Antoinette Roberts, debout dans la camionnette de son fils cadet, vêtue d'une robe et d'un chapeau noirs bon marché, son voile de deuil relevé d'un air de défi, saisit très vite les paroles de l'inspecteur Kinch pour les lui renvoyer au visage, un visage rougeaud, à triple menton, impuissant, dont l'expression de chien battu témoignait de son humiliation d'être appelé par ses collègues *Oncle Tom*, et, pire encore, *champignon*, parce qu'on le tenait dans le noir en permanence, et aussi parce que, de temps en temps – par exemple dans les regrettables circonstances présentes – les gens le couvraient de merde. « Je veux que vous compreniez, déclara Mrs Roberts à la foule immense et furieuse rassemblée devant le commissariat de High Street, que ces gens jouent avec nos existences. Ils parient sur nos chances de survie. Je veux que vous réfléchissiez à ce que ça signifie en ce qui concerne leur façon de nous respecter en tant qu'êtres humains. » Et Hanif Johnson, dans la camionnette de Walcott Roberts, en tant qu'avocat d'Uhuru Simba, ajouta ses propres commentaires en attirant l'attention sur le fait que la chute mortelle de son client s'était produite depuis la couchette inférieure de la cellule; qu'à cette époque de surpopulation pénitentiaire il était pour le moins insolite, pour ne pas dire plus, que l'autre couchette fût vide, cela permettait que la mort n'ait eu comme témoins que les seuls fonctionnaires; et qu'un cauchemar n'était assurément pas la seule explication possible des cris d'un homme noir entre les mains des autorités. Dans ses conclusions, qualifiées par la suite d' « incendiaires et d'irresponsables » par l'inspecteur Kinch, Hanif établit un rapport entre les déclarations du porte-parole et celles du raciste notoire John Kingsley Read, qui apprenant un jour la nouvelle de la mort d'un Noir avait répondu par ce slogan, « Un de perdu, un million de retrouvés ». La foule murmura et frémit; c'était un jour de chaleur et de méchanceté. « Gardez cette ardeur, cria Walcott à la foule. Ne laissez pas refroidir votre colère. »

Comme Simba avait déjà été jugé et condamné dans ce qu'il avait appelé autrefois la « presse arc-en-ciel – rouge comme des guenilles, jaune comme des rayures, bleue comme les films, verte comme la vase », beaucoup de Blancs considérèrent sa mort comme une forme de justice sauvage, la chute méritée d'un assassin monstrueux. Mais dans un autre tribunal, silencieux et noir, il reçut un jugement bien plus favorable, et ces opinions opposées sur le défunt se rassemblèrent, après sa mort, dans les rues de la ville, où elles fermentèrent dans l'infinie chaleur tropicale. La « presse arc-en-ciel » parlait du soutien qu'apportait Simba à Qazhafi, Khomeini, Louis Farrakhan; tandis que dans les rues de Brickhall, de jeunes hommes et de jeunes femmes entretenaient, et soufflaient, sur la lente flamme de leur colère, une flamme ténébreuse, mais capable de cacher la lumière.

Deux nuits plus tard, derrière les Brasseries Charringtons à Tower Hamlets, le « Tueur de Vieilles Dames » frappa à nouveau. Et la nuit suivante, une vieille femme fut assassinée près du terrain d'aventures de Victoria Park, à Hackney;

l'horrible meurtrier avait à nouveau ajouté sa « signature » –
la disposition rituelle des organes autour du corps de la victime, qui n'avait jamais été révélée avec précision au public.
Quand l'inspecteur Kinch, quelque peu éliminé, parut à la
télévision pour exposer la théorie extravagante selon
laquelle un « assassin copieur » avait réussi à découvrir la
« signature » qu'on avait si soigneusement cachée, et qu'il
avait repris le drapeau abandonné par feu Uhuru Simba –
alors le commissaire de police jugea prudent, comme
mesure de précaution, de multiplier par quatre la présence
policière dans les rues de Brickhall, et de tenir en réserve un
si grand nombre de policiers qu'il devint nécessaire d'annu-
ler les matches de football prévus pour le week-end dans la
capitale. Et, en vérité, on commençait à avoir les nerfs à vif
dans l'ancien lopin d'Uhuru Simba; Hanif Johnson publia
un communiqué pour dire que la présence policière était
« une provocation incendiaire », et au Shaandaar et au Pagal
Khana des groupes de jeunes Noirs et de jeunes Asiatiques
se mirent à se rassembler, bien décidés à affronter les voitures pies qui patrouillaient dans le quartier. Et au Musée de
Cire, pour la *fonte*, on choisit le personnage déjà déli-
quescent de sueur du porte-parole de la police. Et la température continua, inexorablement, à monter.
    Les incidents violents devinrent de plus en plus fré-
quents : attaques contre les familles noires dans les HLM,
agressions d'écoliers noirs qui rentraient chez eux, bagarres
dans les cafés. Au restaurant Pagal Khana, un jeune à face
de rat et trois de ses copains crachèrent dans l'assiette de
nombreux clients; à la suite de quoi trois serveurs bengalis
furent inculpés de coups et blessures à cause de l'altercation
qui suivit; et on n'arrêta pas le quatuor de cracheurs. Des
histoires de brutalités policières, de jeunes Noirs embarqués
dans des voitures banalisées et des camions appartenant aux
sections spéciales de patrouille et abandonnés, tout aussi
discrètement, le corps couvert d'entailles et d'hématomes,
commencèrent à se répandre dans les communautés. Des
groupes de jeunes Sikhs, de Bengalis et d'Afro-Cubains –
décrits par leurs adversaires politiques comme des *vigiles
d'autodéfense* – se mirent à patrouiller dans le quartier, à
pied et dans de vieilles Ford, déterminés à ne pas « se laisser
marcher dessus ». Hanif Johnson dit à sa maîtresse qui habi-

487

tait chez lui, Mishal Sufyan, que d'après lui un meurtre supplémentaire du Tueur de Vieilles Dames mettrait le feu aux
poudres. « Ce tueur ne s'amuse pas simplement parce qu'il
est toujours en liberté. Il se moque aussi de la mort de
Simba, et c'est ce que les gens ne peuvent encaisser. »

Dans ces rues chauffées à petit feu, par une nuit anormalement humide, arriva Gibreel Farishta, soufflant dans sa
trompette dorée.

Ce soir-là, un samedi, à huit heures, Pamela Chamcha se
tenait avec Jumpy Joshi – qui avait refué de la laisser sortir
seule – près du photomaton dans un coin du hall central de
la station de métro d'Euston, en ayant l'impression d'être
une ridicule conspiratrice. A huit heures quinze, un jeune
homme nerveux qui semblait plus grand que dans son souvenir l'aborda; elle et Jumpy le suivirent sans un mot et
montèrent dans sa camionnette bleue cabossée et il les
conduisit dans un petit appartement au-dessus d'un bar de
Railton Road, à Brixton, où Walcott Roberts les présenta à
sa mère, Antoinette. Pour les raisons habituelles on ne leur
présenta pas les trois hommes qu'elle prit par la suite pour
des Haïtiens. « Buvez un verre de vin au gingembre, dit
Antoinette Roberts. C'est bon aussi pour le bébé. »

Quand Walcott eut servi tout le monde, Mrs Roberts, qui
semblait perdue dans un énorme fauteuil usé jusqu'à la
trame (ses jambes étonnamment pâles, comme des allu-
mettes, qui émergeaient de sous sa robe noire et qui se terminaient dans de mutines chaussettes roses et des chaussures à lacets, ne touchaient pas le sol), entra dans le vif du
sujet. « Ces messieurs étaient les collègues de mon fils, dit-
elle. La cause probable de son assassinat semble le travail
qu'il était en train de faire et dont on m'a dit qu'il vous intéressait également. Nous pensons que le moment est venu de
travailler de façon plus structurée, avec les organismes que
vous représentez. » Un des trois « Haïtiens » silencieux présenta à Pamela un porte-documents en plastique rouge. Mrs
Roberts expliqua calmement : « Il contient de nombreuses
preuves de l'existence de groupes de sorcellerie dans la
police. »

Walcott se leva. « Nous devons partir maintnenant, dit-il fermement. S'il vous plaît. » Pamela et Jumpy se levèrent à leur tour. Mrs Roberts hocha vaguement la tête, d'un air absent en faisant craquer les articulations de ses mains à la peau lâche. « Au revoir », dit Pamela, et elle lui présenta ses condoléances de façon conventionnelle. Mrs Roberts l'interrompit : « Ma fille, n'use pas ta salive. Épingle-moi ces sorciers. Plante-leur des épingles dans le *cœur*. »

*
* *

Walcott Roberts les déposa à Notting Hill à vingt-deux heures. Jumpy toussait beaucoup et se plaignait de maux de tête, qui revenaient souvent depuis le coup qu'il avait reçu à Shepperton, mais quand Pamela avoua être inquiète de se trouver en possession du seul exemplaire des documents explosifs de la serviette en plastique, Jumpy insista à nouveau pour l'accompagner au bureau du Conseil des relations intercommunautaires de Brickhall, où elle voulait faire des photocopies pour les donner à de nombreux amis et collègues sûrs. Et c'est à vingt-deux heures quinze qu'ils se retrouvèrent dans la MG bien-aimée de Pamela, traversant la ville vers l'est, dans l'orage qui montait. Une vieille camionnette Mercedes bleue les suivait, comme elle avait suivi le camion de Walcott; c'est-à-dire, sans se faire remarquer.

Quinze minutes plus tôt, une patrouille de sept Sikhs jeunes et grands entassés dans une Vauxhall avaient traversé le pont du canal de Malaya Crescent, dans le sud de Brickhall. Ils entendirent un cri venant de la voie piétionne sous le pont, s'y précipitèrent et découvrirent un homme pâle, banal, de taille et de corpulence moyennes, les cheveux rabattus sur ses yeux noisette, sautant sur ses pieds, un scalpel à la main, et s'éloignant rapidement du corps d'une vieille dame dont la perruque bleue était tombée dans le canal où elle flottait telle une méduse. Les jeunes Sikhs rattrapèrent et maîtrisèrent facilement l'homme qui s'enfuyait.

Vers vingt-trois heures, la nouvelle de l'arrestation du Tueur de Vieilles Dames avait pénétré chaque recoin du quartier, accompagnée d'une foule de rumeurs : la police avait inculpé le maniaque à contrecœur, on avait retenu les membres de la patrouille pour interrogatoire, on était en train d'essayer d'étouffer l'affaire. Des groupes commencèrent à se rassembler au coins des rues, et au fur et à mesure que les cafés se vidaient, des bagarres éclatèrent. Il y eut quelques dégâts matériels : on cassa trois pare-brise, on pilla un magasin de vidéo, on jeta quelques briques. C'est à ce moment-là, à vingt-trois heures trente, un samedi soir, alors que le public excité et sous pression des boîtes de nuit et des dancings sortait dans les rues, que le commissaire divisionnaire, en consultation avec les hautes autorités de la police, déclara que des conditions d'émeute existaient actuellement à Brickhall, et libéra toute la puissance de la police urbaine contre les « émeutiers ».

C'est également à ce moment-là que Saladin Chamcha, qui avait dîné avec Allie Cone dans son appartement sur le parc de Brickhall, gardant les apparences, compatissant et murmurant des encouragements hypocrites, sortit dans la nuit; aperçut un groupe d'hommes casqués avec des boucliers de plastique, en formation de tortue, sur le qui-vive, qui s'élançait vers lui à une allure régulière et inexorable; assista à l'arrivée au-dessus de lui d'hélicoptères géants, comme un vol de criquets, d'où tombaient des faisceaux lumineux, comme une pluie d'orage; vit l'arrivée des canons à eau; et, obéissant à un réflexe primaire et irrésistible, fit demi-tour et se mit à courir sans savoir qu'il allait dans la mauvaise direction, à toute vitesse vers le Shaandaar.

Les caméras de la télévision arrivent juste à temps pour la descente sur le Musée de Cire.

Voici ce que voit une caméra de télévision : moins douée que l'œil humain, sa vision nocturne est limitée à ce que montrent les projecteurs. Un hélicoptère survole la boîte de nuit, et urine de grands jets de lumière dorée; la caméra comprend cette image. L'appareil d'État fonçant sur ses ennemis. – Et maintenant il y a une caméra dans le ciel; quelque part un rédacteur en chef a donné son accord financier pour une prise de vues aérienne, et d'un autre hélicoptère une équipe *filme vers le bas*. On n'essaie pas d'éloigner cet hélicoptère. Le bruit des pales domine la rumeur de la foule. Sur ce point, à nouveau, le matériel d'enregistrement vidéo est, dans cette situation, moins sensible que l'oreille humaine.

– Coupez. – Un homme illuminé par un projecteur de poursuite parle rapidement dans un micro. Derrière lui on aperçoit une turbulence d'ombres. Mais entre le reporter et ce lieu d'ombres turbulentes, il y a un mur : des hommes casqués, portant des boucliers. Le reporter parle d'une voix sérieuse; cocktails Molotov balles en plastique policiers blessés canons à eau pillages, en s'en tenant, bien sûrs, aux faits. Mais la caméra enregistre ce que lui ne sait pas. Une caméra est une chose qu'on casse ou qu'on vole facilement; sa fragilité la rend exigeante. Une caméra réclame la loi, l'ordre, des limites bien définies. En cherchant à se préserver, elle reste derrière le mur de protection et observe le lieu des ombres de loin et, bien sûr, d'en haut : c'est-à-dire qu'elle choisit son camp.

– Coupez. – Les projecteurs éclairent un nouveau visage rougeaud, à bajoues. Ce visage a un nom : des mots apparaissent en sous-titre sur sa veste. *Inspecteur Stephen Kinch.* La caméra le montre comme il est : un brave homme qui fait un travail impossible. Un père de famille, un homme qui aime boire sa chope de bière. Il parle : on-ne-peut-pas-tolérer-des-quartiers-occupés on-exige-une-meilleure-protection-pour-la-police regardez-les-boucliers-de-plastique-anti-émeutes-prennent-feu. Il évoque le crime organisé, les agitateurs politiques, les fabriques de bombes, la drogue. « Nous comprenons que certains de ces gosses puissent croire qu'ils ont des griefs, mais nous ne serons pas les boucs émissaires de la société. » Enhardi par les lumières et les objectifs patients et silencieux des caméras, il continue. Ces gosses ne connaissent par leur bonheur, dit-il. Ils devraient interroger leurs parents et leurs amis. L'Afrique, l'Asie, les Caraïbes : ce sont des pays où les gens peuvent avoir des griefs qui méritent d'être respectés. Les choses ne se passent pas si mal que ça ici, loin s'en faut; pas de massacres, pas de tortures, pas de coups d'État militaires. Les gens devraient évaluer ce qu'ils ont avant de le perdre. Notre pays a toujours été pacifique, dit-il. La race de notre île industrieuse. – Derrière lui, la caméra voit des brancards, des ambulances, de la douleur. – Elle voit d'étranges formes humanoïdes qu'on tire des entrailles du Musée de Cire, et reconnaît les effigies des puissants. L'inspecteur Kinch explique. Ils les font cuire dans un four là-dedans, ils trouvent ça drôle, pas moi. – La caméra observe les mannequins de cire avec dégoût. – N'y a-t-il pas de la *sorcellerie* là-dedans, quelque chose de cannibale, une odeur malsaine? N'a-t-on pas pratiqué de la *magie noire* ici? – La caméra voit des vitrines cassées. Elle voit quelque chose qui brûle à mi-distance : une voiture, une boutique. Elle ne peut comprendre, ni démontrer, à quoi cela mène. Ces gens sont en train de brûler leurs propres rues.

– Coupez. – Voici un magasin de matériel vidéo brillamment éclairé. Un téléviseur est resté dans la vitrine; la caméra, dans un délire narcissique, contemple la télévision, créant, pendant un instant, une répétition de l'image à l'infini, qui diminue jusqu'à devenir un point. – Coupez. – Voici une tête sérieuse baignée de lumière : un débat en studio. La tête parle de *hors-la-loi*. Billy the Kid, Ned Kelly : ces hommes qui étaient autant *pour* que *contre*. Les assassins modernes, qui ont perdu toute dimension héroïque, ne sont que des malades, des êtres amoindris, totalement dépourvus de personnalité, dont les crimes se distinguent par une attention portée à la procédure, à la méthodologie – disons au *rituel* –, poussés, peut-être, par le désir des gens insignifiants à se faire remarquer, à sortir de la mêlée et à devenir, un moment, une star. – Ou par un désir de mort transposé : tuer ce qu'on aime et se détruire. *Quel est celui de l'Éventreur de Vieilles Dames?* demande un questionneur. *Et Jack?* – Le véritable hors-la-loi, insiste la tête, est l'image sombre du héros. – *Ces émeutiers, peut-être?* lance un opposant *Ne risquez-vous pas de les embellir, de les « légitimer »?* La tête se secoua, déplore le matérialisme de la jeunesse moderne. La tête ne parlait pas des magsins vidéo mis à sac. – *Mais qu'en est-il des vieux de la vieille alors? Butch Cassidy, les frères James, Captain Moonlight, le gang Kelly. Ils pillaient bien – si je ne m'abuse – des banques.* – Coupez. – Plus tard, dans la nuit, la caméra reviendra vers cette vitrine. Le téléviseur ne sera plus là.

– En l'air, la caméra observe l'entrée du Musée de Cire. La police en a fini maintenant avec les effigies et elle amène de véritables êtres humains. Elle pique sur les personnes arrêtées : un grand albinos; un homme vêtu d'un costume Armani, ressemblant à l'image sombre de De Niro; une

492

jeune fille de – combien? – quatorze, quinze ans! –, un jeune homme lugubre d'une vingtaine d'années. Pas de noms en sous-titre; la caméra ne connaît pas ces visages. Cependant, peu à peu les *faits* apparaissent. Le disc-jockey, Sewsunker Ram, connu sous le nom de « Rosewalla », et son propriétaire, Mr John Maslama, sont accusés d'un important trafic de drogue – crack, brown sugar, haschisch, cocaïne. L'homme arrêté avec eux, un employé du magasin de musique « Bons Vents », à côté, est le propriétaire d'un camion dans lequel on a découvert une quantité non précisée de « drogues dures »; ainsi que de nombreux magnétoscopes « brûlants ». La jeune fille s'appelle Anahita Sufyan; elle est mineure, on prétend qu'elle a bu, et, laisse-t-on entendre, elle a eu des relations sexuelles avec au moins un des trois hommes arrêtés. En plus, on raconte qu'elle est en fugue et en relation avec des criminels connus : manifestement une délinquante. – Plusieurs heures après l'événement un journaliste éclairé offrira ces bribes à la nation, mais les nouvelles courent déjà les rues : Rosewalla! – Et le *Musée de Cire :* ils l'ont saccagé – *totalement* détruit! – Maintenant, c'est *la guerre.*

Cependant, cela se passe – comme beaucoup d'autres choses – dans des lieux que la caméra ne peut pas voir.

***

Gibreel :

il marche comme dans un rêve, parce qu'après des jours d'errance dans la ville, sans manger ni dormir, avec la trompette nommée Azraeel bien enfoncée dans la poche de son manteau, il ne fait plus la distinction entre l'état de veille et le rêve; – il comprend maintenant à quoi doit ressembler l'omniprésence, parce qu'il se déplace dans plusieurs histoires à la fois, il y a un Gibreel qui pleure la trahison d'Alleluia Cone, et un Gibreel qui se tient au-dessus du lit de mort d'un Prophète, et un Gibreel qui veille en secret sur un pèlerinage en route vers la mer, attendant le moment où il se révèlera, et un Gibreel qui sent, chaque jour davantage, la volonté de l'adversaire, l'attirant toujours plus près, l'amenant vers leur étreinte finale : l'adversaire subtil et trompeur, qui a pris le visage de son ami, de Saladin son ami le plus fidèle, afin de l'endormir pour qu'il baisse sa garde. Et il y a un Gibreel qui marche dans les rues de Londres, essayant de comprendre la volonté de Dieu.

Est-il l'agent du courroux de Dieu?

Ou de son amour?

Est-il la vengeance ou le pardon? La trompette fatale doit-elle rester dans sa poche, ou doit-il la sortir pour y souffler?

(Je ne lui donne pas d'instructions. Moi aussi, je suis intéressé par ses choix – par le résultat de son match de catch. La personnalité *contre* le destin : un combat sans règles. Deux chutes, deux fois les épaules à terre ou un K.O. feront la décision.)

Il avance, en luttant dans ses nombreuses histoires.

Parfois, son absence lui fait mal, Alleluia, son nom même est une exaltation; puis il se souvient des vers diaboliques, et pense à autre chose. La trompette dans sa poche exige qu'on souffle en elle; mais il se retient. Ce n'est pas le moment. À la recherche d'indices – *que faire?* – il arpente les rues de la ville.

Quelque part il voit un téléviseur par une fenêtre du soir. Il y a une tête de femme sur l'écran, une « présentatrice » célèbre est interviewée par un « animateur » irlandais pétillant, tout aussi célèbre. – Quelle est la pire chose que vous pouvez imaginer? – Oh, je crois, j'en suis sûre, ce serait, oh *oui* : être seule le soir de Noël. On doit être obligé de faire face à soi-même, n'est-ce pas, de se regarder dans un miroir impitoyable et de se demander, *il n'y a que ça?* – Gibreel, seul, ne connaissant pas la date, continue à marcher. Dans le miroir, l'adversaire s'approche du même pas et lui fait signe en lui tendant les bras.

La ville lui envoie des messages. C'est ici, dit-elle, que le roi hollandais décida d'habiter quand il est arrivé, il y a plus de trois siècles. A cette époque – c'était un village en dehors de la ville, dans les vertes prairies anglaises. Mais quand le roi est arrivé pour s'y installer, des places londoniennes ont poussé au milieu des champs, des bâtiments en briques rouges crénelés, comme en Hollande, se dressant contre le ciel, afin que ses courtisans puissent y résider. Tous les émigrés ne sont pas impuissants, chuchotent les édifices toujours debout. Ils imposent leurs besoins sur leur nouvelle terre, ils apportent leur propre cohérence à ce pays nouvellement découvert, ils le réinventent. Mais faites attention, lui dit la ville. L'incohérence, aussi, doit avoir droit de cité. Galopant dans le parc où il a choisi de vivre, – qu'il avait *civilisé* – Guillaume III fut jeté à bas de son cheval, tomba durement sur la terre récalcitrante, et cassa son cou royal.

Parfois il a l'impression de se trouver au milieu de cadavres ambulants, d'immenses foules de morts, qui refusent tous d'admettre que leur temps est fini, des cadavres rebelles qui continuent à se conduire comme des êtres vivants, ils font leurs courses, ils prennent le bus, ils flirtent, ils rentrent chez eux pour faire l'amour, ils fument des cigarettes. *Mais vous êtes morts*, leur hurle-t-il. *Zombies, rentrez dans vos tombeaux.* Ils l'ignorent, ou rient, ou prennent un air embarrassé, ou le menacent du poing. Il se tait, et se dépêche.

La ville devient vague, amorphe. Il est impossible de décrire le monde. Pèlerinage, prophète, adversaire se fondent, disparaissent dans les brumes, émergent. Comme elle : Allie, Al-Lat. *Elle est l'oiseau exalté. Hautement désirée.* Il s'en souvient maintenant : il y a longtemps elle lui a parlé de la poésie de Jumpy. *Il essaie d'en faire un recueil. Un livre.* L'artiste qui suce son pouce aux opinions infernales. Un livre est le produit d'un pacte avec le Diable qui inverse le contrat faustien, a-t-il dit à Allie. Le Dr Faust sacrifia l'éternité pour deux douzaines d'années de pouvoir; l'écrivain accepte la ruine de sa vie, et **gagne** (seulement s'il a de la chance) peut-être pas l'éternité, mais, au moins, la postérité. Dans les deux cas (c'était l'argument de Jumpy) c'est le Diable qui gagne.

Qu'écrit un poète? Des vers. Qu'est-ce qui tintinnabule dans la tête de Gibreel? Des vers. Qu'est-ce qui lui brise le cœur? Des vers et encore des vers.

Azraeel, la trompette, l'appelle du fond de la poche de son manteau : *Prends-moi! Ouiouiouioui : la Trompette. Au diable tout ce fourbi : gonfle les joues et taratata. Allons-y, c'est l'heure de la fête.*

Comme il fait chaud : un bain de vapeur, renfermé, intolérable. Ce n'est pas ça Londres : pas cette ville inconvenante. Airport, Mahagonny, Alphaville. Il erre dans une confusion de langues. Babel : la contraction du « babilu » assyrien. « La porte de Dieu. » Babylondres.

Où sommes-nous?
– Oui. – Il rôde, une nuit, derrière les cathédrales de la Révolution Industrielle, les gares du nord de Londres. King's Cross anonyme, la chauve-souris menaçante de la tour de St Pancras, les gazomètres rouges et noirs, inspirant et expirant comme d'immenses poumons de fer. Là où autrefois la reine Boudicca tomba dans une bataille, Farishta lutte avec lui-même.
Les rues des Marchandises : – mais oh quelles succulentes marchandises s'étalent aux portes et sous les réverbères, quels délices sont offertes dans cette rue! – Des sacs à main qui se balancent, interpellent, des jupes argentées, des bas résille : ce ne sont pas seulement des marchandises fraîches (âge moyen entre treize et quinze ans) mais également bon marché. Elles ont des histoires personnelles brèves et identiques : toutes ont des enfants planqués quelque part, toutes ont été mises à la porte par des parents puritains et coléreux, aucune n'est blanche. Sous la menace de couteaux, des maquereaux leur prennent quatre-vingt-dix pour cent de ce qu'elles gagnent. Les marchandises ne sont que des marchandises, après tout, surtout quand il s'agit de surplus.
Depuis les ombres et les lumières, on interpelle Gibreel Farishta dans la rue des Marchandises; et, dans un premier temps, il accélère le pas. *Quel rapport avec moi? Putain de chattes en abondance.* Puis il ralentit et s'arrête, entendant quelque chose d'autre qui l'appelle depuis les lumières et les ombres, un besoin, une supplication muette, couverte par les voix métalliques des putes à dix livres. Ses pas ralentissent, puis s'arrêtent. Il est retenu par leur désir. *Pour quoi?* Maintenant elles avancent vers lui, attirées comme des poissons par des hameçons invisibles. En s'approchant, leur démarche change, leurs hanches perdent leur balancement, leurs visages retrouvent leur âge, malgré tout le maquillage. Quand elles l'atteignent, elles s'agenouillent. *Qui croyez-vous que je sois?* demande-t-il, et il veut ajouter : *Je connais vos noms. Je vous ai déjà rencontrées, ailleurs, derrière un rideau. Vous étiez douze comme maintenant. Ayesha, Haf-*

sah, Ramlah, Sawdah, Zainab, Zainab, Maimunah, Safia,
Juwairiyah, Umm Salamah la Makhzumite, Rehena la
Juive, et la belle Marie la Copte. Elles restent à genoux,
silencieuses. Elles lui expriment leurs vœux sans mots.
Qu'est-ce qu'un archange sinon une marionnette? Kathputli,
marionnette. Les fidèles nous plient à leur volonté. Nous
sommes les forces de la nature et eux, nos maîtres. Nos maî-
tresses, aussi. La lourdeur de ses membres, la chaleur, et
dans ses oreilles un bourdonnement comme des abeilles un
après-midi d'été. On s'évanouirait facilement.

Il ne s'évanouit pas.

Il reste debout au milieu des enfants agenouillés et attend
les maquereaux.

Et quand ils arrivent, il sort finalement et presse contre
ses lèvres sa trompette turbulente : l'ange exterminateur,
Azraeel!

Quand le flot de feu est sorti de la bouche de sa trompette
dorée et a consumé les hommes qui approchent en les enveloppant d'un cocon de flammes, en les désintégrant si entièrement qu'il ne reste même pas leurs chaussures sur le trottoir grésillant, Gibreel comprend.

Il marche à nouveau, laissant derrière lui la gratitude des
putains, et se dirige vers le quartier de Brickhall, après avoir
remis Azraeel dans sa grande poche. Les choses deviennent
claires.

Il est l'Archange Gibreel, l'ange de la Récitation, avec,
entre ses mains, le pouvoir de la révélation. Il peut entrer
dans la poitrine des hommes et des femmes, prendre les
désirs au plus profond de leur cœur, et les rendre réels. C'est
lui qui satisfait les souhaits, qui assouvit les désirs, qui
accomplit les rêves. Il est le génie de la lampe, et son maître
est le Rock.

Quels désirs, quels impératifs flottent dans l'air de
minuit? Il les aspire. – Et fait un signe de tête, qu'il en soit
ainsi, oui. – Que le feu soit. C'est une ville qui s'est purifiée
dans les flammes, qui s'est purgée en se détruisant entièrement par le feu.

Le feu, une pluie de feu. « Ceci est le jugement de Dieu

dans son courroux, déclare Gibreel Farishta à la nuit en émeute, que les désirs des hommes soient exaucés, et qu'ils s'y consument. »

De hautes tours aux bas loyers l'environnent. *Que les Noirs bouffent la merde des Blancs*, proposent les murs sans originalité. Les immeubles ont des noms : « Isandhlwana », « Rorke's Drift ». Mais on a commencé à les changer, car deux des quatre tours ont été rebaptisées et portent, maintenant, les noms de « Mandela » et de « Toussaint l'Ouverture ». – Les tours sont construites sur pilotis, et dans le béton informe sous et entre les immeubles hurle un vent perpétuel, et s'agitent des détritus : des meubles de cuisine jetés, des pneus de vélos crevés, des portes cassées, des jambes de poupées, des épluchures de légumes extraites de sacs poubelles en plastique par des chats et des chiens affamés, des paquets de fast-food, des boîtes de conserve qui roulent, des perspectives de travail en miettes, des espoirs abandonnés, des illusions perdues, des colères libérées, de l'amertume accumulée, de la peur vomie, et une baignoire mouillée. Il reste immobile tandis que de petits groupes de résidents accourent vers lui de toutes les directions. Quelques-uns (pas tous) portent des armes. Matraques, bouteilles, couteaux. Dans chaque groupe il y a des enfants blancs et noirs. Il porte la trompette à ses lèvres et se met à jouer.

De petits bourgeons de flammes fleurissent sur le béton, alimentés par les monticules d'objets et de rêves jetés. Il y a un petit tas d'envies pourrissantes : il dégage une flamme verte dans la nuit. Les feux ont les couleurs de l'arc-en-ciel, et tous n'ont pas besoin d'être entretenus. Gibreel souffle de petites fleurs de feu de sa trompette et elles dansent sur le béton, n'ayant besoin ni de combustible ni de racines. Oh, la belle rose! Et là, qu'est-ce que je mets?, je sais : une rose argentée. – Et maintenant les bourgeons s'épanouissent en buissons et comme des plantes grimpantes escaladent le côté des tours, ils se rejoignent et forment des haies de flammes multicolores. C'est comme si l'on regardait un jardin lumineux, qui pousse à une vitesse accélérée des milliers de fois, un jardin bourgeonnant, fleurissant, luxuriant, entremêlé, impénétrable, un jardin de chimères enchevêtrées, rivalisant dans son incandescence avec un autre buisson d'épines qui jaillit autour du palais de la belle au bois dormant, dans un autre conte de fées, il y a longtemps.

Mais ici aucune belle, dormant. Voici Gibreel Farishta qui marche dans un monde en feu. High Street, il voit des maisons construites de flammes, avec des murs de feu, et aux fenêtres des flammes comme des rideaux à volants. – Et il y a des hommes et des femmes, la peau en feu, qui flânent, qui courent, qui grouillent autour de lui, vêtus de manteau de feu. La rue est devenue un fleuve chauffé au rouge, en fusion, de la couleur du sang. – Tout, tout s'embrase tandis qu'il souffle dans sa joyeuse trompette, *donnant aux gens ce qu'ils désirent*, (les cheveux et les dents des citoyens fument et rougeoient, le verre brûle, et, là-haut, des oiseaux volent sur des ailes ardentes.

L'adversaire est tout près. L'adversaire est un aimant, c'est l'œil du maelström, le centre irrésistible d'un trou noir, sa force de gravitation crée un horizon événementiel auquel ni Gibreel ni la lumière ne peuvent échapper. *Par ici*, crie l'adversaire. *Je suis ici.*

Pas un palais, seulement un café. Et dans les chambres au-dessus, un bed and breakfast. Pas de princesse endormie, mais une femme déçue qui a succombé à la fumée, qui gît inconsciente; et à côté d'elle, par terre, près du lit, et inconscient lui aussi, son mari l'ancien instituteur qui a fait le voyage de La Mecque, Sufyan. – Tandis qu'ailleurs, dans le Shaandaar en flammes, des personnes sans visage se tiennent aux fenêtres et appellent pitoyablement au secours, étant incapables (sans bouche) de crier.

L'adversaire : le voici!
Sa silhouette se découpe sur le café Shaandaar en feu, regardez, c'est lui!
Azraeel saute tout seul dans la main de Farishta.

Même un archange peut connaître une révélation, et quand Gibreel accroche, pour l'instant le plus fugitif, l'œil de Saladin Chamcha – et dans ce moment infime et infini des voiles sont arrachés de devant son regard –, il se voit en train de marcher avec Chamcha dans le parc de Brickhall, perdu dans un dithyrambe, décrivant les secrets les plus intimes de ses rapports amoureux avec Alleluia Cone –, ces mêmes secrets qu'une foule de voix malignes lui chuchota par la suite au téléphone –, sous lesquelles Gibreel reconnaît maintenant le talent unificateur de l'adversaire, qui pouvaient être gutturales ou haut perchées, qui insultaient et s'insinuaient dans ses bonnes grâces, à la fois insistantes et timides, prosaïques – oui! – et versifiées, aussi. – Et maintenant, enfin, Gibreel Farishta reconnaît pour la première fois que l'adversaire n'a pas seulement pris les traits de Chamcha comme déguisement; – ce n'est pas non plus un cas de possession paranormale, d'appropriation d'un corps par un envahisseur venu de l'Enfer; qu'en somme, le mal n'est pas extérieur à Saladin, mais qu'il jaillit d'un recoin de sa vraie nature, qu'il s'est répandu à travers son être comme un cancer, gommant ce qui était bon en lui, effaçant son esprit, – faisant cela avec de nombreuses feintes et esquives trompeuses, ayant l'air parfois de se retirer; alors que, en fait, pendant l'illusion d'une rémission, sous le couvert d'une illusion, pourrait-on dire, il continuait à s'étendre de façon pernicieuse; – et maintenant, sans aucun doute, il l'a rempli; maintenant il ne reste rien de Saladin que cela, le feu sombre du mal dans son âme, qui le consume aussi entièrement que l'autre feu, multicolore et enveloppant, dévore la ville hurlante. En vérité ce sont « les flammes les plus horribles, les plus monstrueuses, les plus sanglantes, pas comme la flamme pure d'un feu ordinaire ».

Le feu est un arc à travers le ciel. Saladin Chamcha, l'adversaire, qui est aussi *Spoono, mon vieux pote*, a disparu par la porte du Café Shaandaar. C'est la gueule du trou noir; l'horizon se referme autour d'elle, toute autre possibilité s'évanouit, l'univers se réduit à ce point solitaire et irrésistible. Gibreel souffle de toute sa force dans sa trompette et plonge par la porte ouverte.

L'immeuble occupé par le Conseil des relations inter-communautaires de Brickhall était un monstre à un étage, en briques violettes, avec des fenêtres à l'épreuve des balles, une sorte de bunker créé dans les années soixante, quand ce style était considéré comme sobre. Il n'était pas facile d'y pénétrer par effraction; on avait équipé la porte d'un interphone, elle s'ouvrait sur une allée étroite qui longeait l'immeuble sur un côté et qui aboutissait à une seconde porte, munie également d'une serrure de sécurité. Il y avait aussi une alarme.

Cette alarme, comme on l'apprit par la suite, avait été coupée, probablement par les deux personnes, un homme, une femme, qui étaient entrées en se servant d'une clef. Officiellement on laissa entendre que ces personnes avaient eu l'intention de commettre un attentat, de « l'intérieur », puisque l'une d'elles, la femme qui avait trouvé la mort, était en réalité employée de l'organisme dont les bureaux se trouvaient dans l'immeuble. Les raisons du crime restaient obscures puisque les malfaiteurs avaient péri dans l'incendie, et il était peu probable qu'on puisse jamais faire la lumière sur cette affaire. Cependant, un « motif personnel » semblait l'explication la plus plausible.

Une affaire tragique : la femme qui avait trouvé la mort était enceinte de plusieurs mois.

En rendant public le communiqué dans lequel ces faits étaient relatés, l'inspecteur Kinch établit un « lien » entre l'incendie entre le CRI de Brickhall et celui du café Shaandaar, dont la seconde personne décédée, l'homme, avait été un résident semi-permanent. L'homme pouvait être le véritable incendiaire, et avoir trompé la femme, qui était sa maîtresse bien que mariée et cohabitant avec un autre. On ne pouvait écarter les motivations politiques – les deux personnes étant bien connues pour leurs positions extrémistes –, mais la mouvance des groupuscules d'extrême gauche qu'ils fréquentaient était si confuse qu'il serait très difficile d'avoir un jour une image claire de leurs motivations. Il se pouvait aussi que ces deux crimes, même commis par le même homme, aient eu des motivations différentes. L'homme n'était peut-être qu'un criminel engagé pour incendier le café Shaandaar à la demande des propriétaires aujourd'hui décédés, afin de toucher l'assurance, et qui avait mis le feu au CRI à la demande de sa maîtresse, peut-être à cause d'une histoire de vengeance à l'intérieur de l'établissement.

501

Il ne faisait aucun doute que l'incendie du CRI était un acte criminel. On avait aspergé d'essence les bureaux, les papiers, les rideaux. « Beaucoup de gens ne comprennent pas à quelle vitesse se répand un feu alimenté par de l'essence », dit l'inspecteur Kinch aux journalistes qui griffonnaient. On avait retrouvé les cadavres, tellement brûlés qu'on n'avait pu les identifier que grâce à leurs dents, dans la salle de la photocopie. « Nous n'avons rien d'autre. » Fin.

Moi, j'ai quelque chose d'autre.

J'ai quelques questions, en tout cas. – Au sujet, par exemple, d'une camionnette Mercedes bleue banalisée, qui suivit le camion de Walcott Roberts, et ensuite la MG de Pamela Chamcha. – Au sujet des hommes qui sortirent de cette camionnette, le visage caché par des masques de carnaval, et qui entrèrent de force dans les bureaux du CRI juste au moment où Pamela ouvrait la porte extérieure. – Au sujet de ce qui se passa réellement dans ces bureaux, parce que l'œil humain ne peut traverser facilement la brique violette et les vitres de sécurité. – Et au sujet, enfin, d'un porte-documents en plastique rouge et de son contenu.

Inspecteur Kinch? Vous êtes là?

Non. Il est parti. Il n'a pas de réponses à me fournir.

Voici Mr Saladin Chamcha, dans son manteau en poil de chameau à col de soie, qui court dans High Street comme un petit truand. – Le même terrible Mr Chamcha qui avait passé la soirée en compagnie d'une Alleluia Cone désemparée, sans éprouver le moindre remords. – « Je regarde ses pieds, dit Othello de Iago, mais c'est une fable. » Chamcha n'est plus fabuleux; son humanité donne une forme et une explication suffisantes à ses actes. Il a détruit ce qu'il n'est pas et ne peut être; il a pris sa revanche, rendant trahison pour trahison; et il l'a fait en exploitant la faiblesse de son ennemi, l'atteignant à son talon d'Achille. – Il y a une satisfaction là-dedans. – À nouveau, voici Mr Chamcha, qui court. Le monde est plein de colère et d'événements. Les choses sont tenues en équilibre. Un immeuble brûle.

Son cœur bat à grands coups, *boum doumba daboum boum boum.*

Maintenant, il voit le Shaandaar en feu; et s'arrête net. Sa poitrine est oppressée; – *badaboum!* – et il a une douleur dans le bras gauche. Il ne la remarque pas; il regarde fixement l'immeuble en feu.

Et voit Gibreel Farishta.

Et se retourne; et se précipite à l'intérieur.

« Mishal! Sufyan! Hind! » crie le mauvais Mr Chamcha. Le rez-de-chaussée ne brûle pas encore. Il ouvre en grand la porte de l'escalier, et un vent brûlant et pestilentiel le fait reculer. *L'haleine du dragon*, pense-t-il. Le palier est en feu; des rideaux de flamme s'élèvent du plancher au plafond.

Impossibilité d'avancer.

« Il y a quelqu'un? crie Saladin Chamcha. Il y a quelqu'un ici? » Mais le rugissement du dragon couvre ses cris.

Quelque chose d'invisible le frappe dans la poitrine, le fait basculer en arrière, sur le sol du café, parmi les tables vides. *Boum*, chante son cœur. *Prends ça. Et ça.*

Il y a un bruit au-dessus de sa tête comme un milliard de rats qui courent en tous sens, des rongeurs fantomatiques qui suivent un esprit joueur de flûte. Il lève les yeux : le plafond est en feu. Il n'arrive pas à se relever. Alors qu'il regarde, une partie du plafond se détache, et il voit qu'un morceau de poutre tombe vers lui. Il croise les bras dans une tentative dérisoire pour se protéger.

La poutre le cloue au sol et lui casse les deux bras. Il a mal à la poitrine. Le monde s'éloigne. Il lui est difficile de respirer. Il ne peut pas parler. Il est l'Homme des Mille Voix, et il ne lui en reste pas une.

Gibreel Farishta, tenant Azraeel, entre dans le Café Shaandaar.

** ⁂

Que se passe-t-il quand on gagne?

Quand tes ennemis sont à ta merci : comment agir alors? Le compromis est la tentation des faibles; c'est l'épreuve des forts. – « Spoono », Gibreel fait un signe de la tête à l'homme tombé à terre. « Tu m'as bien eu, monsieur; tu es vraiment un sacré type. » – Et Chamcha, pénétrant les yeux

503

de Gibreel, ne peut plus nier que l'autre sait. « Main... » commence-t-il, et il abandonne. *Maintenant, que vas-tu faire?* Le feu tombe autour d'eux à présent : le grésillement d'une pluie d'or. « Pourquoi as-tu fait ça? » demande Gibreel, puis il repousse la question d'un geste de la main. « C'est une connerie de demander ça. Je pourrais aussi bien te demander ce qui t'a poussé à te précipiter ici. Une connerie. Les gens, hein, Spoono? Des dingues, c'est tout. »

Maintenant des flaques de feu s'étalent autour d'eux. Ils seront bientôt encerclés, abandonnés sur une île temporaire au milieu de cette mer fatale. Chamcha reçoit un deuxième coup dans la poitrine, et sursaute violemment. Face à trois sortes de morts – par le feu, pour « cause naturelle », et par Gibreel – il s'efforce désespérément de parler, mais il ne pousse que des croassements. « Por, doum, Mmm. » *Pardonne-moi.* « Ha. Pée. » *Aie pitié.* Les tables du café brûlent. D'autres poutres tombent d'en haut. Gibreel semble être en transe. Il répète vaguement : « Quelle connerie. »

Est-il possible que le mal ne soit jamais total, et sa victoire, aussi irrésistible soit-elle, jamais absolue?

Considérons cet homme tombé. Il chercha sans remords à détruire l'esprit d'un autre être humain; et exploita, pour ce faire, une femme entièrement innocente, poussé en partie par son impossible désir de voyeur pour elle. Mais ce même homme a risqué la mort, sans l'ombre d'une hésitation, pour tenter follement de porter secours.

Qu'est-ce que cela signifie?

Le feu s'est refermé autour des deux hommes, et la fumée a tout envahi. Ce n'est qu'une question de secondes avant qu'ils ne succombent. Il y a des questions plus urgentes auxquelles il faut répondre avant les *conneries* ci-dessus.

Quel choix fera Farishta?

A-t-il le choix?

Gibreel laisse tomber sa trompette; se penche; libère Saladin de la poutre qui l'emprisonne; et le prend dans ses bras. Chamcha, avec les bras et côtes cassées, grogne faiblement, comme le créationniste Dumsday avant de recevoir une nouvelle langue en rumsteack. « To. Ta. » *C'est trop tard.* Une petite flamme lèche l'ourlet de son manteau. Une fumée noire et âcre remplit tout l'espace, grimpe derrière ses yeux, assourdit ses oreilles, obstrue son nez et ses poumons. – Pourtant, maintenant, Gibreel Farishta commence à expirer lentement, une longue expiration continue d'une durée extraordinaire, et son souffle, qu'il dirige vers la porte, coupe la fumée et le feu comme un couteau ; et Saladin Chamcha, haletant et se pâmant, avec une mule dans la poitrine, semble voir – mais ensuite il n'en sera jamais sûr – le feu qui se partage devant eux comme la mer rouge qu'il est devenu, et la fumée qui se sépare elle aussi, comme un rideau ou un voile ; jusqu'à ce qu'un chemin dégagé s'étende devant eux jusqu'à la porte ; – puis Gibreel Farishta s'avance rapidement, portant Saladin sur le chemin du pardon dans l'air chaud de la nuit ; ainsi dans une nuit où la ville est en guerre, une nuit lourde de haine et de fureur, il reste une petite victoire rédemptrice pour l'amour.

*
* *

Conclusions.
Mishal Sufyan se trouve devant le Shaandaar quand ils sortent, elle pleure ses parents, consolée par Hanif. – C'est au tour de Gibreel de s'effondrer ; portant toujours Saladin, il s'évanouit aux pieds de la jeune fille.
Maintenant Mishal et Hanif sont dans l'ambulance avec les deux hommes évanouis, et si Chamcha a un masque à oxygène sur le nez et sur la bouche, Gibreel qui n'est qu'épuisé, parle dans son sommeil : un babil délirant à propos d'une trompette magique et du feu qu'il en faisait sortir, comme une musique, de sa bouche. – Et Mishal, qui se souvient de Chamcha comme du diable, et qui commence à accepter beaucoup de possibilités, s'étonne : « Est-ce que tu crois...? » – Mais Hanif est définitif, ferme. « Impossible. C'est Gibreel Farishta, l'acteur, tu ne le reconnais pas ? Le pauvre est en train de jouer une scène de film. » Mishal ne renonce pas. « Mais, Hanif... » – et il devient catégorique. Il lui parle gentiment, parce qu'elle vient de perdre ses parents, après tout, il insiste absolument. « Ce qui s'est passé ce soir à Brickhall est un phénomène sociopolitique. Ne tombons pas dans le piège d'un mysticisme à la noix. Nous parlons de l'histoire : un événement dans l'histoire de la Grande-Bretagne. Nous parlons du processus du changement. »

Brusquement la voix de Gibreel change, et ce dont il parle aussi. Il parle de *pèlerins*, d'un *bébé mort*, et *comme dans les Dix Commandements* et, d'*une demeure pourrissante*, et d'*un arbre*; parce qu'à la suite du feu purificateur il fait, pour la dernière fois, un de ses rêves feuilletons; et Hanif dit : « Écoute, Mishu, chérie. Fais semblant, c'est tout. » Il passe le bras autour d'elle, l'embrasse sur la joue, la serre contre lui. *Reste avec moi. Le monde est réel. Nous devons y vivre; nous devons vivre ici, continuer à vivre.*

Puis Gibreel Farishta encore endormi crie de toutes ses forces.

« Mishal! Reviens! Il ne se passe rien! Mishal, par pitié; fais demi-tour, reviens, reviens. »

VIII

Le partage de la mer d'Arabie

A intervalles réguliers, Srivinas le marchand de jouets avait toujours eu l'habitude de menacer sa femme et ses enfants qu'un jour, quand le monde matériel aurait perdu sa saveur, il abandonnerait tout, y compris son nom, pour devenir un sanyasi, errant de village en village avec une sébile et un bâton. Mrs Srivinas accueillait ces menaces avec tolérance, sachant que son mari, gélatineux et bon vivant, aimait qu'on le considère comme un homme pieux, mais aussi un peu comme un aventurier (n'avait-il pas tenu absolument à ce voyage en avion stupide et effrayant au-dessus du Grand Canyon en Amrika, quelques années plus tôt?); l'idée de devenir un saint satisfaisait ses deux envies à la fois. Aussi, quand elle voyait son mari, qui regardait le monde à travers un grillage épais, son ample postérieur confortablement calé dans un fauteuil – ou quand elle l'observait jouant avec leur fille cadette de cinq ans Minoo – ou quand elle se rendait compte que son appétit, loin de diminuer aux proportions d'une sébile, augmentait tranquillement avec les années – alors Mrs Srivinas faisait la moue, en prenant l'expression insouciante d'une beauté de cinéma (même si elle était aussi ronde et ballottante que son mari) et rentrait en sifflotant. En conséquence, quand elle trouva son fauteuil vide, avec sur un des accoudoirs son jus de citron vert non achevé, elle fut prise totalement à l'improviste.

Pour dire la vérité, Srivinas lui-même n'aurait jamais pu expliquer ce qui le poussa à quitter le confort de sa véranda matinale pour aller voir l'arrivée des villageois de Titlipur. Les gamins des rues qui savaient tout une heure à l'avance avaient annoncé en hurlant dans les rues une procession improbable de gens, avec des sacs et des bagages qui arrivait par le chemin des pommes de terre et qui se dirigeait vers la grande route, conduite par une fille aux cheveux d'argent, avec un grand concours de papillons au-dessus des têtes, et, fermant la marche, Mirza Saeed Akhtar, dans son break Mercedes vert olive, qui semblait avoir un noyau de mangue coincé dans la gorge.

Malgré ses silos de pommes de terre et ses célèbres usines de jouets, Chatnapatna n'était pas une ville si importante que l'arrivée de cent cinquante personnes puisse y passer inaperçue. Juste avant l'apparition de la procession, Srivinas avait reçu une délégation des ouvriers de son usine, qui lui demandaient l'autorisation de s'arrêter pendant quelques heures afin d'assister au grand événement. Sachant qu'ils le feraient de toute façon, il donna son accord. Mais lui-même resta, pendant un certain temps, planté obstinément sur sa véranda, essayant de ne pas remarquer les papillons d'excitation qui avaient commencé à s'agiter dans son large ventre. Plus tard, il confierait à Mishal Akhtar : « C'était un pressentiment. Comment dire? Je savais que vous ne veniez pas tous seulement pour vous rafraîchir. Elle était venue pour moi. »

Titlipur arriva à Chatnapatna dans un grand accablement de nourrissons hurlants, d'enfants criants, de vieillards craquants, et au son des plaisanteries aigres d'Osman et du bœuf boum-boum, pour lesquels Srivinas n'avait aucune sympathie. Puis les gamins informèrent le roi du jouet que parmi les voyageurs se trouvaient la femme et la belle-mère du zamindar Mirza Saeed, et qu'elles marchaient à pied comme les paysans, vêtues de simples kurtas et sans bijoux. C'est à ce moment-là que Srivinas s'avança à pas lourds vers la buvette au bord de la route autour de laquelle se pressaient les pèlerins de Titlipur tandis qu'on distribuait des bhurtas et des parathas de pommes de terre. Il arriva en même temps que la jeep de la police de Chatnapatna. L'inspecteur se tenait debout sur le siège du passager et hurlait dans un porte-voix qu'il allait prendre des mesures énergiques contre cette marche « communale » si l'on ne se dispersait pas immédiatement. Une histoire entre hindous et musulmans, se dit Srivinas; mauvais, mauvais.

510

La police considérait le pèlerinage, un peu comme la manifestation d'une secte, mais quand Mirza Saeed Akhtar s'avança et dit la vérité à l'inspecteur, l'officier de police se retrouva confus. Sri Srivinas, un brahmane, n'avait évidemment jamais envisagé de partir en pèlerinage à La Mecque, mais il fut néanmoins impressionné. Il se fraya un chemin dans la foule pour entendre ce que disait le zamindar : « Et le but de ces braves gens, c'est de marcher jusqu'à la mer d'Arabie, car ils sont persuadés que les eaux se fendront devant eux. » Mirza Saeed avait une voix faible, et l'inspecteur, le chef du poste de police de Chatnaptna, ne fut pas convaincu. « Vous parlez sérieusement, ji ? » Mirza Saeed dit : « Pas moi. Mais *eux* sont sérieux comme des mules. J'ai l'intention de leur faire changer d'avis avant qu'il n'arrive une folie. » Le CPP, sanglé, moustachu et imbu de son importance, secoua la tête. « Mais, voyons, monsieur, comment puis-je permettre à tant d'individus de se rassembler dans la rue ? Les esprits pourraient s'échauffer; un incident est possible. » Juste à ce moment-là la foule des pèlerins se fendit et Srivinas vit pour la première fois la fantastique silhouette de la fille entièrement habillée de papillons, ses cheveux de neige lui descendant jusqu'aux chevilles. « Arré deo, cria-t-il, Ayesha, c'est toi ? » Et il ajouta, bêtement : « Alors, où sont mes poupées Planning Familial ? »

On ignora sa sortie; tout le monde observait Ayesha qui s'approchait du CPP au torse bombé. Elle ne dit rien, mais sourit et hocha la tête, et le type sembla rajeunir d'une vingtaine d'années, jusqu'au moment où, à la manière d'un gosse de dix ou onze ans, il dit, « D'accord, d'accord, mausi. Excuse-moi, maman. Je ne voulais pas être impoli. Je te demande pardon, s'il te plaît. » Ce fut la fin des tracasseries policières. Plus tard, ce jour-là, dans la chaleur de l'après-midi, un groupe de jeunes de la ville connus pour avoir des liens avec le RSS et Vishwa Hindu Parishad commencèrent à leur lancer des pierres depuis les toits avoisinants; et le CPP les fit arrêter et jeter en prison dans les deux minutes qui suivirent.

« Ayesha, ma fille, dit Srivinas à haute voix, dans l'air vide, qu'est-ce que t'est arrivé, bon Dieu ? »

Pendant la chaleur de la journée les pèlerins se reposèrent dans le peu d'ombre qu'ils purent trouver. Srivinas errait

511

parmi eux l'air hébété, bouleversé, prenant conscience qu'il venait d'arriver inexplicablement à un grand tournant de sa vie. Ses yeux ne cessaient de chercher la silhouette transformée d'Ayesha la visionnaire, qui se reposait à l'ombre d'un figuier des pagodes en compagnie de Mishal Akhtar, de sa mère, Mrs Qureishi, et d'Osman fou d'amour et de son bœuf. Srivinas finit par trouver le zamindar Mirza Saeed, allongé sur la banquette arrière du break Mercedes, mais qui ne dormait pas; un homme tourmenté. Srivinas lui parla avec l'humilité née de son étonnement. « Sethji, vous ne croyez pas en cette fille?

— Srivinas, Mirza Saeed se releva pour lui répondre, nous sommes des hommes modernes. Par exemple, nous savons que les vieilles personnes meurent au cours des longs voyages, que Dieu ne guérit pas le cancer, et que les océans ne se fendent pas. Il faut arrêter cette folie. Viens avec moi. Il y a de la place dans la voiture. Tu pourras peut-être m'aider à les dissuader; cette Ayesha, elle t'est reconnaissante, peut-être t'écoutera-t-elle.

— Dans la voiture? » Srivinas se sentit désemparé, comme si des mains puissantes s'agrippaient à ses membres. « J'ai mes affaires, mais.

— C'est un suicide pour beaucoup des nôtres, le pressa Mirza Saeed. J'ai besoin d'aide. Naturellement je pourrai payer.

— Ce n'est pas une question d'argent, dit Srivinas en reculant, blessé. Excusez-moi, Sethji. Je dois réfléchir.

— Tu ne vois pas? lui cria Mirza Saeed. Nous ne sommes pas religieux, toi et moi. Hindou, Musulman, bhai-bhai! Nous pouvons former un front laïque contre cet obscurantisme. »

Srivinas se retourna. « Mais je ne suis pas un incroyant, protesta-t-il. J'ai toujours le portrait de la déesse Lakshmi sur mon mur.

— La richesse est une excellente déesse pour un homme d'affaires, dit Mirza Saeed.

— Et dans mon cœur », ajouta Srivinas. Mirza Saeed se mit en colère. « Mais des déesses, je te jure. Même tes propres philosophes admettent que ce ne sont que des idées abstraites. Des incarnations de shakti qui, en soi, est une notion abstraite : le pouvoir dynamique des dieux. »

Le marchand de jouets regardait à ses pieds Ayesha endormie sous sa courtepointe de papillons. « Je ne suis pas philosophe, Sethji », répondit-il. Et il ne dit pas que son cœur s'était serré en se rendant compte que la jeune fille endormie et la déesse du calendrier accroché au mur de son usine avaient un visage exactement identique.

Quand le pèlerinage quitta la ville, Srivinas l'accompagna, faisant la sourde oreille aux supplications de sa femme, les cheveux en désordre, qui avait pris Minoo dans ses bras et la secouait devant le visage de son mari. Il expliqua à Ayesha qu'il n'avait pas envie de visiter La Mecque mais qu'il était saisi du désir de faire un petit bout de chemin avec elle, peut-être jusqu'à la mer.

En prenant place parmi les villageois de Titlipur et en marchant au même pas que l'homme qui se trouvait à côté de lui, il remarqua avec un sentiment mêlé d'incompréhension et de terreur qu'une infinité de papillons volaient au-dessus de leurs têtes, tel un gigantesque parasol protégeant les pèlerins du soleil. Tout se passait comme si les papillons de Titlipur avaient repris la fonction du grand arbre. Puis il poussa un petit cri de peur, d'étonnement et de plaisir, car quelques douzaines de ces créatures aux ailes-caméléon venaient de se poser sur ses épaules et, à l'instant même, ils prirent exactement la couleur de sa chemise écarlate. Il reconnaissait maintenant l'homme qui se trouvait près de lui, le sarpanch, Muhammad Din, qui avait choisi de ne pas marcher en tête. Lui et sa femme Khadija avançaient satisfaits et à grands pas malgré leur âge avancé, et quand il vit la bénédiction lépidoptérienne descendue sur le marchand de jouets, Muhammad Din s'approcha de lui et lui prit la main.

Il devenait clair qu'il ne pleuvrait pas. Des files de bétail maigre traversaient le paysage, cherchant à boire. Quelqu'un avait peint à la chaux sur le mur d'une usine de scooters *L'Amour c'est l'Eau*. Sur la route ils rencontrèrent d'autres familles descendant vers le sud, toute leur vie entassée sur le dos d'ânes mourants, et eux, aussi, marchaient à la recherche d'eau. « Mais pas une saloperie d'eau salée, hurla Mirza Saeed aux pèlerins de Titlipur. Et pas pour la voir se diviser en deux! Ils veulent rester en vie, eux, mais vous, vous voulez mourir, bande de fous. » Des vautours se groupaient au bord de la route et surveillaient les pèlerins.

Mirza Saeed vécut les premières semaines du pèlerinage vers la mer d'Arabie dans un état permanent d'agitation hystérique. On accomplissait la plus grande partie de la marche le matin et en fin d'après-midi, et à ces moments-là Saeed sautait souvent de son break pour supplier sa femme mourante. « Reprends tes esprits, Mishu. Tu es malade. Viens au moins t'allonger, laisse-moi te masser un peu les pieds. » Mais elle refusait, et sa mère le chassait. « Tu vois, Saeed, tu es dans un état d'esprit tellement négatif que cela en devient déprimant. Va boire ton Coca-Cola dans ta voiture à air conditionné et laisse-nous, les yatris, en paix. » Au bout d'une semaine la voiture à air conditionné perdit son conducteur. Le chauffeur de Mirza Saeed démissionna et rejoignit les pèlerins; le zamindar fut obligé de prendre le volant. Ensuite, quand son angoisse l'envahissait, il devait arrêter la voiture, la garer, et courir comme un fou parmi les pèlerins, les menaçant, les suppliant, essayant de les soudoyer. Au moins une fois par jour il insultait Ayesha en face pour avoir ruiné sa vie, mais il ne pouvait jamais continuer très longtemps parce que, dès qu'il la regardait, il la désirait tellement qu'il en avait honte. Le cancer avait commencé à rendre la peau de Mishal grise, et Mrs Qureshi, elle aussi, commençait à s'effilocher; ses chappals s'étaient désintégrés et elle souffrait d'énormes ampoules qui ressemblaient à de petits ballons d'eau. Cependant, quand Saeed lui offrit le confort de la voiture, elle continua à refuser sèchement. L'envoûtement d'Ayesha sur les pèlerins gardait sa force. — Et à la fin de ces sorties au cœur du pèlerinage Mirza Saeed, suant et étourdi de chaleur et d'un désespoir toujours plus grand, se rendait compte que sa voiture était restée loin derrière, et il n'avait plus qu'à y retourner seul et chancelant, éperdu de tristesse. Un jour en revenant à la voiture il découvrit qu'une noix de coco vide qu'on avait jetée d'un autocar de passage avait fait éclater son pare-brise feuilleté, qui ressemblait, maintenant, à une toile d'araignée remplie

514

de mouches de diamant. Il dut casser tous les morceaux, et les diamants de verre semblaient se moquer de lui en tombant sur la route et dans la voiture, ils semblaient lui parler de l'aspect éphémère et du peu de valeur des biens de cette terre, mais un laïc vit dans le monde des objets et Mirza n'avait pas l'intention de se laisser briser aussi facilement qu'un pare-brise. La nuit, sous les étoiles, il s'allongeait près de sa femme sur une natte, au bord de la grand-route. Quand il lui raconta l'incident, elle lui offrit un maigre réconfort. « C'est un signe, dit-elle. Abandonne le break et vient te joindre enfin à nous. »

– Abandonner une Mercedes-Benz? cria Saeed sincèrement horrifié.

– Et alors? répondit Mishal d'une voix grise et épuisée. Tu n'arrêtes pas de parler de ta ruine. Qu'est-ce qu'une Mercedes y changera?

– Tu ne comprends pas, dit Saeed en pleurant. Personne ne me comprend. »

Gibreel rêva d'une sécheresse :

La terre brunie sous le ciel sans pluie. Les cadavres d'autocars et de monuments anciens pourrissant dans les champs à côté des récoltes. Mirza Saeed vit, à travers son pare-brise éclaté, le début d'une calamité : les ânes sauvages baisant tristement et tombant raides morts, toujours unis, au milieu de la route, les arbres se dressant sur leurs racines découvertes par l'érosion de la terre et ressemblant à d'énormes serres de bois grattant le sol pour trouver de l'eau, des fermiers sans ressources obligés de travailler pour l'État comme terrassiers, creusant un réservoir au bord de la grand-route, une citerne vide pour la pluie qui ne tomberait pas. Les vies misérables du bord du chemin : une femme avec un baluchon se dirigeant vers une tente faite d'un bâton et d'une loque, une fille condamnée à récurer, chaque jour, cette casserole, ce plat, sur son lopin de poussière sale. « De telles vies valent-elles autant que les nôtres? se demandait Mirza Saeed Aktar. Autant que la mienne? Que celle de Mishal? Ils ont connu si peu de choses, ils ont si peu pour nourrir leur âme. » Un homme vêtu d'un dhoti et d'un pugri ample et jaune se tenait comme un oiseau sur une borne routière, perché là avec un pied posé sur l'autre genou une main appuyée sous le coude opposé, fumant un biri. Quand Mirza Saeed Aktar passa devant lui, il cracha et atteignit le zamindar en plein visage.

Le pèlerinage avançait lentement, trois heures de marche le matin, trois de plus après la chaleur, à l'allure du pèlerin le plus lent, sujet à des délais sans fin, les maladies des enfants, le harcèlement des autorités, la roue d'un char à bœuf qui se cassait; trois kilomètres par jour au plus, deux cent quarante kilomètres jusqu'à la mer, un voyage d'environ onze semaines. La première mort arriva le dix-huitième jour. Khadija, la vieille femme maladroite qui avait été pendant un demi-siècle l'épouse satisfaite et satisfaisante du sarpanch Muhammad Din, vit un archange en rêve. « Gibreel, murmura-t-elle, est-ce toi? »

– Non, répondit l'apparition. C'est moi, Azraeel, celui qui fait le sale boulot. Je suis désolé de t'avoir déçue. »

Le lendemain matin elle repartit avec le pèlerinage, sans parler de sa vision à son mari. Au bout de deux heures ils s'approchèrent des ruines d'un de ces relais de poste moghol qui, autrefois, étaient construits tous les dix kilomètres le long de la grand-route. Quand Khadija vit les ruines elle n'en connaissait pas le passé, les voyageurs volés pendant leur sommeil et ainsi de suite, mais elle en comprit parfaitement le présent. « Il faut que j'aille m'allonger là-bas », dit-elle au sarpanch qui protesta : « Mais la marche! » « Qu'importe, dit-elle doucement. Tu pourras les rattraper plus tard. »

Elle s'étendit parmi les gravats des ruines, la tête sur une pierre lisse que le sarpanch lui avait trouvée. Le vieil homme pleura, mais en vain, et elle mourut dans la minute qui suivit. Il rattrapa les marcheurs en courant et s'adressa à Ayesha avec colère. « Je n'aurais jamais dû t'écouter, lui dit-il. Maintenant, tu as tué ma femme. »

La marche s'arrêta. Mirza Saeed Akhtar, sautant sur l'occasion, insista bruyamment pour qu'on transporte Khadija dans un cimetière musulman correct. Mais Ayesha s'y opposa. « L'archange nous a ordonné d'aller directement à la mer, sans retours ni détours. » Mirza Saeed en appela aux pèlerins. « C'est la femme bien-aimée de votre sarpanch, cria-t-il. Allez-vous la jeter dans un trou au bord de la route? »

516

Quand les villageois de Titlipur se mirent d'accord pour enterrer Khadija tout de suite, Saeed ne put en croire ses oreilles. Il se rendit compte que leur détermination était plus grande qu'il l'avait soupçonnée : même le sarpanch en deuil accepta. On enterra Khadija au coin d'un champ dévasté, derrière le relais de poste ruiné du passé.

Cependant, le lendemain, Mirza Saeed remarqua que le sarpanch s'était détaché du pèlerinage, et qu'il flânait tristement à quelque distance des autres, respirant les buissons de bougainvillées. Saeed sauta du break Mercedes et fonça sur Ayesha, pour lui faire encore une scène. « Tu es un monstre, cria-t-il. Un monstre sans cœur! Pourquoi as-tu amené mourir cette vieille femme ici? » Elle l'ignora, mais quand il revint vers la voiture le sarpanch s'approcha de lui et dit : « Nous étions pauvres. Nous savions que nous n'avions aucun espoir d'aller à La Mecque Sharif, jusqu'à ce qu'elle nous persuade. Elle nous a persuadés, et maintenant vois le résultat. »

Ayesha la kahin demanda à parler au sarpanch, mais ne prononça pas un seul mot de consolation. « Affermis ta foi, le gronda-t-elle. Celle qui meurt sur la route du grand pèlerinage est assurée d'une place au Paradis. A présent ta femme est assise parmi les anges et les fleurs; qu'as-tu à regretter? »

Ce soir-là le sarpanch Muhammad Din s'approcha de Mirza Saeed, assis à côté d'un petit feu de camp. « Excusezmoi, Sethji, dit-il, mais serait-il possible que je monte dans votre automobile, comme vous me l'avez proposé une fois? »

Ne voulant pas abandonner totalement le projet pour lequel sa femme était morte, incapable de maintenir plus longtemps la croyance absolue qu'exigeait cette entreprise, Muhammad Din monta dans le break du scepticisme. « Mon premier converti », se réjouit Mirza Saeed.

Vers la quatrième semaine la défection du sarpanch Muhammad Din avait commencé à produire des effets. Il était assis à l'arrière de la Mercedes comme s'il avait été le zamindar lui-même et Mirza Saeed le chauffeur, et peu à peu les sièges de cuir et l'air conditionné, le bar avec whisky-

soda et les vitres teintées à commande électrique commencèrent à lui enseigner le dédain; il releva le nez vers le haut
et il acquit l'expression sourcilleuse d'un homme qui peut
voir sans être vu. A la place du chauffeur, Mirza Saeed sentait la poussière qui passait par le trou, où se trouvait autrefois le pare-brise, remplir ses yeux et son nez, mais malgré
ces inconvénients il se sentait mieux qu'auparavant. Maintenant, à la fin de chaque jour, un groupe de pèlerins se rassemblaient autour de la Mercedes avec son étoile brillante,
et Mirza Saeed essayait de les raisonner tandis qu'ils
contemplaient le sarpanch Muhammad Din qui faisait monter et descendre les vitres arrière teintées, pour qu'ils
puissent voir, en alternance, son visage et les leurs. La présence du sarpanch dans la Mercedes donnait une nouvelle
autorité aux paroles de Mirza Saeed.

Ayesha n'essaya pas d'éloigner les villageois, et jusque-là
elle avait eu raison d'avoir confiance; il n'y avait pas eu de
défection supplémentaire vers le camp des infidèles. Mais
Saeed voyait qu'elle jetait de nombreux regards dans sa
direction et, visionnaire ou pas, Mirza Saeed aurait parié ce
qu'on voulait qu'il s'agissait des regards agacés d'une jeune
fille qui n'était plus très sûre de pouvoir faire ses quatre
volontés.

Puis elle disparut.

Elle s'en alla pendant la sieste et ne réapparut pas pendant
un jour et demi; pendant ce temps le désordre s'installa
parmi les pèlerins – elle savait toujours comment exciter les
sentiments de son public, reconnut Saeed; puis elle revint
vers eux en sautillant dans le paysage noyé de poussière, et
cette fois ses cheveux d'argent avaient aussi des fils d'or, et
ses sourcils étaient également dorés. Elle réunit les villageois
et leur dit que l'archange était mécontent que les gens de
Titlipur aient commencé à douter simplement parce qu'une
martyre était montée au Paradis. Elle les mit en garde en
leur disant que l'archange pensait sérieusement à retirer sa
promesse de fendre les eaux, « tout ce que vous aurez dans
la mer d'Arabie c'est un bain d'eau salée, et vous reviendrez
à vos champs de pommes de terre dévastés sur lesquels il ne
pleuvra plus jamais ». Les villageois furent épouvantés.
« Non, ce n'est pas possible, supplièrent-ils. Pardonne-nous,
bibiji. » Ce fut la première fois qu'ils utilisèrent le nom de la

518

sainte d'autrefois pour désigner la fille qui les conduisait avec un absolutisme qui avait commencé à les effrayer autant qu'il les impressionnait. Après le discours le sarpanch et Mirza Saeed restèrent seuls dans le break. « Le deuxième round est pour l'archange », se dit Mirza Saeed.

**

Vers la cinquième semaine l'état de santé des pèlerins les plus âgés s'était profondément dégradé, les réserves de nourriture s'épuisaient, on avait du mal à trouver de l'eau, et les canaux lacrymaux des enfants étaient secs. Les bandes de vautours ne s'éloignaient jamais.

Au fur et à mesure que les pèlerins quittaient les régions rurales et s'approchaient des zones plus peuplées, les tracasseries augmentaient. Les camions et les autocars refusaient souvent de faire un écart et les marcheurs devaient sauter, hurlant et tombant les uns sur les autres, hors de leur route. Des cyclistes, des familles de six personnes sur des scooters Rajdoot, de petits commerçants leur lançaient des insultes. « Bandes de fous! Ploucs! Musulmans! » Souvent ils devaient continuer à marcher pendant toute la nuit parce que les autorités de telle ou telle petite ville ne voulaient pas qu'une racaille de la sorte dorme sur leurs trottoirs. Des morts supplémentaires devinrent inévitables.

Puis le bœuf d'Osman le converti tomba à genoux au milieu des bicyclettes et des crottes de chameaux dans une petite ville sans nom. « Relève-toi, imbécile, lui cria Osman impuissant. Qu'est-ce que tu fais, tu veux mourir devant des étals de fruits d'étrangers? » Le bœuf hocha la tête, deux fois pour dire oui, et expira.

Des papillons recouvrirent le cadavre, prenant la couleur grise de sa peau, de ses cornes et de ses cloches. Osman inconsolable se précipita vers Ayesha (qui avait revêtu un sari crasseux comme concession à la pudibonderie des villes, même si des nuages de papillons la suivaient toujours comme une auréole). « Les bœufs vont-ils au Ciel? » demanda-t-il d'une voix pitoyable; elle haussa les épaules. « Les bœufs n'ont pas d'âme, dit-elle froidement, et nous marchons pour sauver des âmes. » Osman la regarda attentivement et se rendit compte qu'il ne l'aimait plus. « Tu es devenue un démon, lui dit-il avec dégoût.

· Je ne suis rien, répondit Ayesha. Je suis une messagère.
– Alors dis-moi pourquoi ton Dieu est tellement empressé de détruire les innocents, cria Osman furieux. De quoi a-t-il peur? A-t-il si peu confiance qu'il a besoin que nous mourions pour lui prouver notre amour? »

Comme en réponse à un tel blasphème, Ayesha imposa une discipline encore plus stricte, obligeant tous les pèlerins à dire cinq prières quotidiennes, et décrétant le vendredi jour de jeûne. Vers la fin de la sixième semaine elle avait forcé les marcheurs à abandonner quatre autres corps là où ils étaient tombés : deux hommes âgés, une vieille femme, et une petite fille de six ans. Les pèlerins continuèrent à marcher, tournant le dos aux morts; cependant, derrière eux, Mirza Saeed Akhtar ramassa les corps et s'assura qu'ils recevaient un enterrement décent. Il fut aidé par le sarpanch Muhammad Din, et par l'ancien intouchable, Osman. Ces jours-là ils restèrent loin derrière la marche, mais il ne faut pas longtemps à un break Mercedes-Benz pour rattraper cent quarante hommes, femmes et enfants fatigués qui marchent vers la mer.

Le nombre des morts augmenta, et les groupes de pèlerins inquiets qui se réunissaient autour de la Mercedes grossirent soir après soir. Mirza Saeed se mit à leur raconter des histoires. Il leur parla des lemmings qui se suicident en se jetant dans la mer, et leur dit comment Circé la magicienne transformait les hommes en porcs; il leur raconta, aussi, l'histoire du joueur de flûte qui avait entraîné tous les enfants d'une ville dans une crevasse de la montagne. Quand il eut terminé ce conte dans leur langue il récita des vers en anglais, pour qu'ils puissent écouter la musique de la poésie même s'ils ne pouvaient en comprendre les mots. « La ville de Hamelin, dans le Brunswick, commença-t-il. Près de la ville célèbre de Hanovre. La Weser, large et profonde, baigne ses murs au sud... »

Puis il eut la satisfaction de voir Ayesha s'avancer l'air furieux, tandis que les papillons luisaient comme le feu de camp derrière elle, et donnaient l'impression que des flammes lui sortaient du corps.

« Ceux qui écoutent les versets du Diable, dits dans la langue du Diable, s'écria-t-elle, finiront entre les mains du Diable.

– Alors, on a le choix, lui répondit Mirza Saeed. On peut choisir entre le Diable et la mer bleue et profonde. »

*
**

Huit semaines avaient passé, et les relations entre Mirza Saeed et sa femme Mishal s'étaient tellement détériorées qu'ils ne se parlaient plus. Maintenant, et malgré le cancer qui l'avait rendue aussi grise que des cendres funèbres, Mishal était devenue le premier lieutenant d'Ayesha et sa disciple la plus fidèle. Les doutes des autres marcheurs dont elle accusait clairement son mari n'avaient fait que renforcer sa foi.

« Il n'y a plus de chaleur en toi, lui avait-elle reproché lors de leur dernière conversation. J'ai peur de t'approcher.

– Plus de chaleur? cria-t-il. Comment peux-tu dire cela? Plus de chaleur? Pour qui suis-je parti derrière ce pèlerinage de fous? Pour veiller sur qui? Parce que j'aime qui? Parce que je suis inquiet et triste et désespéré au sujet de qui? Pas de chaleur? Es-tu une inconnue? Comment peux-tu dire une chose pareille?

– Écoute-toi, dit-elle d'une voix qui avait commencé à disparaître dans une sorte de brume, d'opacité. Toujours en colère. Une colère froide, glaciale, comme une forteresse.

– Je ne suis pas en colère, hurla-t-il. Je suis anxieux, malheureux, misérable, blessé, souffrant. Où vois-tu de la colère?

– Je l'entends, dit-elle. Tout le monde peut l'entendre à des kilomètres à la ronde.

– Viens avec moi, la supplia-t-il. Je t'emmènerai dans les meilleures cliniques d'Europe, du Canada, des États-Unis. Fais confiance à la technologie occidentale. Ils font des merveilles. Autrefois tu aimais les dernières innovations.

– Je vais en pèlerinage à La Mecque », dit-elle et elle lui tourna le dos.

« Espèce de garce imbécile, hurla-t-il. Ce n'est pas parce que tu vas mourir que tu dois entraîner tous ces gens avec toi. » Mais elle traversa le campement sans se retourner; et

521

maintenant qu'il lui avait donné raison en s'emportant et en prononçant les paroles interdites il tomba à genoux et pleura. Après la querelle Mishal refusa de dormir désormais près de lui. Elle et sa mère disposèrent leur natte près de la prophétesse enveloppée des papillons de leur quête de La Mecque.

Le jour, Mishal ne cessait d'aller et venir parmi les pèlerins, elle les rassurait, elle soutenait leur foi, elle les réunissait sous l'aile de sa douceur. Ayesha avait commencé à s'enfoncer de plus en plus dans le silence, et Mishal Akhtar était devenue, de fait, le chef des pèlerins. Mais elle perdit toute prise sur l'une d'elles : Mrs Qureishi, sa mère, la femme du directeur de la banque nationale.

L'arrivée de Mr Qureishi, le père de Mishal, fut un événement considérable. Les pèlerins avaient fait halte à l'ombre d'une rangée de platanes et s'occupaient à ramasser du bois et à récurer des casseroles quand on aperçut la file de voitures. Soudain Mrs Qureishi, qui pesait douze kilos de moins qu'au début de la marche, sauta sur ses pieds en criant et essaya frénétiquement de brosser ses vêtements crottés et de remettre de l'ordre dans sa coiffure. Mishal vit sa mère tâtonner avec un tube de rouge à lèvres fondu et lui demanda, « Maman, qu'est-ce qu'il t'arrive ? Détends-toi. »

Sa mère montra en hésitant les voitures qui approchaient. Quelques instants plus tard la haute silhouette du banquier sévère se dressait près d'elles. « Si je ne l'avais pas vu je l'aurais jamais cru, déclara-t-il. On me l'avait dit, mais cela m'avait fait rire. Alors j'ai dû venir jusqu'ici pour me rendre compte. Disparaître de Peristan sans un mot : qu'est-ce que cela veut dire ? »

Mrs Qureishi secoua la tête, impuissante, sous le regard de son mari, elle commença à pleurer, à sentir les cals de ses pieds et la fatigue qui entrait par chaque pore de son corps. « Oh, mon Dieu, je suis désolée, répondit-elle. Dieu seul sait ce qui m'a pris.

– Ne sais-tu pas que j'occupe un poste délicat ? cria Mr Qureishi. La confiance du public en est la quintessence. À quoi cela ressemble-t-il que ma femme coure la prétentaine avec des bhangis ? »

Mishal prit sa mère dans ses bras et dit à son père d'arrêter de la brutaliser. Pour la première fois, Mr Qureishi vit que sa fille avait la marque de la mort sur le front et se dégonfla immédiatement comme une chambre à air. Mishal lui parla du cancer, et de la promesse de la prophétesse Ayesha qu'un miracle aurait lieu à La Mecque, et qu'elle serait complètement guérie.

« Alors laisse-moi t'emmener à La Mecque en avion, tout de suite, la supplia son père. Pourquoi marcher si tu peux y aller en Airbus? »

Mais Mishal fut inflexible. « Il faut que tu t'en ailles, dit-elle à son père. Seule la foi peut faire que cela se produise. Maman veillera sur moi. »

Ne pouvant rien faire, Mr Qureishi en limousine rejoignit Mirza Saeed derrière la procession, envoyant continuellement un des deux serviteurs qui l'avaient accompagné en scotter demander à Mishal si elle voulait de quoi manger, des médicaments, des bonbons, n'importe quoi. Mishal repoussa toutes ses offres, et au bout de trois jours – parce que la banque est la banque – Mr Qureishi repartit pour la ville, laissant derrière lui un des chaprassis en scooter au service des deux femmes. « Il est à votre service, leur dit-il. Ne soyez plus stupides. N'en faites pas trop. »

Le lendemain du départ de Mr Qureishi, le chaprassi Gul Muhammad abandonna son scooter dans un fossé et vint se joindre aux marcheurs, un mouchoir noué autour du front pour montrer sa dévotion. Ayesha ne dit rien, mais quand elle vit le scooter-wallah au milieu des pèlerins elle eut un sourire espiègle qui rappela à Mirza Saeed que, après tout, ce n'était pas seulement un personnage de rêve, mais aussi une jeune fille de chair et de sang.

Mrs Qureishi commença à se plaindre. Le bref contact avec son ancienne vie avait brisé sa résolution, et maintenant qu'il était trop tard elle pensait constamment à des fêtes et à des coussins moelleux et à des verres de citronnade glacée. Brusquement, elle trouvait tout à fait déraisonnable qu'on demande à une personne de sa naissance d'aller pieds nus comme une vulgaire balayeuse. Elle se présenta à Mirza Saeed l'air penaud.

« Saeed, mon fils, me haïssez-vous vraiment? » lui dit-elle d'un ton cajoleur, ses traits dodus se transformant en une parodie de coquetterie.

Saeed fut épouvanté par sa grimace. « Bien sûr que non. réussit-il à lui dire.

– Mais si, minauda-t-elle. Vous me détestez, et ma cause est sans espoir.

– Ammaji, que dites-vous là? et sa gorge se serra.

– Parce que je vous ai quelquefois parlé durement.

– Oubliez cela, je vous en prie », répondit Saeed, stupéfié par le numéro de sa belle-mère, mais elle n'en fit rien. « Vous devez savoir que c'était par amour, n'est-ce pas? Oui, la plus belle chose qui soit au monde, déclara Mrs Qureishi, c'est l'amour.

– C'est l'amour qui mène la ronde, ajouta Mirza Saeed, essayant de se mettre dans le ton.

– L'amour triomphe de tout, confirma Mrs Qureishi. Il a triomphé de ma colère. Je veux vous le prouver en poursuivant le voyage en voiture avec vous. »

Mirza Saeed s'inclina. « Elle est à votre disposition, Ammaji.

– Alors vous allez demander à ces deux villageois de s'asseoir devant, avec vous. Il faut protéger les dames, n'est-ce pas?

– Bien sûr », répondit-il.

**
***

L'histoire du village qui marchait vers la mer s'était répandue dans tout le pays, et à partir de la deuxième semaine les pèlerins furent importunés par des journalistes, des hommes politiques locaux à la recherche de bulletins de vote, des hommes d'affaires qui offraient de sponsoriser la marche si les yatris acceptaient seulement de se transformer en hommes-sandwiches pour faire la publicité de différents biens et services, par des touristes étrangers à la recherche des mystères de l'Orient, par des gandhiens nostalgiques, et le genre de vautours humains qui vont aux courses automobiles pour assister à des accidents. Quand ils voyaient la nuée de papillons changeants comme des caméléons et la façon dont ils habillaient Ayesha et lui fournissaient en même temps sa seule nourriture, ces visiteurs étaient stupéfiés, et s'en allaient tout à fait déconcertés, c'est-à-dire avec, dans les images qu'ils se faisaient du monde, un trou qu'ils ne pouvaient boucher. Tous les journaux publiaient des photos d'Ayesha, et les pèlerins passaient même devant des

524

panneaux publicitaires sur lesquels on avait peint la beauté aux lépidoptères trois plus grande que nature, avec des slogans qui disaient *Nos tissus aussi sont délicats comme une aile de papillon*, ou des choses semblables. Puis des nouvelles plus inquiétantes arrivèrent jusqu'à eux. Certains groupements religieux extrémistes avaient publié des déclarations qui dénonçaient le « Hadj Ayesha » comme une tentative pour « détourner » l'attention du public et « exciter les sentiments des communautés ». On distribuait des tracts – Mishal en ramassa sur la route – dans lesquels on affirmait que le « Padyatra, ou pèlerinage à pied, est une tradition ancienne, pré-islamique, de la culture nationale, non un produit d'importation des immigrés moghols ». Ainsi que : « Le détournement de cette tradition par la soi-disant Ayesha Bibiji correspond à une tentative flagrante et délibérée d'envenimer une situation déjà tendue. »

La kahin rompit le silence, « Il n'y aura pas de problème. »

*
* *

Gibreel rêva d'un faubourg :

Quand le Hadj Ayesha s'approcha de Sarang, le faubourg le plus extérieur de la grande métropole sur la mer d'Arabie vers laquelle la jeune fille visionnaire les conduisait, les visites des journalistes, des politiciens et des policiers redoublèrent. Tout d'abord la police menaça de disperser la marche par la force; cependant, les hommes politiques les mirent en garde en disant que cela ressemblerait fort à un acte partisan et pourrait conduire à des explosions de violence dans la communauté d'un bout à l'autre du pays. En fin de compte les responsables de la police autorisèrent la marche, mais ronchonnèrent de façon menaçante en disant qu'ils étaient « incapables d'assurer la sécurité des pèlerins pendant la traversée de la ville ». Mishal Akhtar dit : « Nous continuons. »

Le faubourg de Sarang tire sa relative richesse de la présence toute proche d'immenses gisements de charbon. Ils se trouvait que les mineurs de Sarang, des hommes qui passaient leur vie à creuser des chemins ennuyeux sous la terre – la « fendant », pourrait-on dire – ne pouvaient supporter l'idée qu'une fille fasse la même chose avec la mer, d'un geste de la main. Les chefs de certains groupements communalistes avaient œuvré en incitant les mineurs à la violence, et le résultat obtenu par ces agents provocateurs fut une foule en fureur portant des banderoles qui demandaient : PAS DE PADYATRA ISLAMIQUE! SORCIÈRE AUX PAPILLONS, VA-T'EN!

La nuit qui précéda leur entrée dans Sarang, Mirza Saeed adressa un dernier appel aux pèlerins. « Abandonnez! les implora-t-il inutilement. Demain nous allons tous nous faire tuer. » Ayesha chuchota à l'oreille de Mishal, et elle dit à haute voix : « Il vaut mieux être martyr que lâche. Y a-t-il des lâches ici? »

Il y en eut un. Sri Srivinas, explorateur du Grand Canyon, propriétaire des Jouets Univas, dont la devise était « créativité et sincérité », prit le parti de Mirza Saeed. En tant que fidèle de la déesse Lakshmi, dont le visage ressemblait si curieusement à celui d'Ayesha, il se sentait incapable de participer d'un côté ou de l'autre à l'affrontement qui allait avoir lieu. « Je suis un faible, avoua-t-il à Saeed. J'ai aimé Miss Ayesha, et un homme doit se battre pour ce qu'il aime; mais, que faire, je demande le statut de neutralité. » Srivinas fut le cinquième membre de la société des renégats de la Mercedes-Benz, et Mrs Qureishi n'eut pas d'autre choix que de partager la banquette arrière avec un homme du peuple. Srivinas la salua d'un air malheureux, et, la voyant s'écarter en rebondissant et en ronchonnant, il essaya de l'amadouer. « Veuillez accepter un gage de mon estime. » – Et il sortit, d'une poche intérieure, une poupée Planning Familial.

Cette nuit-là les déserteurs restèrent dans le break tandis que les fidèles priaient en plein air. On les avait autorisés à installer leur campement dans la gare de triage désaffectée, gardée par la police militaire. Mirza Saeed n'arrivait pas à dormir. Il pensait à quelque chose que lui avait dit Srivinas, sur le fait d'être gandhien dans sa tête, « mais je suis trop faible pour mettre de telles idées en pratique. Excusez-moi, mais c'est vrai. Je ne suis pas fait pour la souffrance, Sethji. J'aurais dû rester avec ma femme et mes gosses et laisser tomber cette manie de l'aventure qui m'a conduit dans un tel endroit. »

Dans son insomnie, Mirza Saeed répondit au marchand

de jouets endormi, « dans ma famille aussi nous avons souffert de ce genre de manie : celle de l'indifférence, de l'incapacité de nous attacher aux choses, aux événements, aux sentiments. La plupart des gens se définissent par leur travail, ou par l'endroit d'où ils viennent, ou des choses comme ça; nous avons trop vécu dans nos têtes. Cela rend l'actualité bougrement dure à endurer. »

C'était dire qu'il lui était difficile de croire que tout cela se passait réellement; mais c'était pourtant le cas.

Le lendemain matin quand les pèlerins furent prêts à partir, les énormes nuages de papillons qui les avaient accompagnés depuis Titlipur se dispersèrent et disparurent brusquement, révélant le ciel qui se remplissait d'autres nuages plus prosaïques. Même les papillons qui revêtaient Ayesha – le corps d'élite, pourrait-on dire – décampèrent, et elle dut marcher en tête de la procession habillée dans la banalité d'un vieux sari de coton avec une bordure de feuilles imprimées. La disparition du miracle qui avait semblé valider le pèlerinage déprima tous les marcheurs; et malgré les exhortations de Mishal Akhtar, dépourvus de la bénédiction des papillons ils furent incapables de chanter en marchant à la rencontre de leur destin.

La foule en furie de ceux qui criaient Non au Padyatra Islamique avait réservé un accueil particulier à Ayesha dans une rue bordée d'ateliers de réparation de bicyclettes. Ils avaient barré la route des pèlerins avec des vélos cassés, et les attendaient derrière une barricade de roues tordues, de guidons pliés et de sonnettes muettes, tandis que le Hadj Ayesha entrait dans la partie nord de la rue. Ayesha marcha vers la foule comme si elle n'existait pas, et quand elle arriva au dernier carrefour, au-delà duquel l'attendaient les matraques et les couteaux de l'ennemi, il y eut un grondement de tonnerre comme la trompette du jugement et un océan tomba du ciel. La sécheresse s'achevait trop tard pour sauver les récoltes; plus tard beaucoup de pèlerins crurent que Dieu avait gardé l'eau dans ce seul but, la laissant s'accumuler dans le ciel jusqu'à ce qu'elle forme une mer infinie, sacrifiant la récolte de l'année pour sauver sa prophétesse et son peuple.

La force foudroyante de la pluie torrentielle dérouta les pèlerins et les assaillants. Dans la confusion du déluge on entendit une deuxième sonnerie de la trompette du jugement. C'était, en fait, le klaxon du break Mercedes-Benz de Mirza Saeed, qui roulait à toute vitesse dans les ruelles étouffantes de la banlieue, renversant des étals de chemises suspendus, et des carrioles de marchands de légumes chargées de citrouilles, et des plateaux de bibelots en plastique, jusqu'à ce qu'il atteigne la rue des vanniers qui croisait la rue des réparateurs de bicyclettes juste au nord de la barricade. Là, il accéléra au maximum et fonça sur le carrefour, dispersant les piétons et les tabourets de rotin dans toutes les directions. Il arriva au croisement juste après le déclenchement du déluge et freina violemment. Sri Srivinas et Osman sautèrent de la voiture, saisirent Mishal Akhtar et la prophétesse Ayesha, et les entraînèrent à l'intérieur de la Mercedes dans une agitation de jambes, de crachats et d'injures. Saeed quitta les lieux à toute vitesse avant que quiconque ait eu le temps d'essuyer la pluie aveuglante de leurs yeux.

Dans la voiture : des corps entassés dans une confusion coléreuse. Du fond de l'entassement Mishal Akhtar criait des injures à son mari : « Saboteur! Traître! Chiasse de nullepart! Mulet! » – A quoi Saeed répondait avec ironie, « Le martyre est trop facile, Mishal. Tu ne veux pas voir l'océan s'ouvrir, comme une fleur? »

Et Mrs Qureishi, passant la tête entre les jambes dressées d'Osman, ajouta, haletante et le visage rose : « Allez, Mishu, arrête. Nous ne voulons que ton bien. »

*

Gibreel rêva d'un déluge :

Au moment où la pluie arriva, les mineurs de Sarang attendaient les pèlerins avec des pioches à la main, mais quand la barricade de vélos fut emportée ils ne purent s'empêcher de penser que Dieu avait pris le parti d'Ayesha. Le réseau d'égouts de la ville succomba instantanément à l'assaut irrésistible des eaux, et bientôt les mineurs se retrouvèrent dans une inondation boueuse qui leur montait jusqu'à la taille. Certains essayèrent d'avancer vers les pèlerins, qui eux aussi continuaient de progresser. Mais l'orage redoubla ses efforts et fit si bien que l'eau tomba du ciel en masses tellement compactes qu'il devint difficile d'y respirer, comme si la terre avait été engloutie, et que le firmament d'en haut rejoignait le firmament d'ici-bas.

La vision de Gibreel qui rêvait fut brouillée par l'eau.

La pluie s'arrêta, et un soleil mouillé brilla sur un paysage de désolation vénitienne. Les rues de Sarang étaient maintenant des canaux, sur lesquels flottaient toutes sortes d'épaves. Là où peu de temps auparavant circulaient des scooters-triporteurs, des charrettes à chameaux et des bicyclettes réparées, nageaient maintenant des journaux, des fleurs, des bracelets, des pastèques, des parapluies, des chappals, des lunettes de soleil, des paniers, des excréments, des bouteilles de médicaments, des cartes à jouer, des dupattas, des crêpes, des lampes. L'eau avait une étrange teinte rougeâtre et les gens trempés pensaient que du sang coulait dans les rues. Il n'y avait plus aucune trace des mineurs bravaches ou des pèlerins d'Ayesha. Un chien traversait à la nage le carrefour près de la barricade de vélos effondrée, et tout autour régnait le silence humide de l'inondation, dont les eaux léchaient les bus abandonnés, tandis que les enfants contemplaient le spectacle depuis les toits des ruelles déliquescentes trop ébranlés pour descendre jouer.

Puis les papillons revinrent.

De nulle part, comme s'ils s'étaient cachés derrière le soleil; et pour fêter la fin de la pluie ils avaient pris la couleur du soleil. L'arrivée de cet immense tapis de lumière dans le ciel mit dans un état de confusion totale les habitants de Sarang, déjà tremblants à la suite de l'orage; ayant peur de l'apocalypse, ils se cachèrent dans les maisons et fermèrent les volets. Cependant, sur une colline voisine, Mirza Saeed Akhtar et ceux qui l'accompagnaient observaient le retour du miracle des papillons et furent remplis, même le zamindar, d'une espèce d'adoration.

Mirza Saeed avait conduit à bride abattue, malgré la pluie qui l'aveuglait à moitié en passant à travers le pare-brise cassé, jusqu'à ce que, par une route qui montait et contournait une colline, il arrive devant les portes du Puits de Mine n°1 de Sarang. Les installations étaient à peine visibles dans la pluie. « Gros malin, lança Mishal Akhtar d'une voix faible. Ces salauds nous attendaient là-bas, et tu nous conduis ici pour rencontrer leurs copains. Une idée superbe, Saeed. Géniale. »

Mais il n'y avait plus de problèmes avec les mineurs. C'était le jour de la catastrophe minière dans laquelle quinze mille d'entre eux furent noyés vivants sous les collines de Sarang. Saeed, Mishal, le sarpanch, Osman, Mrs Qureishi, Srivinas et Ayesha restèrent là, épuisés et trempés jusqu'aux os, au bord de la route, tandis que des ambulances, des voitures de pompiers, des équipes de secours et les responsables du puits arrivaient en nombre avant de s'en aller, beaucoup plus tard, en secouant la tête. Le sarpanch serra les lobes de ses oreilles entre ses pouces et ses index. « La vie est douleur, dit-il. La vie est douleur et perte; c'est une pièce de monnaie sans valeur, elle vaut encore moins qu'un kauri ou un dam. »

Osman au boeuf défunt, qui, comme le sarpanch, avait perdu son compagnon bien-aimé au cours du pèlerinage, pleura lui aussi. Mrs Qureishi essaya de voir le côté positif : « Le principal c'est que nous allions bien », mais personne ne répondit. Puis Ayesha ferma les yeux et psalmodia de sa voix de prophétie, « Ce châtiment s'est abattu sur eux à cause de leurs mauvaises intentions. »

Mirza Saeed se mit en colère. « Ils n'étaient pas à la saleté de barricade, hurla-t-il. Ils travaillaient sous cette saleté de terre.

– Ils ont creusé leur propre tombe », répondit Ayesha.

C'est à ce moment-là qu'ils virent le retour des papillons. Saeed, incrédule, observa le nuage doré qui se rassemblait et faisait jaillir des rayons de lumière ailée dans toutes les directions. Ayesha voulut revenir au carrefour. Saeed objecta : « C'est l'inondation en bas. Notre seule chance est de redescendre par ici pour ressortir de l'autre côté de la ville. » Mais Ayesha et Mishal étaient déjà parties; la prophétesse soutenait l'autre femme au teint de cendre, le bras passé autour de sa taille.

« Mishal, pour l'amour de Dieu, cria Mirza Saeed à sa femme. Que vais-je faire de la voiture? »

Mais elle continua à descendre la colline, vers l'inondation, en s'appuyant lourdement sur Ayesha la visionnaire, sans se retourner.

C'est ainsi que Mirza Saeed Akhtar abandonna son break Mercedes-Benz bien-aimé près de l'entrée des mines inondées de Sarang, et rejoignit à pied le pèlerinage vers la mer d'Arabie.

Les sept voyageurs crottés se tenaient, de l'eau jusqu'à mi-cuisses, au croisement de la rue des réparateurs de bicyclettes et de la ruelle des vanniers. Lentement, lentement, l'eau avait commencé à descendre. « Il faut regarder les choses en face, raisonna Mirza Saeed. Le pèlerinage est terminé. Dieu seul sait où se trouvent les villageois, ils sont peut-être noyés, peut-être assassinés, perdus à coup sûr. Il n'y a plus que nous pour te suivre. » Il mit son visage près de celui d'Ayesha. « Alors pense à autre chose, petite sœur. Tu es liquidée.

– Regardez », dit Mishal.

Venant de tous les côtés, sortant des ruelles des réparateurs, les villageois de Titlipur revenaient au lieu de leur dispersion. Tous étaient couverts du cou aux chevilles de papillons dorés, et de longues files de ces petites créatures volaient devant eux, comme des cordes les tirant hors d'un puits. Les gens de Sarang regardaient terrorisés par leurs fenêtres, et tandis que les eaux du châtiment se retiraient, le Hadj Ayesha se reforma au milieu de la rue.

« Je n'arrive pas à y croire », dit Mirza Saeed.

C'était pourtant vrai. Les papillons avaient retrouvé chaque membre du pèlerinage et l'avaient ramené dans la rue principale. Et plus tard on avança d'étranges affirmations : que lorsque les papillons s'étaient posés sur une cheville cassée elle avait guéri, ou qu'une plaie ouverte s'était refermée comme par magie. Beaucoup de marcheurs racontèrent qu'en reprenant conscience ils avaient trouvé les papillons qui voletaient près de leurs lèvres. Certains croyaient même qu'ils étaient morts, noyés, et que les papillons les avaient ramenés à la vie.

« Ne soyez pas stupides, cria Mirza Saeed. L'orage vous a sauvés; il a emporté vos ennemis, alors quoi d'étonnant à ce que quelques-uns parmi vous soient blessés. Soyez scientifiques, s'il vous plaît.

– Sers-toi de tes yeux », lui dit Mishal en lui montrant devant eux plus d'une centaine d'hommes, de femmes et d'enfants enveloppés de papillons lumineux. « Ta science a-t-elle quelque chose à dire là-dessus? »

*
**

Dans les derniers jours du pèlerinage, la ville les entourait complètement. Des responsables du conseil municipal rencontrèrent Mishal et Ayesha et choisirent un itinéraire pour traverser l'agglomération. Sur le chemin il y avait des mosquées dans lesquelles les pèlerins pourraient dormir sans encombrer les rues. L'animation dans la ville était intense : chaque jour, quand les pèlerins partaient pour le lieu de repos suivant, d'énormes foules les regardaient passer, certains ricanaient avec hostilité, mais la plupart leur offraient des friandises, des médicaments et de la nourriture.

Mirza Saeed, épuisé et sale, était dans un état de grande frustration pour n'avoir pas réussi à convaincre plus d'une poignée de pèlerins qu'il valait mieux faire confiance à la raison plutôt qu'aux miracles. Les villageois de Titlipur lui faisaient remarquer avec raison que les miracles leur convenaient tout à fait. « Ces saletés de papillons, murmura Saeed au sarpanch. Sans eux, nous avions une chance.

– Mais ils nous accompagnent depuis le départ », lui répondit le sarpanch avec un haussement d'épaules.

Mishal Akhtar était à l'évidence près de la mort; elle en avait l'odeur, et avait pris une teinte d'un blanc crayeux qui effrayait tout à fait Saeed. Mais Mishal ne le laissait pas s'approcher d'elle. Elle repoussait également sa mère, et quand son père prit un congé à la banque pour venir leur rendre visite, la première nuit qu'ils passèrent dans une mosquée, elle lui dit de décamper. « Les choses en sont arri-

532

vées au point, déclara-t-elle, où seuls les purs peuvent rester avec les purs. » Quand Mirza entendit le style d'Ayesha la prophétesse sortir de la bouche de sa femme il perdit absolument tout espoir.

Le vendredi vint, et Ayesha accepta que les pèlerins s'arrêtent pendant une journée pour prendre part à la prière. Mirza Saeed avait presque oublié les versets arabes dont on lui avait autrefois bourré le crâne, et se souvenait à peine quand il fallait se tenir debout les mains ouvertes comme un livre, quand il fallait s'agenouiller, quand il fallait presser son front contre terre, et il suivit la cérémonie en hésitant avec un mépris de soi qui allait grandissant. A la fin des prières, cependant, il se passa quelque chose qui arrêta net le Hadj Ayesha.

Alors que les pèlerins regardaient les fidèles qui quittaient la cour de la mosquée, on remarqua une agitation devant l'entrée principale. Mirza Saeed alla se renseigner. « Qu'est-ce que ce charivari ? » demanda-t-il en se frayant un chemin parmi la foule qui se tenait sur l'escalier ; puis il vit le panier posé sur la dernière marche. – Et entendit, qui s'élevait du panier, le cri du bébé.

L'enfant trouvé avait peut-être deux semaines, il était à l'évidence illégitime, et ses chances de survie semblaient également limitées. La foule était troublée, hésitante. Alors l'Iman de la mosquée apparut en haut de l'escalier, et, près de lui, se trouvait Ayesha la prophétesse, dont la renommée s'était répandue dans toute la ville.

La foule se fendit comme la mer, et Ayesha et l'Imam descendirent jusqu'au panier. L'Imam examina rapidement le bébé ; se releva ; et se retourna pour s'adresser à la foule.

« Cet enfant est né dans le péché, dit-il. C'est l'enfant du Diable. » C'était un homme jeune.

L'humeur de la foule se changea en colère. Mirza Saeed Akhtar hurla : « Et toi, Ayesha, kahin, que dis-tu ?

– Tout nous sera demandé », répondit-elle.

La foule, n'ayant pas besoin d'invitation plus précise, lapida le bébé et le tua.

Ensuite, les pèlerins d'Ayesha refusèrent de repartir. La mort de l'enfant trouvé avait créé une atmosphère de révolte parmi les villageois épuisés, aucun d'eux n'avait ramassé ni jeté de pierre. Mishal, maintenant blanche comme un linge était trop affaiblie par sa maladie pour se joindre aux marcheurs; comme toujours, Ayesha refusa de discuter. Elle prévint les villageois : « Si vous vous détournez de Dieu, ne soyez pas surpris quand il fera la même chose. »

Les pèlerins étaient accroupis en groupe dans un coin de l'immense mosquée, peinte en vert citron à l'extérieur et en bleu clair à l'intérieur, et éclairée, quand cela était nécessaire, par des « lumières en tube » au néon, de toutes les couleurs. Après l'avertissement d'Ayesha ils se détournèrent d'elle et se serrèrent les uns contre les autres, malgré la chaleur et l'humidité. Mirza Saeed, croyant voir sa chance, décida de défier directement Ayesha une nouvelle fois. « Dis-moi, lui demanda-t-il doucement, comment s'y est pris exactement l'ange pour te donner toutes ces informations? Tu ne nous as jamais rapporté ses paroles précises, nous n'en avons eu que tes interprétations. Pourquoi ces moyens indirects? Pourquoi ne pas le citer simplement? »

Ayesha répondit : « Il me parle sous des formes claires et faciles à retenir. »

Mirza Saeed, plein de l'énergie amère de son désir pour elle, de la douleur causée par l'éloignement de sa femme mourante et du souvenir des tribulations de la marche, sentit dans sa réticence la faiblesse qu'il recherchait. « Aie la gentillesse d'être plus précise, insista-t-il. Sinon pourquoi tout le monde devrait-il te croire? Quelles sont ces formes?

– L'archange me chante ses paroles, avoua-t-elle, sur des airs de chansons à succès. »

Mirza Saeed Akhtar, ravi, battit des mains et se mit à rire du rire bruyant et sonore de la vengeance, et Osman le bouvier l'accompagna en tapant sur son dholki et en dansant autour des villageois accroupis, en chantant les derniers ganas des films et en faisant des yeux doux de danseuse. « Ho-ji! chantait-il. C'est ainsi que Gibreel récite, ho-ji! Ho-ji! »

Et l'un après l'autre, les pèlerins se levèrent et se joignirent à la danse du joueur de tambour qui tournait en rond; ils dansèrent leur désillusion et leur dégoût dans la cour de la mosquée, jusqu'à ce que l'Imam arrive en courant et en hurlant contre l'impiété de leur conduite.

*
**

La nuit tomba. Les villageois de Titlipur étaient rassemblés autour de leur sarpanch, Muhammad Din, et on parlait sérieusement de rentrer au village. On pourrait peut-être sauver quelque chose de la récolte. Mishal Akhtar était allongée, agonisante, la tête posée sur les genoux de sa mère, torturée par la souffrance, avec une seule larme qui coulait de son œil gauche. Et dans un coin éloigné de la cour de la mosquée vert-bleu avec ses tubes de néon en technicolor, la visionnaire et le zamindar étaient assis seuls et parlaient. Une lune – nouvelle, cornue, froide – brillait.

« Tu es un homme intelligent, dit Ayesha. Tu sais saisir ta chance. »

Ce fut alors que Mirza Saeed lui proposa un compromis. « Ma femme agonise, dit-il. Et elle tient absolument à se rendre à La Mecque Sharif. Aussi, nous avons des intérêts en commun, toi et moi. »

Ayesha écoutait. Saeed insista : « Ayesha, je ne suis pas un mauvais homme. Laisse-moi te dire, j'ai été bougrement impressionné par beaucoup de choses au cours de cette marche; *bougrement* impressionné. Tu as donné à ces gens une existence spirituelle profonde, aucun doute. Ne va pas croire que nous, les modernes, nous manquions de dimension spirituelle.

– Les gens m'ont quittée, dit Ayesha.

– Les gens sont troublés, répondit Saeed. Mais si tu les conduis vraiment jusqu'à la mer et qu'il ne se passe rien, mon Dieu, ils vont vraiment se tourner contre toi. Alors voici le marché. J'ai passé un coup de fil au papa de Mishal et il est d'accord pour payer la moitié du voyage. Nous vous proposons à toi, à Mishal et, disons, à dix – à douze! – villageois, de vous emmener en avion à La Mecque, en quarante-huit heures, en personne. Il y a des places disponibles. Nous te laissons choisir ceux qui doivent faire le voyage. Ainsi, nous aurons vraiment réalisé un miracle pour quelques-uns plutôt que pour aucun. Et de mon point de vue le pèlerinage est déjà un miracle en soi. Aussi, tu auras beaucoup fait. »

Il retint sa respiration.

« Je dois y réfléchir, dit Ayesha.

– Réfléchis, réfléchis, l'encouragea Saeed tout heureux. Demande à ton archange. S'il est d'accord, ça devrait aller. »

* *

Mirza Saeed Akhtar savait que quand Ayesha annoncerait que l'Archange Gibreel avait accepté son offre, le pouvoir de la prophétesse serait détruit à jamais, parce que les villageois se rendraient compte de sa fraude et de son désespoir. – Mais comment pourrait-elle refuser? – Quel choix avait-elle réellement? « La vengeance est douce », se dit-il. Quand la femme serait discréditée, il emmènerait certainement Mishal à La Mecque, si elle le souhaitait toujours.

Les papillons de Titlipur n'étaient pas entrés dans la mosquée. Ils s'alignaient sur les murs extérieurs et sur le dôme en forme de bulbe, avec des reflets verts dans l'ombre.

Ayesha dans la nuit : marchant dans les ténèbres, s'allongeant, se relevant pour errer à nouveau. Il y avait quelque chose d'incertain en elle; puis vint une lenteur, et elle sembla se dissoudre dans les ombres de la mosquée. Elle revint à l'aube.

Après la prière du matin elle demanda aux pèlerins si elle pouvait leur parler; et eux, pleins de doute, acceptèrent.

« La nuit dernière, l'ange n'a pas chanté, leur déclara-t-elle. A la place, il m'a parlé du doute, et de la façon dont le Diable s'en sert. Je lui ai dit, mais ils doutent de moi, que puis-je faire? Il a répondu : seule la preuve peut faire taire le doute. »

Ils l'écoutaient très attentivement. Ensuite elle leur dit ce que Mirza Saeed avait proposé la veille au soir. « Il m'a dit d'aller demander à mon ange, mais je sais qu'il y a mieux, s'écria-t-elle. Comment pourrais-je choisir entre vous? Nous irons tous ensemble, ou personne n'ira.

– Pourquoi devrions-nous te suivre? lui demanda le sarpanch. Après les morts, le bébé, et tout?

– Parce que, quand les eaux se fendront, vous serez sauvés. Vous entrerez dans la Gloire du Très-Haut.

– Quelles eaux? cria Mirza Saeed. Comment se diviseront-elles?

536

– Suivez-moi, conclut Ayesha, et jugez-moi d'après le partage des eaux. »

L'offre de Mirza Saeed contenait une question ancienne : *Quel genre d'idée es-tu?* Et elle, à son tour, lui avait offert une réponse ancienne : *Je fus tenté, mais je suis régénéré; je suis inflexible; absolu; pur.*

*

C'était marée haute quand le pèlerinage d'Ayesha descendit une ruelle à côté de l'Holiday Inn aux fenêtres duquel se pressaient les maîtresses des vedettes de cinéma avec leurs polaroïds, – quand les pèlerins sentirent que l'asphalte de la ville devenait sablonneux et s'amollissait sous leurs pieds – quand ils commencèrent à marcher sur un matelas fait de noix de coco pourrissantes de paquets de cigarettes jetés de crottin de poneys de bouteilles non biodégradables d'épluchures de fruits de méduses et de papier – quand ils s'avancèrent sur le sable brun clair recouvert par de hauts cocotiers penchés et par les balcons des immeubles aux appartements luxueux avec vue donnant sur la mer, quand ils passèrent devant les équipes de jeunes gens dont les muscles roulaient si nettement qu'ils ressemblaient à des difformités, et qui étaient en train d'exécuter, à l'unisson, des contorsions de gymnastique, comme une armée assassine de danseurs, – et quand ils passèrent entre ceux qui fouillaient la plage, les club-men et les familles venues prendre l'air ou établir des contacts d'affaires ou trouver de quoi vivre dans le sable, – et quand ils contemplèrent, pour la première fois de leur vie, la mer d'Arabie.

Mirza Saeed aperçut Mishal, soutenue par deux hommes du village, parce qu'elle n'avait plus la force de se tenir debout toute seule. Ayesha se trouvait près d'elle, et Saeed eut l'impression que la prophétesse était sortie de sa femme agonisante, que tout l'éclat de Mishal avait jailli de son corps et pris cette forme mythologique, ne laissant derrière elle qu'une cosse vide pour mourir. Puis il fut mécontent de s'être laissé contaminer par le surnaturel d'Ayesha.

Après une longue discussion à laquelle ils lui avaient

demandé de ne pas participer, les villageois de Titlipur avaient décidé de suivre Ayesha. Leur bon sens leur avait dit qu'il serait stupide de faire demi-tour alors qu'ils venaient de si loin et que leur premier objectif se trouvait en vue; mais les nouveaux doutes qui habitaient leur esprit sapaient leurs forces. Ils avaient l'impression d'émerger d'une sorte de Shangri-La faite par Ayesha, parce que maintenant qu'ils marchaient simplement derrière elle plutôt qu'ils ne la suivaient au vrai sens du terme, ils semblaient plus vieux et plus malades à chaque pas qu'ils faisaient. Quand ils virent la mer ce n'était plus qu'une bande boiteuse, chancelante, aux yeux chassieux, rouges et fiévreux, et Mirza Saeed se demanda combien réussiraient à faire les derniers mètres qui les séparaient du bord de l'eau.

Les papillons les accompagnaient, haut au-dessus de leurs têtes.

« Et maintenant, Ayesha? » cria Saeed, rempli de l'idée horrible que sa femme bien-aimée pouvait mourir ici sous les sabots des poneys à louer et devant les yeux des marchands de jus de canne à sucre. « Tu nous as conduits aux limites de l'extinction, mais voici un fait indiscutable : la mer. Où est ton ange maintenant? »

Avec l'aide des villageois, elle monta sur un thela inutilisé, près d'un étal de jus de fruits, et ne répondit à Saeed que quand elle put le regarder du haut de son nouveau perchoir. « Gibreel dit que la mer est comme nos âmes. Quand nous les ouvrirons, nous pourrons les traverser pour gagner la sagesse. Si nous pouvons ouvrir nos cœurs, nous pouvons ouvrir la mer.

– Sur terre, la partition des pays a été un vrai désastre, lui dit-il d'un ton moqueur. Beaucoup de gens sont morts, tu t'en souviens peut-être. Tu crois que ce sera différent dans l'eau?

– Chut, dit brusquement Ayesha. L'ange est presque ici. »

À première vue, il était étonnant de voir qu'après toute l'attention qu'avait attirée la marche, la foule sur la plage restait plus que modérée; mais les autorités avaient pris quantité de précautions, elles avaient fermé des routes, dévié la circulation; aussi n'y avait-il là que deux cents badauds. Pas de quoi s'inquiéter.